JN041700

ゼロからつくる科学文明

タイムトラベラーのためのサバイバルガイド

HOW TO INVENT EVERYTHING

A Survival Guide for The Stranded Time Traveler

by

Ryan North

Copyright © 2018 by

Ryan North

Translated by

Michiyo Yoshida

First published 2020 in Japan by

Hayakawa Publishing, Inc.

This book is published in Japan by

arrangement with

Project Sinister

c/o The Gernert Company

through Tuttle-Mori Agency, Inc., Tokyo.

本文イラスト：Lucy Bellwood
装画：朝野ペコ
装幀：杉山健太郎

読者の皆さんへ

この本は、私が書いたものではない。見つけたのだ。岩盤のなかに完全に埋まっていた。私がその硬いグラニュライトの岩を割ったんだから、間違いない。そのときは、2週間ばかり建設現場で働いていたんだ。たんまりもらえるって聞いたからなんだが。

そんなことはなかった。

断固として申し上げるが、私には硬い岩のなかに本を入れる技術などない。そんなこと誰もできっこない。私はその本を放射性炭素年代測定にかけてもらおうとしたが、無理だった。その本は得体の知れない高分子でできていて、そこには炭素が含まれていなかったのだ。もちろん、本が見つかった岩の年代測定はでき、先カンブリア時代とわかった。つまり、人類、恐竜、その他地球上のほとんどの生物が登場する前の時代である。先カンブリア時代の岩といえば、地球最古の岩に数えられる。

というわけで、これ以上どうしようもなかった。

もちろん、これからあなたがお読みになる文章が、世界中探してもほかに知る人のいない特殊な技術を使い、痕跡をまったく残さずに太古の硬い岩の内部に物体を封じ込めるという、莫大な資金を投じて巧妙に仕組まれたいたずらの一環である可能性がないとは言い切れない。しかし、その可能性は極めて低そうだ。だが、タイムトラベルというものが可能で、どこかで実施されており、私たちの宇宙全体が過去のある時点——いつなのかは未知——で、元の宇宙から分岐したコピーに過ぎないという、もうひとつの可能性もやはりあり得ないようだ。

私はこの本に書かれているすべての事柄を調べた。確かめられるものはすべて確かめたが、どうやらこの文書は、地球の歴史のなかの任意の時代にいる人に、文明を再びゼロから作り上げる方法を正確に説明しようという、誠実な真の努力によって生まれたようだ。文中に書かれている歴史的

な出来事はすべて私たち自身の歴史上の事実と一致する。ただし、それが起こった国や、それを行った人物よりも、技術や文明そのものに主眼を置いた手引書になっているし、年月日や個人名はあまり詳しく書かれていないので、私たちが自分の知識と照らし合わせようとしても難しいようだ。「彼ら」の世界は、私たちの世界によく似ているが、はるかに進歩しているらしい。技術水準はより高く、歴史に関する理解もより深く、それにもちろん、消費者向けレンタル・タイムマシンもある。私たちもいつの日かタイムトラベルを発明するかもしれない。そのときは、このガイドに書かれていることを検証し、やがてカナダ楯状地になる硬い岩のなかに、このあり得ないような本が埋まったのがいつのことで、それはどんな状況だったのかが解き明かされるだろう。

　もっとも、私たちがタイムトラベルを発明しない可能性だってある。

　このあとすぐに始まるガイドの本文は、元々の形そのままであり、私は、ふたつの場合にのみ注を加え、巻末にまとめて示した。注を加えたのは、ひとつにはより明確な説明もしくは追加の解説が必要と思われた場合、そしてもうひとつ、元々の文書の記述が私たちの現在の科学、技術、あるいは歴史に関する知識を超えた内容になっている場合である。脚注は元々の文書にあったとおりであり、その内容も示し方も一切変更していない。元々のガイドブックのイラストは「ルーシー・ベルウッド」なる人物によるとされていたが、これもそのまま採用している。これと同じ名前で、私たちの世界で活動しているイラストレーターが存在するが、彼女はこのガイドブックのこともその出どころも一切知らないと主張しており、私には彼女を疑う理由はない。

　いろいろとあり得ないような断り書きをしてきたが、最後に、「まさか」と思われそうなことをお伝えしなければならない。このガイドブックの著者であるテクニカルライターは、自分の名前をたった一度、それも脚注のなかでのみ明かしている。それが私と同じ名前なのだ。そんなことに大した意味などあり得ないさ、と、私は心のどこかでわかっている。世の中には大勢のライアン・ノースが存在するのだし。そして私は、すでにそ

の大半に電子メールを送っている。このガイドブックの著者は、この世界に住む大勢のライアン・ノースの誰かの、並行タイムライン上に住むコピーかもしれない。あるいは、私たちの世界にはコピー元が存在しない、並行タイムライン上に出現した新たなライアン・ノースかもしれない。このガイドブックは、タイムトラベル事故が発生して、私たちの遠い過去の、どこかの岩に埋もれてしまったもので、タイムトラベラーもその時代、あるいは、また別の時代に足止めされてしまったのだろう。その結果、私たちの世界はほんの少しとはいえ、見逃せない変化を遂げたはずだが、具体的にどのように変化したのかは、私たちには決して解明できないだろう。私たちにはタイムトラベルができない理由は、そこにあるのかもしれない。

だが、恐ろしく金をかけたいたずらにはめられただけだという可能性も依然として否定できない。

自分がどう考えているかはわかっている。私がこのガイドブックを発見し、かつ著者が自分と同じ名前で、しかもルーシー・ベルウッドも知っているということが、宇宙の法則によればいかにとんでもなくあり得ないかということは明らかだ。もしもあなたが、私もこのガイドブックを使った策略に何らかのかたちで関わっているのだろうと思っておられるとしたら、私はこの断り書きの最初に申し上げたことを繰り返そう。この本は、私が書いたものではない。

少なくとも……このタイムラインのなかでは。

元々は『タイムトラベラーのハンドブック：FC3000™タイムマシンの直し方と、それがうまくいかなかったときにゼロから文明を作り直す方法』というタイトルだったこのガイドブックを、初めて無削除完全版でいよいよ公開することに、今私はわくわくしている。

「過去を思い起こせない者は、過ちを繰り返す」
　　　──ジョージ・サンタヤーナ（哲学者、随筆家、詩人）、西暦1905年

「過去を思い起こせない方は、ぜひ実際に過去に行ってみてください」
　　　──ジェシカ・ベネット（FC3000${}^{\text{TM}}$のメーカー、クロノティクス・
　　　　ソリューションズのCEO）、西暦2043年

はじめに

　FC3000™をレンタルしてくださり、ありがとうございます。FC3000™は、最古はチンパンジーと人類の分岐（紀元前1210万年の出来事。「原始霊長類遭遇パック」ご購入者以外の方に可能な最も遠い過去）から、最新は、マスマーケット向け携帯音楽プレーヤー（現代）までの、人間の取り組みのすべてを、あなたに経験させてくれる、最新型の個人用タイムマシンです。

　あなたがご自身の現在を離れた瞬間から1.5秒後以降の任意の時間（「未来」）への訪問は本レンタルでは許可されておらず、この時代への訪問が試みられた場合、本機搭載の高感度クロノメーターがそれを検出し、停止させますのでご注意ください。

　次のページに示したFC3000™の特徴をよくご覧になり、ご理解ください。生得的もしくは後天的な免疫の効果により現代人は感染しないものの、過去の人類はまだ遭遇したことがない病気が多数存在することを、連邦規制による弊社の義務としてお知らせいたします。あなたの安全と、あなたの周囲にいる人々の安全のため、FC3000™の随所に設置されている多数のバイオフィルターが、あなたが過去に出現することにより、一瞬にして数十種類の致命的な疫病が持ち込まれ人類が全滅することのないように機能します。

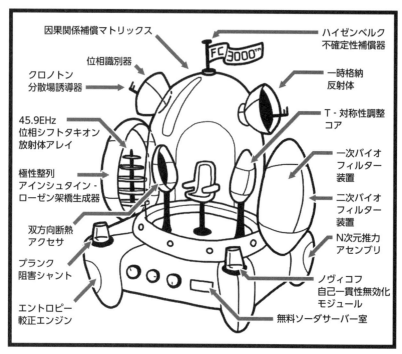

図1：FC3000™全体図

上図に示された以外のFC3000™の特徴はすべて一目瞭然です。

初めてタイムトラベルされるお客様から
よくあるご質問

Q：過去にタイムトラベルすると、いろいろな映画にも描かれた「バタフライ効果」（2004年、2025年、2034年などの）によって現在が破壊されるのでしょうか？

A：いいえ。これらの映画はどれもタイムトラベルについての推測に基づいており、幸いそれらの推測は誤っています。実際には、レンタル市場向けの最新型FC3000™タイムマシンをはじめ、すべてのタイムマシンは、過去へのタイムトラベルが行われるたびに、新たな「タイムライン」、すなわち、一連の出来事を作り出します。次の図をよくご覧ください。

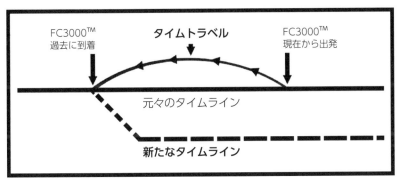

図2：FC3000™でタイムトラベルする際に起こりうること

過去へのタイムトラベルが行われるたびに、タイムマシンが歴史のなかに侵入するという出来事から始まる、世界にとっての新たな一連の出来事が生まれます。過去を訪れるたびに、あなたは事実上、「未来からのタイムトラベラーが最新型FC3000™レンタルタイムマシンに乗って、この時代

にやってきたら」という前提からすべてが始まる、「もしも～なら」の宇宙をひとつ作り出すのです。あなたが元の時代にお戻りになる際には、FC3000™は常に、空間と時間のほか、タイムラインも通って、あなたが出発前にいた元々の状況のままの歴史のなかに、あなたを戻します。

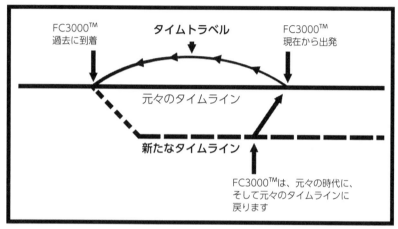

図3：FC3000™での帰還

つまり、どんなにひどいタイムトラベラーも、自分がタイムトラベルすることで生み出された並行現在に影響を及ぼすだけで、真の現在に影響を及ぼすことはできないのです。どうぞお好きなだけ蝶を踏みつけてください。

Q：過去の自分と関わりあうことはできますか？
A：はい。しかし、お勧めはしません。あとから振り返ってみると、そのとき思っていたほど自分はカッコよくないな、と感じる可能性が非常に高いからです。FC3000™は人類の歴史の任意の時点へのタイムトラベルをご提供しているにもかかわらず、お客様の多くが最初に思いつかれるのは、過去の自分との出会いを企てたいという願望です。謹んで申し上げますが、FC3000™は、時間を探検し、人類の起源ならびに、人類と世界の可能性

についての理解を深めることを目的として設計されていますので、自分自身に会いに行くことを選択されるのなら、そこからは、あなたが、自分は任意の時代において、この地球上で最も興味深い人間だと心から信じているということがうかがえます。その信念が正しいのは、それが意味するところからして、ただひとつの場合においてのみであり、したがってあなたの場合には正しくない可能性が極めて高いでしょう。考え直されるようお勧めいたします。

Q：過去の自分に当たりくじの番号を教えてもいいですか？
A：あなたが教える当たりくじの番号はすべて、もうひとりのあなたの利益となり、あなた自身の利益にはなりません。

Q：過去の自分に当たりくじの番号を教え、くじの賞金を自分のものにするために、その後もうひとりの自分を殺すことはできますか？
A：はい。しかし、その時代の当局に対して釈明しなければならないでしょう。

Q：過去に裕福になることは、私自身を幸福にしますか？
A：その可能性はあります。

Q：過去の自分自身でなければ、誰のところに行けばいいでしょうか？
A：人類の歴史は、あなたのはるか以前から連綿と続いており、あなたが興味を持ち、温かい目で観察するのを待っています。とはいえ、法的に義務付けられた、「顧客満足への献身」を遵守する弊社の取り組みの一環として、私たちは「時間飛行士のお薦め」パンフレットを数種類作成いたしました。これらのパンフレットは、FC3000™のあなたの座席の下に収納されています。どのパンフレットにも、タイムトラベルの匠である私たちが厳選した歴史上の瞬間を訪問するための背景情報と時空座標のみならず、歴史上の著名人の詳しい紹介や、素晴らしい冒険に突入するには、彼らに

何と言って話しかければいいかが正しく記載されています。人気の高いパンフレットには、「ミケランジェロ、レンブラント、フィンセント・ファン・ゴッホにただで肖像画を描いてもらう方法」、「マラトンの戦いでどちらに味方するか決めよう！」「ロアノーク植民地開拓団に参加して、何が起こるか確かめよう」（訳注：ノースカロライナ州のロアノーク島に16世紀に作られた植民地に、1587年に入った最後の開拓団100名強が全員失踪した事件があった）「アドルフ・ヒトラーを狙撃する1001の意外な場所」などがあります。パンフレットの指示どおりになさるもよし、好きなところでお薦めコースから外れるもよし。お楽しみください。

Q：過去にタイムトラベルするたびに新しい並行タイムラインができ、私の行為が私自身のタイムラインに何ら影響を及ぼさないなら、タイムトラベルは無意味なのでは？
A：過去へのタイムトラベルが、私たち全員が本来属している元々の宇宙に本当に影響を及ぼすなら、弊社のタイムマシンを一般市民の誰にでも無条件に貸し出すのは、途方もなく無責任なことになります。しかし、並行タイムラインにあなたが加える変化は、まったく無意味ではありません。あなたがタイムトラベルで作り出す並行タイムラインは、タイムトラベラーであるあなたが加わった以外、あらゆる点で私たちのタイムラインとまったく同じなのだということをお忘れなく。これらの新しいタイムラインにいる人々は、すべての尺度において、あなたがご自身のタイムラインのなかで知っている人々とまったく同様にリアルな存在なのです。

Q：ちょっと待って。もしもそれが真実なら、単に楽しむだけの目的で、私たちが並行実在──私たち自身の宇宙と同等にまっとうで、まったく同じ数の人間（実際には、元々はいなかったタイムトラベラーも今はいるのだから、より多くの人間だ！）が存在している宇宙全体──を作り出せるということには、重大な倫理的意味があるのではないですか？
A：弊社には数名の倫理学者も在籍しており、彼らははっきりと、これに

は何ら問題はないと保証しています。さらに、これらの並行実在は娯楽だけが目的ではありません。鉱物その他の資源の採掘や抽出にも利用されています。

Q：私が借りたFC3000™タイムマシンに何か不具合が生じたら、どうすればいいでしょう？

A：FC3000™は今日のレンタル市場では最も信頼性の高いタイムマシンです。しかし、複数の異種時空基準座標系のあいだに構築された不安定なアインシュタイン‐ローゼン架橋（訳注：アインシュタイン‐ローゼン架橋は、離れた時空の2点を結ぶワームホールのこと。アインシュタインとローゼンが提唱したため、この名称がある）に関わるあらゆる活動がそうであるように、常にリスクが存在します。FC3000™が壊滅的な故障を起こした場合は、次のページから始まり、本書の大部分を占める、便利な「修理ガイド」をご参照ください。

修理ガイド

FC3000™にはユーザーが修理できる部品はありません。
FC3000™は修理できません。

あらら

　はい。これは困りましたね。この「修理ガイド」をお読みになっているということは、あなたは未来に帰ることはできないということですので、このような事態をもたらしたFC3000™にあったと疑われるあらゆる欠陥について、それが現実のものであれ、単に示唆されているものであれ、私たちは謝罪いたします。

　お友だちやご家族の元に二度と戻れないことを受け入れて気持ちを静めたいと思われるなら、今そうしてください。その人たちの嫌なところ、たとえば、気に障る癖や変なにおいなどを集中的に思い出すとうまくいくでしょう。安価で便利で清潔で安全な飲料水や、最新型のマスマーケット向け携帯音楽プレーヤーなど、あなたが恋しがりそうなものには注目しないのがいいでしょう。

　さて、過去から抜け出せないという事実を受け入れていただいたので、私たちはひとつご提案をしたいと思います。あなたはもう未来には帰れないので……

　……未来をあなたの元に取り戻してはいかがでしょうか。

　この省略符号がたくさん入った文章について、説明させてください。

　本ガイドブックの本文には、特別な訓練を一切受けていない、ひとりの人間が文明を基礎から築き上げるのに必要な科学、技術、数学、美術、音楽、著作物、文化、事実、数字のすべてが記されています。あなたは、現代文明は数百万人の人間と原人が数百万年かけて作り上げたのだと思っておられるかもしれません。確かにそうです。しかし、それは、最初のときは自分たちが何をやっているのかもよくわからず、進みながらすべてを発明しなければならなかったからに過ぎません。

　それとは対照的に、あなたはすべての答をすでに手にしておられる。

　本書を読めば、あなたが出発の前にいた元の世界と似た、より良い世界

を作ることができます。その世界では、人類は20万年ものあいだ、暗闇で
つまずきながら言語なしに過ごし（セクション2参照）、石に紐を結び付
ければ世界中を旅することができるとも知らずに（セクション10.12.2参
照）、病気は変なにおいが引き起こしたのだ（セクション14）と思い込ん
で、無駄に過ごしたりせず、短時間で効率的に成熟するでしょう。

　あなたがどの時代に閉じ込められたのか、あるいは、あなたが現時点で
どの程度の知識をお持ちかについて、私たちは決めつけたりしません。あ
なたは、この本を文明を築くための完璧なカンニングペーパーとして、ゼ
ロから文明を作り上げていけばそれでいいのです。

　私たちクロノティクス・ソリューションズのスタッフ一同、偶然とはい
えあなたにこのような機会をご提供することができたことを嬉しく思って
おります。また、あなたのご幸運をお祈りいたします。

本書の使い方

　このガイドブックは17のセクションに分かれており、どのセクションも面白さの点では同じです。必要なセクションを参照する前に、本書を始めから終わりまでひと通りお読みになるようお勧めしますが、一番興味のある部分を最初に読まれてもかまいません。特定の技術について特に興味をお持ちなら、補遺Aの技術の系統樹を参照したうえで、その技術をできる限り早く出現させるために必要な発明をまず行ってください。

　ひと言ご注意申し上げておきます。あなたに必要になるかもしれない技術、発明、そして化学物質をいかにして生み出すかという知識をお持ちでない状態で、あなたを過去に閉じ込めるなど、まったく由々しきことだというのはその通りなのですが、これらの技術、発明、そしてとりわけ化学物質のいかに多くのものが、生み出し、貯蔵し、吸引し、触れ、そしてただ身近にあるだけで極めて危険であることもまた、まったく由々しきことです。そのため、法的に義務付けられた妥協策として、私たちはあなたに、本書に書かれていることは、あなたがゼロから文明を作りあげるに必要なすべてである一方で、あなたは危険なもの、とりわけ化学物質を、それらが本当に必要でない限り生み出してはなりませんと、はっきり申し上げます。また、これにより、あなたは、それらのものを生じさせようとして自爆することは決してしないと正式に同意し、断言し、証言されたことになります。

あなたがどの時代に閉じ込められたかを判別する方法： 便利なフローチャート

　あなたのFC3000™が、いかなる法的責任にも帰すことのできない壊滅的な故障を起こしたトラブルのなかで、訪れるつもりだったのとは異なる時代に到着する可能性がわずかながら存在します。あなたがこれから生活する時代によりよく慣れるために、最初にこのフローチャートであなたが今いる時代を確認されることをお勧めします。

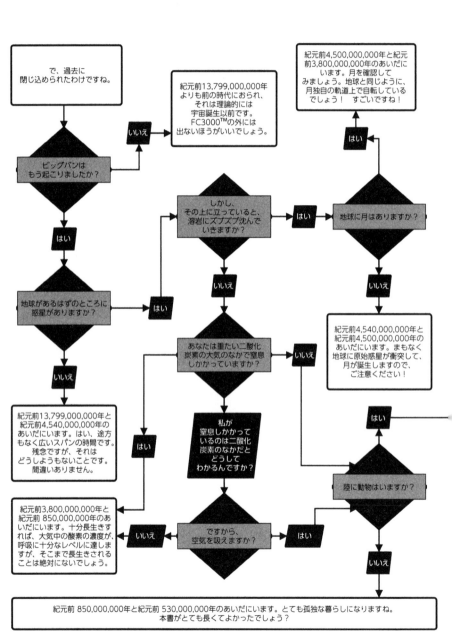

で、過去に閉じ込められたわけですね。

ビッグバンはもう起こりましたか？

いいえ → 紀元前13,799,000,000年よりも前の時代におられ、それは理論的には宇宙誕生以前です。FC3000™の外には出ないほうがいいでしょう。

はい

地球があるはずのところに惑星がありますか？

いいえ → 紀元前13,799,000,000年と紀元前4,540,000,000年のあいだにいます。はい、途方もなく広いスパンの時間です。残念ですが、それはどうしようもないことです。間違いありません。

はい →

しかし、その上に立っていると、溶岩にズブズブ沈んでいきますか？

はい → 地球に月はありますか？

はい → 紀元前4,500,000,000年と紀元前3,800,000,000年のあいだにいます。月を確認してみましょう。地球と同じように、月独自の軌道上で自転しているでしょう！ すごいですね！

いいえ → 紀元前4,540,000,000年と紀元前4,500,000,000年のあいだにいます。まもなく地球に原始惑星が衝突して、月が誕生しますので、ご注意ください！

いいえ

あなたは重たい二酸化炭素の大気のなかで窒息しかかっていますか？

いいえ →

はい

私が窒息しかかっているのは二酸化炭素のなかだとどうしてわかるんですか？

ですから、空気を吸えますか？

いいえ → 紀元前3,800,000,000年と紀元前 850,000,000年のあいだにいます。十分長生きすれば、大気中の酸素の濃度が、呼吸に十分なレベルに達しますが、そこまで長生きされることは絶対にないでしょう。

はい → 陸に動物はいますか？

はい →

いいえ

紀元前 850,000,000年と紀元前 530,000,000年のあいだにいます。とても孤独な暮らしになりますね。本書がとても長くてよかったでしょう？

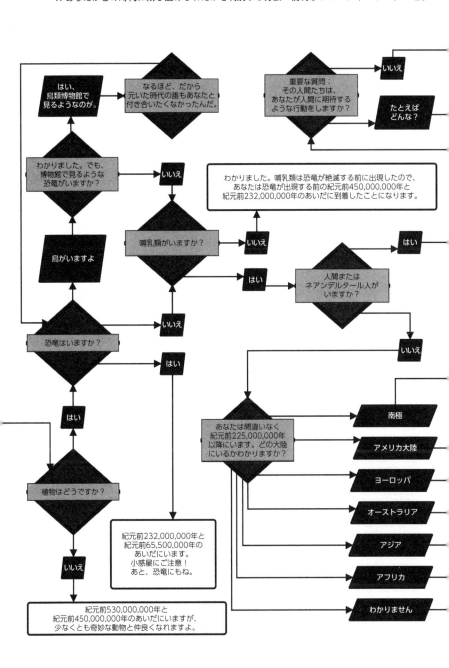

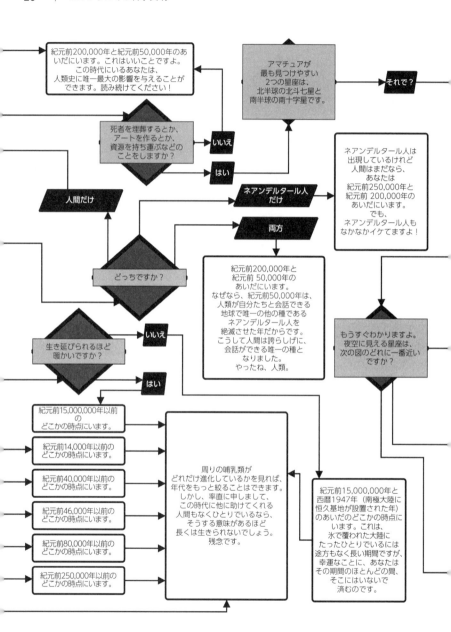

紀元前200,000年と紀元前50,000年のあいだにいます。これはいいことですよ。この時代にいるあなたは、人類史に唯一最大の影響を与えることができます。読み続けてください！

アマチュアが最も見つけやすい2つの星座は、北半球の北斗七星と南半球の南十字星です。

それで？

死者を埋葬するとか、アートを作るとか、資源を持ち運ぶなどのことをしますか？

いいえ

はい

ネアンデルタール人は出現しているけれど人間はまだなら、あなたは紀元前250,000年と紀元前200,000年のあいだにいます。でも、ネアンデルタール人もなかなかイケてますよ！

人間だけ

ネアンデルタール人だけ

両方

どっちですか？

紀元前200,000年と紀元前50,000年のあいだにいます。なぜなら、紀元前50,000年は、人類が自分たちと会話できる地球で唯一の他の種であるネアンデルタール人を絶滅させた年だからです。こうして人間は誇らしげに、会話ができる唯一の種となりました。やったね、人類。

生き延びられるほど暖かいですか？

いいえ

はい

もうすぐわかりますよ。夜空に見える星座は、次の図のどれに一番近いですか？

紀元前15,000,000年以前のどこかの時点にいます。

紀元前14,000年以前のどこかの時点にいます。

紀元前40,000年以前のどこかの時点にいます。

紀元前46,000年以前のどこかの時点にいます。

紀元前80,000年以前のどこかの時点にいます。

紀元前250,000年以前のどこかの時点にいます。

周りの哺乳類がどれだけ進化しているかを見れば、年代をもっと絞ることはできます。しかし、率直に申しまして、この時代に他に助けてくれる人間もなくひとりでいるなら、そうする意味があるほど長くは生きられないでしょう。残念です。

紀元前15,000,000年と西暦1947年（南極大陸に恒久基地が設置された年）のあいだのどこかの時点にいます。これは、氷で覆われた大陸にたったひとりでいるには途方もなく長い期間ですが、幸運なことに、あなたはその期間のほとんどの間、そこにはいないで済むのです。

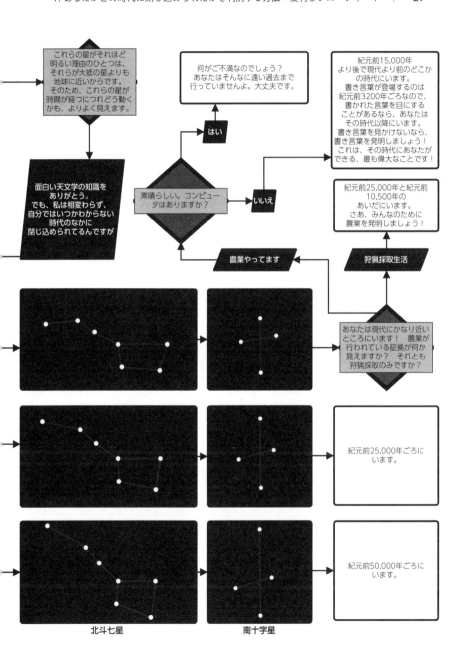

これらの星がそれほど明るい理由のひとつは、それらが大抵の星よりも地球に近いからです。そのため、これらの星が時間が経つにつれどう動くかも、よりよく見えます。

何がご不満なのでしょう？あなたはそんなに遠い過去まで行っていませんよ。大丈夫です。

紀元前15,000年より後で現代より前のどこかの時代にいます。書き言葉が登場するのは紀元前3200年ごろなので、書かれた言葉を目にすることがあるなら、あなたはその時代以降にいます。書き言葉を見かけないなら、書き言葉を発明しましょう！これは、その時代にあなたができる、最も偉大なことです！

はい

面白い天文学の知識をありがとう。でも、私は相変わらず、自分ではいつかわからない時代のなかに閉じ込められてるんですが

素晴らしい。コンピュータはありますか？

いいえ

紀元前25,000年と紀元前10,500年のあいだにいます。さあ、みんなのために農業を発明しましょう！

農業やってます

狩猟採取生活

あなたは現代にかなり近いところにいます！ 農業が行われている証拠が何か見えますか？ それとも狩猟採取のみですか？

紀元前25,000年ごろにいます。

紀元前50,000年ごろにいます。

北斗七星

南十字星

2.

あなたが紀元前20万年から紀元前50,000年のあいだに閉じ込められたとお考えで、「ここの人間たちはイカれていて、私はもう間違いなく永遠に絶望的だ」と思われている場合に特にお伝えしたいこと

素晴らしいお知らせがあります！
あなたは、史上最大の影響力を持つ人間になれるのです！

前の数ページに示されたフローチャートをじっくりご覧になっておわかりいただけたかと存じますが、人類は紀元前20万年ごろに出現しました。[1]
私たちとまったく同じ骨格を持つ人類として初めて登場した彼らは、「解剖学的現生人類」と呼ばれています。あなたの骨格を、20万年前の解剖学的現生人類の骨格の隣に並べる実験をしてみると、両者を区別することは不可能でしょう。

私たちはその実験をやるわけではありませんが、できないわけではありません。

しかし、興味深いのは、現生人類の体が登場したのに、何も変化しなかったことです。15万年以上にわたり、これらの人類は他の種の原人とほとんど変わらない行動をしていました。そして、紀元前50,000年ごろ、ある変化が起こりました。解剖学的現生人類は突然私たちと同じような行動をとり始めたのです。釣り、芸術の創作、死者の埋葬、そして体の装飾を始めました。抽象的思考も行うようになりました。

そして何よりも、彼らは話し始めたのです。

言語の技術は——言語は技術です。私たちは言語を発明しなければならなかったのであり、しかもそれに10万年以上かかったのです——、人類が

自らに贈った最高のギフトです。言語なしに考えることはできます――目を閉じて、ものすごくカッコいい帽子を思い浮かべてみれば、ちゃんとそうできたでしょう?――が、しかし、それで可能な思考には限度があります。カッコいい帽子はすぐに思い浮かべられるでしょうが、「明日から3週間後、去年のハロウィーンに僕らが卵をぶつけた家の2ブロック東にある南東の角で、君の一番上の義理のお姉さんを僕に会わせてくれ」という文章の意味は、時間、場所、数、関係、そして幽霊が出てきそうなお祭りの概念を表す具体的な言葉がなければ、明確に見極めるのは極めて困難でしょう。*そして、自分の頭のなかですら、複雑な思考を表現するのが大変なら、そんな複雑な思考はあまり、あるいは、まったくしなくなるのはまず間違いないでしょう。

　言語によって私たちは、言語なしに可能だったよりもはるかに優れた、世界を変えることのできる壮大なアイデアを頭のなかで考える能力を獲得しました。なにより言語は、アイデアを自分の頭のなかのみならず、他の人たちの心のなかにも蓄えられる能力を与えてくれました。言語によって、情報は音速で伝わりますし、話すのではなく手話を使う人々なら、光速で伝わります。アイデアが共有されると、コミュニティーが生まれ、それが文化や文明の基盤になります。というわけで、本書の最初の文明についての達人の一言アドバイスを。

　文明の達人からの助言：言語は、そこから他のすべての技術が広がっていく重要な技術で、あなたはそれをすでに無料で手にしているのです。

＊　そしてこれは、実際に想像できる、姉や卵をぶつけた家などの物理的な対象物を扱った、単純な例です。「想像上の全体性の魅力は、弁証法的欲望が表象的な連鎖のなかで加速し続ける前に、一時的に凍結される」(Fred Botting, "Making Monstrous: Frankenstein, Criticism, Theory"〔フレッド・ボッティング『怪物を作る：フランケンシュタイン、批判、理論』未訳〕，西暦1991年)などのようなより抽象的な文になると、このような意味を言語なしに伝えることはほぼ不可能です。

　あなたは、人類が初めて現れた紀元前20万年から、人類がついにしゃべり始めた紀元前50,000年までの15万年間という、この途方もなく長い時間のどこかで、歴史に唯一最大の影響を与えることができるのです。[2] この時代の人間たちが、解剖学的に現生人類と同じになると同時に、行動の点でもそうなるようにあなたが助けることができれば、つまり、あなたが彼らを教えて話せるようにしてやれるなら、あなたは地球上のすべての文明を15万年早くスタートさせられるのです。

　努力するだけの価値があるのではないでしょうか。

　かつては、現生人類としての行動に至ったのは、解剖学的変化によって人間の脳そのものに何らかの変化が生じたからだと考えられていました。おそらく、あるランダムな遺伝的変化が起こった結果、ある人間が、それまでどんな動物もやったことがない方法でコミュニケーションできるようになり、ひいては人類全体に、新しい抽象的思考能力という大きな優位性がもたらされたのではないかと。しかし、歴史的記録は、このような偉大な大躍進という説を支持していません。現代人的行動（訳注：現生人類とその祖先だけが持ち、それ以前のヒト科には見られなかった行動）だと私たちが最も強く感じる事柄——芸術、音楽、巧妙な道具、死者の埋葬、装身具やボディーペインティングで自分をより良く見せること——はすべて、紀元前50,000年ごろのブレークスルー以前に出現しますが、それらは突発的なものにすぎず、局所的に現れてはやがて消えてしまっています。たとえば話術の力を、私たちは魔術のように思いますが、レトリックの大家が大昔に種明かししているように、じつは人類には言語能力が遠い昔からあったのであり、私たちはその鍵を開けるだけでよかったのです。[3]

　あなたが直面するこの時代特有の困難は、話し言葉という概念自体知らない人々にいかにして言語を教えるかという問題です。あなたが出会う人間の大部分は、言葉は持たないでしょうが、それでも、唸り声やボディーランゲージでお互いにコミュニケーションしているということは、決して忘れてはなりません。あなたは、彼らを唸り声から言葉へと移行させればいいだけで、「仮定法節」や「不完全未来（未来進行形）」（ここではタ

イムトラベル的意味ではなく、文法上の意味）などを持つ英語のような複雑な言語は必要ありませんので、ご心配なく。あなたがすでにご存知の、「ピジン言語（混成言語）」と呼ばれる単純化されたものでやっていけばいいのです。また、子どもたちを重点的に教えれば、よりよい成果が得られます。年齢が高い人間たちにとっては、言語を学ぶのはより難しく、流暢な第一言語を習得するのは、思春期を過ぎると、不可能ではないまでも、極めて難しくなります。

> **文明の達人からの助言**：赤ちゃんは、生後６カ月ごろから、身の回りで言語に使われている音に注意するようになります。したがって、もしも言語をゼロから作り出したければ、赤ちゃんがすでに親から聞いている音を使って作れば、成功する可能性が高くなります。

　覚えておいてください：進化はとてもゆっくりと進みますし、たとえ20万年前においても、あなたが出会う人々は人間であり、あなたとまったく同じです——生物学的レベルではまったく区別がつきません。彼らはただ、教えてもらわなければならないだけです。

　あなたには彼らを教えることができます。

　そしてあなたは、神として記憶されるでしょう。

3.

あなたの文明のために必要な５つの基本技術

「とびきりいいコンピュータ」を５つ並べるんだろうなんて、
めっそうもない。

　あなたの文明を、５つの技術の上に築きましょう。５つとも情報に基づく技術です。これらの技術がどういうものかおわかりいただけたなら、あとのことはおのずとうまくいきます。これらの基本技術は、具体的な物体に関するものというよりは、概念的なものなので、非常に大きな復元力があります。つまり、これらの基本技術はアイデアであり、あなたの文明に属する人々が生き残る限り、アイデアは破壊されません（あるいは、少なくとも、その文明に属する本の一部は存続します。セクション10.11.2を参照のこと）。

　次のページに示した５つの技術は、その背後にある考え方をあなたが理解すれば、それで発明されたも同然なのですが、どのひとつを取っても、私たちが人類としてそこにたどり着くまでには気恥ずかしくなるほど長い時間がかかりました。

　次の、気恥ずかしくなるような表をじっくりご覧ください。

技術	初めて発明された時期	人類が発明できていた可能性のある時期	簡単に持てたはずなのに、この技術なしに人類が過ごした歳月	この歳月を、500年存続した巨大なローマ帝国が何度興隆し滅亡できたかの回数で示した数
話し言葉	紀元前50,000年	紀元前20万年	15万年	300回
書き言葉	紀元前3200年	紀元前20万年	19万6800年	393回
使いやすい数	西暦650年	紀元前20万年	20万650年	401回
科学的方法	西暦1637年	紀元前20万年	20万1637年	403回
余剰カロリー	紀元前10,500年	紀元前20万年	18万9500年	379回

表1：この表がある部屋にいるだけで、どんな人間も恥ずかしくなるはずの表

　これらは、絶対間違いなく文明の技術的基盤ですので、これからひとつずつ詳しく見ていきましょう。

3.1 話し言葉

頭のなかの声に、耳を傾けましょう。

話し言葉*がまだなかったころ、人間は唸り声やボディーランゲージによってコミュニケーションしていました。これらの手段を使い、次のようなことができました。

・人々の注目を自分に集める
・音や身振りで「恐れ」や「怒り」などの感情を表現する
・泣き叫ぶ

残念ながら、これらの表現は誤解を招きがちです。たとえば、赤ん坊——よく知られているように、まだ言葉を持っていません——を理解するのが難しいことは、誰もが認めるところです。赤ん坊の泣き声は、「悲しい」「お腹が空いた」「疲れた」「むしゃくしゃする」あるいはほかに数種類の感情を表す可能性がありますが、いろいろな物を与えてやり、それで満足してくれるかどうかを見る（短期的解決法）か、あるいは長期的解決法を好まれるなら、数年間にわたってその子に少しずつ言語を教えていき、最終的に「ねえ、君が生後16週だったときに泣いていたのは、いったいどんなわけだったんだい？」と尋ねる以外に、その子が本当は何を求めているかを判断する方法はありません。

一方、話し言葉では、次のようなことが可能です。

---

* ここで話し言葉について論じているのは、話を簡単にするため で、実際には手話も含みます。手話は、話し言葉とまったく同様に豊かな表現が可能です。面白いことに、私たちの世界の歴史では、話し言葉ができる以前に手話が成立したことはありません。しかしあなたは、その気になりさえすれば、あなたの世界でこの事実を変えることができるのです。

・人々の注目を自分に集める
・音や身振りで、微妙に違うさまざまな感情、たとえば、「ある日遠い過去のなかに閉じ込められてしまうかもしれないという恐れ」や、「ついに遠い過去のなかに閉じ込められてしまったことに対する特別な怒り」などの感情を表現する
・叫ぶ（言葉で）
・持ち主の死後もアイデアを存続させる
・言葉以外には表現できない複雑なアイデアを思いつく
・損傷、歪曲、あるいは意図の誤解を極力抑えて伝えることができるという合理的な自信をもって、複雑な心情を伝える

　私たちは、言語は自然なもので、私たちが利用している宇宙の性質のようなものと考えがちです。しかし、そうではありません。言語は私たちが作ったもので、しかも恣意的なものなのです。*とはいえ、どんな音を選ぶかや、単語をどんな順番に並べるかや、単語どうしがどんな形で互いに関わりあい変化しあうかはすべてあなた次第ではありますが、あなたが心に留めておくといいと思われる、繰り返し現れるパターンがあります。
　それらのパターンは、「言語の普遍的特性」と呼ばれており、地球上のあらゆる自然言語（訳注：人工的言語ではなく、自然に発展してきた、人

＊　人間の言語の顕著な特徴のひとつが、それがいかに完全に恣意的かということです。ネコを表す「cat（キャット）」という言葉に使われている文字は、実際にはネコとは何の関係もありません。言葉は恣意的なので、互いに無関係な言語の「ネコ」に対する言葉は、著しく違う可能性があります。インドネシア語ではkucing（クチン）、ルーマニア語ではpisica（ピスィーカ）、トルコ語ではkedi（ケディ）、ハンガリー語ではmacska（マチカ）、フィリピン語ではpusa（プサ）、マダガスカルで話されている言語であるマラガシ語ではsaka（サカ）です。一方、恣意的でない言葉も私たちはいくつか使っていますが、それらは普通、音をまねたもので、たとえば、ネコは英語でもフィリピン語でもmeow（ミアゥ）と鳴きますが、他の言語でも、インドネシア語でmeong、ルーマニア語でmiau、ハンガリー語でmiaú、トルコ語でmiyav、マラガシ語でmeoと、とてもよく似た鳴き声です。言葉の形成過程を示唆するのが、親を指す幼児語（ママ、パパ、ダダ）は、（a）耳が聞こえない子も含め、すべての赤ん坊が出す喃語にたいへん近く、（b）特に赤ん坊が出しやすい音からなり、（c）関係のない多くの言語で極めてよく似ています。赤ん坊が最初に話す「言葉」に、ほんの少しでも何かを読み取ろうと躍起になるという点では、時空を超えてほとんどの親が同じです。

間が日常意思を伝えるために用いる言語）に見られ、必須ではないものの
——言語の普遍的特性を使わない、人工的な言語を作ることは可能で、実
際にそのような言語が作られています——、それを使ったほうが、あなた
が作る新しい言語は、人々にとって使いやすくなるでしょう。次の表を覚
えておいてください。

普遍的特性	その特性の説明	この特性を使った例文	この特性が存在しない暗黒の世界の姿
すべての自然言語に代名詞が存在する	代名詞とは、何かを指すのに、その名前を繰り返さなくてもよくしてくれる言葉	私はFC3000™タイムマシンを借りました。それは設計が優れた信頼性の高いマシンで、皆さんに大いにお薦めします。	私はFC3000™タイムマシンを借りました。FC3000™タイムマシンは設計が優れた信頼性の高いマシンで、皆さんに大いにお薦めします
舌を出して立てる下品な「べ〜」という音は使わない	話し言葉は、人体が出すことのできる音を使って作られるが、舌を出して立てる下品な「べ〜」という音を使う自然言語はない	生きるべきか、死ぬべきか、それが問題だ。	生きるべ〜〜きか、死ぬべ〜〜きか、それが〜〜問題だべ〜〜。
その言語に「足」を指す言葉があるなら、「手」を指す言葉もあり、「足指」を指す言葉があるなら、「手指」を指す言葉もある	一般に手は、たいていの人にとって足より役に立つので、体の部位を名付ける段階に達した言語が足を指す言葉を持つなら、手を指す言葉もすでに存在するはず	僕には足指が10本と手指が10本ある。ああ、チャド、わかってるよ、英語では僕に指は8本しかないってことは。チャド、英語では親指は他の指とは区別するって、誰でも知ってるよ。僕はただ……チャド。チャド、チャド、聞けよ。いいか、チャド、そんなだから僕たちもう一緒に遊びに行かないんだよ。	僕には足指が10本と、えーっと……特別曲げやすい、上のほうにある足指に似た物？ ああ、チャド、僕の上のほうにある足指に似た物のうち2本は対置でき、そのため区別しなきゃならないって、わかってるよ。チャド、聞けよ。チャド、チャド。僕らが持ってる言葉だけで最善を尽くしてるんだよ、僕は。チャド。
すべての言語に母音がある	母音は口を開いて発音され、音節の核をなすことが多い。例えば英語のcatでは、aが母音でcとtが子音。母音なしで話すのは困難。	チャド、お願いだからほかのことを話そうよ。なんでもいいからさ、チャド。頼むよ。	Thhhbbbttth

普遍的特性	その特性の説明	この特性を使った例文	この特性が存在しない暗黒の世界の姿
すべての言語に動詞がある	動詞は行動を表す言葉で、これを使うと、何かに起こっている事柄について話ができる。地球ではいろいろなことが起こるので、動詞は便利で失いたくないものだ。	身軽な茶色いキツネが、信頼性あるFC3000™タイムマシンを飛び越え、嬉しくて本機を心から推薦する。	身軽な茶色いキツネ。信頼性あるFC3000™タイムマシン。心から嬉しい。
すべての言語に名詞がある	名詞は、人、場所、物であり、また、世界にある物体やアイデアを表す。地球にはこれらのものがたくさんあるので、名詞も便利で失いたくない。	身軽な茶色いキツネが、信頼性あるFC3000™タイムマシンを飛び越え、嬉しくて本機を心から推薦する。	身軽な茶色い。信頼性ある。飛び越える。嬉しくて推薦する。

表2：過去に閉じ込められて有難い理由のひとつは、ついにチャドから逃れられることだ。

　どの言語の上に文明を築くかは、あなた個人の好みの問題で、ここでは間違った答えなどありません。しかし、どの言語の上に文明を築くかはあなたの自由だとしても、これはまた、あなたが既存の言語を改良できる機会でもあります。英語の代名詞のシステムや、フランス語が断固として、宇宙のすべての物体に、まったくの想像でしかない性別を与えるのがいやなら、これらの欠点を直してしまう絶好の機会です。

　話し言葉は、ほとんどマイナス面なしに多くの問題を解決してくれるし、あなたの頭のなかにはこの技術がすでに入っています。ただし、どの言語も大きな弱点をひとつ抱えています。言語は、情報を伝達するのに人間の存在を必要とするのです。ある人間の集団が絶滅すると、彼らのアイデアも絶滅します。あなたはもっとうまくやれます。

　さあ、これからそれを始めましょう。

3.2　書き言葉

つづり字の間違いを可能にした技術。

　話し言葉は素晴らしい一方で、依然として深刻な制約に悩まされています。話し言葉は、アイデアをその元々の持ち主から解放しますが、話し言葉でアイデアが伝達できるのは、話し手が移動できる、あるいは、叫ぶことができる、あるいは、叫びながら移動できる場合のみです。より深刻なのは、アイデアが持続するには、人類が途切れることなく存続しなければならないということです。人類が一度でも途絶えたなら、それまで伝わってきたすべての情報が永遠に失われてしまいますから。

　書くことはこの問題を解決します。書くことにより、アイデアは復元力を持つようになり、常に老化し、やがて死んでしまう私たちの脆弱な身体よりも強くなります。書くことでアイデアは固定され、記憶の変化や歴史の見直しの影響を受けなくなります。書くことによって、アイデアを広められるようになり、あなたが話す言葉をどれだけ多くの人に直接聞いてもらえるとしても、それよりはるかに大勢の人に届けることができます。書くことはさらに、アイデアの元々の持ち主が死んだときや、それを聞いたことのある全員が死んだときだけでなく、その言語を話したことのある全員が死んだときにも、アイデアを存続させます。エジプトの象形文字の解読がこの最大の例です。一番すごいのは、書くことによって、穀物を送るときに直面する困難や費用以上のものを被らずに、情報を世界中に送ることができるようになることです。実際、穀物を送るよりも楽です。というのも、本は穀物ほどすぐには傷まないからです。書き言葉の多大な恩恵にもかかわらず、人類はその地球上での存続期間の大半——その98パーセント以上——を、この技術なしで悪戦苦闘してきたのでした。

　話し言葉と同様、あなたが文明の基盤にどの書き言葉を選ぶかは重要ではありませんが、（あなたが多国語に通じているか、野心的になっていると仮定して）英語以外の言語を選ぶことをお勧めします。そうしておけば、

ほかの人たちに本書の読み方をうっかり教えてしまわずに済みますから。このことは、特にあなたが今陥っている状況が本書を地球でとてつもなく重要で危険なものにしているため、考慮に値するでしょう。

　書くことの背後にある考え方——目に見えない音を目に見える形に変えて保存しよう——は至ってシンプルですが、じつのところ書き言葉の発明は、人類にとって極めて困難でした。あまりに困難で、人類史全体でたった2度しか起こっていません。

　・エジプトとシュメールで紀元前3200年ごろ
　・メソアメリカで紀元前900年から紀元前600年のあいだ

この2回です。

　書き言葉は、ほかの場所でも出現します。たとえば紀元前1200年の中国ですが、これはエジプト人に中国人が感化されたからです。[4]同様に、エジプトとシュメールの書き言葉はほぼ同じころ登場し、見た目はまったく異なるものの、両者には多くの共通点があります。これらの文明のいずれかが書き言葉を発明し、おそらく、それがいかに有用な発明かを見て、もう一方がそのアイデアをまねたのでしょう。

　書き言葉が発明された・・・・・・・・タイミングはほかにも2回あります。紀元前2600年ごろのインドと、西暦1200年から1864年のあいだのどこかでイースター島においてです（「かもしれない」というのは、これは今なお未解決の歴史の謎のひとつだからです。これらの時代と場所に、痕跡を残さないように訪問すれば、簡単に確かめられることですが、どういうわけかこれまでのところ、タイムトラベラーたちは「査読を経て出版される論文を書くことを視野に制御された短期タイムトラベルをして、あまり知られていない言語学上の論議を解決する」より、「途方もなく多様な人類の経験を味わう」ことを選ばれています）。

　昔のインドの手書き文字（「インダス文字」と呼ばれる）は、象形文字のようですが、いまだかつて解読されたことがありません。インダス文字

で書かれたメッセージの大部分は短く（ほんの５文字程度）、実際の言語ではなさそうで、むしろ単純な象形文字や表意文字のようです。象形文字や表意文字とは何か、お尋ねですね。ご質問くださり、たいへん嬉しく思います。

- 象形文字は、ひとつのものを、それを描いたひとつの絵で示すものです。たとえば炎の絵は「火」を意味します。これと同じように、あなたが買った最新型のマスマーケット向け携帯音楽プレーヤーにある封筒の形をした小さなアイコンは「電子メール」を表します。古代の書き言葉で使われた場合、象形文字はある出来事や物語を忘れないようにするのを助ける記憶補助として、あるいは単なる飾りとして機能します。
- 表意文字はいくつかのアイデアの集合をひとつの絵で表すものです。一粒の水滴の絵は、雨を表す場合もあれば、涙や悲しみを表すこともあります。サングラスの絵は、すごくいかしたサングラスを表すこともあれば、日差し、ファッション、あるいは人気を表す場合もあります。お尻のように描かれた桃の絵は、桃、お尻、あるいは、このいずれかに対して行うことができると人間が気づいた任意の数の活動を表します。

　象形文字も表意文字も、言語ではないことには注意が必要です。なぜなら、これらの文字とその意味とのあいだには、一対一の対応がないからです。象形文字と表意文字は、読むというより解釈するものです。一例として、次の一組の画像について考えてみてください。

図４：極めて説得力のある話

　この一組の画像には、異なる解釈が何通りか可能です。彼らが語ろうと
している話をあなたがご存知なら、これらの絵はあなたにその話を思い起
こさせてくれるでしょうが、ご存じなければ、あなたはいろいろと憶測を
立てなければならないでしょう。もしかすると、すごくいかした女性が桃
を食べる話かもしれません。もしかすると、ごく普通の女性がすごくいか
した桃を食べる話かもしれません。真実は決してわからないでしょう。

　これとは対照的に、「シンシアは手を振った。暖かい潮風に髪がなびき、
サングラスには恐ろしい巨大な桃が映っていた。それは、私が以前車で前
に割り込んでしまったとき、相手の感じの悪い科学者たちによって永遠に
形を変えられてしまった私の体だった」という文章は、はるかに明確に定
義された意味を持っています。どんな言語にも曖昧さはありますが、*表

＊　ロジバンなどの人工言語は、この例外である可能性があります。ロジバンは構文的に曖昧さ
のない文章だけを許可するよう設計された人工言語。英語では、「I want to party like
Joey.」（私はジョーイのようにパーティーがしたい）と言うことができますが、これには２通
りの意味があります。あなたはジョーイがやるのと同じようなパーティーがしたいか、あなた
はジョーイが思っているのと同じように、やはりパーティーがしたいかのいずれかです。この
ような構文を非文法的とする──基本的にそれを違法な文章にする──ことによって、ロジバ
ンは話し手に、誰がどの対象に何を、いつ、なぜ、いかにして行っているかを明確にするよう
強制します。

意文字ではない表現のほうが、そうでないものよりもはるかに具体的で明確な意味を持っています。

「ロンゴロンゴ」と呼ばれるイースター島の記号体系も、解読されたことがありません。ロンゴロンゴは、動物、植物、人間、そしてその他の形状を定型化した絵からなる絵文字です。イースター島に暮らしていたラパ・ヌイ（訳注：イースター島を指す現地語）の人々が書いたもので、次のような形をしています。

図５：言語かもしれないし、いかした絵かもしれないし、
両方かもしれない？

　ラパ・ヌイがここで独自に書き言葉を発明したのなら、人類史上確認された書き言葉の発明の、貴重な３度目となります。すばらしい成果です。しかし、この書き言葉は、ヨーロッパ人がイースター島と接触して初めて発明された可能性もあります。スペインは西暦1770年にこの島を併合し、条約に署名するようラパ・ヌイを説得しました。このとき、書き言葉とい

う概念がイースター島に導入され、そこから短期間でロンゴロンゴができたのかもしれません。

　この話には暗い側面があります。イースター島に最も早く訪れた人々は、この島では、読み書きができるのは、エリート支配階級のなかの恵まれた者だけだと聞かされました。そして、ロンゴロンゴが書き言葉なら──もしもラパ・ヌイが、目に見えないアイデアを目に見える形に変えるという着想──あまりに画期的で、それまでに人類史でたった2回しか生まれなかった着想──に至ったのだとしたら──、彼らはその後それを忘れてしまったのです。たった1世紀のあいだに──このイースター島の1世紀が、ヨーロッパから持ち込まれたさまざまな病気、奴隷商人による壊滅的な奴隷狩り、天然痘の流行、森林破壊、そして文化の崩壊の世紀だったことは、しっかり心に留めておかねばなりません──、島の人口は数千人からたった200人に激減し、生存者のなかに、ロンゴロンゴの読み方を教わった者はひとりもいませんでした。言葉も文章も、意味のない形と殴り書きと化し、伝統文化の一部でありながら、生存する誰も理解できないものとなりました。

　なお、この物語を聞いて、あなたは怖くなったかもしれません。書き言葉は人類が無料で手に入れたものではなく、すべての技術がそうであるように、失われる恐れがあるのです。

　あなたの文明に書き言葉をできる限り早く組み込むことをお勧めします。

3.3 使いやすい数

誰もが自分の文明を……ほんとうに価値あるもの——
数えられるもの——にしたいですからね。

人類の歴史に刻まれた数の物語は、数えきれないほどの逃した機会と[*]
不要な遅滞の物語です。書かれた数は、書き言葉に数万年先立って、紀元前40,000年に出現しますが、それらはただ物を数え上げる補助に過ぎませんでした。たとえばこのようなものです。

図６：数え上げに使われたしるし

これらのしるしは、小さい数には便利ですが、数がある程度大きくなると、扱いが大変です。ぱっと見て、これがいくつだかわかりますか？

図７：数え上げのしるしですが、これは多すぎと言って間違いないでしょう。

答は、「そんなことどうでもいいさ。だって、のんびり座ってそれをじっくり数える時間のある奴なんていないさ、よしてくれよ、私は今、過去

---

[*] しゃれじゃありませんよ。でも、うけてもらえたらうれしいです。

のこの時代に、文明を再発明しようと、まさにがんばっているところなん
だ」です。まさにこれこそ、数え上げのしるしが「使いにくい数字」である
理由です。歴史を通して、使いにくい数字体系はほかにもいろいろと使
われてきましたが、そんなものを見て時間を無駄にするより、直接結論に
行きましょう。あなたの文明では、 (a) インド・アラビア数字と、
(b) 位取り記数法を、 (c) 十進法で使いましょう。

　これらの意味と、それぞれが素晴らしい理由をご説明します。

(a) **インド・アラビア数字**：0、1、2、3、4、5、6、7、8、9
という、あなたが馴染んでいる数字です。お望みなら、これらの数
を表す別の形を作ってもいいでしょう。形は完全に恣意的なもので
すから。また、今これを発明しているのはインドやアラビアの文化
ではなく、あなたなのですから、これを「〔あなたの名前〕数字」
と呼んで構いません。

(b) **位取り記数法**：数のなかの各数字の位置が桁に対応していることに
よって、その数の値をはっきり示す方法です。たとえば、4023は
「千が4、百がゼロ、十が2、一が3」という意味です。おそらく、
この方法はとても馴染み深いとお感じになるでしょう。それは、あ
なたが子どものころから位取り記数法を使ってきたからです！　誰
もがこれを使いますが、それはこれがルールだからですし、また、
数を表す非常に効率的で柔軟性のある方法だからです*。

(c) **十進法**：私たちの位取り記数法は、10を底としています。したがっ
て、ある数の各桁の数字は、隣の桁とは10倍違います。左から右へ
移動すると、桁は10倍小さくなり、右から左へ移動すると、桁は10
倍大きくなります。再び4023で説明しましょう。

---

* 効率の悪い記数法の例としては、ローマ数字があります。かなりの人々が数千年にわたり、
ローマ数字と悪戦苦闘して時間を浪費し、今日なお、ごく一部の人々がこれと悪戦苦闘してい
ます。ローマ数字は位取りを使わない記数法で、ユーザーは足し算を繰り返さねばなりません
――このセクションの初めに紹介した、数え上げ法と同じように。だがローマ数字では、マーク

1000（100×10）の桁	100（10×10）の桁	10（1×10）の桁	1の桁
4	0	2	3

表3：この表をじっくり見る十分な理由が4023あります。いえいえ、冗談です。そんなにたくさんはありません。ですが、数とは何かを理解するために、しばし眺めるのがいいでしょう。

　楽しいことに、位取り記数法はどんな数を底に使っても作ることができます。10を底にする場合が歴史的にも文化的にも最も多いのは——おそらく10が人間の手指の本数の平均値にほぼ一致するからでしょう——しかし、人類が試したことのある底は10だけではありません。バビロニア人たちは60を底にしました（今日の私たちも、1時間が60分で、円は360度だと言うとき、まだこれを使っています。セクション4を参照ください）し、私たちはコンピュータを、2を底とする二進法で働くように作ります。二進法では、各桁は、隣の桁と、10倍ではなく2倍しか違いません。

8（4×2）の位	4（2×2）の位	2の位（1×2）	1の位
1	0	1	1

表4：二進法で表した数。この表をじっくり見る十分な理由が1011あります。ええ、前の表より理由がずいぶん少ないのはわかっていますよ。

　二進法の1011は十進法では8＋2＋1、すなわち11です。もうおわかりだと思いますが、見た目が同じ数字でも、底が違うと、違う数を表します。

はひとつ（Ｉ）だけではなく、たくさんあり、それぞれ異なる数を表します。Ｉが1、Ｖが5、Ｘが10、Ｌが50などです。望みの数を表すには、これらの基本の数を足していきます（ときどき引く）。2はII（1＋1）、3はIII（1＋1＋1）、そして4はIV（5－1。大きな数の前にそれより小さな数があるときは、引き算をする）。したがって、「LXXXIX」などの数は、50＋10＋10＋10＋（10－1）、すなわち89と同じです。ローマ数字の長さはその数の大きさにはまったく対応しておらず、ローマ数字を使うとき、あなたは自分が扱っている数が何かを明らかにするために頭のなかで計算しなければならないので、その数について話すのはただちにやめさせざるを得ません。ローマ数字の唯一の使い道は次のとおり。時計の文字盤の文字をカッコよくするか、あるいは、ご両親が、自分たちの一方または両方が既に持っているのとは違う名前をひとつたりともあなたのために思いつかなかった場合に、あなたの名前の直後に付けて、あなた自身であることを明記するかです。子どもの命名には気をつけましょう。

「1011」の底は2だと言われなければ、あなたはそれを十進法で読んでしまい、「千と一一」だと思うでしょう。五進法で読んだなら131、七進法なら351、そして31進法なら29,823です。ほかのタイムラインで行われた実験から、31のような変わった数を底にして記数法を構築するのはまずい考えのようだとわかっています。しかし、つまりですね、あなたは過去に閉じ込められてしまったのですから、誰もあなたを止めることはできません。

　さて、こうして、まずは数を書き下すにはどうすればいいかの基本を学んだのですが、ここにひとつ悲しい事実があります。記数法の残り、つまり、私たちが当然視している記数法のすべての詳細を発明するのに、人類は4000年以上もの歳月を要しました。実際、今なら文字通り赤ん坊に教えている、小数を発明するだけで、この歳月のほとんどを費やしてしまったのです。ですから、次の詳細な表は、まさに史上最高の時短を可能にする表と言えます。

特徴	例	これでできること	ほしい理由	最初に発明された（およその）時期
数え上げのしるし	| | | | |	・常に頭の中で数を覚えていなくてもいい。	・脳の容量は有限だから ・複雑な割り算を暗算するのはめんどうだから	紀元前40,000年
整数	5	・実際に存在するものを数える（「羊が1匹」、「ヤギが5匹」）のではなく、数を抽象的な概念として考える（「1」、「5」）。 ・常に特定の羊やヤギのことを考えるのではなく、数えている対象物の外部に存在する数を考えることにより、数を利用した新たな抽象的な思考が可能になる。	・純粋に抽象的な存在としての数は、無理数や虚数など、今後の記数法における革新を可能にするために必須。無理数や虚数が、その存在自体が完全に常軌を逸しているような名前なのは偶然ではない。またこれらの数は非常に実用的だ。	紀元前3100年
分数	1/2	・1、2、3などの整数ではないものを表す。 ・物の部分について話ができるようになる。	・あなたがリンゴを4個持っていたのに、チャドがそのうち3個半を食べてしまったようなときに、「おい、チャド、リンゴ3個半返せよ」と言っても、「数に何ができるか、僕と君とが理解していることからして、今君が言ったことはナンセンスだ」と言って逃げられないように。	紀元前1000年
有理数	0.5	・整数ではないものを表すことができ、しかも、分数をいじる必要がない。 ・すべての分数は有理数で表現でき、また、逆の関係も成り立つ。	・百分の201と2分の3を足すのはめんどうだが、2.01＋1.50は簡単だから。すぐできますよ。答えは3.51です。簡単です。	紀元前1000年
無理数	√2、π	・有理数のようだが、完全に書こうとすると、いつまでも続き、繰り返したり終わったりすることがない数。	・無理数は無限個存在するので、どこまでも書き続けなくてもこれらの数を表現できる記数法があると便利だから。 ・π（円周率）も宇宙の基本定数のひとつで、物を作るときにしょっちゅう使うので、無理数も実用的だ。やったね。	紀元前800年

特徴	例	これでできること	ほしい理由	最初に発明された（およその）時期
素数	2、3、5、7、982451653（1より大きく、1とそれ自身以外の数で割り切れない数）	・純粋に数学的な研究の美しさを味わう以外に意味はないが、もちろん、必ず素数を利用し、非常に便利な公開鍵暗号をあなたが発明するときには便利である。	・確かめるまでどの数が素数かはわからないが、素数は無限個あるから。つまり素数は、宇宙に存在する唯一の無限で無尽蔵の天然資源です！　無限で無尽蔵の天然資源を利用したくないですか？・もちろんしたいですよね。	紀元前100年
負数	−5	・数の体系の残りの半分を考え、あなたの数が1で終わらないようにする・ひとつの数を使って、ある概念とその逆の概念を考える。熱さと冷たさ、収入と支出、膨張と収縮、加速と減速、などなど。	・ひとつの数のなかに変化（両方向の）をとらえる。・負号は数に初めて感情的な意味を与える（負数は普通「悪い」と見なされる）ので、あなたが人々に数に対して感情的に反応してほしいときに役立つ。・また、1引く2は何かを、頭を爆発させることなく答えることができる。	紀元前200年。だが、西暦1759年になってもなお、ヨーロッパの数学者たちは負数は「無意味」で「ばかげている」などと主張していた。1759年のヨーロッパの数学者らについて知るべきことはこれだけだ。
ゼロ	0	・無について話す。・位取り記数法を使うことができ、「206」などの数を「26」と混同することなく書くことができる。	・さもなければ、あなたの記数法はゼロとは何かを知らないことになり、非常に恥ずかしいので。・ゼロはプレースホルダー（例：206が、百が2、十が0、一が6を示す）としても、またほかの数と同じように数学的操作に使える数としても機能する（ただし割り算では注意が必要。53ページのコラム参照）ので。	ゼロはプレースホルダーとして紀元前1700年代から存在していたが、加減乗算ができるゼロという概念が確立するには西暦628年までかかった。今あなたは、「5たす0は5です。みなさん、そう書いてください」と言うだけで、大幅に時間を節約できる。

特徴	例	これでできること	ほしい理由	最初に発明された（およその）時期
実数	3.1、3.111、3.1111、3.11111、3.111111、3.1111111、3.11111111111、もっとたくさんあるが、ここでやめる。ほんとうに永遠に先に進めなくなるため。	・有理数と無理数をひとつの記数法にまとめる。 ・すべての数を十進法で記述する（無限に長くなる可能性あり）。 ・すべての整数のあいだに存在する無限に多くの数を調べる。	・3と4のあいだに無限個の数があると同時に、そのなかにはπなどの、それ自体が桁数が無限であるような数が含まれていることを考えて胸を打たれる。 ・これであなたにはたくさんの数が使えることになりました。おめでとう。	西暦1600年代
虚数	√-1, i, 3.98i	-1の平方根を含む数を扱う。ある数の平方根とは、二乗すると元の数になる数のこと。-1の平方根は、実数の系では存在しない。二乗したら数はどれも正になるからだ。このため数学者たちは、「オーケー、では、これは可能だと考えることにして、この数をiと名付け、今後ずっと-1の平方根だとしよう」と言った。	・こんなの完全な時間の無駄と思われるかもしれないが（「虚数」という名前も元々はこのような理由から大恥のしるしとして付けられた）、実際に電流を表す際や空中での振り子の振動の記述など、さまざまなことに応用されている。	西暦10年だが、1700年代になるまで（負数と同様に）「架空のもの」とか「役立たず」と思われていた。
複素数	3+2i	・虚数と実数を混ぜ合わせる。	・流体力学、量子力学、電子工学、そして特殊・一般相対性理論の計算に使える。 ・後ろポケットに入れておくと、いざ誰かあなたの文化に属する人が、ここでご紹介したものをどれか発明したときに使える	西暦1800年代

表5：自らを非常に賢いと考え、自分の名前を、「賢い」を2回も使い、しかもわざわざラテン語で付けたホモ・サピエンス・サピエンスは、この表の内容を考え出すのに40,000年以上かかりました。

　ひと通りご覧いただけましたか？　ものの数分あれば読める表にまとめました。あなたはこれを半日で一挙に導入して、ゼロの何たるかを知らずにのらりくらりしていた人類が無駄にした数千年を節約できるのです。あ、お礼なら結構です。

　この数の体系を使って他にできることは、じつのところ、あなた次第です。このガイドブックには、人類が長い歳月をかけて理解した、便利な方程式が随所にたくさん載っていますが、ここで数学の最も深く暗い秘密をお話しましょう。じつは、数学の原理は、あなたが好きなように作ることができるのです。

　こうお聞きになって驚かれるかもしれませんが、数学は実際、私たちには証明できず、真であると仮定するほかないものを基盤にできあがっているのです。この基盤を「公理」と呼び、私たちはそれらを確実な仮定だと考えていますが、結局それらは、証明のできない信念でしかありません。公理には、「２＋１は１＋２と同じだ」や、「ａがｂと等しく、ｂがｃと等しいなら、ａとｃも等しい」などがあります。これらの仮定は、現実と一致するので便利ですし、現実と一致する基盤の上に数学を構築すればそこそこ実用的になることは実証済みですが、あなたがそうではない数学体系を構築するのを止めるものは何もありません。最初は実用的な数学を構築されることをお勧めしますが、ａ＋ｂがｂ＋ａと等しくない宇宙で掛け算はどうなるかを見極めるのはきっととても楽しいでしょう*。

　さて、使いやすい数——そして、それについてくる基本的な数学——を発明されたあなたは、いくつか特典を手にされました。当然ですが、数があればあなたは周囲の世界を正確に定量的に把握できますし、これは料理本や会計、そして科学に至るまで、あらゆることの基礎となるでしょう。ヒツジや木などの物質的資源や、お金、人気、そして時間そのものなどの抽象的資源はすべて、数によって管理され、理解され、またやり取りされ

---

*　ご興味があれば、「でも、そんなシステムで掛け算はできるの？」という問いへの答は、「すごくうまくできるよ、ありがとう」です。

ます。最も普遍的な言い方をすれば、数はソート可能なラベルとして機能します。ある本の123ページが、122ページと124ページのあいだにあることは直感的にわかりますし、その本が全部で何ページかわかっていれば、123ページがどのあたりにあるかもだいたいわかるでしょう。ソートされた一組の数が与える関係性は、あなたの文明の今後のメンバーにとって非常に有用になるでしょう。彼らはある日それを使って、一日を何時間かに区切り、一年を何日かに区切ってラベルをつけたり、道沿いに建つ家に一軒ずつラベルをつけたり、また各家の階に番号をつけたりできるでしょうから。また、温度、電波の周波数、ビタミンなどにもラベル付けできますし、あなたの文明が非常に幸運なら、もしかするとある日、異種時空基準座標系のあいだに構築された不安定なアインシュタイン‐ローゼン架橋の強度をラベル付けできるかもしれません。

ゼロで割ることができないのはなぜ？

ゼロで割ることは、よく知られているように、不可能です。理由は、ブラックホールができてしまうからではなく、それが私たちの数学システムの中心にある矛盾を露呈してしまうからです。ある数（1としましょう）を、徐々に小さくなるが決してゼロにはならない数でどんどん割り算するところを考えてみてください。

ゼロは負の数が終わり正の数が始まる境目です。正の側からゼロに近づいていくと、1割る-1は-1、1割る-0.1は-10、1割る0.001は1000になります。割る数が小さくなるにつれ、割り算の答は大きくなります。したがって、1割るゼロは無限大になるはずです。

ですが、反対側からゼロに近づくと、問題が生じます。徐々に小さくなる負の数で1を割っていくと、1割る-1は-1、1割る-0.1は-10、1割る-0.001は-1000になります。したがって、こちら側では、割る数が小さくなるにつれて答は負の無限大に近づきます。ですから、この理屈では、1/0（1割るゼロ）は負の無限大になるはずで

す。

　しかし、ひとつの数が無限大であると同時に負の無限大であること
は不可能です。じつのところこれは、ふたつの数の違いが最大になっ
た状態です。したがって、私たちは矛盾にぶつかってしまったわけで
す。そしてこの矛盾のせいで、私たちは、「ゼロで割ることはできな
いよ、だって、答がむちゃくちゃで、どうやったら解決できるか、誰
もまだ知らないんだから」と言うほかないのです。

3.4　科学的方法

初期の科学もどきからは大幅に向上

　タイムマシンを作る人々は、科学に対して好意的な傾向があります。それは、概して彼らは、科学者としての教育を受けたことがあるか、あるいは、少なくとも良心的なアマチュアで、未来の彼らが大挙して現代に戻ってきて警告するまで、自分たちが解き放とうとしている力がどれほどのものか、まったく気づいていないことが多いからです。しかし、科学にしても限界があり、神が告げる真実ではないのだと肝に銘じておくことは大切です。じつのところ科学とは単に、

1．間に合わせであり、
2．偶発的であり、
3．私たちがこれまでにやった最善のこと

に過ぎないのです。

　まず悪い知らせですが、科学的方法は誤った知識をもたらすこともあります。でも、良い知らせもあって、科学的方法はそれでもなお、正しい知識を明らかにし、検証し、そして洗練させることのできる、私たちの最善の技術なのです。なぜなら、科学的方法を使えば、間違った知識を、少しずつ正しくしていけるからです。通常は、このように洗練していくことによって、だんだんと、より正確な理論が誕生していきます——古典物理学から相対性理論へ、そこからさらに量子物理学へ、そして次にメタ量子超物理学へと——が、ときには理論全体が放棄されることもあります。

　たとえば、西暦1700年代には、私たちは物が燃えるのは、それがフロギストン——目に見えず、触れることもできず、抽出することもできないが、他の物質が燃えるには必要な物質——で満たされているからだと考えていました。フロギストンが多く含まれるもの——木など——は素早く燃え、

一方、フロギストンがあまり含まれていないものは、あまりよく燃えず、灰——すでに完全にフロギストンがなくなってしまったもの——は、まったく燃えないと考えられていました。フロギストン説には、物体が燃えると軽くなる理由も説明できました。フロギストンが空中へと流れ出てしまったからだ、というわけです。密封されたガラス容器のなかに入れられたマッチの火がやがて消えてしまうことも、フロギストン説で予測することができました。その説明はこうです。「容器内の空気が、可能な限りフロギストンを吸い取るので、やがて炎は消えるのだ」。実験してみると、実際にマッチの火は消えたので、この説全体が素晴らしく見えました。やったね！　科学よ、ありがとう。こうして人類は、火とは何かを知るようになりました。

　私たちがもっとたくさんの実験を行い、辻褄の合わない結果がいろいろと出てくることに気づくと、フロギストン説は破綻し始めました。確かに木は燃やすと軽くなりますが（残った灰が元の木より軽いのは明らかです）、一部の金属（マグネシウムなど）は、燃やすと実際に元より重くなります。こうして私たちは問題に直面しました。結果が理論と一致しなかったのです。こうなると、もっと科学が必要です！

　一部の科学者たちは、結果と辻褄が合うようにフロギストン説を修正しようとしました。「もしかすると、フロギストンが負の質量を持つ場合もあるんじゃないかな、だから、何かのなかのフロギストンが減ると、その物の重さが増えるんじゃない？」というのです。しかし、これは大きな飛躍でした——なにしろ、負の質量を持つ物質というのは、このフロギストン問題を解決するだけのために作り出されたまったく新しい形の物質でしたから。ほかの科学者たちは、それまでの科学にもっと沿ったかたちの説明を考え、その結果、燃焼には酸素が関わっているという説が生まれたのです。それは、火とは、物質から逃れていくフロギストンではなく、熱と光を生み出す、物質と酸素の化学反応であるという説です。この説は、密封したガラス瓶のなかのマッチが最後には燃焼を終えることも予測できました。しかし、その理由はフロギストン説とは違い、火という化学反応は

酸素が進めているので、瓶のなかの酸素が使い果たされたなら火は消える
から、というものでした。これは燃焼の理論としてはより正しく、私たち
も今日なおこの理論を使っています。しかし、それでも私たちがまだ何か
間違っているという可能性はあります。

　というより、私たちは、この理論をもっと正しくできる可能性があるの
です。

　科学的方法を使って知識を生み出す方法をまとめたのが次の図です。

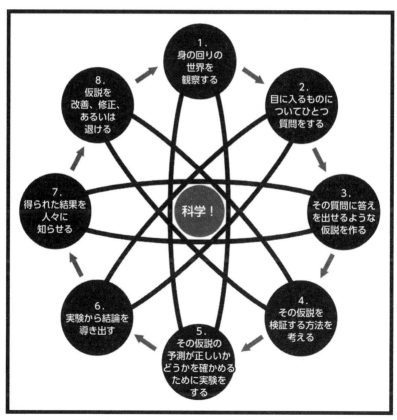

図8：カッコいい、原子みたいな図に表した科学的方法

　ひとつ例を挙げましょう。あなたは、ステップ1で、今年のトウモロコシは生育が悪いことに気づきます。ステップ2として、あなたは「やれやれ、なんてこった、みんな、いったい何でぼくのトウモロコシは今年うまく育たなかったんだろう？」と尋ね、ステップ3として、水不足の影響かもしれないと考え、そこでステップ4として、トウモロコシを管理のもとで育てることにします。それぞれのトウモロコシに、異なる量の水を与え、それ以外の、考えられるすべて（日光、肥料、など）は等しい量を与えるようにします。ステップ5として、これを注意深く実行し、ステップ6として、ある特定の量の水を与えた場合にトウモロコシは最もよく育つと結論し、ステップ7として、あなたの農場の人々に知らせます。そして、それでもトウモロコシが望むほどには成長しないなら、あなたはステップ8を試み、トウモロコシに十分水を与える以外に、良いトウモロコシを育てるのに必要なものはないかと考えてみればいいでしょう。[*]

　より多くの方法で検証された仮説ほど、正しい可能性が高くなりますが、確実なことは何もありません。科学的方法を使うことで期待できる最善のケースは、あなたが今のところ理解しているさまざまな事実に、たまたま一致する理論を得ることです。科学は説明を与えてくれますが、それが正しい説明だと、絶対的な確信をもって言うことは決してできません。科学者たちが、重力の理論（重力そのものは明らかに存在し、あなたを階段から転落させることができるにもかかわらず）、気候変動の理論（私たちの環境は、私たちの親が楽しんだものとも、あなたが今まさに楽しんでいるものとも違うことは明白であるにもかかわらず）、あるいはタイムトラベルの理論（法的責任は一切問えない理由により、あなたが過去に閉じ込められてしまったことは明らかであるにもかかわらず）などについて語るのはこのためです。

　科学的方法を行うためには、先入観を持たず、もはや事実に合わなくな

---

[*] あります。セクション5「われらは農民なり。世界を貪る者なり」を参照ください。できれば、おいしいトウモロコシができないためにあなたが飢え死にしそうになる前にそうなさるようお勧めします。

った理論は、どんなときにも捨て去る覚悟が必要であることに注意してください。これは容易いことではなく、これまでも多くの科学者が失敗しています。あのアインシュタインでさえ、自分が作った相対性理論が、自分が好きな定常宇宙論を否定することを嫌がり、両者を調和させる解決策を探そうと何年も無駄に努力しました。しかし、科学的方法をちゃんと使えたなら、あなたは報われます。というのも、あなたは、誰もが同じ実験を繰り返して確かめることのできる、再現性のある知識を生み出しているはずだからです。

　科学者は超オタクだと思われることが多いのですが、科学の哲学的基盤は実際、まったくのパンクロック的無秩序です。具体的には、それは次のようなものからなっています。決して権威を尊重するな。誰のどんな言葉も決してうのみにするな。そして、自分が知っていると思うものすべてを、自分で正しいと確認するか、間違っていると否定するために検証せよ。

図9：典型的な科学者

＊　アルベルト・アインシュタインは、多くの業績をあげましたが、なかでも、物質とエネルギーは等価で、「エネルギーは質量に光速の二乗を掛けたものに等しい」、すなわち、$E = mc^2$という方程式で表すことができると気付いた科学者です。さて、これであなたは、誰もが知っている範囲では、アインシュタインと同じくらい頭がいいことになりますよ！

3.5　余剰カロリー：
狩猟採取生活の終焉、そして文明の始まり
よりよく生活する方法を探し、集める

　先史時代の私たちの祖先に始まり、紀元前20万年ごろの解剖学的現生人類が出現してからもなお、人類はとても素晴らしい狩猟採取生活にどっぷりと浸かっていました。お察しのとおり、これは採取者が採取しているあいだ、狩猟者が狩猟をするという生活様式です。地球に寄生し、小才を利かせて生き抜き、食物の導くところどこへでも行き、地域の資源を食べ尽くしたら別の地域へと移動するのです。この生活様式には多くのメリットがあります。あなたはさまざまな種類の食べ物を口にする機会に恵まれ（多様性のある食事は良好な栄養状態を保証します）、多くの面白い場所を訪れ、そこに存在するさまざまな動植物を食べ、たっぷり運動することができます。ですが、これは食べ物があなたのところにやってくるという意味ではありません。あなたが食べ物のところへ行かなければならないのです。そしてそれには代価がかかります。

　この代価は、いくつかの形で現れます。まず、食べ物を探すとカロリーを消耗します。また、あなたの生涯の歳月も消耗します。というのも、あなたは珍しいものを食べがちで、それがたまたま有毒なこともあるし、また、あなたが食べようとしているその動物に怪我をさせられたり殺されたりすることもあるからです。さらに、未だかつて保証されたことのない食糧を追い求めるあなたは、常に新しいバクテリアや寄生虫に出くわします。しかし、最大の消耗は、常に移動しつづけることから生じます。ある場所にどれだけの期間住むかわからなければ、高価で集中的な労働を必要とするインフラを建設したりはしないでしょう。持っていくことのできないものは、一夜にして無駄な努力と化しますから。どんな資源も長期的に貯蔵することはないでしょう。なぜなら、長期ということがあり得ないからです。

そして、20万年近くにわたり――つまり、人類のこれまでの経験の大部分にわたり――これが人類のやったすべてのことでした。狩猟し、採取し、おそらく一時的なコミュニティーを作り、状況が悪くなったり、誰かが隣の丘の向こう側においしそうな動物の群れがいるのを見つけたら移動する。地球を、人類が登場したときの姿のまま受け入れるのではなく、人類の必要によりよく合うように変えればいいんじゃないかと、誰かが提案する気になるのは、やっと紀元前10,500年ごろ[6]になってのことだったのです。

この考え方は、農牧業（食糧供給をより確実にするため、便利な場所で動植物を育て世話すること）と、それに伴う家畜化・栽培化（便利な場所で育てていたこれらの動植物を、もっと人間に都合のいいかたちに変えるプロセス）に具現化されています[*]。私たちがこの考え方をもっと早く思いつかなかったのは、私たちがこんなことなどまったく思いもしなかったか、あるいは、あまりにぐうたらで実施しなかったか以外に理由は考えられません。人類は、この考え方に至らずに20万年近くを無駄に過ごしてしまいました。ですがあなたは、今これをお読みになったので、もうこのことを思いつかれました。すごいじゃないですか。あなたは早くも見事にやってらっしゃる！

農牧業を始めたなら、あなたは人類の新たな段階に入ったことになります。それは、ひとりの人間が、自分の生存のために必要な量を越える食物を確実に生産できる時代です。人間は食物エネルギー――カロリー――で生きていますが、あなたは今まさにその余剰を生産したのです。じつのところ農地は、同じ面積の非農地で狩猟採取によって得られる10倍から100倍のカロリーを生産することができます。そして、あなたが農業従事者と耕作地を増やすと、さらに多くの余剰食糧を生産することができます。文明は、余剰カロリーの上に――したがって農牧業の上に――築かれているのです。

---

[*]　セクション8で見るように、農牧業が始まる以前、人類はどの植物も栽培していませんでしたが、犬をはじめ、いくつかの動物の家畜化に成功していました。

　どんなふうに、ですって？　そうですね、食糧がより多くあれば、あなたは当然より多くの人間を養うことができます。ですが、それだけではなく、さらにこれらの人々は、食うに困らなくなり、別の、もっと有意義なことを考えるようになるでしょう。たとえば、星は空を横切って動いていくように見えるのはなぜかな、とか、物はどうして下に落ちて、上にあがっていかないんだろう、などです。農牧業はまた、あなたの文明のなかに経済の概念を定着させます。なぜなら、農業従事者たちは彼らが作った食糧を、他の人が作ったものと定期的に交換できるからです。経済が生まれると同時に、専門化が始まります。一人ひとりの人間が、生存に必要なすべてをしなければならない（あるいはそれらをひとつの家族のメンバーの間で分担しなければならない）状況を脱して、農牧業に特に才能のある人が全努力をそれに集中させることができるようになったわけです。狩猟者と採取者には、微積分学を発明する時間などありませんが、教授や哲学者――これらの問題を思いつき、それらに専念できる人々――には、それができます。

　専門化によって、あなたの文明に属する人々は、どんな分野の研究でも、それまでの誰が到達したよりも先へと進む機会を手にします。これによって、生涯を病気の治療に捧げる医者や、人類が蓄積してきた知識が安全かつ利用可能であり続けるようにする仕事に生涯を捧げる司書や、さらに、学校を卒業して最初に見つけた仕事に就き、人生で最も生産性の高い歳月を、彼らの上司はほぼ間違いなく目通しさえしないだろう、＊レンタル市

＊　そうだよ、あんたは誰もだましてなんかないよ、チャド。知ってるよ、あんたは私が書いた文章の文字数を数えるだけで、今日の仕事は終わりにしてるんだ。正直言って私は、あんたの出した、もっと恥ずかしい一斉メールをコピペして、この仕事を終わりにしたいくらいなんだが、ちょっと気になることがひとつある。すなわち、タイムトラベラーが実際に過去に閉じ込められてしまうことはあり得るんで、絶望的な気分の彼らを放っておけないでしょう。だから、過去に閉じ込められたタイムトラベラーのあなた、こうしようじゃないですか。私たちはどちらも、身動きが取れない。あなたは過去のなかで。私は大嫌いな仕事で。あなたと私、一緒にこの状況を切り抜けましょうよ、ね？　私たちはうまくやっていけますよ。私は、チャドがひどく重視していた杓子定規な企業用語を、和らげて書くので、あなたはあなたの文明のなかに、何年か先、誰かが私の上司にたまたま会うことがあったなら、彼に「この役立たず！」と必ず言うという文化的伝統を育むと約束してください。彼はすぐわかるはずです。彼の名前はチャド・「ザ・チャド」・パッカードで、世界で一番殴りたい顔をしていますから。いいですか、私はあなたを応援しているんですよ。

場向けタイムマシンの社内修理マニュアルを書くことに費やすライターたち——彼らの報酬が低すぎるため、彼らが過去に戻り、その恐ろしい間違いを正すことが経済的に不可能なのは皮肉です＊——が登場します。専門化は文明の発展とともに進みます。なぜなら、あなたの文明に限らず、どんな文明にとっても、最大の資源は土地でも、力でも、あるいは技術でもないからです。あなたの文明を前進させる、創造力にあふれた素晴らしい原動力は、あなたやあなたの周囲の人間の頭脳であり、また、人間の頭脳が最大の可能性を発揮できるようにする専門化なのです。そしてそれは、余剰カロリーによってもたらされます。

　残念なことに、ここまででざっとお話しした利点には、じつはいくつかの問題が伴います。弊社は、これらの利点は、問題点を打ち消して余りあると信じていますが、次に挙げる農牧業の極めてうっとうしい特徴については、心得ておかれるとよいでしょう。

・野生の食糧が豊富なとき、農牧業は狩猟採取よりもはるかに大変な労働となります。しかし、農牧業が提供するのは、より確実な食糧源と、家畜化による利便性の高い食糧源なのです。

・農牧業では、食糧貯蔵技術も必要になります。というのも、農牧業の本質は、一度に食べられるよりも多くの食糧を生み出すことだからです。これもやはり、より多くの労働をもたらしますが、「セクション10.2.4：保存食」をご覧になれば、あなたは少なくともやるべきことを正確に知っているという強味があることになります。

・農牧業は、所得の不平等を初めてもたらします。なぜなら、農牧業は誰でもできるものではないし、また、農牧業に必要な土地を全員が均等に分かち合うわけではないからです。大部分の食糧と、取引できるものの大半は（最初はとにかく）農牧業従事者が持っており、骨と皮

＊　ああ、それともうひとつ。できればあなたの文明のなかに、いつか誰かが、学校を出たてで、最初に見つけた仕事に就こうとしているライアン・ノースに会うことがあったなら……彼に警告してやるという文化的伝統も育んでください。

になりたくない人はみな、食糧を食べ続けなければなりません。あなたは今まさに富める人と貧しい人を作り出した、あるいは少なくとも、そのような格差を潜在的に作り出したのです。

・農牧業にはインフラ（フェンスなど）が必要で、そのため、人々はもはや移動することができなくなりました。あなたの文明は今、動かない巨大な標的になったのです。本マニュアルにはあからさまに兵器作製を目的とする記述はありませんが、必要が生じたならあなたは、ここに記された技術のいくつかを応用して、その目的を満たすことができると私たちは確信しています。

・動物は病気を媒介し、人間に感染させる場合があります。さらに悪いことに、私たちにとって最も死亡率の高い病気のいくつかは、動物にはまったく影響を及ぼしません。炭疽症、エボラ出血熱、ペスト、サルモネラ感染症、リステリア症、狂犬病、そして白癬など、人間がかかる病気全体の60パーセント以上が、動物との密接な接触から始まります。これを読んであなたが狩猟採取に戻りたいと思われるのも理解できますが、最終的には文明にはそれだけの価値があると私たちは確信しています。人々が病気になりはじめても驚かず、危機的な状況になる前に、セクション14（体を癒す）をお読みになるのがいいでしょう。

　これらの問題点を踏まえ、私たちはこの機会に、農牧業は余剰カロリーをもたらし、その結果専門化が進み、それがやがてアップルパイ、タイムマシン、そして最新型マスマーケット向け携帯音楽プレーヤーなどの発明につながることには議論の余地がないと、再度申し上げたいと思います。あなたは、懸命にがんばれば、これらのものを生み出すことができます。もしも狩猟採取を続けるなら、それは無理です。その場合あなたは、石の下に見つけた虫を食べ続けるでしょう。

　よい判断をなさることをお祈りします。

4.

測定単位は何でもいいとはいえ、本書で使われている 標準的な測定単位を発明しなおす方法

過去に閉じ込められた状態で、ほんとうに測定単位を再発明
できるのか、ですか？　私たちは……絶対無理だとは申しません。

　すべての測定単位は恣意的ですが、大多数の人類は、測定単位たるも*
の、尺度の変化が合理的で、直感的にわかりやすく、直感的に組み合わせ
られ、原始時代に足止めを食らっても簡単に作りなおすことができるよう
な、少なくとも実用的なものでなければならないという点で意見が一致し
ています。したがって本ガイドで私たちは、あなたがどの時代に閉じ込め
られたとしても確実に再発明可能な、メートル法（十進法に基づく）と摂
氏温度系を使うことにします。ですから、この本と多少の水さえあれば、
大丈夫です。

　摂氏温度システムは、水が凍る温度を摂氏０度（または０℃）、水が沸
騰する温度を100℃と定義します。このため、どの時代にいようが、この
温度システムは容易に再定義できます。これらのふたつの点をあなたの温
度計（セクション10.7.2参照）に記し、その間を100等分すれば、それで終

---

* 本書で「大多数の」とお断りしているのは、世界標準になっている合理的な度量衡を使わな
いと宣言し続けている国が３カ国残っているから。リベリア、ミャンマー、アメリカ合衆国で
す。アメリカは、世界のほかの国々が、より実用的な度量衡を使うことで合意しているにもか
かわらず、自国内で古い単位系を使い続けることにこだわり、しかもそのことを忘れていたお
かげで、実際の宇宙船（マーズ・クライメイト・オービター）を実際の惑星（火星）に衝突さ
せてしまいました。計算の一部はメートル法で行われていたのに、ほかの部分が別の単位系で
行われていたために、宇宙船の軌道がめちゃくちゃになってしまったのです。この西暦1999年
の衝突で３億2760万米ドルが宇宙の藻屑と消えてしまったにもかかわらず、アメリカは世界の
測定の標準単位を採用する気にはならなかった。彼らは一歩も譲ろうとしないのです！

わりです。一方、これと「競合」する華氏温度システムは、ファーレンハイト氏が仕事を切り上げる直前に作った、氷、水、そして塩を混ぜ合わせたどろどろのものの温度を０度としたもので、私たちはこれ以上この話はしません が、水が凍る温度はだいたい華氏32度、水が沸騰する温度はだいたい華氏212度とだけお伝えしておきましょう。まあ、華氏温度のほうは、もっとうまくできそうなものですね[7]。負の温度が出てこないようにしたければ、ケルビン温度尺度を発明すればいいでしょう。これは、目盛りの間隔は摂氏温度と同じで、ただ０ケルビンを、私たちの宇宙で可能な最も低い温度である-273.15℃としただけです。水は273.2ケルビンで凍り、373.2ケルビンで沸騰します。

　温度についてはこれで大丈夫でしょう。

　重さの単位系は、キログラムを中心にして定義しましょう。キログラムは、西暦2019年まで、実際のキログラム原器を元に定義されていました。キログラム原器は、世界各地にある白金の塊で、人間たちがこれを指さして、「１キログラムは、あの白金の錘の重さだよ」と言うことができるように、何重にもなった鐘型ガラス容器のなかに安全に保管されています[8]。基準となる原器がフランスに保管されており、利便性と安全のために数十個の複製が世界各地に置かれていました。何しろ、世界にひとつしかないキログラム原器を、周到に計画されたドラマチックな強盗行為によって誰かに盗まれてしまい、１キログラムの重さが正確にいくらなのか世界中でわからなくなるなんて、いやですからね。

　キログラム原器を盗むことには否定できない魅力があり、それを考慮に入れても、原器を基準にするという考え方にはいくつかマイナス面があります。これらの予備の原器は、ときどきフランスに戻されて、重さが変わっていないか確かめるために検査されていたのですが、実際、それらの重さは変化していたのです。世界中で保管されていたキログラム原器は——

＊　まあ、これでできたようなものです。重要な詳細については、セクション10.7.2を参照してください。また、水は気圧によって挙動が異なるので、これらの数値は海面（山の頂上や鉱山の底ではなく）の値として較正（こうせい）する必要があります。

西暦1889年に作製された40個の複製さえもが——、歳月を経て徐々にずれて、異なる重さになってしまい、タイムトラベルが発明されるまでは、私たちはその理由すらわからなくなっていました。[9] 状況はさらに悪化します。つまり、キログラム原器どうしの重さを比べるという方法では、あらゆる比較が相対的になってしまい、すべてのキログラム原器で質量が増えるか減るかしており、その変化が大きいものも小さいものもあるという可能性が否定できなくなりました。キログラムは、メートル法において中心的な単位で、力（ニュートン）、圧力（パスカル）、エネルギー（ジュール）、そして電気（ワット、アンペア、ボルト）はもちろん、これらの単位から派生した無数の単位でも、その定義に含まれているため、正式なキログラム原器の質量がほんの少し変化しただけで、さまざまな分野の測定においてほかの単位を再定義しなければならなくなることは、すぐにおわかりいただけるでしょう。

> **文明の達人からの助言**：近代科学と測定単位の基盤を、フランスにある鐘型のガラス容器のなかに保管されている古い金属塊の質量に基づいて構築することには、いろいろなマイナス面があります。

　あなたにとって幸いなことに、それほど正確な測定は、ずっとずっと先になるまで必要ありませんし、また、最初のキログラム原器が持っているべきとされた重さは、単純に4℃における1000立方センチメートル（一辺10センチの立方体の容積）の水と同じ重さに決められただけです。あなたには水がありますし、温度も既に定義したので、あなたは今、1センチメートルがどれだけの長さかを知りさえすれば、すぐに1キログラムを再現できるわけです。

　その前に、用語について少しお話を。メートル法の単位はすべて、10の冪ごとに大きくなったり小さくなったりし、これを接頭辞で示します。ここに、よく使われるものを小さい順に示します。

接頭辞	記号	尺度
ナノ	n	1,000,000,000倍小さい
マイクロ	μ	1,000,000倍小さい
ミリ	m	1000倍小さい
センチ	c	100倍小さい
デシ	d	10倍小さい
（なし）	（なし）	それ自体の大きさ
デカ	da	10倍大きい
ヘクト	h	100倍大きい
キロ	k	1000倍大きい
メガ	M	1,000,000倍大きい
ギガ	G	1,000,000,000倍大きい

表6：本物のメガチャート

　センチメートルは、１メートルの百分の１の長さですが、それは「センチ」という接頭辞からわかります。同様に、「キロメートル」という言葉は、それが１メートルの千倍の長さであることを示しています。普通私たちは、メートルを「m」と略し、センチメートルは「cm」、キロメートルは「km」と書きます。さて、では１メートルはどれだけの長さでしょう？

　メートルは西暦1793年に誕生し、「赤道から北極までの距離の1000万分の１」と定義されました。その後西暦1799年に、物理的な原器（キログラムと同様の）に結びつけて定義しなおされ、再び西暦1960年に、クリプトンという元素の特定の同位体が放出する光の波長を元に定義しなおされ、その後さらに西暦1983年に、真空中で光が299,792,458分の１秒のあいだに進む正確な距離と定義しなおされました。あなたの今の状況からすると、あなたはおそらく、これらの定義は最初から、自分にとってはまったく用をなさなかったのに、さらにどんどん悪くなっているとお感じのことでしょう。幸い、私たちもそれに気づきましたので、本セクションに便利な10

センチ定規を印刷しましたので、あなたがメートルの正式な定義に関わりあう必要はありません。あなたはその定規から、かなり正確なメートル尺を作ることができるでしょう。

　こうしてあなたは、長さ、重さ、そして温度の標準となる単位を手に入れました。あなたがまだ手にしていない主要単位は、時間の単位だけですが、時間は秒を基本としています。現在の秒の定義は、「セシウム133原子の基底状態のふたつの超微細準位の間の遷移に対応する放射の周期の91億9263万1770倍の継続時間」という、率直に言ってやや滑稽なものになっています。これがどれぐらいの長さかあなたは直感でおわかりです——それは1秒です——ので、あとは使いやすい参照物があればいいことになります。セシウム133を必要とせずに1秒を示すことのできる道具を作るには、簡単な調和振動子を作成します。これは、タイムマシン修理関連用語抜きで言うとつまり、「1本の紐に石を1個結び付けたもの」です。

　1本の紐に結びつけた1個の石が自由に振動できるとき、それは振り子と呼ばれます。そして、1秒は、地球上の任意の振り子——重さにかかわらず、長さが99.4センチメートルなら——が、一端から他端へと振れるのにかかる時間なのです。振り子が持つこのすごい性質——手放す前に錘をどこまで持ち上げようが、1回振れるのにかかる時間は常にほぼ同じという性質——のおかげで、この実に簡単な実験ができるのです。この性質は1602年にガリレオ・ガリレイという人によって発見されましたが、今後はあなたがこの法則の発見者として記憶されることになります。今やこれは、あなたが発見したものなのです。

　先に見たように、ほかの単位は、これらの基本単位から作り上げることができます。重さと長さの単位はもう作りましたが、体積を測るにはリットルが必要です。都合がいいことに、1リットルは一辺が10センチメートルの立方体で囲まれる体積です——これは、水を満たすとちょうど1キログラムになる立方体と同じ大きさです。音を特定するには、周波数を測定しなければなりませんが、周波数とは単に、1秒間に何度振動するかという数です。1ヘルツ（または略して「Hz」）は、1周期がちょうど1秒間

である振動で、したがって20Hzの周波数とは、1秒間に20回振動するという意味です。物理学を行うための単位としては、1kgの物体を1メートル毎秒毎秒加速するのに必要な力が1「ニュートン」、その1ニュートンの力がかかっている物体が1メートル動かされる間に、その物体に移るエネルギーの量が1「ジュール」、そして1ワットとは、毎秒1ジュールのエネルギーが使われているとき、その仕事率のことです。これらの単位は抽象的に思えるかもしれませんが、やがてあなたが何かの技術を発明するときに役立つでしょう。

　そして、それとともに、本セクションに印刷されている小さなセンチメートルの目盛りを大切にお使いください。この目盛りは、長さの単位のみならず、体積、質量、力、エネルギー、そして時間の単位までも決めるのに役立ちましたよね。もしもあなたが本ガイドのページをトイレットペーパーとしてお使いなら（そもそも、そんなことはだめですよ、何でそんなことするんです、何かほかのものを使ってくださいよ）、センチ目盛りのページは最後まで取っておいてください。*

---

* 今すぐ、あなたの小指の幅を測定し、覚えるようお勧めします。参照できる物差しを失くしたときに近似として使えて便利です。そして、心配ご無用。もしもセンチメートルがわからなくなったとしても、1キログラムの基準器をすでに作っていたなら、いろいろな大きさの立方体を作り、水を満たして、重さが正確に1キログラムになる大きさのものを特定すればいいのです。重さは、セクション10.12.6で発明する天秤ばかりではかりましょう。メートル法はタイムトラベラーの友です！

即席測定方法のテンプレート

ここに10cmの物差しがあります。

図10：物差し。

　角度を発明して測定するには、円をあなたの裁量で360等分して、"度"と呼ばれる部分にスライスします。しかし、それは非常に細かい作業になるので、代わりにこの分度器のテンプレートを使用することをお勧めします。

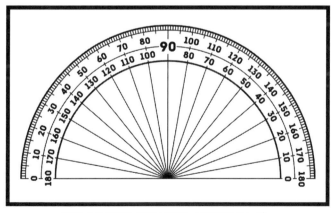

図11：分度器1枚では半円しか測れませんが、
2枚使えば360°ぐるりと測れます。

われらは農民なり。世界を貪る者なり

あなたも自分の 畑<ruby>フィールド</ruby> で目立つことができます。

　水だけで動き、軽くて、ぐちゃぐちゃの泥をおいしい食べ物や面白い化学物質に変えることのできる機械があったなら、素晴らしくないですか？　また、そういう機械が自分を複製でき、自分で自分を改良し、そして――いちばんありがたい特徴として――全部の機械があなたを殺したがっているわけではないなら、それは素晴らしいことではないですか？

　いい知らせがあります。そんな機械が存在するのです！　それらは「植物」と呼ばれるもので、あなたの新しい文明において、最大の資源のひとつとなるでしょう。植物は無料の技術だと考えてください。植物は、あなたの周りの食べられない泥、頭上から降り注ぐ退屈な光、そして、空から落ちてくる水を、あなたの文明が必要とする、あらゆる種類の便利な材料、薬、化学物質、そして食物に変えるために、使うことのできる（たとえ偶然にであったとしても）機械なのです。もしもまだ植物が存在していなかったなら、私たちは植物を魔法だと思うことでしょう。しかし植物は至るところにあり、私たちよりも先に進化してしまったので、大半の人間は植物なんてすごく退屈だと考えています。

　お腹が空いたときに植物を単純に採取するよりもっといいことができると気付くまでに、人類は20万年近くを費やしていました。採取する代わりに、植物は栽培することができるのです。捕食者に襲われにくい環境で栽培し、私たちが望むことをより多くやってくれて、望まないことはあまりやらない植物を選んで、好みに合うものだけを育てることができるのです。

　ちなみにこれは、「品種改良」と呼ばれていますが、あなたは今まさに

品種改良を発明したのです。

品種改良

あなたがしなければならないのは、次の3つのことだけです。

1. あなたが好きな性質が抜群に優れている植物（または動物。この方法は動物にも使えます）を見つけます。たとえば、ほかの植物よりもおいしくて栄養のある粒がたくさん実るトウモロコシだとか、貯蔵庫でほかのものより長く保存できるとか、害虫や水不足に強いとか、あるいは、これら全部の性質のあるものなど。
2. ほかの、良くない植物ではなく、この植物の種を植えます（動物を品種改良したいなら、あなたが好きな動物だけ繁殖させます）。
3. 上記を繰り返します。

これを何年も繰り返せば、あなたがほとんど偶然選んだ性質が強化された農作物を収穫できるようになります。ここに、人類が品種改良の偉大な力だけを使って達成した優れた農作物の例を3つ紹介しておきます。[10]

果物 または野菜	栽培の開始	まるで当然のようにあなたが 満喫していた近代種	その、すごく残念な 古代の祖先
トウモロコシ	紀元前7000年	・可食部長さ190mm ・簡単にむける ・甘くみずみずしい ・1本に800粒の柔らかい実	・可食部19mm（長さ10分の1、体積1000分の1） ・全体を砕かないとむけない ・パサパサの生芋のような味 ・5〜10粒の非常に硬い実
モモ	紀元前5500年	・直径100mm ・果肉と種の比9:1 ・皮も柔らかく、食べられる ・甘くみずみずしい	・直径25mm（直径4分の1、体積64分の1） ・果肉と種の比3:2 ・皮に蠟が多い ・土のようで酸味が強く、少し塩味がする
スイカ	紀元前3000年	・長径500mm ・種子のないものもある ・簡単に割れる。パンチするだけでいい ・脂肪とデンプンはほぼゼロ ・美味しく、香りが甘い	・長径5mm（100分の1、体積はほぼ1,000,000分の1） ・木の実のような味の種子が18個 ・金槌等で叩き割る必要あり ・デンプンと脂肪が多い ・苦く、いやなにおいがする

表7：昔はどうしようもなかった食べ物

　そしてこれらの品種改良はすべて、遺伝学が知られるようになる前、動植物を人間に役立つよう進化させることができると私たちが知る前、そして、管理の下での品種改良が人間の一生のあいだに成果をもたらすことがあると理解される前に実現されたのです。しかしあなたはすでにもう、このワザをすべて知っています。あなたは早くも有利な立場にいるのです！

　ところが、同じものを繰り返し植えることにはマイナス面があります。あなたがある日突然気づいて、「聞いてないよ」と途方に暮れて、歴史を通して無数の人間が経験したごとく餓死することがないように、私たちはあなたにお話ししておくことにしました。同じ植物を繰り返し植えると、土壌は（ゆっくりと）劣化し、ひいてはあなたが（もっと早く）死んでしまいます。幸運なことに、あなたは「輪作」という技術を使ってこの問題を解決することができます。これは面白いぞ、と思って興味を持たれましたか？　「輪作って何？」というご質問に、喜んでお答えしましょう。

輪作

植物について、絶対に忘れてはならない、単純だけれど非常に重要なことが3つあります。

1. 植物は太陽のエネルギーを使って、大きく、美味しくなる
2. 植物が太陽エネルギーを取り込むのに使う化学物質は「葉緑素」という
3. 窒素は葉緑素の重要な成分だ

窒素を「植物のための魔法の肥料」と呼ぶのは単純化しすぎですが、それほど間違ってもいません。窒素は、世界中で最もよく与えられている植物の栄養元素で、また、ハエジゴクをはじめとする食虫植物が、実際に虫を食べるための口を進化させたのは、通りすがりの昆虫から窒素を取り込むためです。うれしいことに、あなたが本ガイドを読めるほど元気なら、地球の大気には窒素がいっぱい含まれています。ですが、残念なことに、植物には大気から窒素を取り込むことはできません。植物は土壌から窒素を取り込むほかないのです。そして、植物は土壌から窒素を奪うばかりで、補充はしないので、あなたが同じ植物を繰り返し植えると、非常に困った問題が生じます。

具体的には、次のような非常に困った問題です。

1. 窒素をはじめ、農作物が必要とするほかの栄養が土壌から枯渇してしまうので、農作物は年を追うごとに徐々に生育が悪くなり、ついには完全に不作となってしまいます。
2. あなたが植え続ける農作物に寄り付く害虫や病気は、ライフサイクルや住処が妨害されないため、猛威を振るいだします。
3. 異なる農作物を同時に育て、また、それらを順番に植えなければ、育てている1種類の作物が不作になると、あなたは餓死する危険が

あります。

4. 作物の根が浅いと、土壌に粘着性がなくなり、浸食されて失われてしまいます。

5. 作物の根が浅いと、収穫後の土壌に残るバイオマスが少なくなり、次の作物の栄養が低下します。

6. 農場が寂しく退屈になり、あなたの夕食は毎晩同じになります。

これらの問題を避けるためには、土壌を回復させなければなりません。極端な状況になっていないかぎり、回復は難しくありません。地面を耕しましょう。そして、1年間何も植えずにおき（農業従事者の言葉では、これを「農地を休ませる」、「休耕」などと言います）、そのあいだ家畜たちにその上でブラブラ過ごさせるのです。耕すことで雑草が除去され、家畜の排泄物は栄養豊富なので、土壌は回復します。＊ よかったですね！　あなたが丸一年何も食べないことを気にしないなら、あなたの農地は回復します。そしてここであなたが、毎年農地の半分だけで耕作し、もう半分は休ませるようにすれば、簡単にシステムを改善できるぞ、と、お気づきなら、おめでとうございます。＊＊ あなたは輪作を発明されたのです。より正確に言うと、二圃式農業ですが。それは次のようにまとめることができます。

＊　あなたが何を考えておられるか、わかっています。「待って、動物の排泄物に栄養が含まれるなら、人間の排泄物もそうでしょう？　私は、自分の楽しみのために排泄して文明構築したっていいんじゃないですか？」ですよね。これはいくつかの理由から、まずい考えです。まず、それは不快感を与えます。人間の排泄物は、ほかの動物のものより、人間には不快ににおうのです。しかし、それよりもっと重要なことに、人間の排泄物――肥料に使ったりするときは婉曲表現として「肥（こえ）」と言いますが、もっとはっきりとは「糞便」と言います――には、人間が影響されやすいありとあらゆる病原体が含まれています。一例が他人の寄生虫ですが、農業従事者であるあなたは、たやすく感染してしまう恐れがあります。排泄物から寄生生物を除去する方法をまだお持ちでないなら（「セクション10.2.4：保存食」では、その方法を紹介していますが、あなたはまさに自分の排泄物を低温殺菌することになります）、危険を冒す価値はないでしょう。しかし、幸いなことに、お小水については何も気にする必要はありません。人間のお小水は無害です！　畑で好きなだけやってください！

＊＊　おめでとうございます：あなたは今まさに、「文明の純利益になるとの謳い文句で、自分の労働を半分にする」ことを発明されたのです！

	農地1	農地2
1年目	好きな作物を植える	休耕し、家畜に草を食わせ、排泄物で土壌を養う
2年目	休耕し、家畜に草を食わせ、排泄物で土壌を養う	好きな作物を植える

表8：作物と排泄物に着目した二圃式農業システム

　この方式では、農地の50パーセントが非生産的となりますが、これは単純で、信頼性ある方法であり、しかもあなたは毎年食べることができます。しかし、あなたがもっと立派な農業従事者になりたいとか、50パーセントよりもっと高効率で農業ができたらいいのにという人々の不満を解消したいなどと思われるなら、あなたは三圃式農業を発明することができます。これは、次のような方式です。

	農地1	農地2	農地3
1年目	休耕し、家畜に排泄させる	秋：小麦とライ麦を植える（人間の食物）	春：オート麦と大麦（家畜の食物）、豆を植える
2年目	春：オート麦と大麦（家畜の食物）、豆を植える	休耕し、家畜に排泄させる	秋：小麦とライ麦を植える（人間の食物）
3年目	秋：小麦とライ麦を植える（人間の食物）	春：オート麦と大麦（家畜の食物）、豆を植える	休耕し、家畜に排泄させる

表9：三圃式農業システム。あなたは年に2回作物を植え、2倍働いています！　すごい世界になりましたね！

　今やあなたは、以前の2倍の食物を植えて収穫しています。それには労働または改良したプラウ（鋤）が必要です（歴史的には、この局面でモールドボード〔はつ土板〕・プラウが役立ちます。セクション10.2.3参照のこと）が、これであなたの生産性は66.6パーセントに急上昇します。しかし農地は、収穫までに2回使われることになるので、土壌が消耗する心配はないのでしょうか？

　その答は、あなたが植えていた豆類にあります。豆は、鞘に包まれた水

分の少ない実で、ヒヨコマメ、エンドウマメ、ダイズ、ソラマメ、アルファルファ、クローバー、レンズマメ、そしてピーナッツなどがあります。例をたくさん挙げたのは、少なくともこのうちひとつを栽培するよう、絶対にお勧めするからです。なぜか、ですか？　豆類はかなり美味しいだけでなく、ある種のバクテリア（「根粒菌」と呼ばれるものですが、もちろんあなたは好きな名前で呼んでください）を根のなかに寄生させて共生できる、数少ない植物のひとつだからです。根粒菌は、地球上のどの植物も自力ではできない、ある非常に価値のあることを行います。

根粒菌は、不足した窒素を土壌に戻してくれるのです。

少し詳しく説明すると、植物に寄生した根粒菌は、共生体として振舞い、その植物が光合成で作り出した炭素の一部を取り込み、そのお返しとして、大気中の窒素ガス（N_2）を植物が利用できる形（NH_3、すなわちアンモニア）に変えて、その植物の根に根粒というかたちで蓄えます。そしてあなたがこれらの植物を、根は地下に残したまま収穫すると、窒素と根粒菌は土壌に返されて、次の種まきの機会を待ちます。

豆類――というよりむしろ、それに寄生するバクテリア――は、「三圃式農業」を成り立たせ続ける接着剤のようなものです。文明は、人々が食べていけなくなれば崩壊しますが、三圃式農業システムを使えば食糧生産量は増加し続け、ひいては、その文明が擁する人間の頭脳の数が増加し続けます――これはまた、最も小さな勝利から最も大きな成果まで、あなたが行うすべてのことが、大量の、土のなかで生きている目には見えない単細胞微生物に依存しているということでもあります。彼らが滅びれば、あなたの文明も滅ぶのです。

文明の達人からの助言：豆を植えるのを忘れずに。

でも、さらに効率を上げることはできないでしょうか？　思い切って四圃式農業システムを発明して、効率を75パーセントにする、あるいは、――恐れずに、100パーセントの効率を目指すことはできないでしょうか？

そんなことを考えるためだけでも、人類は数百年をかけて勇気を奮い起こさなければなりませんでしたが、もちろん、それは可能です。

	農地1	農地2	農地3	農地4
1年目	小麦	カブ	大麦	クローバー
2年目	カブ	大麦	クローバー	小麦
3年目	大麦	クローバー	小麦	カブ
4年目	クローバー	小麦	カブ	大麦

表10：ついに、誰も全く休暇を取る必要のない農業の方式登場。進歩です！

　これが、農地と農業従事者の両方を養う農業方式です。小麦は人間のため、大麦とカブは人間と家畜両方のため。カブは冬じゅう保存でき、家畜のえさになりますし、クローバーは土壌を修復します。豆類なら何でもいいのですが、クローバーはその点で特に優れています。さらに、家畜にカブとクローバーが植わっている農地で草を食べさせることができ、これで雑草への対処にもなります。どの農地も同じ作物が再び植えられるまでに3年が経過するので、害虫は、彼らが餌とする作物がもっと頻繁に植えられたなら存続するでしょうが、この四圃式システムでは餓死します。あなたの地域にこれらの作物がすべて存在するわけでない場合は、窒素が回復され続ける限り、別の作物にされてもかまいません。しかし、ご注意ください。農地を休ませないと、農地を耕しすぎることになり、さまざまな問題が生じます（「セクション10.2.3：鋤」参照）。

　これをすべて発見した人類は、なかなか頭がいいじゃないかと思っておられるかもしれませんが、じつはちょっと恥ずかしくなるようなことが。

＊　クローバーは土壌に大変よく、「緑肥」と呼ばれることも。緑肥とは、「肥」という語が誉め言葉として使われる例のひとつ。

＊＊　土壌を枯渇させてしまったかどうか判断するのは、手遅れの状態になってしまうまでは難しいので、より単純な二圃式や三圃式システムをしばらく続け、あなたが選んだ作物の組み合わせで大丈夫だと確信されてから四圃式に移行されることをお勧めします。

この「窒素」についての科学的理解は、すべて後付けなのです。実際には、私たちは何千年ものあいだ試行錯誤を繰り返したわけで、最も基本的な二圃式農業ですら紀元前6000年になるまで登場せず、四圃式農業に至ってはようやく西暦1700年代になって始まりました。まずくない農法を発明するだけで20,000年以上もかかっているのです！ そして、もっと悪いことに、高度な輪作を可能にする根粒菌と豆類の共生は、6500万年以上前に進化によって出現していたのです。これほど昔に出現していたのなら、実際の恐竜たちが、十分頭がよく、実際に努力していたなら、そして、小惑星によって無残に殺されていなかったら、輪作という人類の最も複雑なシステムを、彼らが発明していた可能性があるのです[＊]。

　植物は、窒素のほかに、カルシウムとリンも必要とします。リンは骨から、カルシウムは歯から取ることができるので、動物の骨をリサイクルするのはいいアイデアです。骨を砕いて煮沸し骨粉を作り——骨の断片を農地にばらまくより、成分を広く行き渡らせやすい——、骨粉を硫酸（補遺C.12参照）と反応させ、リン酸塩を作れば、そのほうが植物には使いやすいので、より効果的な肥料となります。

　これであなたは、品種改良と輪作についておわかりになったので、あなた（あなたが「農業をやるタイプ」でない場合、あなたの文明のメンバーの皆さん）は、いつでも効率的な農牧業を始めることができます。しかし、あなたがどの時代のどの場所にいるかによって、使うことのできる植物と動物は違ってきます。これについては、次のふたつのセクションで詳しく説明しています。地球上のバイオマスの大部分は、人間の食糧としては使えません。消化不可能か、有毒か、危険か、採取や処理に時間がかかるか、あるいは、栄養価が低すぎて価値がないかのいずれかです。ですが、諦めてはなりません。地球の動植物のごく一部は、人間にとって本当に有用で、

＊　恐竜のすべての種が小惑星によって無残に殺されたわけではありません。一部は鳥類に進化して今日まで存続しているし、またほかの一部は、当時にタイムトラベルしたタイムマシンに取り込まれて今日まで存続しています。後者の恐竜は普通、現代に到着すると同時に、特別な「ジュラシック・パーク」に収容されます。ジュラシック・パークは、FC3000™と同様、いかなる法的責任も問うことができない壊滅的な故障を起こすことはめったにありません。

住処、食物、そして病気を治す薬となってくれるのです！

　あなたのそばに、そのような動植物のいずれかが存在するよう、心から
お祈りします！

6.

**人間は進化したけれど、まだ農業や品種改良は
行われていない時代に閉じ込められたとすると、
ほかの人間たちは何を食べているのでしょうか？
それに、古代人はとんでもなくばかなものを
食べているに違いないので、それが毒かどうか
どうやって見分ければいいのでしょう？**

朗報です：何であれ、一度は食べられます。

　この時代（紀元前20万年から紀元前10,500年まで）の果物や野菜については、私たちはあまりよく知りません。というのも、現在この時代について行われている研究の大半は、「ミトコンドリア・イブはどのような姿だったか？」などの、もっと面白いテーマに集中しているからです。ミトコンドリア・イブとは、タイムマシンを使わなくともわかったことには、99,000年前から148,000年前のあいだに生きていた人間で、現在生きている人間全員が共有する、最も近い女系の祖先です。ご興味があるかもしれないので申し上げると、彼女はなかなかルックスがよかったそうです。対応する男性、「Y染色体・アダム」は現在生きている人間全員が共有する、最も最近の男系の祖先です。この人もやはり絶世の美男子でした。

　さて、果物と野菜に戻りますと、私たちが知っているのは次の事柄です。

・紀元前780,000年：イチジク、オリーブ、そしてエンドウマメが食べられていました。これは、解剖学的現生人類が進化によって登場するよりも前になります。

・紀元前40,000年：ナツメヤシ、豆類、そして大麦が楽しまれていまし

た。

・紀元前30,000年：リンゴ、オレンジ、そして野生のベリー類が食べら
れていました。

・紀元前10,500年：農牧業と、動植物の品種改良が発明されました。

　あなたにとって幸運なことに、人間が存在しているエリアならどこでも、
食べられる果物や野菜が見つかるはずです。なぜなら、それらのものがま
ったくなかったなら、人間は早々に死に絶え、時空そのものにFC3000^{TM}
が通るに十分な大きさの穴をあけられるようになるまで人類が存続するこ
とはなかったでしょうから。しかし困ったことに、これらの食用になる植
物、葉物や野菜などは、あなたが親しんでおられるものとは違う可能性が
あります。

　そして、ほぼ間違いなく、悪いほうに違うでしょう。

　先に見たように、品種改良によって植物は良くなりました（人間の観点
からですので、より収量が高い、実が大きい、丈夫な品種である、など）
が、これは必然的に、あなたが遠い過去に行かれるほど、あなたが見つけ
る果物や野菜はますます悪くなるということです。より収量が低い、風味
が悪い、作柄が悪い、皮や殻が硬くて分厚いなど、さまざまな厄介事が今
後――つまり、遠い過去においての今後ですが――あなたを待ち受けてい
ます。前のセクションで、トウモロコシ、モモ、スイカの遠い祖先につい
てお話したのを覚えておられますか？　次の図に、品種改良の前後で、こ
れらの果物がいかに違うかを示します。

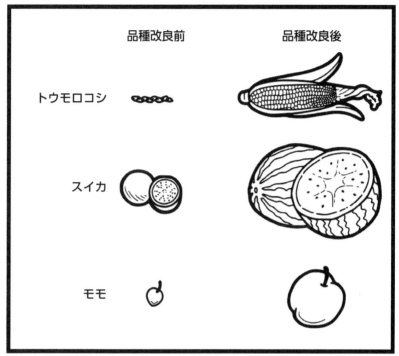

図12：残念なサラダを覚悟しましょう

　もしもあなたが、スイカとモモのフルーツサラダ（ついでに……コーン添えにしますか？）をもう一度食べたいのなら、あなたはこれらの植物を自分で品種改良せねばなりません。ごく普通の大きさのトウモロコシの穂は、西暦900年にならないと見当たらないでしょう。これはお気の毒なことです。というのも、現代のトウモロコシの粒1個は、大昔の祖先の穂1本よりも栄養価が高いからです。オレンジ色のニンジンは西暦1600年以前には見られないでしょうし、あなたがこれまでに食べたアボカドはおそらくすべて、1926年に不思議な状況のもとで発見された一粒の種に由来する

ものでしょうし、 あなたが馴染んでいるピンクグレープフルーツは、1950年代に行われた政府出資の放射線実験の前には存在しませんでした。ですが、あなたは、記憶に残るこれらの植物を、品種改良によって出現させることができる、そして、あなたが望むことは可能であり、達成でき、完全にそうする価値があると知っていることが、間違いなく利点であることを今後実感されるでしょう。

　しかし、それらのことを実行する前にあなたは、植物と動物を探して手に入れなければなりません——食べるためと、それらで農牧業を始めるための、両方の目的で——が、あなたはきっと、自分自身にも、そちらの時代に元からいる人間たちにも馴染みのない、食べられるかもしれないものに出くわすでしょう。それらが食べても安全だと、どうしたらわかるでしょう？　「たくさん食べて、死ぬかどうか見る」というのは悪い答です。

---

* 　ハース・アボカドのこと。他のアボカドよりも大きく、美味しく、長持ちする実を一年中付ける。名前の由来であるハース氏は、種をライドアウト氏から購入しました。ライドアウト氏は、レストランのゴミさえも含め、種が入手できるあらゆる場所から種を集める人物でした。ハースはそのアボカドの種を植え、たまたま入手できたこの種から育つ木を台木にし、もっと人気のあるアボカド種を接ぎ木するつもりでした。接ぎ木を2度試みるが成功せず、ハースはその木はもう使い物にならないので切り倒してしまおうと考えました。しかし、この若木が強いことを見抜いたコールキンズ氏に説得され、ハースは思いとどまりました。その直後からその木は、今日世界中で楽しまれている実をつけるようになりました。その種は、種類の異なるアボカドの花粉が受粉されて交配が起こったものだったか、あるいは、極めて稀な突然変異による品質向上があったのかもしれないですが、今日のハース・アボカドはすべて、この最初の木に由来する苗木を接ぎ木したもので実っています。ハース氏、ライドアウト氏、コールキンズ氏の偶然、あるいは、それと似たことが、あなたの生涯のうちに起こらなければ、あなたはこのアボカドを楽しむことはなかったでしょう。

** 　今日私たちが食べているピンクグレープフルーツは、1950年代にアメリカで行われた「アトムズ・フォー・ピース（原子力平和利用）」という、戦争とは無関係の実用的な目的での原子力利用を推進するプログラムの産物です。このプログラムで誕生したもののひとつが「ガンマ・ガーデン」ですが、これは名前のとおりすごいものでした。庭の中央に放射性物質が置かれ、その周囲に同心円状に植物が植えられました。中央に最も近い植物は放射線中毒で死に絶え、最も外側の植物はほとんど影響を受けませんでしたが、両者の中間にあった植物は突然変異を起こしました。なかには有益な突然変異もあり、そのひとつが現在のピンクグレープフルーツでした。それまでのピンクグレープフルーツは、ピンク色が鮮やかに出ないことが多かったのですが、原子力によって、より甘く、美しい色の突然変異が生じたわけです。今日のピンクグレープフルーツの大半が、放射線によって突然変異を起こしたこれらの植物の子孫なのです。

　もう少しましな答が、「ほんの少しだけ食べて、死ぬかどうか見る」ですが、いちばんいい答は、「あやしい食べ物を比較的安全に食べる方法が実際に存在するので、このセクションを読み、読んだことを覚える」です。

　まず、哺乳類で、肉が元から有毒なものはありませんので、哺乳類は総じて安全に食べられます（食物アレルギーは別として）——が、もしもカモノハシを食べるなら、調子に乗って毒液囊まで食べないほうがいいでしょう。鳥類も、肉が元から有毒なものはありませんが、ごくわずかながら、肉、皮、あるいは羽までも、正しい食べ方をしていても有毒になってしまうものがあります——ウズラやツメバガンなどです。これらの鳥類は、人間に対して毒性のある動植物を食べ、それらの毒を自分の体のなかにため込んでしまうことがあるので、鳥という鳥を手あたり次第ガツガツ食べるのはやめましょう。あなたがヘビ、爬虫類、魚、クモ、そして恐竜を食べはじめると、危険度はさらに増します。これらはすべて元来有毒な種ですから。実際、クモは生物学的に言って、すべて有毒ですが、あなたを殺すに十分強い毒を持つものはごく限られています。

　植物は、毒性の点で、動物よりもさらに大きな脅威です。植物は、動物のように動いて捕食者から逃れることができないので、いくつかの防御戦略を進化させましたが、その多くが、「私を食べているやつをみんな、ひどく具合を悪くして、二度と私に手だししないようにしてやろう。いや待てよ、そんな生ぬるいやり方じゃなくて、最初のときに殺してしまうほうがいいや」という原則に基づいています。植物毒のなかには、大したことはないものもありますが（リンゴの種子はシアン化物を含みますが、何トンも食べなければ影響は出ません）、容赦なく残忍なものもあります。最も恐ろしいもののひとつが、ギンピ・ギンピというオーストラリアの植物で、「自殺植物」とも呼ばれています。この植物がもたらす痛みから逃れ

＊　それで死ぬことはないが、耐え難い痛みが数カ月続き、数年にわたり体がこわばります。また、まったく美味しくありません！　やめておきましょう！

＊＊　稀に哺乳類でもそのようなことが起こります。セクション9の、シロクマの肝臓が毒性を示すようになる例を参照のこと。

ようと自ら命を絶つ人間や動物の話がたくさんあるからです。この植物には、神経毒で覆われた中空の刺毛が一面に生えており、不用意に触れるとこの刺毛が皮膚に刺さり、電気ショックを与えられると同時に酸で焼かれるようだと言われるほど耐え難い痛みが生じ、治療するには、刺毛が刺さった部位を塩酸に浸したのち、ピンセットで刺毛を抜く——刺毛が皮下で折れると痛みが増すばかりなので、注意深く行う——しかありません。

文明の達人からの助言：
オーストラリアの植物さえもが、あなたを殺そうとしています。

いうまでもありませんが、オーストラリアでは、長さ12～22センチのハート形で、毛むくじゃらの葉を持っている、高さ１～３メートルの木には近づかないようにしましょう。幸いあなたは、植物であれ動物であれ、どんな食べ物にも、以下で紹介している万能可食性テストを行うことができます。新しい食べ物でこのテストを行う際には、まず大量の水（真水と塩水）と多少の炭（セクション10.1.1）を必ず先に準備してください。真水は、何か良くないことが起こった場合、飲んだり、影響を受けた皮膚、唇、舌を洗うため。塩水は、あなたの体内で何か良からぬことが起こった場合に嘔吐を誘発するため。そして、小さじ一杯の炭は、水と混ぜてペースト状にし、飲み込んで嘔吐を誘発するか、胃の中にとどめておければ、毒を吸収するのに使えます。では、どうぞ召し上がれ！

万能可食性テスト

食べられるかもしれないものの、それぞれの部位をひとつずつ（種子、茎、葉、芽、実、など）、食べたいと思う状態で（生で、あるいは、加熱調理して）テストします。加熱調理したほうが常により安全です。テスト前の８時間は何も食べず、また、ひとつの食べられるかもしれないものの、ひとつの部位をテストするだけで、ほぼ丸一日か

かることを忘れないようにしてください。毒を食べて時間を無駄にしないようにするため、派手な色は普通（しかし常にではない）自然界では、「私は目立ちますが、それは私が捕食者なんか気にしていないからです。つまり、私を食べれば、あなたはたぶん散々な目に遭うってこと」という意味だと肝に銘じてください*。

1. においを嗅ぐ：いやなにおいがきつい場合、それは普通悪い兆しです。腐ったにおいがするときは食べてはいけません。というのも、おそらく腐っているでしょうから。また、アーモンドのようなにおいがするけれど、実際にはアーモンドではない場合、シアン化物が含まれている恐れがあります。

2. ひじや手首の内側の皮膚は敏感です。これらの部位に、テストしたい食べ物をごく少量、そっと塗り、15分待ちます。皮膚が赤くなったりかゆくなったりする、または、皮膚の感覚がなくなる、あるいは、何らかの反応が出た場合、食べてはいけません。

3. 2のあと何も悪いことが起こらなかったら、テストしたい食べ物をしばらく片方の口角に当て、その後15分待ちます。

4. 3のあと何も悪いことが起こらなかったら、唇と舌にしばらく触れさせ、その後再び15分待ちます。

5. 4のあと何も悪いことが起こらなかったら、小片を舌の上に載せ、口のなかに入れたままで、お察しのとおり、15分待ちます。

6. 5のあと何も悪いことが起こらなかったら、一度だけ噛みます。ただし、そのあと飲み込まずに、15分間口のなかに入れたままにします。

7. 6のあと何も悪いことが起こらなかったら、15分前に噛んだも

---

* ある動物が、自らの毒性を知らしめて警告するために派手な色をしている場合、毒性を持たないほかの動物たちには、捕食者に食べられないようにするために、その色をまねる、進化的動機があることになります。この戦略は、実際に毒性のある派手な色彩の動物が、それをまねている動物たちより、数の上で上回る限りにおいて有効です。

のを飲み込み、その後8時間のあいだ、水以外は何も摂取しないようにします。

8．7のあと何も悪いことが起こらなかったら、手に軽めに一杯分くらい食べ、再び8時間待ちます。

9．あなたがここまで何ごともなく過ごしておられるなら、テストしてきたものは、おそらく安全に食べられるでしょう。このあと1週間かけて、少しずつあなたの食事に加えていくことができます。

このテスト全体は17時間半かかり、そのあいだあなたは他のものは何も食べられませんが、これは新しい食べ物を死なずに試す、実行可能な方法です！　また、この方法は完全ではありませんが——たとえば、ツタウルシの毒による発疹は数日後になって現れることもあります——、あなたが毒に曝される危険を抑えます。

7.

過去に閉じ込められたタイムトラベラーに役立つ植物

**これらの植物を美味しいと感じる味覚は、
間違いなく育てがいがあります。**

　このセクションでは、人類にとって最も役立ってきた植物を、あなたがそれらを使ってできることと共にひと通りご紹介します。植物は人類よりも前から存在し、その自然な進化は一般にゆっくり起こるので、人間を見つけられるならばいつの時代でも、本セクションに挙げた植物に一致するものや近いものも見つけられるはずです。しかし、あなたが出会う植物は、あなたが馴染んでいるものとは少し違う——場合によっては、著しく異なる——可能性があることに注意してください。なぜそうなのかについて、そして、あなたの目の前にある変な祖先から、馴染み深い植物を再現するにはどうすればいいかについては、セクション5をご覧ください。

　本セクションをよくお読みになり、あなたがおられる地域に自然に生えている、最も有用な植物を見つけてください。植物ごとに、それが最初に出現した地域を記しています。ご自分が地球のどの地域にいるかわからない場合、ご存知の植物をいくつか身の回りで見つけ、本セクションを参照して、それらがどこに生育しているかを確認してください。万が一、あなたが本セクションに記載されているどの植物も、どのような姿なのかご存知なかったとしても、本セクションを読めば、少なくとも、周囲にどのようなものがあるか予想できます。また、これらの植物のどれひとつを取っても、それに関して膨大な数の本が書かれていますが、それぞれの種について数行の説明があるだけでも、理屈の上では、何もないよりはましです。あなたがおられる時代によっては、これらの植物のいくつかを、その元来

の生育地以外のところで見つけるという幸運に恵まれることもあるでしょう[11]。

7.1：リンゴ

発祥の地

　中央アジア

用途

・リンゴの木は、人間によって栽培されるようになった最初の植物のひとつで、その果実は数千年にわたり改良され続けているため、あなたが品種改良が発明される前の時代におられるなら、小さくて酸っぱく、ほとんど種子と芯ばかりのがっかりするようなリンゴしかないという覚悟が必要です。お楽しみいただければいいのですが。

・秋に収穫し、涼しい場所で保管しておくと、リンゴは優に冬を越えて品質を維持します。

補足

・リンゴジュースを放置し、天然の酵母菌による発酵が進むに任せれば、アップル・シードルができます。美味しい保証はありませんが、アルコールはちゃんと含まれているはずです！

7.2：竹

発祥の地

　高温多湿の熱帯地域

用途

・長期保存可能な、文字を書くための板を作ることができます（特に、紙が発明される前の時代には便利）。外側の緑色の皮を削ぎ落とし、側面のどこかで縦に割って開き、平らにします。多数の稈（かん）（茎）をこのように処

理したものを、つなぎ合わせ、広い面積に書くこともできます。

・笛（吹き矢も）を作るのにもよく、芽（筍）は食べることができます。

・矢、かご、足場、家具、壁、床材、電球のフィラメント、そして、送水管を作るのに使え、また、鋼鉄がまだ発明されていない場合にコンクリートの補強材として使えます。というのも、竹の引張強度（割れたり千切れたりすることなく、重い荷重に耐えられる能力）はほとんど鋼鉄と変わらないからです。

・かわいいジャイアントパンダが寄ってきます。

補足

・竹は用途が極めて広い植物で、あなたが足止めを食らっているのが竹が生育する地域なら、この1種類の植物だけを使って、文明に必要な多くのものを作ることができます！

・竹は世界で最も成長の速い植物のひとつなので、あなたがすぐにでも植物がほしいときに役立ちます。

7.3：大麦

発祥の地

世界中の温暖な地域

用途

・人間が食べます！　動物も食べます！　世界のほとんどの地域で入手可能な基本的な作物です！

補足

・大麦ビールは、人類が作った最初のアルコール飲料のひとつです！[*]
あなた自身のビールを作る方法は、セクション10.2.5を参照ください。

・現存する最古のレシピのひとつが大麦ビールの作り方で、あとであなた
にもお教えします（113ページのコラム参照）。乾杯！

7.4：黒コショウ

発祥の地

南アジアおよび東南アジア

用途

・コショウの木（つる性）から、熟した赤い実を取り、日光のもとで乾燥
させれば、黒コショウの実になるので、これを砕いて食べ物に混ぜれば、
ピリッとしたコショウの風味が味わえます。

・近代以降、どこでも使われるようになり、今も世界で最も取引されてい
る香辛料です！

補足

・中世のヨーロッパでは、コショウはほかのあらゆる香辛料の10倍の価値
がありました！　人々はコショウが大好きか、あるいは、薄味の食べ物が
嫌いかのいずれか、もしくはその両方です。もしかして、両方？　たぶん、
両方でしょうね。

・コショウは、便秘、不眠症、ひどい日焼け、歯痛など、さまざまな病気
に効くとも考えられていました。そんなことはないので、時間を無駄にし

---

[*]　ハチミツ酒とワインはビールよりも前から存在します。なぜなら、これらは偶然にできるこ
とがあるからです。ハチミツ酒を作るには、ハチミツ（セクション8.8）を水で薄めるだけでよ
く、そこに酵母がコロニーを作ると、発酵が始まります（天然の酵母に頼りたくなければ、自
分で酵母を培養する方法がセクション10.2.5に示されています）。また、腐った果物には自然に
アルコールができますが、そのプロセスはワインの製法と同じです。ただし後者は人間の制御
のもとで進みます。

ないでください。

7.5：カカオ

発祥の地

　アフリカ中部、南部の熱帯雨林

用途

・美味しいチョコレートは、カカオ豆が原料です。カカオポッド（カカオの実）からカカオ豆を取り出し、バナナの葉で覆って発酵させたのち、日光のもとで乾燥させ、焙煎し、皮を取ります。残ったものをすりつぶせば、純粋なチョコレートができます。

・チョコレートは元来苦いもので、何世紀ものあいだ、焙煎し、すりつぶしてシチューやワインに混ぜて使われてきましたが、砂糖を加えた美味しい飲み物として楽しまれるようになって、ヨーロッパで人気が急上昇したのです！

補足

・カカオポッドの内側にある果肉（豆すなわち種子を取り巻いている白い部分）も食べることができ（また、どんな甘い果物もそうですが、発酵させることもできます）、元々は豆ではなく果肉を目的として栽培されていました[12]！

・チョコレートの風味は世界で最も人気が高く、あなたの文明も人気が高くなるでしょうから、心構えをしましょう。

・チョコレートのなかでも美味しいと、最も広く合意されているのはミルクチョコレートです。あなたのチョコレートを火にかけて、ミルク、砂糖、脂肪を加えたのち冷やせばいいだけです。ミルクチョコレートは日持ちがよく、カロリーが高いため、長い航海には便利な食べ物です（「セクション10.12.5：船」参照）。

7.6：トウガラシ

発祥の地

中南米

用途

・食べ物をピリッとさせ、より美味しくするのに便利。また、チリソース作りにも大活躍。

・辛味の主成分は「カプサイシン」と呼ばれ、ごく低濃度で、一時的な鎮痛剤として使うことができます。痛み受容体を過負荷にすることによって作用。

補足

・カプサイシンは塩に次いで世界で最も消費されている香辛料。みんなこれが大好き！

7.7：キナの木

発祥の地

ボリビア、ペルー

用途

・この木の皮にはキニーネが含まれています。それでですね、キニーネはマラリアの特効薬なんです！

補足

・マラリアの治療のためには、木の皮をはぎ、乾燥させ、粉末にし、飲みます。副作用には、頭痛、視覚障害、耳鳴りまたは難聴、不整脈などがあり、必要のない限り服用しないこと！

7.8：ココヤシ

発祥の地

インド洋・太平洋地域

用途

・非常に用途の広い植物。葉状部（細い葉がたくさん集まって一本の茎状のものにつながっている全体）は燃料になり、細い葉は編んでカゴやマットにできます。茎からはほうきが作れるし、実を覆う毛は綯って縄にできます。そしてもちろんココヤシの果肉は極めて美味！

補足

・ココヤシの実、ココナッツは、殻の気密性が高く、したがって内部に含まれる水は事実上無菌状態です。このためココナッツは、安全で清潔で、しかも一切技術なしに入手できる優れた水源となります！

7.9：コーヒー

発祥の地

アフリカ

用途

・豆を乾燥させ、挽き砕き、それに水を通すと、黒い液体が出てきます。どういうわけか、多くの人々がこの液体を飲むのを好みます。
・この事実とは無関係ですが、コーヒーはカフェインが高濃度で含まれ、このカフェインこそ世界で最も消費されている向精神薬です。

補足

・カフェインは眠気の諸症状を予防し、脳神経系の各部を刺激します。
・カフェインは過剰摂取の危険があり、過度の飲用により死亡する場合がありますので、そちらの時代でも、飲むのはほどほどに。

7. 10：トウモロコシ

発祥の地

南北アメリカ

用途

・南北アメリカの諸文明の主要農作物、トウモロコシは、人間と動物の両方を養える便利で効率的な作物です。トウモロコシは誰もが大好き！　というか、少なくとも、ほかに何もなければ誰もがトウモロコシを食べます。

・極めて用途の広い食材で、茹でる、焼く、蒸す、生で食べる、砕いてトウモロコシ粉にする、加熱してポップコーンにする、トウモロコシ粉を使ってパンを焼く、または醸造してビールにするなどが可能。

補足

・栽培されているトウモロコシ（紀元前約7000年ごろ以降には存在していました）は、自然には繁殖しません。より多くのトウモロコシを収穫するには、穀粒を次の春まで保管し、春に土中に埋めてやらねばなりません。ほぼ完全に栽培化されてしまったので、人間の助けと介入がなければ存続できなくなりました。信頼してくれてありがとう、トウモロコシ！

7. 11：綿

発祥の地

南北アメリカ大陸、アフリカ、インド

用途

・近代以降も、世界で最も重要な、非食用作物のひとつ。

・柔らかく通気性の高い衣類や繊維製品を作るために使うほか、船の帆や漁網、紙、コーヒーフィルター、テント、消防ホースまでも作ることができます。

・木綿の繊維は、セルロースの含有量が多く、そのため製紙に向いています。セクション10.11.1参照。

補足

・綿糸の作り方──織れば布になります──まず、綿花の一番上のふわふわした玉を摘んで集めます。玉を引き延ばし、ざらざらした板の表面にこすりつけるようにしてさらに引き延ばし、繊維束から種子を分離します。繊維束を櫛状のもので梳き、繊維をまっすぐに伸ばし、紡ぐと糸になります。詳細はセクション10.8.4を参照のこと。

7. 12：ユーカリ

発祥の地

　オーストラリア

用途

・樹皮の外に分泌される樹脂からうがい薬を作ることができます。
・花にミツバチが集まり、美味しいハチミツを作ります。
・葉から抽出される精油は、医療分野で驚くほど役立ちます（詳しい点は下記の補足を参照のこと）。
・ユーカリの精油は、食べ物を美味しく刺激的にするのにも使え、また、石鹸に香料として加えることもできます。

補足

　ユーカリの精油は、
・局所的に塗布すると、殺菌性と抗炎症性を示します。感染防止のため、傷口に塗布しましょう！
・飲むと、のどの痛みなどの風邪やインフルエンザの諸症状を緩和します。
・蒸気として吸入すると、鼻炎や気管支炎の治療薬になります。
・皮膚に塗布すると、虫よけにもなります‼　ユーカリの精油、ありがと

う。君はとても便利だ。

・極めて燃えやすく、燃えているユーカリの木は爆発することもあります。ですので、気を付けてください。

・摂取しすぎると毒性を示すことがあります。致死量は、体重1kg当たり0.05㎖から0.5㎖。

7. 13：ブドウ

発祥の地

西アジア

用途

・果実は生で食べられるほか、天日乾燥させてレーズンにしたり（より長持ちします）、発酵させてワインを作ったりできます。歴史的に人類は、ワインで酔っ払って楽しんできました。

・ブドウは自然発酵しますが、ワイン製造者の技術は、発酵が終わったあと、ワインを安定化させることにあります。適切なタイミングで保存し、より美味しい飲料にするのです。

補足

・もしもあなたが、ヨーロッパとアメリカのあいだを蒸気船が航行しはじめたころにおられるなら、従来の船よりも速力が格段に上がったため、アメリカ土着の黄緑色をした「フィロキセラ」という昆虫——それまでは長い航海のあいだに死滅していた——が生きたままヨーロッパに到着するようになることにご注意。到着したフィロキセラは蔓延し、ヨーロッパのブドウ園を何世代にもわたって壊滅させるでしょう。最終的な対策は、ヨーロッパのブドウの木を、フィロキセラに耐性があるアメリカのブドウの種の台木に接ぎ木することです。あなたがこれを早く思いつくほど、あなたは世界の歴史をより大きく変えるでしょう（少なくともワインを飲むことに関しては）。

7.14：オークの木（楢の木）

発祥の地

北半球

用途

・高密度で高強度ですが柔軟性のある堅い木で、虫やカビに強い。

・ボートから建物まで、あらゆるものがオークで作れます。

・オークの樹皮はタンニンを含みます。タンニンで処理すると、ごつごつした動物の皮が柔らかくなり、衣類として使えるようになります。方法はセクション10.8.3を参照。

補足

・オークの木は1500年以上生きることができ、材木を取るために伐採できるまでに約150年かかります。このためオーク林業は、前もって計画が必要な事業です。

7.15：ケシ

発祥の地

地中海東部

用途

・可憐な植物ですが、たまたま、花ガラ（シードヘッド）から取れる液体にアヘンが含まれています。アヘンは、モルヒネ（鎮痛剤）、コデイン（鎮痛剤、咳止め、下剤）、ヘロイン（中毒性の高い麻薬）の原料です。

・ドラッグに関心がない人には、ケシの実は美味しいスパイスにもなります！

補足

・夕方、熟したケシの実の表面をこすって傷をつけ、翌朝、そこから漏れ出している樹脂を集めます。これを天日で乾燥させると、生のアヘンができます。

・モルヒネは、乾燥させたポピーを細かく切り刻み、重量にして3倍のお湯のなかで、底にペースト状のものがたまるまで茹でます。石灰（補遺C.3）を加え、同じ過程を繰り返し、塩化アンモニウム（補遺C.6）を加え、モルヒネを沈殿させます。沈殿物を塩酸で浄化します（補遺C.13）。

7.16：パピルス

発祥の地

エジプト、アフリカの熱帯地域

用途

・あなたがまだ紙を発明しておらず、動物の皮を乾燥させ引き延ばせばパーチメントになり、その上に書くことができることも発見していないなら、パピルスを使って書くための媒体を作ることができます。

補足

・パピルス紙の作り方はこうです。パピルスの茎の外層をはがし、切断して、細長い薄片をたくさん作る。薄片を数日間水に浸ける。薄片を隣り合わせに順番に並べる。このとき、隣り合う薄片の端どうしがほんの少し重なる程度に近づける。その上に、これと同じ層を、薄片の方向が最初のものに直交するようにして作る。これを数日間プレスすれば、ジャジャーン！ パピルス紙1枚の完成です！

7.17：ジャガイモ

発祥の地

南米のアンデス地域

用途

・ジャガイモは、人間が必要とするすべての栄養素を含む数少ない植物の
ひとつです！　あなたは完全にジャガイモだけで生きることができます
（しかし、そうしてはいけません。というのも、ジャガイモが不作になっ
たら生きていけなくなりますから）。

・ジャガイモのすべての部位は、調理しないかぎり有毒なので、生のジャ
ガイモを食べてはいけません。ジャガイモに毒があるおかげで、あなたは
少し優位になります。なぜなら、自分の食べ物を調理する動物は人間だけ
なので、[*]　ジャガイモが有毒だとわかる動物は、あなたの畑からそれを盗
んだりしないでしょう。

・茹でる、すりつぶす、シチューに入れる、油で揚げて美味しいフライや
ポテトチップにする（これは健康にはよくありませんが、ものすごく美味
しいですし、それに、いいですか、夕食は大量のポテトチップだけでいい
という文明もときには存在するのです）などしてください。ポテトチップ
は普通、西暦1800年代になるまで発明されませんが、とても簡単にできる
ので、あなたが今作って楽しんでも構いません。

補足

・ジャガイモは熱帯地域を除き、ほとんどどこでも栽培でき、どんな穀類
よりも1平方キロメートル当たりの熱量(カロリー)生産量が多いです。

・ジャガイモはヨーロッパで歓迎されなかった歴史があります。プロテス
タントたちは、ジャガイモは地下で成長するし、そのごつごつした形が

---

[*]　おおむねそうだということです。カンジという名前のボノボは、人間の研究者らにより食べ
物を焼くことを教えられ、西暦2000年代初期に、自ら薪を集めて積み上げ、人間によって与え
られたマッチで火を付けました。彼は火を使ってマシュマロを焼きました。同様に、西暦2015
年、複数のチンパンジーに「調理器」――底に細工がしてあり、生の食べ物を入れると、それ
を調理したものが出てくるボウル。火を制御する必要を回避した実験装置です――を与える実
験が行われました。チンパンジーらは、生のものより調理されたものを好み、あとで調理する
ために食べ物を保存する行動まで示しました。

「ほのめかしている」ように、「新世界」からやってきた邪悪な食物だと考えました。そうです。もしもあなたの祖先が初期のアメリカ合衆国までたどれるなら、あなたの祖先がジャガイモに対してむきになった可能性はかなりあります。この抵抗は、さまざまな方法で克服されましたが、最も注目に値するのは、フランスでヴェルサイユ宮殿の敷地内でジャガイモが栽培されたことでしょう。このとき、この新しい謎めいた王宮の野菜を守るため、「監視人」が置かれました。夜になると監視人は役目を終えて帰るので、この新しい作物に興味津々の市民たちが畑を襲い、やがて自分たちもジャガイモを栽培するようになりました。

7.18：イネ

発祥の地

　　東アジア

用途

・イネは数万年にわたって栽培され続けており、したがって、数十億人の人々が、米（イネの種子から外皮を取り除いた穀物）は便利で美味しいと感じてきました。

・上からカレーをかけて食べてみてください。美味しいですよ。

・アジアの諸文明の主要農産物。

補足

・全世界で消費されるカロリーの5分の1以上が米に由来するもので、全植物中トップです。

・イネは湿った土壌で最もよく育つので、降雨量の多い地域が適していますが、水を与えてやる限り、ほとんどあらゆる場所で栽培が可能です。

・イネは水田で生育しますが、水田には水中では育たない害虫や雑草を防ぐという利点があります。

7.19：ゴムノキ

発祥の地

さまざまな種のゴムノキが南米原産

用途

ゴムノキの樹液は、柔軟性、粘着性、撥水性を持つラテックスで、次のような多くの用途に使われます。

・消しゴムの作製（英語でゴムを「ラバー〔rubber〕」と呼ぶのは、消しゴムでこすって〔rub〕間違いを消すことから来ています）。

・プレスしてシート状にし、撥水性の衣類を作る。

・接着剤またはセメントとして使う。

・電流を扱う際に絶縁体として使う。

補足

・天然ゴムは劣化しますが、化学的処理で、低粘性でより柔軟性と耐久性が高い物質へと改質できます！　この過程は加硫と呼ばれます。英語では「ヴァルカナイゼーション（vulcanization）」と言います（もちろんあなたが好きな呼び方をすればいいのですが、「ヴァルカナイゼーション」が、なかなか素敵な響きかと）。

・最も簡単に加硫処理するには、加熱しながら硫黄を加えましょう。身近に純粋な硫黄が転がっていなくても、心配ご無用。南米のゴムノキにはたいてい、薫り高い白い花を夜に咲かせる、つる性の植物がからみついています。それが「ヨルガオ」なのですが、この植物を絞った液には硫黄が含まれているのです。使いやすく改質した天然ゴムを作るのに必要な材料が一度に手に入るわけです！

7.20：大豆

発祥の地

東アジア

用途

・大豆は、１平方キロメートル当たり産出するタンパク質が、ほかの植物の２倍、ミルクを生産するために動物たちを放牧するのに必要な土地の５から10倍、食用肉を生産するために必要な土地の15倍もあります。タンパク質はお好きですか？　ならばあなたは、しかるべきページを開かれたのです。

・大豆は、ほかの多くの必須栄養素の優れた供給源でもあります。

補足

・ヤムと同じく、生の大豆は人間（ならびに、胃がひとつしかないすべての動物）にとって有毒なので、食べる前には調理が必要です。あなたは、見知らぬ食べ物を見つけたなら、何でも調理しましょう。多くの食べ物が有毒ですが、その毒は調理により破壊されますし、逆に調理によって毒性を持つようになる食べ物はありません。調理は素晴らしい！

7.21：サトウキビ ────────────────────

発祥の地

　ニューギニア

用途

・サトウキビを圧搾して得られる糖液を十分な濃度にまで煮詰めると、砂糖の結晶が生じます。文明にとって必須というわけではありませんが、砂糖は人生をより楽しくします（さらに、糖尿病や肥満をもたらし、また、消化器官が食物繊維を処理するのを妨害しますので、砂糖はほどほどにしましょう）。

・あなたがサトウキビの育つ熱帯地域におられないとしても、そこはテンサイが見られる温帯地域かもしれません。テンサイを細かく切り、数時間煮て砂糖を抽出します。その結果得られた液体を、さらに煮詰めて濃い糖

蜜にすることもできます。

補足

・砂糖を抽出したあとに残ったサトウキビの乾燥したパルプは、紙作りに使えます。

・サトウキビは、最も効率よく光合成を行う植物で、ほかのどんな植物よりも多くの太陽光をバイオマスに変換します！　したがって、植物を燃料として使いたいなら、サトウキビを育て、それを乾燥させてから燃やして水を沸騰させましょう（これは蒸気機関で利用できます。セクション10.5.4参照）。こうすれば、土地を最も生産的に使うことになります。じつはサトウキビは、砂糖を作ったあとの残りかすの乾燥パルプさえもが燃料に使えるのです。そのようなわけで、これは抜群に効率的な植物なのです。

7.22：オレンジ ——————————————————————

発祥の地

中国および東南アジア

用途

・ビタミンCを大量に含み、運ぶのにおあつらえ向きに皮で包まれています。

補足

・人間はビタミンCが必要ですが、自らビタミンCを作ることはできないので、壊血病になりたくなければ（あるいは、すでにその病気なら、治すために）オレンジを食べましょう。

・ほとんどの生鮮食品はビタミンCを含んでいますが、ビタミンは光、熱、空気にさらされると分解するので、加工食品の大半は、どんなビタミンもまったく含んでいません！　「セクション9：基本的な栄養」には、この単純な事実を知るだけで、百万とは言わぬまでも、数千人の命が救われ

るということが示されています。

・甘い種類のオレンジは西暦1400年になるまで栽培されなかったので、それ以前の時代には、非常に苦い種類のオレンジ（ダイダイ）しかないことをお断りしておきます。

7.23：茶

発祥の地

　中国、日本、インド、ロシア

用途

・乾燥させた葉をお湯に入れれば、美味しい飲み物になります！

・また、カフェイン源でもあり、あなたがまだアフリカに行ってコーヒーを発見していなければ、貴重です。

補足

・お茶は世界で2番目によく飲まれている飲み物（もっと人気なのは水だけです）なので、当然とても美味しいです。

・お茶は、ほかの植物からも作れますが、それらのものは普通「ハーブティー」と呼ばれています。本当のお茶はチャノキという植物から得られるもので、代用品を受け入れてはなりません。

・ミルクと砂糖を入れて、あるいは冷やしてレモンを加えて、お飲みください！

7.24：タバコ

発祥の地

　中米

用途

・興奮剤であるニコチンを含有。

・植物に中毒になりたければ、吸ってください！

補足

・20世紀には、タバコは回避可能な死の主要な原因で、全世界の死者の10人にひとりがタバコの使用によって亡くなりました。

・受動喫煙さえも致命的なため、タバコは吸わないようにし、タバコを吸っている人の傍_{そば}にも行かないこと。

・タバコをあなたの文明に導入するのはやめましょう。そうすることで、数十億ドルの金と数百万人の命を失わずにすみますし、電子タバコの発明も防ぐことができます。

7. 25：小麦

発祥の地

　中東（肥沃な三日月地帯）

用途

・ヨーロッパ文明の主要生産物。挽いた小麦（小麦をふたつの石のあいだですりつぶして細かくしたもの。セクション10.5.1参照）に水を混ぜて焼くと、平らなパンやビスケットができ、かなり長期間腐らずにもちます。小麦はエール（ビールの一種）を作るのにも使えます。セクション10.2.5参照。

・小麦は乾燥させると長持ちし、次の春にはちゃんと発芽して小麦が成長します。

・小麦全体から実を分けるには、刈り取った小麦を地面に寝かせ、棒でたたくだけで結構です。これで実が分離します。次に、もみがらと小麦を分ける（つまり、穀物を外皮から取り出す）には、実を風にさらします。もみがらや藁は風で飛ばされてしまいますが、小麦の実は密度が高いので下に落ちます。

・栽培されるようになる前の野生の小麦は、シードヘッドが開いて、地面

や風に広がるという重要な特徴を持っていましたが、品種改良により、その特徴はすぐになくなってしまいました。人間は当然ながら、シードヘッドがないほうが好きなので——そのほうが種子が散逸しませんから——、シードヘッドが開かない小麦の栽培化が急速に進みました。シードヘッドが閉じているということは、栽培化された小麦は、人間が種まきしないともはや存続できないことを意味します。

補足

・小麦の作付面積は農産物中最大で、植物性タンパク源として最も人気があります。

・パンは簡単で栄養価の高い主食で、数万年にわたり消費されてきました。このため、パンにまつわるさまざまな言い回しが英語にはあるのもうなずけます。誰かの生計の手段を奪うことを、「口のなかからパンを奪う（taking the bread out of their mouth）」、抜け目ないことを、「パンのどちら側にバターが塗ってあるか心得ている（knowing which side of your bread is buttered on）」、「ひとはパンのみに生きるにあらず（We can't live on bread alone）」という思想もあれば、素晴らしい発明を褒めるのに、「スライスしたパン以来最高（the greatest thing since sliced bread）」と呼んだりもします。

・ちなみに、スライスしたパンが最初に市販されたのは西暦1928年7月7日でした。それ以前は、パンは自分でスライスせねばならず、その際、「もうこんなことしなくていいなら、最高なのになあ」とつぶやかねばなりませんでした。

・小麦の実と殻を分けるのに風の強い日を待つのがいやなら、送風機を発明するといいでしょう。電気モーター（セクション10.6.2）にプロペラ（セクション10.12.6）をつなげるのです。

・小麦の栽培化は、たった20年でできます[13]！

7. 26：トウグワ

発祥の地

中国

用途

・絹を生み出すカイコ（セクション8.15参照）の好物。

補足

・中国人たちは1000年以上にわたって絹を売りながら、その製造方法を他国には完全に秘密にし、この極めて高収益な産物の独占をほしいままにしていました（カイコや繭を輸出した者は死刑と決まっていたことも、これを助長したようです）。

・絹の由来についてはさまざまな憶測がありました。珍しい花の花びらから作るという説、特別な木の葉だという説、そして、いくらでも食べ続ける昆虫が最後に破裂して四方八方に絹糸をまき散らすという説までが存在しました。

・残念ですが、これらの説はどれも間違っています。絹の原料はカイコの繭で、繭をトウグワの木から取ればいいだけなのですが、大規模生産を望むなら、自分でカイコを飼育しなければなりません。セクション10.8.4にその方法がすべて記されています。

7. 27：ヤナギ

発祥の地

ヨーロッパとアジア

用途

・葉と樹皮に含まれるサリシンは、食べると体内でサリチル酸に変化します。サリチル酸は、世界で最も広く使われており、あなたもいざというときにほしい薬、アスピリンの主成分です。

・ヤナギは、カゴ、漁網、フェンス、壁などを作るのに使えます。紀元前8300年ごろのヤナギで作った網が発見されており、人間は極めて長いあいだヤナギを使ってきたことがわかります。

補足

・アスピリンは、解熱、消炎、一時的な鎮痛に効果があります。

・サトウキビと同様、ヤナギは燃料用のバイオマスの良い原料になります。

・ヤナギはセイヨウトネリコと同様、成長が著しい木です。そのため、実際、ヤナギの木を切り倒しても、そのヤナギが死なないようにすることができます。これは「萌芽更新」という方法で行います。まず、木が休眠状態にある冬に木を切り倒します。ただし、切り株は残しておきます。春になったら、そのヤナギは同じ根を使って再成長します。ヤナギは2から5年ごとに萌芽更新を行うことにより、繰り返し収穫することが可能です。定期的に萌芽更新されている木は、常に若い状態を維持し、そのため老化によって死滅することがありません。その結果、ヤナギは再生可能な木質燃料となります。ほかにも萌芽更新可能な木はありますが、ヤナギは成長速度が速いため、特にこの用途にぴったりです。

7.28：ヤセイカンラン

発祥の地

地中海、アドリア海沿岸

用途

・品種改良により、ケール、芽キャベツ、ブロッコリー、カリフラワー、その他さまざまな野菜にすることができます。これらはすべて共通の祖先から分かれたもので、したがってヤセイカンランは品種改良に広く使えます。

補足

・キャベツは、たいていの気候や土壌ですぐに成長するので、手軽なカロリー源となります。

7.29：ヤム

発祥の地

　アフリカ、アジア

用途

・ミネラル、炭水化物、ビタミンが豊富なデンプン質の植物。ただしタンパク質はごくわずかです。

補足

・アメリカではサツマイモも「ヤム」と呼ばれることがありますが、まったく別物。人間は混乱するのが好きなようです。

・多くのヤム、特に栽培化されていないものは、有毒です。毒成分は、ヤムを茹でる、焼く、あぶり焼きするなどにより破壊されますので、生のヤムは絶対に食べないでください。それに、あぶり焼きにしたほうが美味しいです。ぜひお試しください。

そろそろビールの時間だ

　自然に現存する（すなわち、タイムトラベラーによって現代に持ち込まれたのではなく、紀元前1800年ごろの古代シュメールの粘土板が今日に伝わったことによって知られている）レシピのひとつが、大麦ビールの作り方です。それは本来は、シュメール神話の神のひとり、ニンカシの魅力を称える讃美歌なのですが、その大部分がビールの製法の説明に費やされています。キリスト教の「主の祈り」を読むようなものです。

天にましますわれらが父よ、御名の称えられますように。御国が来ますように。御心が天に行われるとおり、地にも行われますように。私たちの日ごとのパンを、平らなパンにチーズをトッピングしたピザも含め、お与えください。御身のピザがプレーンで、ベジタリアン向けには野菜ピザを、あるいは、御身がわたしたちのなかに肉好きの者を配された場合には、ミートピザをお与えくださるのなら、それらはすべて御名のもとにおいて次のように準備することができます。……

あなたが宗教的な社会にいるなら、情報をできるだけ長く保存し共有させたい場合、その情報を祈禱や讃美歌の形式で書けば、目的は容易に達成されます[*]。古代シュメール語から翻訳されたニンカシ賛歌の、古代のビールのレシピを含む抜粋を以下に記します[14]：

あなたの父は創造主エンキ、
あなたの母は聖なる湖の王女ニンティ。
ニンカシ、あなたの父はエンキ、創造主、
あなたの母はニンティ、聖なる湖の王女。

あなたはパン生地を扱う、それも大きなショベルで、
穴のなかで、バピア［シュメールのパン種を入れていない大麦パ

---

[*] これはそれほどおかしなことではありません。カトリック教会では、ミサの儀式にはワインが不可欠だったため、カトリックが存在する限り、これらの儀式に必要なワインを欠かさぬようにし、偶然のことながら、それと並行して、この飲料の製造に必要なブドウ栽培の方法が失われぬよう努める修道院が存在してきました。中世において、シトー修道会、カルトゥジオ修道会、テンプル騎士団、そしてベネディクト修道会をはじめとするカトリックの修道会は、フランスとドイツにおける最大のワイン生産者に数えられ、彼らが生み出したワインのなかには、今日なお愛好されているものもあります。たとえば、ドン・ペリニヨン（通称ドンペリ）は、17世紀後半にフランスのシャンパーニュ地方で、この発泡ワインを発明したベネディクト会の修道士にちなんで名づけられました。

ン]を甘い香草と混ぜる、
ニンカシ、あなたはパン生地を大きなショベルで扱う者、
穴のなかで、バピアをナツメヤシ・ハチミツと混ぜる、

あなたは、大きな窯のなかでバピアを焼く者、
殻を取った麦を積み重ね準備し、
ニンカシ、あなたは大きな窯のなかでバピアを焼く者、
殻を取った麦を積み重ね準備して、

あなたは地面の上に置かれた麦芽に水を注ぐ者、
気高い犬たちが支配者さえも寄せ付けない、
ニンカシ、あなたは地面の上に置かれた麦芽に水を注ぐ者、
気高い犬たちは支配者さえも寄せ付けない、

あなたは麦芽を瓶のなかで浸す者、
波は高まり、波は沈む。
ニンカシ、あなたは麦芽を瓶のなかで浸す者、
波は高まり、波は沈む。

あなたは煮た麦芽を葦のマットの上に広げる者、
涼しさが圧倒する、
ニンカシ、あなたは煮た麦芽を葦のマットの上に広げる者、
涼しさが圧倒する、

あなたは両手で見事な甘い麦芽汁を容器に注ぐ者、
そしてそれをハチミツとブドウ酒で醸造する。
ニンカシ、あなたは両手で見事な甘い麦芽汁を容器に注ぐ者
そしてそれをハチミツとブドウ酒で醸造する。

心地よい音を立てる濾過器、
あなたはそれを大きな収集桶の上に正しく置く。
ニンカシ、心地よい音を立てる濾過器、
あなたはそれを大きな収集桶の上に正しく置く。

収集桶のなかの濾過されたビールをあなたが注ぐとき、
それはチグリス川とユーフラテス川の奔流のよう。
ニンカシ、あなたは収集桶のなかの濾過されたビールを注ぐ者、
それはチグリス川とユーフラテス川の奔流のよう。

8.

過去に閉じ込められたタイムトラベラーに役立つ動物

> あなたが最近飼い慣らしたばかりの犬は、太っていませんよ。
> ちょっと……ハスキーなだけですよ。

（訳注：「声がかれている」と、ハスキー犬の駄洒落）

　本セクションには、地球で最も役立つ18種の動物が、特に恐ろしい3種の動物とともに詳しく紹介されています。ここで紹介する動物はどれも、解剖学的現生人類よりも早く出現しました（犬や羊など、人間が作り出した動物は当然違いますが）ので、人間が含まれる文明ならどれも、そこにこれらの動物が含まれている可能性があります。

　ライオンに畑を耕してもらい、キリンに家畜の群れを監視してもらえるぞ、と興奮される前に、タイムトラベルが発明される前に完全に家畜化されていた動物は40種ほどしかないことを知っておいてください。それらには、金魚、グッピー、カナリア、ハリネズミ、フィンチ、そしてスカンクなど、あまりに当たり前なものも含まれています。つまり、ほどほどに可愛いペットである以外に、総じて人間にとって役に立たない種です。*植物の栽培化——比較的容易——とは違い、家畜化の候補にあがる動物には、次のような条件があります。

---

* 完全に家畜化された動物を列挙してみます：アルパカ、ラクダ（ひとこぶ）、ラクダ（ふたこぶ）、カナリア、ネコ、ニワトリ、乳牛（こぶなし）、乳牛（ひとこぶ）、イヌ、ロバ、小型のハト、アヒル、フェレット、フィンチ、キツネ、ヤギ、金魚、カモ、モルモット、ホロホロチョウ、グッピー、ハリネズミ、ミツバチ、馬、鯉、リャマ、ネズミ、ブタ、一般的なハト、ウサギ、ドブネズミ、ヒツジ、シャムトウギョ、カイコガ、スカンク、シチメンチョウ、スイギュウ、ヤク。もちろんこのリストには、過去に絶滅したものの、タイムトラベルの発明後に過去から持ち込まれ、家畜化されたもの、たとえば、素早いドードー、頑張り屋のディプロトドン、そして、優しく、気高く、慈悲深く、同情心の深いブロントサウルスは含まれません。

・何らかのかたち（食べ物、労働、毛皮、親交、娯楽、炭鉱に一酸化炭
　素が充満しそうなときに死んでそれを教えてくれるなど、とにかく何
　かを私たちに与えてくれる）で人間に役立つ
・収容に困らない範囲で繁殖する
・容易に収容できる、あるいは自然に人間のそばに留まる
・早く成熟する
・人間や同種の別の動物と一緒にいるのを楽しまないまでも我慢する
・静かで従順で、興奮してもむちゃくちゃな振舞いをしない
・人間の近くで見つかる食べ物、または人間が容易に与えられる食物を
　食べる
・人間の存在、人間に捕らわれていること、そして理想的には、人間に
　よって啓蒙された文明構築を目指すリーダーシップを受け入れる

　もしもこれらの項目がひとつでも欠けていたなら、家畜化の取り組みは
十中八九失敗で、結局、あなたが住んでいる場所を正確に知っている何種
類もの野生動物が、機嫌を損ねて近くにいるという状況になってしまうで
しょう。しかし、これらの項目がすべて満たされているなら、人間に飼わ
れていることをきっと受け入れるであろう動物を飼うことになり、そして、
その動物の品種改良ができるということになります。植物の栽培化と同じ
く、あなたが望む性質を持っている動物を選び、その動物の繁殖をうなが
し、新しい世代ごとに、その性質が残るように選択を続けます。やること
はそれだけで、この人為選択のプロセスはやがて、あなたの目的――どん
な目的を選ばれようとも――にとって、野生動物よりも有用な動物をもた
らすでしょう。
　では、どの動物を最初に家畜化すればいいでしょうか？　あなたの文明
が持ちうる最も重要なものは、大型で四足歩行する、飼い慣らしやすく、
収容しやすく、しかも容易に制御できる草食性の動物です。というのも、
このような動物は、肉、皮、乳、毛皮、運搬、そして労働をもたらす、ほ

とんど何でも叶える魔法の源だからです。人類の歴史を通して見られる代表的な例が[*]馬です。馬は、あなたをあちこちに運んでくれるし、鋤を引き、食物を提供し、衣服や娯楽（すなわち、馬たちが全速力で走るのを見、そして、全速力で走る馬にお金を賭けるという娯楽）まで与えてくれるのです。あなたが自分の周囲を見回して、馬または馬の祖先が見つかるなら、それはいい兆候です。あなたとあなたの文明は、楽にやっていけます[**]。馬もその祖先も見つからなければ、ラクダ、リャマ、アルパカなどの代替動物を探してください。それもだめなら、バイソン、乳牛、肉牛、そしてヤギは、馬やその祖先に可能なすべてのことを行うわけではありませんが、少なくとも肉、皮、そして毛皮は提供してくれますので、何もないよりはましです。

　ですが、厄介なことに（馬を愛する人々と、過去に閉じ込められて文明を築こうとしている人にとって）、人類の歴史のなかで、馬またはその祖先も、馬の代替動物も、まったくいなかったことが、数度、そして、いくつかの地域であったのです。とくに注意すべきふたつの時代が、

・紀元前10,000年から西暦1492年まで（すなわち、人間が初めて出現してからヨーロッパ人と大々的に接触しはじめるまでのあいだ）の南北アメリカ大陸

・紀元前46,000年から西暦1606年まで（すなわち、人間が初めて出現してからヨーロッパ人と大々的に接触しはじめるまでのあいだ）のオー

---

[*]　もちろん、人間が出現する前に存在した他の動物たちもいますが、文明を築きあげるには人間が必要なので、それらの動物はあまりあなたの役には立たないでしょう。家畜化可能な草食性恐竜は何種類か存在します——特にトリケラトプスは、品種改良により角がなくなったなら、有用です——が、その場合、貪欲なティラノサウルスが生息している時代にトリケラトプスを飼育することになるので、その利点は完全に打ち消されてしまうでしょう。

[**]　どのくらい楽に？　馬のような大型動物は、陸上で人間と物資の両方を運搬する優れた能力を有するため、鉄道が発明されるまでの長いあいだ、陸上輸送の最善の選択肢であり、トラックと戦車の両方またはいずれか一方が発明されるまでの長いあいだ、軍用輸送の最善の選択肢でした。また、大型動物の多くは、あなたが消化できない植物（草など）を、消化できる（あなたが必要な酵素を持っているとして。セクション8.5参照）美味しいミルクに変換してくれます。これらの動物がミルクの形で繰り返し提供してくれるカロリーだけでも、その肉を食べることでいっときに得られるカロリーを大きく上回ります。

　ストラリア

です。

　どちらの場合も、人間の出現と同時に大量絶滅——馬および馬の祖先、馬に近い種も含めて——が起こり、その後これらの大陸は、のちにヨーロッパから再導入されるまで、荷物の運搬に適した動物が存在しない状況に陥りました。

・あなたが紀元前10,000年から西暦1492年までのあいだの南北アメリカにいるなら、馬および馬の祖先もラクダもいませんが、南米にはリャマとアルパカがいます。北米にはバイソンがいますが、家畜化は不可能です。たぶん無理だとは思いますが、バイソンに鋤を引かせてみてください。この時期に中米におられるなら、バイソンさえいないので、あなたの状況は最悪です。この時期に封じ込められているあいだにできる最善のことは、もっと小型の動物——オオカミ、シチメンチョウ、カモ——を家畜化し、地球上の別の場所に別の時代には生息している、もっと有用な動物の代用になるよう試してみることです。

・オーストラリア——紀元前85,000,000年ごろに南極大陸から分離して以来、世界のほかの地域とは違う進化を経てきたので、常に特殊事例*となります——では、有袋類がほかの動物より優位になり、馬および馬の祖先は一度も出現しませんでした。しかし、紀元前2,000,000年から紀元前46,000年までのあいだ、双前歯類が生息しています。これらのカバほどの大きさの巨大なウォンバットは、肉、ミルク、皮を提供し、乗ることも可能で、鋤を引いてくれるでしょうし、ほかのタイムトラベラーたちが実際に家畜化しています[15]。オーストラリア大陸に人間が出現すると、絶滅してしまいます。また、カンガルーとエミューは人間と接触後も存続しますが、いずれも、運搬や鋤を引くにはあまり向きません。文明を構築するには人間が必要なので、オーストラ

＊　ご存知のように、子どもを育児嚢（腹部にある袋）のなかで育てる哺乳類。

リアに容易に文明を築きたいなら、足止めを食らう時代が紀元前46,000年ごろ——人類が出現しはじめたあとだが、まだ双前歯類が残っている時代——になるよう祈るのが一番です。あなたの文明に人間と便利な使役動物の両方が含まれるよう、双前歯類を人間から守りましょう。

あなたがおられる地域に土着の動物を、以下のページを参照して特定してください。各動物が最初に出現した地域が明記されています。あなたのおられる時代によっては、これらの動物——吸血寄生動物はほんの少ししか含まれません——のいくつかが、生まれた土地以外のところに見つかる、幸運なこともあるかもしれません。[16]

8.1：バイソン（アメリカヤギュウ）——————————

野生種の生息地

　北米、ヨーロッパ

最初の出現

　紀元前7,500,000年

家畜化

　同じウシ亜科に属するアジアスイギュウは、紀元前3000年（インド）と紀元前2000年（中国）で家畜化されましたが、アメリカヤギュウは家畜化されたことはありません。

用途

・バッファローはすべての部位が利用可能です。肉は食用、皮は衣料用、腱は弓の弦、蹄は接着剤（製法は「セクション8.9：ウマ」参照）、骨は肥料になります。バッファローの何かを捨てるなら、それは間違っています！

補足

・最高で時速約55キロのスピードが出せるので、バッファローには気を付けてください。

・人間が出現したあとの北米におられる場合、馬もラクダも見当たらなくても、バッファローがいます。しかし、バッファローは抵抗しますし、鋤は引かないでしょう。ですので、バッファローは食べるだけにするのがいいでしょう。

8.2：ラクダ

野生種の生息地

南北アメリカ大陸、アフリカ

最初の出現

紀元前50,000,000年（ウサギ大のラクダの祖先、北米に出現）

紀元前35,000,000年（ヤギ大の祖先）

紀元前20,000,000年（ラクダ大の祖先）

紀元前4,000,000年（現代のラクダ）

家畜化

紀元前3000年

用途

・乳牛と同じく、ラクダはミルク、肉、皮、そして労働力の良い供給源です。さらに、ラクダの糞は十分乾燥しているので、燃やせば燃料になります。

・ラクダのミルクだけで約1カ月生き延びることができます！　お勧めするわけではありませんが、そのような状況になった場合、ひとつの選択肢です。

・フタコブラクダは乗りやすいです。ふたつのこぶのあいだに鞍を置けばいいのです。ですが、ヒトコブラクダは？　人間たちは鞍をこぶの前に置いたり後ろに置いたりして悩んでいましたが、紀元前200年ごろ、こぶにかぶせるように木の枠を載せ、その上に鞍を置けばいいことを突き止めました。

・ラクダは、ヒツジや乳牛よりも、塩分の多い食物を摂取できます。

補足

・現在ラクダは主にアラブ世界の砂漠のものと考えられていますが、実際にはラクダは新世界で最初に出現し、紀元前4,000,000年ごろに、当時存在したランドブリッジを通ってアジアへと渡りました。ラクダは――馬、マンモス、マストドン、ナマケモノ、サーベルタイガーと共に――南北アメリカでは紀元前10,000年ごろに、人間が出現した直後に絶滅しました。これは、これらの動物がどれほど美味しいかにはまったく関係のない、偶然のことです[17]。

・ラクダはヨロヨロと歩きますが、馬よりも重いものを運ぶことができ、馬には行けないところにも行くことができます。また、馬より大きく、その大きさゆえに戦争で馬が怖がるほどです！

8. 3：ネコ

野生種の生息地

　ユーラシア

最初の出現

　紀元前15,000,000年（トラとライオンと共通する最後の祖先）

　紀元前7,000,000年（最初のネコ・サイズのヤマネコ）

家畜化

　紀元前7500年（ネコが家畜化されたと言えるとして）

用途

・ネコは害獣（ネズミ、ハツカネズミなど）の駆除に役立つほかは、人間にとってほとんど役立ちません。人間と親しくしてはくれるものの、これとて、ネコの気分次第。

・ネコは、半 - 家畜化されるとしか考えられません。家畜化とは通常、家畜化された個体と野生の個体のあいだに差異が生じた場合のことを言いますが、野生ネコと飼いネコにはほとんど遺伝的な差がないからです。

補足

・ネコは、イヌと同様に、自己家畜化してきたのかもしれません。人間が穀物を身近に保管するようになると同時に、ネズミやハツカネズミがそれに引き付けられ、それに野生ネコが引き付けられるようになりました。ネコは有益な役割を果たし、ほとんど見返りを求めなかったので、人間社会に容易に入り込めたのでしょう。

・ヨーロッパでペストが大流行した時代（西暦1346～1353年には、人間の半分が亡くなったので、できればこの時代のヨーロッパは避けてください）、ネコがペストを媒介していると考えられ、流行を止めるためにネコの大量殺処分が行われました。皮肉なことに、実際の主要媒介生物はネズミに付いたノミだったのに、ネコがいなくなり、ネズミが爆発的に増殖しました。繰り返します。西暦1346～1353年のヨーロッパには近づかないでください。

8.4：ニワトリ

野生種の生息地

　インド、東南アジア

最初の出現

　紀元前3,600,000年（ニワトリとキジの共通の祖先）

家畜化

紀元前6000年

用途

・ニワトリは美味しい肉と卵を供給します。また、ニワトリは雑食性で、餌を与えるのが乳牛より楽です。

・「ニワトリが先か卵が先か」というあなたの質問に答えますと、卵が先でした。なぜなら、卵は、ニワトリが出現する数百万年前に他の動物で出現していたからです。

・今新たに出てきた、あなたの第二の質問に答えますと、ニワトリの卵もやはりニワトリより先でした。最初のニワトリの卵のなかには、それが最初のニワトリになることを可能にする突然変異がひとつ含まれた受精卵が入っていたのです。したがって、突然変異した受精卵が入ったこの卵は、ニワトリの祖先が産んだものでした。進化です！

・アリストテレスは紀元前350年ごろにこの問題を考えて多大な時間を浪費し、結局、ニワトリも卵も、宇宙の永遠の不変物として常に存在していたに違いないと結論しました。進化が実際に起こってきたのだと知らなければ、このような結論に至ってしまうのです。

補足

・紀元前6000年ごろに中国で最初に家畜化されたのち、紀元前3000年ごろに東ヨーロッパに到達し（おそらく別途家畜化されて）、紀元前2000年ごろに中東、紀元前1400年ごろにエジプト、そして紀元前1000年ごろに西ヨーロッパとアフリカに到達し、ヨーロッパ人と接触した際に南北アメリカにも伝わりました。

・ニワトリの卵は、料理やパン焼きにおいて極めて用途の広い素材です。卵に含まれるタンパク質は、加熱されると固化し、あなたが絶対に自分の文明でもいつか生み出したいと思っておられる、美味しいハンバーグも含

め、あらゆる種類の食べ物で「つなぎ」として非常に便利に使えます。卵は、水気を与える、ソースにとろみをつける、発酵させる、乳化させる、つやを出すのに使え、また、液体を浄化するのにも使えます（セクション10.2.6参照）。

8.5：乳牛

野生種の生息地

インド、トルコ、ヨーロッパ

最初の出現

紀元前2,000,000年（オーロックス）

家畜化

紀元前8500年

用途

・人類にとって最も有用な動物のひとつ、乳牛は、草などの（人間には）消化不可能なものを、美味しい肉、すっきりさせてくれるミルク、うまみのあるタンパク質、そしてエネルギーになる脂肪に変える機械と見なすことができます。

・乳牛は、畑を耕したり、物資や人間を運搬するのに使え、また、乳牛の皮は良い革製品になります。

・乳牛は非常に有用であることから、富の最古の形態と言えます。たくさんの乳牛を持っているなら、あなたはなかなかの暮らしぶりということになります。

補足

・あなたが家畜化開始以前におられるなら、乳牛はまったく見当たらないでしょうが、オーロックスはいる可能性があります。オーロックスは、野

生動物で、家畜化されて（実際、数回の家畜化が行われました）乳牛となりました。オーロックスは乳牛よりも大きく──体高は２メートルにもなる──、筋骨たくましく、巨大な角を持っていたので、これまでに家畜化された最大で、最も恐ろしい動物となります。オーロックスは紀元前2,000,000年ごろインドに出現し、紀元前270,000年ごろヨーロッパに至り、西暦1627年に絶滅しました。オーロックスの復元（品種改良の手法で、現生乳牛に残っている遺伝子を使いオーロックスを復元する）の試みが20世紀に始まり、2010年に行われたDNA塩基配列決定法により、ついに2033年に復元されました。[18]

8.6：イヌ（および、オオカミ）

野生種の生息地

あらゆるところ（ただしオオカミは最初に北米で出現）

最初の出現

紀元前1,500,000年（共通の祖先からオオカミとコヨーテが分岐）
紀元前34,000年（オオカミの最初の家畜化）[19]

家畜化

紀元前20,000年（現在のイヌへとつながった、最初のオオカミの家畜化）

用途

・イヌはすべてオオカミから進化しました。オオカミはたしかに、賢く抜け目のない肉食動物で、集団で狩りをし、獲物を待ち伏せるために罠をしかけますが、狂犬病か空腹でなければ人間を襲うことはめったにありません。また、オオカミはイヌの祖先なので、オオカミについて悪いことが言われるのを聞くことはないでしょう。
・イヌはどれほど偉大でしょう？　素晴らしい友であるのみならず、イヌ

は優れた労働力を提供してくれます。害獣の駆除によし。狩り、牧畜、そして家畜を守るのにもよし。さらに、死んだあと（素晴らしい犬として長生きし、老衰で亡くなってくれるのが理想）、食糧や皮としても使えます。

・また、あなたがどこかを指させば、イヌはあなたの意図を理解し、あなたが指さす方向を見ます。オオカミはこのようなことはせず、人間に最も近い親戚である現生チンパンジーやゴリラも、やはりそんなことはしません。ある意味、家畜化によってイヌは、ほかのどんな動物よりも人間に似た動物となったのです！

補足

・農牧業により、あなたとオオカミとの関係は変化します。農牧業が発明されるまでは、人間とオオカミは盟友になれます。協力して動物を狩り、獲得した獲物を分かち合うことができます。しかし、農牧業が始まると、オオカミは、今や大事な家畜となった動物を襲いはじめ、人間の敵になります。

・オオカミ／イヌは、最初に家畜化された（農牧業も発明されていないうちに）種で、その家畜化は実際、複数の異なる機会に起こりました。イヌが自ら家畜化した場合もありました。というのも、優しく、かわいらしく、人間をあまり怖がらないオオカミのほうが、獰猛で人間に近寄らないオオカミよりも、人間からたくさん食べ物をもらえたので、ますますイヌ的なオオカミになるよう進化圧が働き、ついには人間社会に友として迎えられたのです。[20]

・西暦1959年に、野生のキツネを品種改良してイヌのようなキツネを作る実験がロシアで始まりました（訳注：当時ロシアはソビエト連邦と称した。この実験は、ソ連科学アカデミーのベリャーエフという遺伝学者らが行ったもの）。「最も従順な」キツネどうしを交配したわけです。4世代目には、人間がやってくると一部のキツネたちが尾を振るようになり、6世代目にはキツネたちが人間の顔をなめて、触れ合いを求めるようになり、10世代目には約18パーセントのキツネがイヌのようになりました。つまり、

穏やかで、人懐こく、遊び好きで、人間との接触を望むようになったのです。20世代目までには、イヌ的なキツネが35パーセントになり、30世代までには49パーセントになりました。そして2005年までには——つまり、実験が始まってから50年以内に——100パーセントのキツネがおとなしい性格で生まれるようになり、今や科学者たちは、この研究を続ける資金をかせぐために、このキツネたちをペットとして販売しています。あなたは、いつの時代であっても、オオカミを使ってこれと同じことができます。あなた自身がイヌになることもできるのです。

・オオカミは22カ月ごろには成熟して繁殖可能になるので、最良のシナリオでは、220カ月、つまり約18年で10世代に到達し、これだけの時間でそこそこいいイヌを作り出すことができるわけです。ずっとほしかったイヌが18年で手に入るなんて、どんなに素晴らしいか、想像してみてください！ むちゃくちゃ素晴らしいですよ、きっと。

8.7：ヤギ

野生種の生息地
トルコ

最初の出現
紀元前23,000,000年（ヒツジとヤギの共通の祖先）
紀元前3,400,000年（野生ヤギの祖先、カフカスパサン）

家畜化
紀元前10,500年

用途
・ヤギは、肉、ミルク、毛、皮を供給してくれるほか、荷役用動物としても使えます。ラクダと同様、糞は十分乾燥しており燃料として使えます。
・ヤギの乳は牛乳よりも人間の乳に近く、私たちはより多くの栄養を吸収

することができます。また、ヤギ乳は乳糖（ラクトース。乳糖不耐症の人もいます）含有量が少なく、さらに、牛乳より均質で、チーズ作りに最適。
・カシミアヤギのフワフワの下毛は、セーターにすると素晴らしいのですが、大量に生産することは困難です。

補足

・ヤギは実際、食べ物の選り好みが激しく、ものすごく空腹でない限り、汚れた食べ物は食べようとしません――が、彼らは非常に好奇心旺盛なので、基本的には何でも食べてみようとします。
・ヤギは（人間とほかの数種の霊長類を除いてすべての動物と同じく）ツタウルシにまったくかぶれません。彼らはツタウルシを喜んで食べるので、草をむしゃむしゃ食べるヤギが数頭いれば、ツタウルシを駆除できます。ただ、その後数日間は、ヤギをなでたり、ヤギのミルクを飲んだりしないでください。
・カフカスパサンは野生ヤギの種で、トルコの山岳地帯に生息しており、現代のすべてのヤギの祖先です。

8.8：ミツバチ

野生種の生息地

　東南アジア

最初の出現

　ハチ：紀元前120,000,000年
　最初のミツバチ：紀元前45,000,000年
　現代のミツバチ：紀元前700,000年

家畜化

　紀元前6000年

用途

・ミツバチはハチミツを作ります。ハチミツは、糖分の供給源をほかに見つけるまで、食べ物を甘くする貴重な手段のひとつになります。また、エネルギー密度が高く、消化もいいです。

・ハチミツは咳や喉の痛みの治療にも使え、困ったときには傷の手当にも使えます。

・ミツバチは蜜蠟も作ります。蜜蠟はロウソク、封、防水性衣類を作るのに役立つほか、石板の上に塗布すれば、繰り返し使える石板になります。

・ハチミツは腐敗せずにほぼ無期限にもつので、これがあれば極めて簡単に糖分を身近に置いておくことができます。

補足

・野生のミツバチの巣を見つけるのはとても簡単です。餌を集めているミツバチを見つけ、巣に帰り着くまでついていけばいいのです。

・ハチミツにはボツリヌス菌の芽胞（訳注：一部の細菌が、増殖に適さない環境で形成する、耐久性が非常に高い特殊な細胞）が混入していることがあります。通常はたいして問題はないのですが、乳幼児はボツリヌス症を起こす可能性があるため、赤ん坊はハチの巣に近づけないほうがいいでしょう（実際、そうすべき理由はいくつかあります）。

・ハチミツは、人間が登場する以前から収穫されていましたが、ハチミツはものすごく美味しいので、驚くことではありません。チンパンジーやゴリラなどの霊長類は、棒を使ってハチの巣からハチミツを取って集めます。

・ミツバチは紀元前10,000年ごろ南北アメリカで絶滅しましたが、西暦1622年にヨーロッパの入植者らによってふたたび導入されました。

8.9：ウマ

野生種の生息地

　南北アメリカ大陸、アジア

最初の出現

　　紀元前54,000,000年（最初期のイヌ大のウマ）

　　紀元前15,000,000年（乗れるほど大きなウマ）

　　紀元前5,600,000年（現代のウマの祖先）

家畜化

　　紀元前4000年

用途

・家畜化すると最も有用な動物のひとつで、肉、ミルク、皮、毛、骨、薬（「セクション10.9.1：避妊」を参照）を提供してくれるほか、スポーツ、運搬、戦争、労働でも重宝します。

・鋤をウマに引かせると（「セクション10.2.3：鋤」参照）、農業の効率が格段に向上します。これはできる限り早く入手したい基本的発明のひとつです。

・ウマの毛は、バイオリンなどの弦楽器の弓を作るのに使われ、ウマの蹄は煮ると糊を生じます。ウマの蹄から取った糊は少なくとも紀元前8000年から使われています。

補足

・ウマは家畜化されてから19世紀までの長い間、長距離コミュニケーションの基盤でした。列車が発明されるまで、ウマが出せる最高速度が人間が移動できる最高速度でもありました。

・糊は簡単に作れます。ウマが死んだら、蹄を小さく砕き、分解するまで煮て、酸を少々加えます（同じウマの胃酸を使うのが便利でしょう）。蹄の分解物は冷えると樹脂状に固化するので、必要なときにお湯を混ぜて糊として使います。

・最初期のウマは、賢く、大きさはイヌ程度の動物で、紀元前54,000,000年ごろに北米大陸に出現しました。したがって、あなたがこの時代にこの地域に閉じ込められているなら、あなたがウマを乗り回すことはないでし

ょうが、可愛いペットは入手できるでしょう。

8. 10：リャマ／アルパカ

野生種の生息地

南アメリカ大陸

最初の出現

ラクダ、アルパカ、リャマはすべてラクダ科に属し、進化の歴史もほぼ同様で、すべて紀元前4,000,000年ごろ出現しました。

家畜化

紀元前4000年

用途

・リャマとアルパカは、肉、ミルク、皮、繊維を提供してくれるほか、労働にも使えます。

・南北アメリカ大陸に紀元前10,000年ごろに人間（あなた以外の人間）が出現して以来、荷役動物で残ったのはリャマとアルパカだけで、それも南米においてのみでした。

補足

・大半の哺乳類には繁殖期がありますが、リャマには繁殖期がなく、メスのリャマは交尾のあとオンデマンドで排卵します。このため、リャマを繁殖させるのは少し楽です。

8. 11：ブタ

野生種の生息地

ヨーロッパ、アジア、アフリカ

最初の出現

紀元前6,000,000年（初期の祖先）

紀元前780,000年（イノシシ）

家畜化

紀元前13,000年

用途

・ブタは肉、皮、そして、他の動物とは違って、歯ブラシを提供してくれます。ブタの剛毛は優れた歯ブラシになるのです。それはありがたいことです。というのも、人間の歯はばかばかしいのですから。

・人間の歯がどうなっているかというと、こうです。人間の歯は、自己再生しない唯一の組織なのです。肌を切れば、肌自ら修復しますが、歯はただそこに生えていて、歯垢（食べ物の粒子。あなたが食べる限り不可避。そして、生きるためには食べなければなりません）が付着するままになり、やがて虫歯になります。ばかげています！

補足

・ブタはイノシシが家畜化されたもので、紀元前13,000年ごろに近東で、そして紀元前6600年ごろに中国でなど、家畜化は何度か行われてきました。あなたがそれ以前の時代におられるなら、イノシシは紀元前780,000年ごろにフィリピンで出現したあと、ヨーロッパと北米に広がりました。

・ブタを食べるときにはご注意を。ブタの肉には、大腸菌、サルモネラ菌、リステリア菌、回虫、サナダムシその他の寄生虫や病原菌が「異常に多く」と言えるほど含まれています。ですが、大丈夫です。豚肉はしっかり火が通るまで調理するようにすればそれで心配ありません。

8.12：ハト

野生種の生息地

ヨーロッパ、アジア

最初の出現

紀元前231,000,000年（最初期の祖先）

紀元前50,000,000年（遭遇しても比較的安全な、初期の祖先）

家畜化

紀元前10,000年

用途

・元々は食用動物として家畜化されましたが、1000キロメートルも離れた見知らぬ場所で放たれたとしても、自分の巣まで帰ってくることができる能力があるとわかって以来、ハトはメッセージを運ぶものとして利用されるようになりました。

・電信の発明（西暦1816年）まで、ハトは、ごくわずかしかない利用可能な高速長距離通信手段のひとつでした。

補足

・ハトは家畜化された最初の鳥です！ ハトはカワラバトから進化しましたが、カワラバトは、すべての鳥がそうであるように、恐竜から進化しました。恐竜は、これまでに数千人のタイムトラベラーたちがFC3000™に乗って、紀元前231,000,000年から紀元前65,000,000年のあいだの時代において安全に遭遇した、多様性のある動物群です。しかし、あなたの場合、運悪くこの範囲の時期に足止めを食らっているとすると、より危険な遭遇を一瞬経験される可能性があります。

8.13：ウサギ

野生種の生息地

アジア

最初の出現

紀元前40,000,000年（初期の祖先）

紀元前500,000年（現代のウサギ）

家畜化

西暦400年

用途

・ウサギは肉と毛皮の供給源として有用です。ウサギは小さく、狩猟者を一切脅かさず、短期間で繁殖します。そのため、捕食されることだけで個体数がほぼ一定に保たれています。そのようなわけなので、無防備な、かわいらしいフワフワの丸っこいものたちを狩ることにそれほど罪悪感を抱かなくても大丈夫です。

・ウサギは飼育にそれほど場所も餌も必要としないので、便利で安価な肉の供給源として家のなかで育てることもできます。

・ウサギは育てるのも狩るのも簡単なら、ウサギだけを食べようと思われるかもしれませんが、気を付けてください。ウサギの肉は脂肪が非常に少ないのです。脂肪を十分摂取しないと、命にかかわります。常にウサギ肉でおなかがいっぱいなのに、それでも餓死してしまう可能性があるのです。バラエティーに富んだ食事を。ぜひとも。

補足

・最初期のウサギの祖先は紀元前40,000,000年ごろにアジアに出現しましたが、あなたが親しんでおられるであろう現代のウサギ（ヨーロッパウサギ）は紀元前500,000年ごろイベリア半島に出現し、人間によってほかの大陸に導入されるまでそこにとどまっていました。これらのウサギたちはその後、南極大陸以外のすべての大陸に導入されました。

・ウサギを新しい生態系に導入する試みは、普通あまりうまくいきません。

天敵のいない環境では、ウサギは「ウサギのように」繁殖しますので。あの有名な言い回しも、この事実に由来しています（その言い回しとは、「侵入生物種を新しい大陸に導入するな。何考えてるんだ？」です）。

8. 14：ヒツジ

野生種の生息地
西アジア

最初の出現
紀元前23,000,000年（ヒツジとヤギの共通の祖先）
紀元前3,000,000年（ムフロン）

家畜化
紀元前8500年

用途
・ヒツジは、肉、ウール、ミルク（チーズに向きます。「セクション8.7：ヤギ」参照）の供給源です。
・ヒツジは、かわいいイヌたちに次いで、2番目に家畜化された動物です。最初は肉のために飼育されましたが、紀元前3000年ごろ、ヒツジの毛（ウール）がより注目されるようになりました。
・カイコガやワタの木から得られる素材が衣服づくりに利用されるようになるまでは、大半の人が皮革やウールを着ていました。そのため、ヒツジは家畜化して所有し続ける価値のある非常に有用な動物です。

補足
・家畜化と品種改良により、あなたが親しんでおられる超もじゃもじゃのヒツジが作られました。したがって、あなたが紀元前8500年よりも前の時代におられるのなら、そのようなヒツジはまったくいないでしょう。その

代わり、ヒツジの祖先、ムフロンがいるはずです。ムフロンは短い赤茶色の毛で覆われ、白い腹部、白い脚、巨大な角を持っています。

・最初中東で家畜化され、その後紀元前6000年にバルカン諸国に広がり、紀元前3000年までにはヨーロッパ全域に広がりました。

8. 15：カイコ

野生種の生息地

中国北部

最初の出現

紀元前280,000,000年（変態する最初の昆虫）

紀元前100,000,000年（最初の絹産出型の変態する昆虫[21]）

家畜化

紀元前3000年

用途

・カイコは絹の糸でできた繭を形成します。セクション10.8.4の指示にしたがえば、繭の絹糸から織物を作ることができます。絹の人気が高まった結果、カイコは家畜化されたごく少数の昆虫のひとつとなりました。

補足

・家畜化はカイコにとってはあまり良いことではありませんでした。繭から出てくる成虫は、飛行を維持する能力もなく、人間に食べさせてもらわなければ餌も食べられません。成虫は数日しか生きられず、そのあいだに交尾し、卵を産み、そして死んでいきます。

8. 16：シチメンチョウ

野生種の生息地

北米および中米

最初の出現

紀元前30,000,000年（ニワトリその他の鳥からシチメンチョウが分離）

紀元前11,000,000年（最初期のシチメンチョウ）

家畜化

紀元前2000年（中米）

紀元前100年（北米）

用途

・野生のニワトリは南北アメリカには出現しませんでしたが、代わりになかなか美味しいシチメンチョウがいます。

補足

・シチメンチョウ（ニワトリなどほかの鳥と同様）は、突然変異して人間に感染するタイプのものになり得る鳥インフルエンザをはじめ、命にかかわる病気を媒介することがあります。

8. 17：ビーバー

野生種の生息地

ヨーロッパ、北米

最初の出現

紀元前7,500,000年（北米とヨーロッパそれぞれのビーバーの共通の祖先）

紀元前2,100,000年（熊サイズのいとこが北米に出現）

家畜化

決して家畜化しようとしないでください。彼らの歯は限りなく成長を続けるので、あなたの大切なものすべてが噛み砕かれてしまいます。

用途

・ビーバーは（a）肉、（b）毛皮の源であるほか、（c）気長に待ち、特にどの木を切り倒したいという選り好みをしないなら、木を切り倒すツールとしても使えます。

・ビーバーは、なわばりのマーキングをするために使う「海狸香（カストリウム）」（「カストリウム」は、「去勢する」を意味するcastrateに由来する言葉。このように命名されたのは、雄のビーバーは〔訳注：捕食者から逃れるために〕自らの睾丸をかみ切るとかつて信じられていたからですが、それは間違っており、この名称はビーバーについてよりも、そのように思い込んでいた人間たちについて、より多くを物語っています）という物質を分泌しますが、この物質には人間の抗炎症薬や消炎剤として使えるサリシンが含まれています。

・海狸香はバニラに似た香りがし、まさにこのために、ビーバーの分泌液ではありますが、20世紀には大量生産食品に添加されるようになりました──多くの場合、「天然着香料」の名目で。

補足

・過去に足止めされてしまって頭が痛い場合、ビーバーの香嚢を食べてみるといいでしょう。海狸香は香嚢から分泌され、香嚢は骨盤と尾のあいだの皮膚の下にある空洞内にあります。つまり、肛門腺のすぐ隣なので、見つけるのは難しくないでしょう。

・もしも付近にヤナギの木があるなら、ビーバーの香嚢が入手できない場合でも、サリシンはヤナギの樹皮（セクション7.27）にも含まれます。

・北米に生息していた熊サイズのビーバーは、紀元前10,000年ごろ、つまり、人間が出現したのと同じころに絶滅しました。

・アメリカビーバーとヨーロッパビーバーを交配することはできません：あまりに長いあいだ離れて生息していたので、染色体の数が違ってしまったのです。進化のなせるわざです！　すごいですね！

8.18：ミミズ

野生種の生息地
世界中で（氷に覆われる前の南極大陸でも）

最初の出現
紀元前400,000,000年[22]

家畜化
一度も起こっていません。そのままで、素晴らしい仕事を無報酬でやってくれているので、その必要が生じたことさえありません。

用途
・ミミズは、頭を土のなかに突っ込み、頭を膨らませて穴を広げることを繰り返し土のなかを進む（ミミズの幼生は、体重の500倍の重さの土を動かすことができます！）ので、あなたが農業を営んでいるなら、非常に有用な動物になります。土を混ぜ合わせ、空気を含ませ、水はけを良くし、植物の生育を促します。ミミズは土壌の健康状態の便利な目安になります。ミミズがたくさんいることは、普通、土壌が肥沃で植物が育ちやすいことを意味します。

・痩せた土壌では、1平方メートル当たり2、3匹しかミミズはいないでしょうが、肥えた土壌では、同じ面積に数百匹が生息しているでしょう。

・ミミズは釣り餌になります。地面をリズミカルにたたくことで、地表に「おびき出す」ことができます。カモメが地面の上で踊っているように見えるのは、これを実践しているからです！

補足

・成熟したミミズは、体重が約10グラムに達するものもあり、肥えた土地1平方メートル当たりのバイオマスとしては、少なくとも１キログラムになります。ひとつの農地全体を考えれば、地中にいるすべてのミミズの総体重は、その上で草を食べている動物たちの総体重を超える可能性もあります！

・氷河期のあいだ、氷河は表土を削り取り、ミミズを一掃してしまいます。カナダとアメリカ北東部の大部分で、これまでで最後の氷河期のあいだ（紀元前110,000年ごろから紀元前9700年ごろまで）に、在来のミミズは絶滅しました。ミミズはゆっくりとしか移動しないので、近世この地域に生息しているミミズは、西暦1492年のヨーロッパ人との接触以降に持ち込まれた、外来種の子孫です。

8. 19：ヒル

野生種の生息地

　　ヨーロッパ、西アジア

最初の出現

　　紀元前201,000,000年

家畜化

　　普通、したくないでしょう？

用途

・ヒルは、紀元前500年に医療手段のひとつとして出現し、19世紀後半まで医療の一環として使われ続けました。「血の気が多すぎて病気になったのだ」（そんなことはありません）という迷信のもと、生きたヒルが病気を治してくれるだろうと期待しながら、体に吸い付かせていたわけですが、もっと早く気付きなさいよ、という感じですよね。

・私たちがここでヒルについて述べているのは、吸血ヒルをあなたの皮膚にくっつけて血を吸い取らせればあなたの病気が治ると思い込んでいる人々に取り囲まれる恐れのある、恐ろしく長い歳月のどこかに足止めされている可能性を考えてのことです。その治療法があなたに害を及ぼす可能性は低い（ヒルには寄生虫がわんさかいますが、人間の体内で生息できるものはありません）ですが、重大な真実はこうです：そんなことをしても、あなたには何の役にも立ちません。

補足

・ヒルは、1980年代に医療現場に一時返り咲いたことがありました。ヒルの唾液に含まれる抗凝血剤が再建手術で利用可能なことが発見されたからです。しかしまもなく、唾液中のどのタンパク質にその性質があるかが突き止められ、人工的な手段で生産できるようになり（訳注：遺伝子組み換え法による）、ヒルはまたもやお役御免となったのです。
・ええ、ですから、あなたの文明で美容整形が発明されたときには、ヒルが一時的に有用になるでしょう。

8. 20：シラミ

野生種の生息地
　世界各地

最初の出現
　紀元前12,100,000年（アタマジラミとケジラミが、人間の出現と同時に現れた）
　紀元前190,000年（コロモジラミが、人間が衣服を身に着けはじめてから出現した）

家畜化
　これもやはり、普通、したくないでしょう？　何か考えがおありです

か？

用途

・シラミの類は世界中に分布している寄生虫で、少なくとも中世までは人間社会のどこにでもいました。あなたの周りに人間たちがいるなら、あなたの頭にもシラミがたかって頭皮から血を吸い、やがて髪の毛のなかに卵を産み付けるでしょう。

・シラミはどの種も、特定の宿主に非常によく適合しており、人間に寄生するのは、アタマジラミ、コロモジラミ、ケジラミの３種類です。アタマジラミとケジラミは毛のなかに生息しますが、コロモジラミは衣類に生息します。

・シラミはまた、発疹チフスなどの病気を媒介します。ちなみに発疹チフスは歴史を通して何度か流行を起こしています。

・昔の絵画から、裕福なヨーロッパ人が面白い形の大きな鬘をいつもかぶっていたのをご存じでしょう。じつはそのわけは、当時シラミが大流行していたため、彼らは自毛を剃っていたからなのです。鬘にもシラミはわきますが、鬘なら簡単に熱湯で煮沸できたというわけです。

補足

・人間につくシラミは、人間が進化するのと同時に進化しました——人間がチンパンジーと共通の祖先から枝分かれしたのと同時に、人間につくシラミも、チンパンジーにつくシラミから枝分かれしたのです——ですから、人間はいるけれどもシラミはいない時代はありません。残念でした！

・地球上で最も猛威を振るった伝染病は冬に起こりました。なぜでしょう？　それは、死んだ人の衣服を着てしまう可能性が冬に最も高かったからです。衣服にシラミがたかっているひとりの人間が、町全体に疫病を広げる源になる可能性がありました。死んだ人の衣服は、熱湯で煮沸した後でない限り、絶対に身に着けないでください。病気で死んだ人のものならなおさらです。

8.21：カ（蚊）

野生種の生息地

元々はサハラ砂漠以南のアフリカ。現在は世界各地

最初の出現

紀元前226,000,000年（最初期のカ）

紀元前79,000,000年（現在のカ）

家畜化

お願いです、人間を苦しめる動物の家畜化についてなんて、尋ねないで。頼みます。

用途

・蚊はまったく何の役にも立ちません。しかも、ウイルスや寄生虫を運んでいますので、あなたが寝ているあいだに、マラリアを注入しかねません。水のなかで育ち、群れをなして飛び、血を吸う外部寄生虫です。あな恐ろしや！

・蚊は、撲滅した際に、長期にわたるマイナスの影響が皆無である、ごく少数の動物のひとつです。蚊が生態系で行う活動（鳥の餌になる、花の受粉を多少助ける）は、ほかの動物たちが既に行っています。蚊がいなくなって人々の心に残るのは、マラリアによる死者が減ったということだけでしょう。

補足

・蚊は、南極大陸、アイスランド、そしていくつかの小島を除き、世界中のあらゆる地域に見られます。ま、しょうがないですね！

・蚊は、人間よりも前に、それどころか、恐竜よりも前に出現しました。なので、話しかける相手がいる場所にも、見て素晴らしいもの、もしくは、

あなたを追いかけるものが存在する場所にも、蚊はやはりいます。地球さ・・・
ん、ありがとう！・・・・

・あなたがペルーにいるなら、キナの木（セクション7.7で解説）を見つ
けましょう。キナの樹皮の成分は、蚊が媒介するマラリアを治療すること
ができます。

基本的な栄養：
少しでも長く生きるために何を食べるべきか

以前、出来合いの食べ物や加工食品を食べ過ぎる危険について
心配しなければならなかったころのことを覚えていますか？
朗報です：そのことで、もう二度と悩む必要はありません！

　栄養の物語も、またもや、という感じですが、基本的な前進を遂げるためだけですら、人類がゆっくり時間をかけすぎてしまったというお話です。タンパク質が重要な栄養だと人間が気づいたのは、西暦1816年になってのことで、しかもそれは、イヌに砂糖だけを食べさせていると、イヌは餓死してしまうと気づいてのことでした。[*]西暦1907年、ウシを４つのグループに分け、それぞれのグループに、通常ウシに与える数種類の穀物のうち、どれかひとつだけを４年間与えつづけるという実験が始まりました。この実験は、最終的には、異なる食物には異なる栄養が含まれているという結論に至りました。また、ビタミンとは何かがようやくわかり始めたのは1910年で、食事の指針としては、ヒポクラテス（紀元前400年ごろギリシアで）や孫思邈（西暦650年ごろ中国で）といった医者によるものがありましたが、大部分の国が食事指針を導入したのは第二次世界大戦になってからのことで、戦時中の配給制度の一環として作成されたのでした。食物

＊　この一連の実験を行ったのは、フランソワ・マジャンディなる人物で、これを残酷だと思われる方は、彼の生体解剖講義のことは絶対にお聞きにならないほうがいいでしょう。なにしろ彼は、動物たちを生きながらにして壇上で解剖したのですから。こんなことは、当時の人々にも不評でした。そして、じつはというと、そんなことはまったく必要なかったのです！　砂糖しか与えない実験も、生体解剖も、行う必要はなかったのです！　「そこまでやる？！」どころじゃないですね！

にその栄養価のラベルを貼る習慣は、20世紀の終わりになってやっと始まったのです。それに、今日なお、食生活指針として市民に与えられる助言は、国ごとにまちまちです。ですから、過去に足止めされたあなたが、正しい食事をとることができる望みがあるでしょうか？

　ええと、じつはですね、結構あるのです。細かいところは異なりますが、近代以降の食生活指針の中心教義——栄養が少ない加工食品も含め、食品全般が豊富な時代に特徴的な——は、何世代にもわたってほぼ同じで、次の３つの点にまとめられます。

1. 食べ過ぎるな
2. 言うまでもないが、適度に運動しろ
3. 果物や野菜など、あなたにとって良いものを食べなさい

　最初のふたつは、あなたの現状ではおそらく問題にはならないでしょうから、３つ目の「果物や野菜」について、詳しくお話しましょう。理想的な食事とは、次のようなものです。

・果物や野菜をたくさん食べましょう。どちらも、たいていの場合、あなたにとってとてもいいですから。美味しいステーキほどは美味しくないとしても。
・適量の油脂を取りましょう。適量でないといけないのは、あなたにとって果物や野菜ほどよくないからです。油脂がほんとうに、美味しいステーキと同じくらい美味しいとしても。
・さまざまな食品を食べましょう。バラエティーに富んだ食べ物を取ることで、多種多様なビタミンとミネラルが摂取でき、大量には必要ないが、少なくともときおり摂取が必要な微量栄養素もちゃんと取れるからです。
・適量の塩と砂糖を取りましょう。食べ物を美味しくしてくれる塩と砂糖ですが、取り過ぎはよくないですから。

・何でもひとつのものばかり食べ過ぎないように。何でも取り過ぎれば
命にかかわりますから（人間は水の過剰摂取でも命を失います。これ
は、詐欺師の誇張表現ではありません。水を飲みすぎれば死ぬことが
あるのです）。

　おそらくあなたは、加工食品の味が恋しくなるでしょう——なにしろそ
ういう食品は、できる限り美味しくなるように作られていたのですから。
しかし、やがてはそんな食品があなたの体に及ぼしていた影響は、なくな
ってせいせいしたと思われるはずです。それに、食事のことであまり悩ま
ないでください。あなたがいる状況では、少なくともこの先数年間は、ほ
どほどの量を食べ、活動的な生活をせざるを得ませんし、チーズをくるん
でパン粉をまぶした香ばしいチキンナゲットを抱えるほど買って食べるな
んて、いつになることやらわかりません*。ですが、あなたやほかの人
に、思いがけずビタミン欠乏症が出てしまったときに、それに気づき、対
処する方法を知るために、このあとご説明するビタミンについての基礎知
識を読むことはとても大切です。

　1910年までは、人間がビタミンについて知っていたのは、特定の食べ物
を食べれば特定の御利益があるということだけでした。たとえば、紀元前
1500年ごろのエジプト人たちは、ビタミンAのことなど何も知らずに、肝
を食べれば暗闇でも物が見やすくなることを知っていましたし、西暦1400
年ごろヨーロッパ人たちは、ビタミンCのことなど知らぬまま、新鮮な食
べ物や柑橘類が壊血病から守ってくれることに気づきました。しかし、残
念ながら、『間違いの喜劇、笑えない版』と呼ばれて仕方ないようなこと
のなかで、ヨーロッパ人たち——総じて自分たちはとても賢いと思いたが
っている——は、うかつにもこのことを忘れ、その後の500年間に少なく
とも7回も、ビタミンCについてのこの事実を再発見したのです。1593年、

＊　実際、ニワトリを家畜化し（セクション8.4）、パンを作り（セクション10.2.5）、チーズを
作り（セクション10.2.4）、そして、印刷のために使うのと同じ機械を、油を搾り出すのに使え
ば（セクション10.11.2）、美味しいナゲットを再現することができます。

1614年、1707年、1734年、1747年、1794年と再発見を繰り返した挙句、1907年にようやく定説となりました。[*]

　ビタミンは、人間が生きるためには不可欠だが、人間が自ら合成することはできない、重要な化合物です。[**]　ビタミンは確かにあなたの健康とその維持に大きな影響を及ぼしますが、良い栄養状態を維持するには、各種のビタミンだけでは足りません。レンタルタイムマシンが当たり前の私たちのユートピア時代においてさえ、ビタミンの錠剤を口に放り込めば夕食は終わり、というわけにいかないのもそのためです。具体的には、このほか、炭水化物と食物繊維（穀類、果物、野菜に含まれる）；タンパク質

---

[*]　このようなことがどうして起こり得るのでしょう？　コミュニケーションのまずさと、「悪の科学」ゆえです。人間は、自分でビタミンCが合成できない数種類の動物の一種ですが、自分が食べるものからビタミンCを取り出して、体内に貯蔵するのは得意です。そのため、この貯蔵分に頼っていられる約4週間はいいのですが、それを過ぎると壊血病の症状が出始めます。問題は、ビタミンCは加熱（すなわち調理）や、空気に曝されることで簡単に壊れてしまうので、加工食品や貯蔵食品にはまったく含まれていないことです。15世紀には、柑橘類が壊血病を予防することがイタリアの航海者たちに知られており、ポルトガルの航海者たちは、航路沿いの便利な島にオレンジの木を植えることまでしましたが、やがてこの知識は失われてしまいました。この事実は、壊血病は消化不良による腸内腐敗を原因とする病気だという定説と矛盾したため、再発見されては無視されての繰り返しでした。19世紀ごろには、イギリス海軍で、予防のためのレモンの使用がしばらくのあいだ定着しましたが、1867年にレモンに代わってキーライムの果汁が採用され、姿を消しました。キーライム果汁はビタミンCの含有量が少なく、空気、光、船の鉛の配管に曝されると、事実上ゼロになってしまいました。しかし、その後の半世紀でより高速の蒸気機関が採用されていくと、船員が航海する期間は短縮され、陸地での栄養事情も向上したことと相まって、壊血病の発症者は減少し、その結果、ライム果汁に切り替えたことによる効果（の消失）は隠されてしまいました。やがて、より長い航海をする船員たちが再び壊血病に罹り始め、従来からの柑橘類による予防が無効であることが表面化すると、次のような新説が優勢になりはじめました。「おそらく壊血病は、密封状態の悪い肉の缶詰が腐敗して食中毒が発生したことによるか、あるいは、衛生状態の悪さや士気の低下によるのだろう」というのです。ヨーロッパ人たちが、壊血病予防には新鮮な食物と柑橘類だと（再び）発見したのは、1907年に、モルモット——この動物を選んだのは幸運でした。というのも、壊血病にただ罹ることすら、人間以外の動物ではめったに起こらず、モルモットはそのような病気になる珍しい動物のひとつだったからです——を使って実験が行われてからのことで、このときは、この知見がしっかりと定着しました。これほど簡単に予防でき、ちょっとしたことで治療できる病気で、壊血病ほど多くの死者を出し、惨状をもたらし、歴史に大きな影響を及ぼしたものはこれまでにありません。

[**]　ビタミンDはこの例外です。日光浴をするだけで体内で生成することができます。ビタミンKの一部も同じく体内で生成されますが、あなた自身によるのではなく、消化管に棲んでいるバクテリアの働きによります。

（豆類、卵、ミルク、肉に含まれる。また、タンパク質にはアミノ酸が含まれている）；脂肪（肉、ミルク、卵、ナッツ類に含まれる）；そしてもちろん水です。次の表にはビタミンの一覧が示されており、どの食物に含まれるか、そして、欠乏するとどうなるかが紹介されています。この情報をよくお読みになり、しっかり頭に入れてください。

ビタミン	多く含む食物	欠乏すると起こる恐ろしい症状
A	レバー、オレンジ、牛乳、ニンジン、サツマイモ、緑黄色野菜	夜盲症。悪化した場合全盲にも。
B_1	豚肉、玄米、全粒穀物、ナッツ類、種子類、レバー、卵	食欲減退、体重低下、意識障害、筋力低下、心疾患、固視微動の異常。
B_2	牛乳、バナナ、緑豆、キノコ類（キノコには有毒なものもあり、それらは毒性が高いので注意）、アーモンド、鶏のモモ肉、アスパラガス	舌炎、咽頭痛、唇のひび割れ、陰部の皮膚炎（脂漏性のうろこ状発疹）、目の充血。
B_3	肉、魚、卵、全粒穀物、キノコ類	3つのD；下痢、皮膚炎、認知症（diarrhea, dermatitis, dementia）。ここで皮膚炎とは、「皮膚が変色し、やがて剥がれ落ちる」という症状。他に、光線過敏症、攻撃性、神経症、脱毛症など。
B_5	肉、ブロッコリー、アボカド	慢性的な錯感覚（針で刺されている感覚や皮下を虫が這いまわる感覚）。
B_6	肉、ジャガイモ（皮付き）、卵、レバー、野菜、木の実（ピーナッツを除くほぼすべてのナッツ。ピーナッツはそもそもナッツではありません）、バナナ	貧血（血液が十分な酸素を運ぶことができなくなり、ふらふらしたり気絶したりする）、神経障害。
B_7	（生の）卵黄、レバー、ピーナッツ、アーモンド、緑の葉物野菜	毛髪や皮膚が正常に成長しない、加えて、下腹部痛、痙攣、下痢、および吐き気。

ビタミン	多く含む食物	欠乏すると起こる恐ろしい症状
B₉	葉物野菜、ビート、オレンジ、パン、シリアル、平豆、レバー	細胞が正常に分裂しなくなる。その当然の帰結として、さまざまな問題が生じます。たとえば、疲労感、過呼吸、立ちくらみなど。やがて神経障害、歩行困難、うつ、認知症に至る。
B₁₂	肉、鶏肉、魚、卵、レバー、牛乳。したがって、ベジタリアン(菜食主義だが卵と牛乳は取る人)の場合、唯一の自然な摂取源は卵と牛乳。ベガン(完全菜食主義者)の場合は……B₁₂欠乏症とはどんなものかを確認し、自分の現状を冷静に見て、多少は主義を曲げてもいいのでは?	上記のB₉欠乏症のすべてに加え、脊髄変性症。
C	生鮮食品(野菜・果物)、特にオレンジなどの柑橘類	壊血病。本表の前の脚注に詳述。壊血病になると、毛髪が縮れ、打撲痕がつきやすくなり、傷が治癒しなくなる。歯が抜けやすくなり、性格が変わり、やがて絶命する。
D	魚、卵、レバー、牛乳、キノコ類	くる病、骨軟化症。どちらも、いいものではない。
E	緑の葉物野菜、アボカド、アーモンド、ヘーゼルナッツ、ヒマワリの種子	じつのところ、ビタミンE欠乏症になるのはかなり難しいが、もしもうっかりそうなってしまったら、不妊症と神経障害を起こすおそれあり。
K	ブロッコリー、キャベツ、緑黄色野菜(ケール、ビートグリーン、ホウレンソウなど)、卵黄、レバー	ビタミンK欠乏性出血症。皮膚に赤い斑点が出たり、目の周りにアライグマのような隈が出る。

表11:ビタミンの名称で、アルファベットや数字が途中を飛ばして使われているのは、昔、ビタミンだと思われていたものの、実はそうではないことが後でわかった物質がいくつもあったため。1909年においてさえ、この表は人々を驚かせました。

　この表の「欠乏すると起こる恐ろしい症状」の欄を見ても、あなたが野菜（と、何で「レバー」なんだ？　ですよね。思いのほかレバーは頻出しますが、レバーはビタミン類がぎっしり詰まっている*ので当然なのです）を食べる気にならないのなら、あなたの心を変えることは他の何ものにもできないでしょう。[23]

＊　動物のレバーのなかには、ビタミンが含まれ過ぎているものもあるのです！　見慣れないものを食べようとするときは、必ず「万能可食性テスト」（セクション６）をお使いください。なぜなら、さもないと、どの時代のどこに足止めされているかによっては、あなたが自分の行為の危険性を知らずに、アザラシのレバーを食べてしまう恐れがあるからです。アザラシのレバーにはビタミンＡがあまりに大量に含まれており、実際に摂取しすぎてしまうかもしれません。その際、「ビタミンＡ過剰症」（ビタミンＤ、Ｅ、Ｋでも過剰症は起こり得る）を起こしかねません。具体的な症状は、めまい、骨の痛み、嘔吐、視覚異常、抜け毛、皮膚のかゆみと剝がれ落ち。そして、注意すべきレバーはアザラシのものだけでなく、シロクマのように日常的にアザラシを食べる動物のものも、捕食したアザラシに含まれていたビタミンＡがすべて貯蔵されているわけですから、人間にとって有害なのです。

10.

技術で解決できる、人間が抱きがちな不満

……今後あなたが、どれも完全に自力で思いついたんだ、
と、ぬかりなく振舞ういろいろな技術。

　あなたはユニークな立場にあります。朝起きて、よし、今日はゼロから文明を発明してやろうと決意する人はほとんどいません。歴史的に、たいていの人は朝起きて、ああ、お腹空いた、退屈だ、朝からムラムラするなどと思い、そういう問題を自分で解決しようとしているうちに、偶然文明を発明してしまうのです。仮に発明するとすればですが。

　このセクションでは、歴史を通して、人間たちが最も頻繁に抱く不満を挙げて、これらの不満に応えられるような技術で、あなたが発明できるものを、第一原理から説明して、紹介していきます。うまい具合に、このリストは、ご自身の文明のなかであなたに必要になる、最も便利な技術のリストにもなっています！　そのような技術で、あからさまに抜けているものがいくつかありますが、これは、あなたがすでによくご存じだと思われるもので、たとえば、ホイール（訳注：車輪や自動車のハンドルなどの、回転できる輪）（なぜなら、これが何かご存じないなら、ゼロから文明を作り直すことはそもそもありえないからです[*]）：食物を火で調理すること（これは解剖学的な人間が登場する以前に登場していたので、もしもどういうことかよくわからなければ、身近にいる誰かほかの人がわかる可能

---

[*]　あー、はい。念のために。──ホイールは軸を中心にぐるっと回すことができるもので、こんな形をしています：〇

性があります）、そしてフレンチキスです（まだやったことがないなら、ぜひ試してみてください！　相手によりますが、実際結構いいです）。

　ここでは、どんな「人間の不満」に対処しているかで技術をグループ分けしていますので、「近い関係にある」発明をいろいろと見ることができます。最初に発明したいものが何か決まっているのなら、補遺Aにある技術の系統樹を参照してください。「高度」な技術を実現するのに前もって必要なすべての技術をチェックできて、便利です。

　最後にお知らせしておきますと、このセクションで扱うすべての技術に対し、その解説の冒頭に、ひとつずつ「名言」を紹介しています。この名言は、少なくともごくわずかにその技術に関係しており、あなたの新しいタイムラインのなかでそれを最初に述べた人（つまり、あなた）と、私た

＊　しかし、そもそも火を起こすこと自体が難しいこともあるので、樹木とやる気しかないときにどうやって火を起こすかを説明しておきます。まず、燃えやすいものを集めます。乾いた落ち葉、松葉、樹皮の内側、草などです。これが火口（ほくち）になりますので、小動物や鳥などの巣のような小高い山のかたちに積み上げます。次に、鉛筆ぐらいの大きさの小枝を集めます。これは、火口に比べ、もっと高温になって長時間燃えますが、火を付けるのはそれほど簡単ではありません。これが焚き木になります。そして次に、燃料を集めます。ここで燃料となるのは、火をいつまでも燃やし続けるために使える、枯れ木です。基本戦略としては、次のようにしましょう。燃えやすそうな乾燥した棒を2本見つけます。1本を地面に置き、その棒の表面に、もう1本を突き刺せそうな窪みを見つけましょう。突き刺した2本めの棒を下へと押しながら、回転させます。その目的は、物が燃えはじめるのに十分な摩擦を生じさせることです。これは間違いなく、とても時間がかかり、体力を消耗し、疲れる作業ですが、やがて摩擦によって、焚き木がくすぶり始めるでしょう。こうして、小さな輝く火種ができます。その火種を、巣の形にした火口へと移し、そっと吹いて火を大きくし、さらに火口を加え、続いて焚き木、そして最後に、燃料の枯れ枝を加え、火を燃やし続けます。こうして、あなたの最初の火を作り終えたなら、あなたは疲れ切り、もう面倒くさく、二度とこんなことはしたくないと思うに違いありません。そこであなたは、こういった家庭の火、つまり炉の火を絶やさないように配慮します。「家の炉の火を保つ」（訳注：Keep the Home Fires Burningは、第一次大戦中のイギリスの愛国歌で、家族の男性メンバーが兵士として戦場に行っているあいだ、残った女性たちがしっかり家庭と国を維持していきますというような内容）という表現はここから来ています。というのも、家の炉の火が消えてしまったなら、再び起こすのは大変な仕事なので、私は絶対にそんなこと繰り返したくない、というわけです。火を起こしたあなたは、それによって料理の技術も解放しました。料理ができるということは、人間にとって、体の外にもう一組歯があるようなもの（料理で食物は柔らかくなるので、それほど噛まなくてもよくなります）であり、また、体の外に、もうひとつ消化器官があるようなもの（料理すると消化がよくなり、食物に含まれる栄養素の多くが吸収されやすくなります）です。すべての栄養素が、料理によってより多く摂取できるわけではありません。ビタミンCは熱ですぐに破壊されてしまうので、常に生の野菜と果物を適量食べるようにしましょう。

ちの元々の、変更されていないタイムラインのなかでそれを最初に述べた人の両方によるものとされます。これらの名言に込められた知恵を自由にわがものとして使い、自分のスピーチの随所にこれらの「名言」をはさんで味付けし、全文自分の言葉だと堂々と言いましょう。あなたは（まもなく）しょっちゅう「引用は機知のなさを埋め合わせるのに役立つ」[*]と独り言をつぶやくようになるでしょう。

10. 1 「喉が渇いた」

　水は、地球上のたいていの場所で見つかりますが、すべてが安全に飲めるわけではありません。この問題は、炭によって解決できます。炭で水を濾過できますから。しかし、炭は他にもさまざまな目的に使えます。実際、これほど多くの用途がある炭は、多少の木片と、地面に掘った穴で作ることができる、ダントツで最も便利な物質です。しかし炭は、塩水を飲める真水にすることはできません。そのためには、蒸留の技術が必要です。蒸留は、海水を脱塩するのみならず、文明を築くための化学から、アルコールの濃度を上げることまで、ありとあらゆる目的に使えます。ですので、蒸留は、あなたの「すぐに発明すべき食物関連技術リスト」の上位のほうに入れておくべきでしょう。

　このセクション10を読みながら、そんなリストを頭のなかで自由にお作りください。

---

[*]　これは、W・サマセット・モームが1931年に述べたものですが、あなたは、彼がその機会を得るよりはるか前の時代にこれを使うことになります。そして、自分の立場を支持する名言を記憶するなんて時間の無駄だと誰にも言わせないように！　アントワーヌ・ド・サン゠テグジュペリが言ったように、「あなたのバラのために時間を費やしたからこそ、バラはかけがえのないものになったのです」から。あ、これも自分が思いついた名言だと言えばいいのです。

10.1.1：炭

われわれの地球全体への拡散は、丈の高い植物の種を炭に変えることによって、燃えるものなら何でも、絶え間なく燃やし続けることによって、促進された。

——あなた（とW・G・ゼーバルト〔訳注：1944～2001年。ドイツ生まれの作家。『アウステルリッツ』などの著者〕）

どのようなものか

炭とは、より軽量で、よりコンパクトで、より便利な形態となった木であり、鉄を鍛造する（訳注：高温の下で繰り返し叩き、粘り強さを与えること。鉄の場合一般に1100～1200℃）に十分な高温で燃えます[*]。金属を強くするのに使えるほか、炭の表面にはさまざまな物質を吸着させる性質があるので、水やガスを濾過したり、あなたが飲み込んでしまった毒の作用を和らげることができます。そして、あなたが何か書いたり描いたりしたいなら、炭は優れたインクや顔料になります！

発明以前は

ガラスを溶かしたり、金属を精錬したりすることはできませんでした。なぜなら、あなたが起こす火は、十分な高温に達しませんでしたから。つまり、この発明以前の文明は、有用性の点で劣る、限られた数の物質しか使えなかったということです。また、厄介な沈殿物、変な味、いやなにおいを濾過して除去した水を楽しみたければ祈るしかありませんでした。なにしろ、そんなものはなかったのですから！

最初の発明

紀元前30,000年（洞窟壁画に使用）
紀元前3500年（燃料に使用）

---

[*] 木材は通常、燃やしても約850℃にしかなりません。炭は2700℃にまで達します。

前もって必要なもの
　木

発明の仕方

　火は、燃料、熱、酸素という３つの要素を必要とする反応です。[*] 燃料（たとえば木）を、熱と酸素が大量に存在する場所に置けば、火を起こすことができます。しかし、熱は十分だが酸素は最低限しか存在しないところに木を置くと、火ではない、別の反応が起こります。これが「乾留（かんりゅう）」で、世界が燃えるのを見物するほどの見応えはありませんが、より有用だと言えるでしょう。

　乾留では、木は燃えることなく、木に含まれる水分と不純物が蒸発し、より高純度なかたちで——つまり、かなり純度の高い炭素の塊として——燃料が残ります。[**] これが炭です。火事の跡に、偶然できた炭が見つかることがあるかもしれません（紀元前30,000年に洞窟壁画に使われたのは、そのような炭です）が、本セクションの冒頭でそれがいかに有用かを読まれたなら、あなたはそれを意図的に作り出したいと思われるでしょう。

　あなたは地球（あなたが窒息死せずにここまで読めるほど生きていられたなら、それがいつの時代であれ、そこには大量の酸素が存在しているわけです）にいるので、火が酸素にどれだけ触れるかをうまくコントロールするのが秘訣になります。火が消えないようにし、燃料として燃やしてしまわない木を炭にするのに十分な酸素が必要ですが、火が燃え広がって、燃料だけでなく、せっかく作った炭まで焼き尽くしてしまうほどは必要ないのですから。

---

[*] ええと、厳密には、必要なのは酸化剤であって、それが酸素である必要はありません。しかし今のあなたの状況を考えると、物を燃やすときには、フッ素や三フッ化塩素のような特殊な酸化剤ではなく、無料で豊富な酸素に頼ることになるでしょう。

[**] 純度はいかほどかとお尋ねですか？　作る人の技能によって、純度は65〜98パーセントです。

　近現代において炭を作る最も簡単な方法のひとつは、微量の酸素だけが入るように調節可能な開口部がある鋼鉄の容器の内部で火を起こすことです。木の一部は燃料として燃え尽きますが、残りの木は炭になります。簡単ですよね？　しかし、炭を作るのに鋼鉄が必要で、鋼鉄を作るのに炭が必要なら、「ニワトリが先か、卵が先か」の問題にぶつかってしまいます。ですが、ご心配なく。私たちは、木、火、葉、土だけを使い、第一原理から炭を作ることにより、この問題を回避します。

　手軽に、純度があまり高くない炭を少量だけ作るには、穴を掘り、そのなかで火を起こします。燃料の木が安定して燃え始めたら、さらに木を加え（これを炭にしようというわけです）、次に葉を厚さ20センチほどかぶせ、さらにその上に厚さ20センチの土をかぶせましょう。火は地下でしばらくくすぶり続けますが、2日後に掘り返すと、炭が回収できます。しかしこの先、この「穴を掘って、あとで戻ってくる」方式で作り出すよりも、もっと大量に炭が必要になることもあるでしょう。そのためには、専用の窯、すなわち、使い捨ての「炭製造マシン」が必要になるでしょう。

　まず、丸太をたくさん集めます。丸太は、枝や葉をすべて取り払い、できれば、すでに十分日光に当たって、よく乾燥したものがいいでしょう。燃料用木炭を作りたければ、硬材（広葉樹。より高温で燃えます）、水を濾過するための炭を作りたければ、軟材（針葉樹。多孔質で、多量の不純物を吸着します）を使いましょう。長さ2メートルの丸太を見つけ、地面に立てます——これがあなたの炭焼きパイルの中心軸になります。次に、これよりも小ぶりの丸太——直径10センチぐらいのもの——をたくさん使って、地面の上で十字に交差させて、大きな格子を作ります。小ぶりの丸太を次々と交差させて、この格子を大きくし、中心軸の丸太の周囲に直径

＊　セクション8.4に、ニワトリと卵、どちらが先か、はっきりと示しています。

＊＊　硬材は一般に、広い葉を持つ、成長が遅い樹木、すなわち、広葉樹の木材。具体的にはオーク、カエデ、クルミなど。軟材は一般に、針のような葉・樹果・樹液を持ち、成長が速い常緑樹（針葉樹）の木材。具体的には、トウヒ、マツ、スギ。はい、これであなたもひとつ物知りになりましたね！　木はおおまかにどう分類されるか、人に教えることができるようになったのです！　もうこれについては、知ったかぶりをしなくてすみますよ！

約4メートルの平らな円ができるようにします。これがあなたの炭焼きパイルの台になります。

この台の上に、炭にしたい木を、できるだけ密集させて載せます。長い木（最長2メートルぐらい）は、中心軸にもたれかかるようにして、縦向きに置きます。短い木は、この長い木にもたれかかるように、やはり縦向きに置きます。このようにして、木をなるべく隙間なく組み合わせて、2メートルの中心軸が中央に突き出た、高さ1.5メートルの、ほぼ半球型の山を作ります。こうして木のパイルが完成したら、その上全体を藁または葉で覆い、さらに砂、芝、芝土、粘土、あるいはその他の材料で覆って、全体として10〜20センチの表面層になるようにして、密封します。山の最下部に数カ所、通気口の穴を忘れずに作ってください。炭を焼いているあいだに、これらの穴を開けたり閉めたりすれば、パイル内部の特定の場所の火力を調整することができます。

こうして炭を焼く準備が整ったら、パイルに登り、高さ2メートルの中心軸を抜きます。抜いたあとに残った空間が、煙突になります*。火を付けた木片または高温の灰を煙突に投げ込み、パイルに点火します。パイルが燃え始めると、白い煙が出てくるのが確認できるはずです。続く7日間のうちに、煙は青色になり、やがて消えます。焼いているあいだ、パイルの表面を手で触れて、ある部分が冷たすぎると思えばその下の通気口を開き、熱すぎると思えば通気口を閉じましょう。ただし、どの通気口からも、赤く燃えている内部が見えてはなりません。パイル全体で均一に焼けるようにするわけです。パイル表面の密封層にひび割れが見つかったなら、そこから壊れてしまわないように、ひびを塞いでください。

炭はいつ焼きあがるのでしょう？　これは、どの木を使うかや、木に含まれる水分、パイルの大きさ、そして、その炭焼きがどのように進行したかによって違います。頃合いを見計らうのは、科学であると同時にワザな

---

* 高さ2mの軸を地面から引き抜くほどの力がないと思ったら、そもそも軸を立てないようにしましょう！　パイルの真ん中にボール型の穴を残すことを忘れないようにすれば大丈夫です。

ので、何度か試してみないと、わからないかもしれません。焼き上がりの判断が早すぎると、本来できたはずの量より少ない炭しか作れませんし、一方、遅すぎると、炭はすべて焼き尽くされて灰になってしまうでしょう。ともかく、焼きあがったと判断したなら、通気口と煙突をすべて塞ぎ、パイル内への酸素を完全に遮断して火を消します。パイルが冷えるのを待ちます。数日経てば、パイルを開くことができます——開いた瞬間に酸素が流入し、また炎が上がった場合に即座に消火できるように、そばに水を準備しておいてください——ので、炭を回収してください。ちょうどいい頃合いに開いたなら、炭の収率としては約50パーセントが期待できるでしょう（10個の木片を焼いた場合、5個の木炭が得られる）。しかし、練習しスキルを磨けば、収率は10：5から10：6へと簡単に向上するでしょうし、非常に上手に火を制御できれば、10：8に達することも可能でしょう[*]。

　これを聞いて大変な仕事だと思われたなら、それは実際に炭焼きが大変な仕事だからです！　このような火の管理は、専任の作業者が必要な仕事で、あなたの文明がこのレベルの専門化が可能な段階に達しているなら、ぜひ人々に職業人生を炭焼きに捧げてもらってください。もしもあなたが、すでに発明されている、ちゃんとしたレンガ（セクション10.4.2）とモルタル（セクション10.10.1）の上で炭を作りたいなら、葉と土の代わりにレンガを使って、常設の炭焼き専用巨大窯を作り、焼いているときだけレンガで塞いで密封できる、内部に通ずる「扉」を付ければいいのです。

　木を乾留すると、木に含まれる粘着性の高い樹脂や松脂（まつやに）が分離し、タールになります。タールは便利ですよ！　べとべとして粘着性が高く、撥水性（はっすい）があるため、接着剤・封止材の両方として役立ち、とりわけ、船（セクション10.12.5）や屋根を水漏れや腐食から守るのに適しています。タールを製造して回収するには、違う種類の窯を作るのがいいでしょう。床が傾

---

[*]　炭の収率が1:1になることは決してありません。というのも、一部の木は、ほかの木が炭になるのに必要な熱を供給するために、燃え尽きなければならないからです。残念ですね。熱力学の法則は、遠い過去の時代にも成り立つのです！（注：熱力学の法則は、極めて遠い過去の時代、たとえば、ビッグバン以前の時代などには当てはまりませんが、そのような時代には木はないので、あなたの時間を浪費しないようにしてください。）

斜しており、タールが自然に出口に向かって流れて、回収しやすいタイプです。どんな木でも樹脂が豊富なわけではなく、樹液をたっぷり生じる木がベストです。松の木は封止材用のタールを作るのに最適で、カバノキの樹皮のタールは紀元前4000年ごろチューインガムを作るのに使われました。またタールには、「フェノール類」と呼ばれる、消毒・殺菌に使える化合物が含まれており、動物の蹄や角の手当をする粘着性の包帯に利用できます。

　最後にひとつご忠告を。木を木炭に変える技術が広まると、木炭があまりに便利だったため、人々は猛烈な勢いで木を切り倒しはじめました。その結果、大規模な森林破壊が起こったのです。1500年代のヨーロッパがこの状況に陥り、木がなくなってしまうと、今度は、採取はより困難だが、それほど希少ではない燃料源として、人々は石炭などを利用し始めたのです。[*]

10.1.2：蒸留（分留）

　文明は蒸留から始まる。

　　　　　──あなた（ウィリアム・フォークナー〔訳注：1897〜1962年。
　　　　　アメリカの小説家でノーベル文学賞受賞者〕も）

どのようなものか

　液体はそれぞれ沸点が違うということを利用して、２種類以上の液体で

---

[*]　森林を、需要に見合う木材の供給源として維持するために、皆伐ではなく、萌芽更新のための定期的な刈り取りを行うことができれば（セクション7.27）、化石燃料への依存を回避することになり、人間活動を原因とする気候変動も回避できます。石炭も木炭も、炭素系の物質で、燃えると二酸化炭素を放出するのは確かですが、石炭が、数百万年ものあいだ地下に貯蔵されていた炭素を空気中に放出する──それによって現代の大気の組成を変える──のに対し、木炭や材木は、せいぜい数十年間蓄えられていた炭素を解放するだけです。あなたの文明もやがて、木炭では必要なエネルギーを十分賄うことができない段階に達するでしょうが、そのころにはあなたは、化石燃料を跳び越えて、生態系の破壊、氷冠の融解、海面の上昇、島嶼の浸水、そしてほとんど取り返しのつかない気候変動というさまざまなマイナス面がはるかに少ない、代替燃料──バイオディーゼル、植物油、水素、あるいは、時間束非因果性誘導アレイなど──が使えるかもしれませんよ。

できたものを加熱・冷却することにより、純化したり濃度を上げたりする方法。

発明以前は

　液体の純度を上げることは不可能でした。しかしこのプロセスは実際、非常に便利で、その用途は、アルコールをさらに強いアルコールに変えることにとどまりません。脱塩（海水を安全に飲めるものに変えること）にも使えますし、化学物質の分離に欠かせません。なにしろ、まもなく、多くの化学物質があなたにとって必要になるでしょうから。

最初の発明

　西暦100年

（錬金術の一環として。錬金術とは、鉛などの卑金属を純化すれば金などの貴金属が得られ、また、人間を不老不死にし、あらゆる病気を治療することができると信じられていた当時の化学。これは、いくつかの理由により、うまく行かない運命にありました。その理由として、かなり重要なものを３つ挙げると、（１）鉛と金は異なる元素で、同じ物質の不純なものと純粋なものではない、（２）そもそも、欠陥だらけで、老化し、衰えていく身体しか持っていないのだから、不老不死は土台無理、（３）病気の原因には、環境的、遺伝的、精神的など、さまざまなものがあり、ひとつの治療法で対処するのは不可能。人類は、錬金術をうまく機能させようとして4000年間を費やして３つの大陸の上で努力してきましたが、これは、「人間の創造力、命、努力の途方もない浪費で、そこから得られた有用なものとしては、蒸留以外ほとんど皆無であり、それすら、飲料に応用す[*]

---

*　ここで「ほとんど」と断っているのは、1669年にヘニッヒ・ブラントという錬金術師が、ふたりの妻の財産を費やして、鉄を金に変える方法を突きとめようとして行った研究の副産物によります。彼は、5500リットルを超えていたかもしれないほど大量の人間の尿を悪臭がひどくなるまで放置し、その腐敗した尿を煮詰めてドロドロにしたものをさらに、赤色の油が出るまで熱して、その残りをふたつ（一方は黒いスポンジ状、その下にあるもう一方は粒子状で塩のようなもの）に分離するまで冷却し、上層の黒いスポンジ状の成分に先ほど分離した油を加

ることを誰かが思いつくまでに1000年かかった」としか記述しようのない
ものでした。あなたは、自分の時間を浪費しないようにするだけで、はる
かにうまくやれます)

　西暦1100年（おいしい飲み物を作る用途で）

前もって必要なもの

　火、樽を作るための木または金属、金属ボウル（「セクション10.4.2：窯、
溶鉱炉、鍛冶場」）、蒸留するもの；まずアルコール（セクション10.2.5）
でやってみるのがいいでしょう。

発明の仕方

　樽が必要だと言いましたが、実際には、樽の蓋と底を外して、筒にしま
す。あなたが蒸留したい液体をボウルに入れます。ボウルと樽は、同じ直
径なのが望ましいです。さて、このボウルを火にかけます。樽をボウルの
上に設置します。樽の上に、もうひとつのボウルを載せ、これを冷水で満
たします。下のボウルに入れた液体が沸騰しているあいだ、蒸気が徐々に
上へと昇り、冷たいボウルの底にぶつかり、凝結します。冷たい飲み物が
入ったグラスの表面に水が凝結するのと同じです。さて、これであなたは、
あとは、上のボウルから凝結した液体が滴り落ちるのを受けるための、小
さな第3のボウルを、このシステムに組み込めばいいだけです。第3のボ
ウルは、穴から樽の外へと液体を送り出せるようになっているのが理想的
です（これによって、凝結した液体が再び蒸発してしまう前にそれを回収

え、残りは捨て去り、油を加えたほうをさらに16時間加熱し、次に、これが生じるガスを水に
通すことで金を作ることができるのではないかと考えた。この方法で金は作れませんが、
ブラントが「冷たい火」と呼んだものを作り出すことができます。「冷たい火」とは、尿に自
然に含まれるリンを含む、暗闇で光る化合物です。これによってリンは、古代以来初めて発見
された新元素となりました！　このプロセスを再現したいと思っておられるかもしれませんが、
最初の尿を腐敗させる過程はまったく不快で不要だし、ブラントが捨て去った塩のような部分
にこそリンの大部分が含まれているということをよくよくご理解ください。この点をあなたの
手順にちゃんと含めてやれば、リンの収率は向上します。

するために２、３分ごとに樽を開く手間が省けます）。これが蒸留です！
蒸留では、蒸気を捉えて、それを液体に戻し、その液体を熱から遠ざける
という作業をします。そして、樽は必須ではありません。樽は、蒸気が逃
げてしまうのを防ぎ、それによって蒸留の効率を上げるためのものです。
本当に必要なのは、３個のボウルです。なかで液体を沸騰させる高温のボ
ウルがひとつと、そこから立ち昇る蒸気を冷却するための低温のボウルが
ひとつ、そして、凝結した蒸気を受け止め、外へと送り出す、常温のボウ
ルがひとつです。

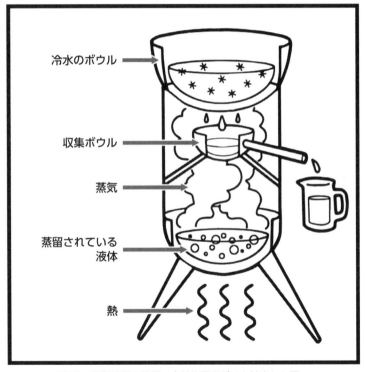

冷水のボウル

収集ボウル

蒸気

蒸留されている
液体

熱

図13：蒸留装置の略図。中核的要素だけを抽出した図。

　蒸留がうまくいくのは、異なる液体は沸点が異なるからで、混合液を沸騰させたときに生じる蒸気は、元の混合液とは成分比が違っています。蒸気には、沸点が低い液体のほうが多く含まれているのです。[*] 蒸留を繰り返すことにより、沸点が低い液体をより高純度にすることができます！

　あなたが寒い地域におられるなら、火を使わずに液体を蒸留することもできます！　このプロセスは「凍結蒸留」と呼ばれており、とても簡単です。混合液を寒い戸外に出して、凍結するまで放置しておけばいいのです。凝固点が最も高い液体が最初に凍結するので、形成されたその氷を取り除けば、それ以外の成分は残りの液体のなかで濃縮されている、というわけです。[**]

　通常の蒸留でも凍結蒸留でも、食塩水を飲用に適した真水（生存するために重要）と食塩（食物の調味と保存の両方に有用。セクション10.2.6参照）とに分離することができます。また、どちらの方法も、アルコール（セクション10.2.5）の蒸留にも使うことができ、ニガヨモギ（訳注：ニガヨモギからはアルコール度数の極めて高いアブサンという酒を作ることができる）がない場合においしい飲み物を作る最善の方法となります。

---

[*]　混合液を徐々に加熱すると、沸点が最も低い液体が最初に沸騰するというのは、よくある誤解で、実際にはそのようなことは起こりません。数種類の液体の混合液の沸点は、じつは複数ではなく、ひとつしかないのです。しかし、混合液が沸騰するとき発生する蒸気のなかに含まれる量が最も多いのは、沸点が最も低い液体です。そのため、この蒸気を液化すると、より蒸留が進んだ液体が得られるのです。

[**]　たとえば、食塩水の場合、最初に形成される氷は、残った液体よりも食塩の濃度が低くなります。この氷を回収し、融かし、再び凍結蒸留すると、より低濃度の食塩水ができます。同様に、凍った海水を融かす場合、最初に融ける氷は、食塩濃度が最も高く、残った氷は食塩濃度がより低くなっているでしょう。

10.2 「おなかが空いた」

過去に足止めを食らってしまったときの、あなたの最優先事項のひとつは、食物を見つけることです。狩猟採取で短期間生き延びることはできても、セクション5で見たように、あなたの文明が長期間存続することを確実にする食物生産の鍵は農業です。

このセクションでは、農業を容易にする技術（蹄鉄、ハーネス、鋤）のほか、穀物など、あなたが畑で作るものを、より長期間保存できるもの（保存食）、より美味しいもの（パン）、あるいは、友だちと一緒に楽しみながら飲めるもの（ビール）などへと変える技術を紹介します。最後に、製塩は、食物の味わいをよくするのみならず、あなたやあなたの動物の命を維持するためにも必要です。その安価な製造法を知ることで、あなたの文明は変化し、後戻りはできなくなるでしょう。

あなたの空腹を満たして、これらの「美味しい」技術を満喫してください！

10.2.1：蹄鉄

彼らは骸骨を探して私のクローゼットのなかを見て回ったけれど、ざまあみなさい。見つかったのは靴ばかり。美しい靴ばかり。
　　　——あなた（イメルダ・マルコス〔訳注：1929年生まれのフィリピンの政治家。第10代フィリピン大統領の夫人〕も）

どのようなものか
自然界で最も有用な動物を一層有用にする手段。

発明以前は
馬は、蹄が再生するまでのあいだ、休まなければなりませんでした。これはまた、それまで人間がほかの動物が靴を履けるようにしてやったことが一切なかったということです。靴の発明は、率直に言って、人間による

最もほほえましい成果のようです。

最初の発明
　紀元前400年（ホースブーツ）
　西暦100年（金属底のホースブーツ）
　西暦900年（釘が打たれた蹄鉄）

前もって必要なもの
　生皮または鞣し皮（ホースブーツ用）、金属加工術（蹄鉄のため）

発明の仕方
　ウマの蹄はケラチンでできています——人間の爪と同じです——が、私たちとは違い、ウマは蹄がすり減りすぎると、歩けなくなります。野生のウマではそんな問題は起こらないのですが、家畜化されている場合、ウマはとてもたくさんの人や荷物を背中に載せて運んだり、農業従事者の鋤、荷車、そして戦車までも引っ張って動き回り、彼らが進化したときの状況とはまったく違う環境で働きます——そのため、ウマの蹄は摩耗やひび割れを被ることが多くなってしまいます。その解決策として、ウマに靴を履かせて蹄を守るようになったのでした！　最も初期のウマ用の靴は、実際「ホースブーツ（ウマのブーツ）」と呼ばれており、生皮や鞣し皮で足を包むものでした。西暦100年ごろになると、これが進化して金属の底が付いたブーツとなり、やがて数百年後、ウマの蹄に直接釘で固定する青銅または鉄の馬蹄となりました——ケラチンの内部には神経の末端はないので、ウマは何も感じません。釘は蹄の底から上に向かって打ち込まれ、最上部で折り返し、蹄と同じ高さになります（訳注：蹄の上面から少し突出しますが、これを削って、ウマの蹄の上面との間に段差ができないように

＊　釘の代わりに接着剤を使ったほうが簡単ですが、一般に接着剤のほうが、はがしにくくなります。

します）。こうして馬蹄は所定の位置に固定され、同時に釘が何かに引っかかるのを防ぐことができます。釘は端に（ケラチンの内部に）打ちましょう。深く打ちすぎると、ウマが痛みを感じる部分に刺さってしまい、治るまでウマは歩けなくなってしまいますので。

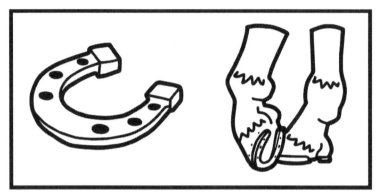

図14：放し飼いのウマ用馬蹄。右はウマに取り付けたところ。

　ウマの蹄は、そのウマが生きているかぎり、成長し続けます。ある意味、馬蹄は自分の仕事をあまりに忠実に行いすぎています。というのも、蹄鉄を付けているウマはみな、約6週間ごとに蹄鉄を外して、伸びてしまった蹄をちょうどいいところまで削り、ふたたび蹄鉄を付けなければならないからです。ウマをたくさん飼っていたなら、この作業には専任の担当者が必要になります――初期には、蹄鉄の作製と装着の両方を専門とする鍛冶屋が担当していました。しかし、社会の専門化が進み、これが別々の職業になると、もっぱら蹄鉄を扱う鍛冶屋は「蹄鉄工」と呼ばれるようになりました。蹄鉄工は、ウマの蹄によりよくフィットするように、蹄鉄の加熱や曲げの加工がしやすい独自の炉を所有することもありました！　ほら、覚えてますか？　前に、余剰熱量が生じるようになると、ありとあらゆる生産的な専門化が可能になるとお話しましたよね？　それはウソではなかったのです。

10.2.2：ハーネス（馬具）

馬は景色を一層美しくする。

> ——あなた（アリス・ウォーカー〔訳注：1944年生まれのアフリカ
> 系アメリカ人の作家。『カラーパープル』でピュリツァー賞受
> 賞〕も）

どのようなものか

動物に重いものをつないで、さもなければあなたが自分のちっぽけで弱々しい体でやるしかない仕事を代わりにやってもらうための手段。

発明以前は

人々は、自分たち人間の体を使って物を引っ張らなければなりませんでした。人体は、先にはっきり申しましたように、ちっぽけで弱々しいのです。

最初の発明

紀元前4000年（コーク（くびき））

紀元前3000年（「喉・腹帯式」ハーネス）

西暦400年（「頸帯式」ハーネス）

前もって必要なもの

木、布、ロープまたは鞣し皮

発明の仕方

ハーネスは単純な発明のように思えます。あなたの動物の体のまわり、理想的には肩のまわりに、ロープを結びつければ、その動物はあなたの荷物を引っ張ってくれる、というものですから。雄牛——がっしりと頑丈で、頭が首より下に位置する動物——にとっては、実際にそのように簡単なこ

とです。雄牛のハーネスとして最善のものは、「コーク（くびき）」と呼ばれ、木でできています。2頭の雄牛を左右に並べて作業させるには、木の棒を横にして、2頭の首の上、肩の前に渡し、ロープか皮ひもでゆるめに固定します。こうすれば雄牛たちは隣に並んだ状態を保ちますので、運ばせたい荷物を2頭の中間の位置につなげればいいのです。雄牛たちが痛くないように、木の下に布をかましてやれば完成です！　雄牛が1頭だけのときは、曲がった木片を角のすぐ前に載せ、荷物は横につなぐようにします──これが雄牛用「ヘッド・ヨーク」ですが、引く力は、2頭用のくびきを使ったときほどではありません。しかし、ヘッド・ヨークを付けた雄牛2頭を別のロープでつないで使うこともできます。

　しかし、ウマはもうちょっとコツがいります。

　ウマにハーネスをつけるときに、まず思いつくのが、首の付け根の周りに輪をかけ、胸の周りにもうひとつ輪をかけて、これらの輪をつないで固定する方法でしょう。これでうまくいきそうですが、実際には、これはウマにハーネスをつける最悪の方法のひとつなのです！　この「喉・腹帯式ハーネス」で、ウマに荷物を引っ張らせることはできますが、引っ張っているあいだ、2本のストラップがウマの気管、頸動脈、頸静脈をすべて同時に圧迫します。このようにハーネスをつけられたウマはどれも、ウマとしての最高効率では仕事ができないのは明らかです。ウマを最高効率状態に導き、さらに、うっかり自分のウマをいつも窒息させたままにしないという利益も得るために、「頸帯式ハーネス」を発明しましょう。

　頸帯式ハーネスは、ウマの首の付け根の周囲にぴったりフィットするような形の、クッションを施した木または金属の部材で、ウマの左右どちらかの側面の最下部付近に、荷物を取り付けられるようにしたものです。これによって荷物の荷重による力を、首から両肩へと逃がすことができます。頸帯式ハーネスが装着されていれば、ウマは胸の前面で荷重を引っ張るだけでなく、お尻をフルに活用して、荷重に対して押すことができるようになります。こうして（ついに！）単にハーネスの方式を変えただけで、ウマは、荷重に対してその全力を発揮でき、人為的な原因で（意図的にでは

ないが) 最大効率で働けなくなっていた状態から脱却できるのです。

　これは画期的なことです。頸帯式ハーネスが装着されたウマは、どこに登場しようが、そこですぐさま雄牛に取って代わります。体に辛い負担がかかる悪いハーネスという物理的な妨げから解放されて、ウマは雄牛の仕事をその半分の時間で、しかもより優れた持久力でこなせるようになるのです。ウマの力（つまり、「馬力[*]」）が向上したことで、一日に耕せる土地の面積が広がったのみならず、堅い土地を耕すこともできるようになり、それまで不毛地帯だったところを生産性の高い農地に変えることができるのです。あなたがウマを持っているとすれば、頸帯式ハーネスという簡単な発明で、農業効率を大きく向上させることが十分にでき、またそのことから、文明が維持できる人口も増大します。この単純な木片が、やがて彼らの役畜と文明の可能性を最大限に発揮させることになるのだと気づくのに、人類は3000年以上かかりました。

　あなたはそれをひとつの段落で成し遂げたのです。

＊　馬力（記号は「hp」）とは、仕事率（訳注：単位時間内にどれだけの仕事をするかを表す量）の単位です。のちに、「75キログラムの荷重を1秒間に1メートル動かすときの仕事率」と定義されます。面白い事実をひとつ。健康な人間は、短時間なら約1.2hpの馬力が出せ、ほぼ際限なく0.1hpの馬力を出すことができます。これに対して、練習を積んだ運動選手は、短時間に2.5hp、ほぼ際限なく0.3hpの馬力を出すことができます。しかし、0.3hpは一頭のウマの能力の3分の1以下でしかありません！　私たちが先に、人間を「小さくて弱い」と呼んだとき、みなさんは鼻で笑ったかもしれませんが、これであなたは、うなずきながら、「この、人間は小さくて弱いということをちゃんと教えてくれてありがとう。私も、一生ウマが大好きになったよ！」と小声で言うほかなくなりましたね。

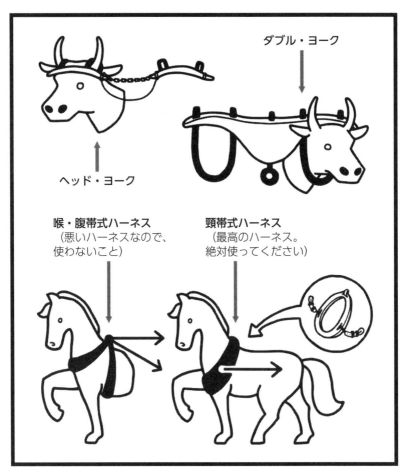

図15：各種のヨークとハーネス

10.2.3：鋤

バラは空から降ってこない。もっとバラがほしければ、もっと木を植えなければ。

　　　　　――あなた（ジョージ・エリオット〔訳注：1819～1880年。イギリスの作家。本名メアリー・アン・エヴァンズ〕も）

どのようなものか

農業における史上最大の発明のひとつ。地中に種（たね）を植えるために地球の表面を掘り起こす、非常に効率のいい手段。

発明以前は

大量の土を移動させるには、自分の力を使うほかありませんでした。それは最低最悪につまらないことなので、やめておきましょう。とにかく、徹底的につまらないですから。鋤がないと、あなたの文明が農業を行える土地の広さは限られてしまいます。それによって生産できる食物の量が制限され、それによって支えられる立派な人間の頭脳の数が制限されてしまいます。そして、本ガイドでもすでに指摘したように、人間の頭脳こそ、あなたの最大の資源なのです。

最初の発明

紀元前6000年（アードプラウ）

紀元前1500年（バビロニアでシードドリルが発明される）

紀元前1000年（鋤の刃）

紀元前500年（鉄製の鋤の刃）

紀元前200年（中国でシードドリルが再発明される）

西暦1566年（ヨーロッパでシードドリルが再発明される）

前もって必要なもの

役畜（えきちく）（鋤を引くため）；ハーネス（役畜を鋤につなぐため）；より良い鋤を望むなら、木または金属；手押し車（シードドリルに対するオプション）

発明の仕方

　あなたには天気はコントロールできません（まだ今のところは[*]）し、太陽もやはりコントロールできません（これもやはり、もう少し待ちましょう[**]）が、少なくともあなたの土壌に影響を及ぼすことはできます。簡単に発明できる、数種類の農耕具があったことを覚えておられるのではないかと思います。鍬（くわ）は、表土を割るために使う、棒の先に取り付けたくさびで、先のとがった棒は地面に打ち込み、種をまく穴を作ることができます。また、長い棒の先に刃を付けて、その棒を振り回すと、あなたはまさに刈り取りの大鎌を発明したのです。しかし、これらはすべて、人間が使うように設計されており、また、人体は多くのことで素晴らしい能力を発揮しますが（人間の脳をあちこちへと運ぶ、違う時代に足止めされても生き抜く、違う時代に足止めされている間も人間の脳を運ぶ）、肉体労働はまったくできません。鋤は、動物に——より強く、より有用で、より信頼性のある体で——仕事を手伝ってもらえるようにする道具です[***]。鋤はまた、人間だけでは確実に耕すことはできない、堅い土壌も利用できるようにしてくれますし、農地が広がれば、より高いカロリーが得られ、その結果、そこで暮らしてあなたの文明に貢献できる人間の数も増えるというわけです。

　最初期の鋤は、「アード」と呼ばれ、ひとつ前の段落であなたが発明されていた、「種まきのための先端がとがった棒」を応用したものでした。アードを地面の上で引くことで——動物の力で引くほうが望ましいですが、人間でも引くことはできます——、植物を植える、長く浅い溝を作ることができます。これは、何もないよりはましですが、土壌の表面を引っかく

---

[*]　残念ながら、最も単純な大陸間気象制御装置の基礎ですら、本書で扱うには複雑すぎるのですが、あなたが傘を発明されたなら（レシピは、「布＋数本の棒」で、最初に発明されたのは、紀元前400年ごろの中国です）、ほとんど気にならなくなるはずだとお約束します。ほんとうです。

[**]　具体的には、数十年にわたる、持続的な惑星間エンジニアリングの向上を待たなければ、あなたの文明が、可変太陽巨大構造の構築について検討を始めるのは無理でしょう。

[***]　「手伝ってもらえるようにする」とは、「手伝わせるようにする」という意味です。

だけで、溝の周りに雑草が生えるのは避けられません。あなたに必要なのは、土壌をリセットし、雑草が二度と生えず、あなたが植えることにした植物にとって最適な状態にすることです。それには、土壌の表層が細かくスライス状になるように鋤を入れ、下から土を持ち上げてひっくり返しましょう。

　これで表土の密度が下がり、そのなかで植物も微生物も育ちやすくなり、水も染み込みやすくなります。いいことずくめです！　土をひっくり返すことで、雑草を根元から断ち切り、その上から土をかぶせ、日光を遮断することもできます——そして、それで死んでしまった雑草は、腐敗し、肥料として再生します。土の上に、追加の肥料として堆肥を置いてから鋤を入れると、堆肥はうまい具合に土の内部に混ざります！　唯一の問題が、土をひっくり返すというこの作業には、非常にきつい手作業の労働が必要となることで、実際にそうする代わりに、はつ土板プラウを発明しましょう。

　はつ土板プラウには、「コルター」（木製でも構いませんが、鉄で作ったほうがうまく働きますし、耐久性も上がります）と呼ばれる縦の切り刃があり、これで土に上から切り込みます。コルターの後ろには、水平方向の刃（「シェア」または「プラウシェア」と呼ばれ、これはじつは、ヒッピーたちが、刀を打ち直して作り変えろとしきりに呼び掛けていたものなのです）があり、こちらは、あなたが先に作っておいた溝のなかから、水平方向に土に切り込みます。こうして切り取った土を、「はつ土板」が持ち上げ、そして、ひっくり返します。「はつ土板」は、要は湾曲したくさびで、木で作ることができます。「はつ土板」は、プラウを前に引く際に土に形を与える（成形＝mold）のですが、これがこの鋤が英語でmoldboard plowと呼ばれている（成形‐板・プラウ）所以です。高さを調整できる車輪を取り付けて、切り込む深さを調節できるようにすれば、これであなたは仕事が始められます。

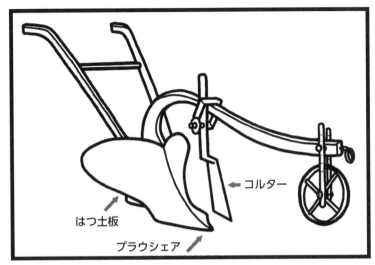

図16：はつ土板プラウ

あなたに必要なのは、これを適切なハーネス（セクション10.2.2）で適切な動物（セクション8参照）の後ろにつなぐことだけです。「はつ土板」は、ほかの鋤よりも効率的に土を切りますが、方向転換が難しいので、長く四角い農地が望まれます。「はつ土板プラウ」は中国で発明され、ヨーロッパ人たちが使い始めたのは、その数千年後に中国からこれが輸入されるようになってからのことでした。「はつ土板プラウ」がもたらした新たな効率のおかげで、ヨーロッパの農業の生産性は爆発的に高まり、ヨーロッパ人たちが、自分たちの非効率的で、ひどく疲れる、劣った鋤――中国が発明した「はつ土板プラウ」に追いつくようなものは一切思いつくことなく――と格闘しながら費やした数世紀は、人類最大の時間とエネルギーの浪費と呼ばれています。[24]

文明の達人からの助言：あなたはすでに、ヨーロッパ人たちがこれまでにやったよりも、はるかにうまくやっていますよ。

「はつ土板プラウ」で耕すにしても、問題点がないわけではありません。深く耕しすぎると、植物の根の構造を完全に破壊してしまうこともあり、そんなことになれば表土は風に吹き飛ばされてしまうでしょう。頻繁に耕しすぎると、逆に表土の下にある土が硬くなり、重たい「硬盤層」ができてしまいます。この層には水が染み込まないので、やがて畑は浸水してしまうでしょう。輪作をして、畑がときどき休めるようにしてやれば、このふたつの問題を同時に緩和することができるでしょうし、堆肥を使って土壌に常に肥料が行き渡っている状態にしておけば、ミミズがよく育って、硬盤層を砕いてくれるでしょう。プラウの「はつ土板」を外し、プラウシェアの代わりに「チゼル」（訳注：長い爪のような形をした、鑿（のみ）のような刃）を取り付けることもできます。この新種のプラウ（「チゼルプラウ」と呼ばれています）は、土壌をひっくり返すのではなく、土壌の内部に空気を入れてくれます！

　畑を鋤で耕したあとは、土をならして、塊になっている部分は砕くのがいいでしょう。この作業には、馬鍬を使うことができます。馬鍬は、熊手に対して、ちょうど鍬に対するプラウと同じ関係にあります。つまり、馬鍬は、あなたではなく動物が引くことができるように大型化した熊手なのです。馬鍬を作るには、三角形などの大きな形を作り（三角形のものがうまくいきます）、それにたくさんのスパイクを付けて、地面の上を引っ張ります——切羽詰まっているなら、大きな木の枝を一本取ってきて、それを役畜に引かせるだけでもいいでしょう。

　最後に、あなたの農地に種（たね）をまかなければなりません。単純に、土の上に種を投げるようにまいて、うまくいくように期待してもいいのですが、植物が一定の間隔で育つように配慮してまいたほうが収穫量が高まります。こうすれば、それぞれの種が成長できる機会が最大になります——また、鳥が種を食べてしまわないように、まいた種の上から土をかぶせましょう。そして、これを実際に行うには、シードドリルが必要になりますが、これは、手押し車に種をいっぱいに積んで、底にひとつ穴を開ければ作ること

ができます。種と穴のあいだに、手押し車の車輪の回転に伴って、回転する羽根車を付けましょう。あるいは、羽根車の回転速度を調節したければ、車輪に取り付けたギア（補遺H）を介して羽根車が回転するようにすればいいでしょう。このようにすれば、手押し車を前に押すと、種が2、3粒ずつ出てくるというわけです。きれいにプラウをかけ、馬鍬でならした畑の上にアードプラウをかけて畝を作り、畝に沿って手押し車を改良したシードドリルを通しましょう。手押し車の後ろ側に何枚か板を取り付けて、畝を戻して、まいたばかりの種を土で覆うこともできます。こうすれば、少ない種から多くの植物を生やすことができます。

　以上の説明にしたがっていただければ、あなたの文明の農業の領域は、あなたが与えられる可能性のあるすべての利益を受けるでしょうし、私たちは、喜んであなたにその農場をお任せしたいと思います。

10.2.4：保存食

　ちゃんとした食事をしなければ、十分考え、深く愛し、ぐっすり眠ることはできない。

　　　　——あなた（ヴァージニア・ウルフ〔訳注：1882〜1941年。イギリスの作家〕も）

どのようなものか

　保存食は、生の肉ならたった2、3日、生の野菜なら普通せいぜい数週

＊　手押し車を発明するのは簡単です。手押し車とは、要するに、車輪にハンドルを付けたものなのですから。2枚の厚板の端にはさむような位置に車輪を取り付け、これらの厚板の上に載せるようなかたちで、荷重を運ぶための箱をつけます。厚板の、車輪と反対側の端に脚を取り付けて、ハンドルを持ち上げていなくても箱が水平でいられるようにします。これで手押し車は完成です。ハンドルを持ち上げたとき、荷重の大部分が車輪にかかるので、まだ手押し車を発明していないなら、2、3人の人間でも大変な物を、ひとりで動かせるようになります。手押し車は、紀元前4500年ごろに人類が車輪を発明して以降、いつ発明されてもおかしくなかったのです。そもそも、車輪自体、人類の歴史のどの時点で発明されてもよかったのですが、手押し車が最初に出現したのは西暦150年ごろ、中国でのことでした。言い換えれば、車輪にバケツを取り付けるという着想を得るのに、人間は数千年もかかっていたのです。

間しかもたないところ、数年ないし数十年もつようにする処理を施した食品です。保存食があれば、食物に常にゆとりができ、干ばつ、動物の疫病、穀物の不作が起こっても、生きている者が死者を羨むような文明の滅亡をもたらす大災害になったりはせず、ちょっとした不便で終わってすぐに忘れ去られてしまいます。

発明以前は

食物がすぐに傷み、人間は、饗宴と飢餓を繰り返す、不安定なサイクルから逃れられず、常に2、3週間——保存処理されていない食物のおよその寿命——以内に餓死する危険にさらされていました。

最初の発明

紀元前12,000年（食物を乾燥させる）

紀元前2000年（酢漬け、塩漬け）

西暦1810年（缶詰）

西暦1117年（中国）、1864年（ヨーロッパ）（低温殺菌）

前もって必要なもの

何も無し（乾燥、燻製、冷凍、土中保存、発酵）、塩（塩漬け）、砂糖（砂糖漬け）、ボウル（低温殺菌、煮沸）、金属またはガラスの容器（ピクルス漬け、缶詰）、ビネガー（ピクルス漬けにする際の選択肢）、温度計（低温殺菌）

発明の仕方

あなたが食べたい食物は、ほかの植物や動物もそれを食べはじめると、やがては、あなたが食べたくない食物になってしまいます。このプロセスは「腐る」、「傷む」、あるいは「ご飯が台無しになる」と呼ばれ、暮らしのなかの自然な出来事なのですが、食欲が削がれますし、有毒でもあります。そんなプロセス、できる限り遅らせたいですよね。ここに、あなたの

秘密兵器をお教えしましょう。「地球上のすべての生き物は——食物を傷めてしまう微生物も含めて——、生存のために水が必要です。また、その水があったとしても、大部分の生き物は特定の温度と特定の酸性度の範囲内でなければ生き残れません」。このことに気づかれたなら——そして、私たちが今お話ししたので、あなたはこれに気づいたわけです——、ほかの生物から食物を自分で守り、保存することは可能だと納得されるでしょう。それにはこの、水、温度、酸性度というパラメータのいずれかひとつかふたつを極端な値にして、食物の上では生物が生きられないようにすればいいのです。それに、ひとつの保存手段だけを使い続ける必要はありません。食物を、乾燥させて塩漬けにしたり、燻製にして冷凍したり、ピクルス漬けにして缶詰にしたりしていいのです。そうすると、一層美味しくなることもありますし！

　乾燥は極めて単純な方法で、そのため、非常に早く発明されました。食物から水分を奪うことで、バクテリア、酵母菌、カビなどを防ぐことができますが、最善の結果を得るには、食物を薄く細長いかたちにスライスし（表面積が最大になるので）、太陽や風など、それを乾かしてくれるものにさらします。燻製も同様の効果がありますが、さらに美味しそうな香り（と同時に発がん性のある多環芳香族炭化水素も付くので、たまに食べるごちそうとして作るのがいいでしょう）を付けることができます。燻製法は人類が火で暖めた洞穴のなかで肉を乾燥するようになって発見されたのです。ウッドスモークは、燻製した食物の酸性度を少し高める有機酸を含んでおり、酸性度の上昇も保存性を高めます。

　塩も砂糖も、食物から水分を奪い取る性質があるので、あなたの食物を塩や砂糖で覆えば、食物が保存できると同時に、サルモネラ菌やボツリヌス菌など、発生してほしくないさまざまなバクテリアを防ぐことができ

＊　塩分が非常に多い環境で繁殖するバクテリアや、濃縮された砂糖を好む酵母菌もありますが、あなたがそういう菌に出会うことはまずないでしょう。もしもそういう菌が発生したとしても、それらの菌が苦手な保存手段を塩や砂糖と共に使えば簡単に殺菌できるでしょう。加熱や煮沸はとてもうまくいきます！

ます。塩漬けにした肉の多くは、やがて非常に美味しくなりますが、あなたがブタの背中と腹の肉を塩漬けにされたのなら、朗報です。あなたはまさに、ベーコンを発明したのです。*

　冷凍すると食物が保存できるのは、食物に含まれる水分が氷になるため、バクテリアの繁殖も、食物自体の内部で起こって腐敗を進める化学反応も抑えることができるからです。最初に冷凍するときは、少なくともときおり氷が張るほど寒くなるような気候でなければならないでしょうが、一旦氷ができれば、その氷を長期間保存することができます。最初の冷蔵庫——バターを輸送するための携帯可能な容器——は、西暦1802年に発明されましたが、あなたはそれを今すぐ発明することができます。世界初の冷蔵庫は、空っぽの四角い箱を、それより少し大きな楕円型の容器に入れて、箱と楕円型容器との隙間に氷を詰め込み、全体を毛皮と藁で包んで断熱したものでした。氷が融けたら、新しい氷を詰め替えてやれば、食物を際限なく冷やし続けることができます。もちろんそのためには、暖かい月のあいだにも氷が必要になりますが、それは難しくありません。冬に湖から氷を切り出し、夏のあいだは洞穴、日の当たらない、藁で覆われた窪み、あるいは、あなたがもっと野心的なら、断熱された氷の家のなかで貯蔵すればいいでしょう。氷が一切手に入らないなら、食物を地面の下に埋めるだけでも、温度が低くなり、腐敗の進行が遅れます。そして土が十分乾燥していれば、砂があなたの食物を乾燥させてくれます。

　液状の食物——水も含めて——はどれも、沸騰させることで、内部に潜む微生物を死滅させることができ、安全性が高まります。その後、——通常は、まだ熱いあいだに缶詰にすることによって——微生物の繁殖を防ぐ

---

* ベーコンがもっと美味しくなるように、ぜひ燻蒸してみてください！ ちなみに、多数の料理が、そもそも他の食物を保存する方法として考案されながら、今ではそれ自体の美味しさゆえに、ごちそうとして楽しまれています。ベーコン（およびハム、パストラミ、ソーセージ、ジャーキー、コーンビーフなど、ほかの多くの塩漬け肉）のほかに、レーズン（干したブドウの実）、プルーン（干したセイヨウスモモ）、ジャム、マーマレード、ザワークラウト、キムチ、肉の燻製、ピクルス、チーズ、ビール、オイルサーディンやアンチョビなどの保存魚介類、その他さまざまな保存食をあなたは楽しむことができます。

ことができれば、中身の食物はかなり長期間もつでしょう。液状でない食物でも、加熱によって微生物を死滅させることができます。加熱調理した肉のほうが生の肉より長くもつのもそのためです。

　缶詰は西暦1810年に発明されました。最初は、ガラス瓶に食物を入れ、コルクと蠟で密封していましたが、やがてブリキ缶が使われるようになりました。しかし、この発明は、蠟がハチの巣から採取され、ガラスが窯で作られるようになった、紀元前3500年という大昔に行われても何ら不思議はありませんし、もちろん、あなたが歴史のスケジュールを前倒しにして窯とガラスをそれより早く発明することにしても、何ら問題はありません。あなたの缶が十分強ければ、缶詰にした後に缶ごと食物を加熱することもできます。これは「圧力缶詰」と呼ばれている手法で、中身の食物を通常の沸点よりも高温にすることもできるのです。ボツリヌス菌の芽胞――基本的に世界中至る所にいますが、缶詰の内部のように酸素が少ない環境でのみ活性化します――は、圧力缶詰で達成される特別な高温で死滅します。121℃で3分間加熱すれば、普通は目的が果たせるでしょう。圧力缶詰は、ピクルス液に漬けていない食物を保存する最も安全な方法ですが、失敗すると爆発して中身が飛び散るので、十分注意してください。

　ピクルスについてもう少しお話を。保存のための処置をあなた自身ですべてやってから食物を瓶のなかに入れるのではなく、瓶のなかで食物が自ら保存処理をしてくれればいいのにとあなたが思ったなら、おめでとうご

＊　ガラスはこの時代、窯のなかで釉薬として作られていましたが、ガラス製の中空のコップが作られるのは、西暦1500年になってからのことでした――今ではガラスといえばガラスのコップを思い浮かべる人も多く、英語ではガラスコップもガラスも同じglassという言葉で呼び、喉が渇いた人は、水の入ったガラスコップの意味で「水のglass」を所望します。ガラスを製造するのに必要な技術が登場してから実際にガラスを作るまでのあいだに5000年の遅れがあったことは、非常に恥ずかしく、本文ではなくこの脚注で触れるにとどめることにしました。そして、「ああ、ちょっと待って。ガラス吹きのことは知ってますよ。結構複雑そうですから、それでガラスのコップが登場するまで時間がかかったんでしょう」と、あなたが言おうとされているなら、ちょっと待ってください。最初のガラスコップはガラス吹きで作られたのではありません。砂をコップ型に盛り上げた上から、溶けたガラスを注ぎ、それが冷えて、望みの形になるのを待ったのです。つまり、アイスクリームの上にファッジ（訳注：温かいチョコレートシロップ）を注いでいる子どもたちと同じレベルの技術だったわけです。

ざいます。あなたはまさにピクルス作りを発明されたのです。ピクルス作りとは、要するに、食物を塩水（塩と水をただ混ぜたもの）のなかで発酵させることです。材料を小さく切り、塩水に漬け、（清潔な）皿、板、あるいは石を一番上に載せて、食物が液面に上がってこないようにします。酸素が届かない塩水のなかで、野菜は発酵しはじめます。発酵とは、「良い」バクテリアが食物中に含まれる糖分を餌に繁殖し、酢を生成して、食物を酸っぱく、そして同時に、腐敗をもたらす「悪い」バクテリア*に耐性を持たせてくれるプロセスです。1から4週間後、食物はピクルス漬けになり、その後缶詰にすれば、さらに長期間保存が可能になるでしょう。

　食物を塩水に漬ける方法は、野菜でピクルスを作る以外にも使えます。バター、チーズ、肉など、多くの食物が、この方法で保存できるのです。ここでちょっとご注意を。塩水に漬けて保存した食物は、食べる前に再び真水に浸すことが多いのですが、これは、食物に染み込んだ塩分を浸出させて、食べられるようにするためです。さて、あなたが準備した塩水が、食物の保存に十分なだけの塩分を含んでいるかどうかは、どうやって判断すればいいでしょう？　真水をベースにするなら、なかに漬ける食物の0.8から1.5倍の重さの塩を使えば、十分な塩分量になるでしょう。

　酢が余っているなら、それを食物の保存に直接使うことができます（セクション10.2.5）。チーズは、保存された牛乳にほかならず、沸騰直前の状態で弱火で1リットルの牛乳を温めつづけながら、そこに酢（約120ミリリットル）を加えて作ることができます。**酢を混ぜると牛乳は凝固し、美味しいチーズカード（凝乳）が分離し、乳清（ホエー）と呼ばれる黄味がかった液体が残ります。チーズカードを濾して圧縮し（布で包んで濾せ

---

* 「良い」と「悪い」がカギ括弧付きになっているのは、ここでは私たちの今の目的に対してバクテリアが「良い」とか「悪い」とか言っているだけであって、もちろんバクテリアはそもそも本質的にとことん中立です。ついでながら、あなたが今いるような崩壊した世界のなかで、何かがそもそも本質的に良いということがあり得るのかと疑問に思っておられるなら、「セクション12：ハイタッチについての小洒落た文章で、哲学の主要学派をまとめて紹介」をお読みください。できれば、あなたの疑問が深刻な哲学的危機になってしまう前に。

** 酢がないときは、レモン果汁など、ほかのどんな酸でも使えます！

ばうまくいきます）、これで数週間傷まないチーズのできあがりです。より長く保存できるように塩漬けまたは塩水漬けにしましょう。熟成するあいだに特定のカビを導入することで、好きな風味を付けることができます。ご存じのとおり、カマンベール、ブリー、ロックフォール、そしてブルーチーズはいずれも、カードにペニシリウム属の異なる種類のカビ（セクション10.3.1）を導入することによって作られます。ただし、現代においてチーズ作りに使われている種は、ペニシリンを作るために使われる種とは違います。

　ひとつ前の段落で、チーズを作るために牛乳を温めていたときのことなんですが。あなたは、加熱殺菌も発明していたのです！　加熱殺菌は、「温度を上げて殺菌」する、とてもシンプルな方法です。液体状の食物を、沸騰する直前まで温め、その後冷まします。ほんとうにそれだけでいいのです。ここで「沸騰する直前」というのは、牛乳は高温にするだけで凝結してしまうので、飲むために加熱殺菌するのなら、沸騰する直前でとどめなければなりません。加熱殺菌しなければ、牛乳は口にするのが最も危険な食品のひとつとなります——特に結核菌は生乳のなかで繁殖するのが大好きです！——が、加熱殺菌により、牛乳は最も安全な食品のひとつになります。加熱温度を高めるほど、短時間で殺菌でき、72℃で16秒間加熱するだけで牛乳は殺菌できます。

　加熱殺菌に関する興味深い情報を。加熱が含まれるあらゆるものがそうなのですが、この処理も実際に食物に含まれるビタミンCを破壊してしまいます！　牛乳を加熱殺菌する習慣が広まると、ほぼ同時に乳幼児の壊血病が流行するという現象が歴史のなかでたびたび起こりましたが、その背後にあるビタミンC問題が理解されてからは、そのようなことは起こらなくなりました。そのような次第で、あなたの文明に属する、加熱殺菌牛乳を飲んでいる人々が、オレンジ、ピーマン、緑黄色野菜、ベリー類、そしてジャガイモを確実に食べるようにしてください。詳細は、「セクション9：基本的な栄養」を参照ください！

　次に、もうちょっと恥ずかしい、加熱殺菌に関するふたつめの情報を。

加熱殺菌は、何百万人もの人命を、火だけを使って救える技術です。私たちの原生人の祖先たちは私たちが登場するはるか以前から火を使っていたことからすると、加熱殺菌が人類史のどの時点で発明されていてもおかしくなかったのです！ なのに私たちは、西暦1117年になるまでこの方法を思いつきませんでした（訳注：西洋で加熱殺菌が始まったのは、パスツールらによってワインの処理として導入された1866年。しかし中国ではすでに12世紀にはこの処理が行われていたという）。しかも、その後数百年間、この手法はワインを保存するためにしか使われていなかったのです。加熱殺菌を歴史に記録されたスケジュールよりはるかに早く発明することで、あなたはご自分の文明に、基本的な食物の安全に関して、優に20万年を超えるリードを与えることができるのです！

　いよいよ加熱殺菌に関する最後の情報です。この技術も、自分がそれを発明したと思い込んでいた人物により、自身の永遠の栄誉のために1866年にパスチャライゼーションと名付けられました。パスツール氏のことなど忘れて、あなた自身にちなんでこの技術を命名して、「『あなたの名前』ゼーション」処理は、歴史を通して響き渡るでしょう！

10.2.5：パン（とビール）（アルコールも）

どんな悲しみもパンがあればやわらぐ
　　　──あなた（ミゲル・デ・セルバンテス〔訳注：1547～1616年。
　　　　スペインの作家〕も）

どのようなものか
　パンは持ち運びにも便利で、ほかの多くの食物の基礎でもあります。その一例がピザですが、ピザはパンよりもなお美味です。また、パンの原料からビールを作ることもでき、このことは、人々を農業に切り替えるよう促す動機づけとして使われてきました！ 狩猟採取によって食物を見つけることはできますが、ビールを見つけることはできません。ビールを得るには、それを生産するための信頼性のある農業が必要です。そのため、ビ

ールは文明によってのみ得られる恩恵のひとつなのです。[26]

発明以前は

人々は生のままで穀物を食べていました。もしも生の穀物を食べたことがあればおわかりだと思いますが、それは穀物を食べる最悪の方法のひとつです。

最初の発明

紀元前30,000年

前もって必要なもの

何もありませんが、すでに農業が行われていれば容易になります；温度計（必須ではないですが、あれば、お好みのビールを高い再現性で生産できます）；塩（調味のため）

発明の仕方

パンを作るのは簡単です。小麦粉（砕いた小麦の粒。手に持った石で砕くか、セクション10.5.1で発明する水車を使って、ふたつの石のあいだで挽くかして作ります）を準備し、多少の水を加え、熱をかけて焼きます。*
すると、ジャジャーン！　パンのできあがり。ですが、今あなたが作ったパンは、フラットブレッドと呼ばれる、生地が詰まったパンです。フラットブレッドがあればベジー・ラップ（野菜をパン生地で巻いたもの）、ブリトー（トルティーヤなどの薄いパン生地に具材を載せたもの）、ソフト・タコスを発明できますが、早晩あなたはフカフカのパンが欲しくなるでしょう。そのようなパンを作るには、酵母に働いてもらわねばなりません。
　酵母は、世界中に存在する単細胞生物です。酵母は、あなたが生きてい

＊　あなたがフライパンを発明した場合、熱で生地を簡単に調理することができますが、かならずしも必須ではありません。棒に生地を押し付ければ、どんな火でもパンを作ることができます。

られる任意の時代に、あなたが吸っている空気のなかを浮遊しているので、あなたは、今自分が育てている小麦に適した特定の酵母を育てることになります。その方法をこれからご説明します。まず、小麦粉と水を、小麦が水の約2倍になるような分量比でこねて混ぜます。それを何かで覆い、暖かい場所に置いて、12時間ごとにチェックします。泡が見えれば、それが発酵が起こっているしるしです。言い換えれば、何らかの天然酵母があなたの小麦‐水混合物にコロニーを作り、それを餌に増殖している証拠です。発酵が認められたら、混合物の半分を捨てて、新しい小麦‐水混合物（2：1の比率）と入れ替えます。これにより、残った酵母に新しい餌が与えられ、小麦を素早く消費できる酵母への進化圧が生まれます。あなたは、ご自分が育てている種類の小麦で、わんさか増殖できる酵母を選択的に育種しているというわけです。

　約1週間ほどしたら、小麦‐水混合物を新しく加えたあとで、酵母が間違いなくブクブクと泡を立てている——ビールの表面と同じように——はずです。今あなたは、酵母ファームを手に入れたのです！[*]　この繁殖した酵母のカルチャー（培養液）に、好きなだけ、毎日（あるいは、冷蔵できるなら週1回。セクション10.2.4参照）新しい小麦‐水混合物を与え続けましょう。もちろん、毎日餌を与えていれば、カルチャーはすぐに巨大になるので、餌を与える前に一部の酵母を取り去ってください。理想的には、取り去った酵母はすぐに食物に使います。小麦‐水混合物に酵母を少し加え、加熱する前に2、3時間寝かせておけば、酵母入りパンを作ることができます。

　これがうまくいくのは、あなたが選択的に育てた酵母が、あなたの小麦‐水混合物に含まれる糖分を餌にするように育っているからで、周囲に酸

---

[*]　面白いことに、この酵母ファームは、特定の種類の酵母だけを分離したのではなく、実際には、数種類の酵母やバクテリアがそこに共存しており、あなたが与える餌に対して完璧にバランスが取れた菌のコミュニティーになっている可能性が高いのです。この酵母ファームが醸し出す風味は、そこに含まれる酵母の種類によって異なるので、いろいろなところから酵母を取ってきて、どんな風味のパンができるか、自由に試してください！

素が存在すれば、その酵母は老廃物として二酸化炭素を生成するでしょう。この二酸化炭素は、小麦に含まれるグルテンに閉じ込められ、その結果あなたのパンが膨らんできます。パン生地を加熱すると、酵母は、あなたが与えた餌の楽園のなかで好きなだけ貪りますが、ついにはすべてが極めて熱くなり、コロニー全体が加熱されて死滅してしまいます。おめでとうございます！　あなたは微視的な生物の労働を利用して、一層美味しいパンを作り、彼らがもはや不要になった瞬間に殺してしまったわけです。あなたが食べる一片のパンには常に、数百万の生物の死骸が含まれているのです。

文明の達人からの助言：
パンは野菜だなんて、誰にも言わせないようにしましょう。

　周囲に酸素が十分存在しない場合、酵母は小麦に含まれる糖分を完全に分解できず、老廃物としてアルコールを生成しはじめます。そう、あなたは醸造を発明したのです！　パンを作るのと同じ原料と、パン作りのために育てた最初のカルチャーは、ビールにも使えますし、またその逆の関係も成り立ちます。醸造では何が違うかというと、酵母と小麦をこね合わせて温めるのではなく、発酵させるのです。小麦をお湯に浸けて糖分を溶けだささせ、酵母を加え、酵母が餌を食べているあいだ、あなたはくつろいでいてください。パンでは、酵母は必要な酸素が十分あるので、糖分を完全に二酸化炭素に変えることができます。しかし、あなたが醸造している液体の内部には酸素は存在せず、そのような状況のもとでは、酵母は二酸化炭素（ビールの泡の素）とアルコール（ビールの人気の素）という2種類の老廃物を生成します。

　ビールはすぐに、あなたの文明の食事にとって、欠かせないものになるでしょう。有用なさまざまな炭水化物を含んでおり、近代においては、水とお茶に次いで、地球で3番目に人気のある飲み物になっています。グルテンが少ない穀物（大麦など）は、小麦よりも醸造に向いていますが、あ

なたにとって都合のいいどんな穀物でも醸造できます。人々がビールを選り好みするようになったのは、文明の発展がもっと進んでからのことです。初期段階では、「みんな、座ってくれ。ビールを発明したんだ」と言うだけで人々は嬉しくなって、「ありがとう。おかげでわれわれの文明は、ほかのどの文明よりもクールになりますよ」と応えてくれるでしょう。

　発酵でできるのはビールだけではありません。酵母は、発酵によって、ビールに実際に栄養、特にビタミンB群を加えてくれるのです。あなたは穀物──それ自体非常に健康に良い──を、一層栄養に優れた食物に変えることができますが、それもすべて、顕微鏡でなければ見えないちっちゃい酵母がタダで働いてくれるからです！　ビールだけで生きることはできませんが（壊血病とタンパク質欠乏症の症状が出始める、2、3カ月以上は）、少なくとも、爽快で美味しく、社会の潤滑剤にもなるビタミンB1源として使うことができます！（セクション9には、これがなぜ大切なのかについて、より詳細な情報があります）

　醸造に関わるイノベーションのひとつが、麦芽の利用です。麦芽は、小麦がほんの少し発芽した状態のもので、これを醸造に使います。思い出してください。小麦などの穀物は種です。種は、動物の消化器系を無傷で通過できるように進化しましたが、これは、草や果実を食べた動物がどこかでその種を糞として排出することで、生息域を広げている植物が多いからです。種を発芽させれば、種をだまして、防御態勢を解除させることができます。それには、次のような手順で進めます。小麦を2、3時間水に浸けたのち、水から取り出して8時間空気にさらし、これを繰り返しましょう。2、3回繰り返せば、発芽しはじめます。このプロセスで、小麦に含まれるデンプンが糖分に変化し、小麦は柔らかく、甘く、人間が──そして、私たちの目下の目的にとって重要なことに、酵母も──消化しやすくなります。糖分が多いほど、発酵はどんどん進みます。

　小麦が発芽したら、芽の成長をそこで止めねばなりません。さもないと、小麦に含まれる糖類は、あなたが望んでもいない植物の成長のために使いつくされてしまいます。小麦のすべての粒から手で芽を抜いてもいいので

すが、ひとまとめに火の上で焙煎して、揺らせば芽を振り落とすことができます。焙煎することで、メイラード反応[*]が起こり、風味も増しますので、試す価値は十分あります！　このプロセス全体を「モルティング」と呼びます。

　モルティングのほかにも、小麦の糖分量を増やす方法はあります。運が良ければ、あなたは「麹（こうじ）」と呼ばれるカビを環境から入手できるでしょう。麹は紀元前300年ごろ中国で最初に発見されました。このカビ——米の上に、濃い灰色の点のように見えます——は、まるで奇跡のようにデンプンを糖分に変えると同時に、いい香りを付けてくれて、モルティングは不要です。麹を利用して、アジアではさまざまな発酵食品が発明されました。たとえば、醤油（大豆を発酵）、酒（麹が繁殖して甘くなった米から作ったビール）などです。麹カビが見つからず、それでもやはりモルティングはしたくないなら、代わりにチチャを作ることならいつでもできます。これには、モルティングの代わりに、穀物を口のなかでしばらく噛んでから吐き出しますが、唾液中の酵素にデンプンを糖分にまで分解してもらおうというわけです。自分は口を乾燥させたままにしたくて、醸造する前にほかの人たちが穀物を噛んでも気にしないなら、それは古くからの確実な方法です。

パン作りのコツ
・生地（ドウ）をこねることにより、グルテンというタンパク質も生成され、張りのあるパン生地になります。
・酵母に加える水は、室温と体温のあいだぐらいの温度（つまり、20℃と37℃のあいだ）がベストです。冷たすぎると、パンがなかなか膨らまず、

---

[*]　メイラード反応とは、熱、アミノ酸、糖類の化学反応（1912年、ルイ・カミーユ・マヤールによって発見されました〔訳注：「メイラード」は、彼の姓の英語読みを日本語表記したもの〕。しかしあなたは、この点に関しては、彼に先んじることになります）で、夥（おびただ）しい種類の香気成分を生成します。肉のたたき、トーストしたパン、焙煎コーヒー、フライドポテト、キャラメル、チョコレート、ローストピーナッツ、そしてこの場合「黒ビール」と呼ばれるビールに色を付け、複雑で美味しそうな香りをもたらします。

熱すぎると——約60℃——あなたのちっちゃい酵母が死滅してしまいます。

・風味をよくするために塩（セクション10.2.6）を加えましょう（これは実際、ほとんどの食物に共通します）。

・種、果物、ベリーが入ったパンもいいかな、と思ったら、種、果物、ベリーを加えましょう。

・ぜひ、パンにバターを載せて食べてみてください。おいしいですよ！

バターを発明するには、容器の3分の1まで牛乳を入れて密閉し、振ります。こうして攪拌（かくはん）することにより、牛乳は固体の乳固形分と、バターミルクに分離します。乳固形分を取りだせば、油分のなかに適度に水分が拡散してのばしやすく美味しいバターができます。

・しかしそれを、「油分のなかに適度に水分が拡散してのばしやすい脂肪」と呼んでは、誰も食べないでしょう。「バター」と呼びましょう。

ビール作りのヒント

・紀元前4000年ごろ、ビールはストローを使って飲まれていました。これら初期の濾過されていないビールは、底には「かす」（大半が酵母）が沈み、表面には固体物が浮かんでいました（主に、パン種として加えられる発酵したパン）。ストローはそれらの中間に存在する「いいもの」だけを飲む最善の方法でした。ビールを濾過するには、紙（セクション10.11.1）または布（セクション10.8.4）を通して流せばよく、これでストローは不要になります。ですが、あまり急いでビールを濾過しないでください。沈んだ「かす」の部分にも栄養がたっぷり含まれていて、ビールを飲み終えたら食べることも多かったのです！

・ホップ——ヨーロッパ北部と中東に自生するつる性植物であるホップの、緑色で、いい香りがする、松ぼっくりみたいな形をした花——をビールに加えると、保存料かつ香味料として働きます。多くの人が、成長するにつれホップを加えたビールの味が好きになるでしょう！

・一度醸造したビールの底から酵母の沈殿物を取って、次回の醸造を始めるときに最初のコロニーとして使うことができます。初期の醸造者たちは、

自分が科学的に言ってどういうことをやっているのかは知らなかったけ*
れども、こうすることで次回に醸造するビールも同じような味になり、よ
り短時間で発酵することは認識していました。

・ビールを蒸留すれば、ウイスキーなどの他のアルコールを作ることがで
きます！ 十分蒸留すれば、純粋なアルコールも作れます。アルコールは
バクテリアを死滅させるので、優れた殺菌消毒剤となり、医療分野で実に
多くの用途に使われています。

・酢がほしければ、ビール（あるいは、糖分を含んだ加熱殺菌されていな
い任意の液体）を放置して、さらにもう少し発酵させます。新しいバクテ
リア――「酢酸菌」と呼ばれる、どこにでも存在し空気中を浮遊している
バクテリア――があなたの酒で繁殖し、それに含まれるアルコールを餌と
して消費し、（ご推察のとおり）酢酸を作ります。これが酢です！ あな
たが入手した、酸味の強いキリリとした味の液体は、抗菌清浄剤、染み抜
き、あるいは美味しいピクルス液として使うことができます。酵母と同様
に、種類が違う酢酸菌は、違う味の酢を作るので、いろいろなコロニーを
試して、お気に入りの味を見つけてください。

＊ ビールは、数千年にわたって、どういうわけでそんなアルコールが作れているのか誰も知ら
ないまま、ただそのやり方が（ときどき）うまくいくという知識だけで作られてきました。醸
造は化学反応なのか、それとも生物学的反応なのかを巡る議論まりありました。今ではばかば
かしく思えますが、もしもあなたが、酵母とは何なのかがわからなかった時代――それほど小
さな生物があり得るとすら知らなかった時代――に生きていたとしたら、と考えてみると、彼
らがどうしてそう思ったのか、少しわかるでしょう。

10. 2. 6：製塩

　製塩所に他のすべての製品がかかっている。なぜなら、金を探し求めない者はいても、塩を欲しない者はいまだかつて一人たりともいないからだ。

　　　　　　　　——あなた（カッシオドルス〔訳注：6世紀ローマの政治家〕も）

どのようなものか

　塩は酸と塩基を反応させて生じる物質で、人間が食べる唯一の岩石類です！　生きるのに必要であるほか、食物をより美味しくするためや、水の沸点や凝固点の調整、食物の保存、料理中の発火の消火などに使え、また、角質除去、染み抜き、そして正義を執行する手段としても使えます。*

発明以前は

　人類の歴史のほとんどすべての時代、塩は地球上で最も望まれ、また、最も高価な商品のひとつでした！　塩は、どこでも最もありふれた物質のひとつであるにもかかわらず、そうだったのです。海には塩がたっぷり含まれており、地面の下のどこにも塩が存在しない場所など、ほんのわずかしかないのですが。効率的な製塩ができない地域では、塩は世界で最も高価なスパイスのひとつとなりましたが、近代以降は、どこでも大幅に値段が安くなりました。そのため私たちは、冬場に道が少しでも凍結しにくくなるように、塩を大量に道にまくのです。

＊　この最後の用途については、脚注での説明が必要でしょう。塩は（ある時代に考えられていた）正義を執行するのに使われてきました。自殺を禁じる法律は、実質的に骨抜きなのが普通です——犯罪をうまくやりおおせたことについて、誰かがあなたを起訴できる時点に至っているなら、あなたは彼らの司法権など届かないところにいるのですから——が、フランスで1670年に制定された犯罪に関する法令は、これを変えました。自殺は訴追の対象となり、起訴された者は必ず出廷しなければならなくなったのです……遺体を切り開かれ、なかに塩を詰められて。そしてこれは、自殺に対してだけではありませんでした。獄中で裁判を待つあいだに死んだ場合、あなたの遺体は裁判が始まって出廷する日が来るまで保存されたのです。このような法律は、フランス革命（1789年）まで実施され、また、そのころ、カナダのケベック州はフランスの植民地だったため、遺体の保存を強制する法律は北米大陸でも実施されていたことがあったわけです。

最初の発明

紀元前6000年（干上がった湖から塩を採取する）

紀元前800年（塩水を粘土の壺で沸騰させる）

紀元前450年（塩水を鉄の平鍋で沸騰させる）

紀元前252年（塩井。塩の井戸）

西暦1268年（岩塩坑）

前もって必要なもの

何もありません（天日塩田）、蒸留法と粘土（粘土の壺で塩水を沸騰させるため）、鉄（塩水を鉄の平鍋で沸騰させるため）、鉱業（岩塩を採掘するため）、卵（塩水を浄化するため）

発明の仕方

人間は、生きるために塩が必要で、健康な大人なら、自分の体のなかに約250gの塩を含んでいます。食卓塩だったら小さな瓶3本分の量です。しかし、人間が頻繁に行う行為、たとえば発汗、排泄、泣くことなどによって、塩は常に失われているため、補う必要があります。あなたが肉を食べるなら、その美味しい動物の肉を消費することによって、必要な塩分をすべて摂取しているでしょうが、野菜しか食べないなら、ほかの源から塩を得なければなりません。* 地球の植物の大多数は、塩で死んでしまい、高い塩分に耐えられるのは、植物のすべての種の2パーセントだけです。

---

* あなたが直面するであろう難題のひとつが、喉の渇きや空腹（それぞれ、水または食物に対する明白な渇望を人間に抱かせます）とは違って、塩が欠乏しても、人間は塩がどうしても欲しいという感覚を抱かないということです。そうではなく、塩分が必要な人間は、吐き気、頭痛、錯乱、短期記憶障害、神経過敏、倦怠感、食欲減退などの症状が出るのに続き、てんかんのような発作、昏睡状態に陥るなどして、やがて命を失います。ありがたいことに、人間にとって塩の必要性はそれほど高くなく、また、私たちは塩を極めて美味しいと感じるようになっているため、あなたが塩の源をひとつ発見されたなら、おそらくあなたは、塩を十分食べそこなうどころか、ついつい必要以上にたくさん食べてしまうでしょう。

　幸い、動物は人間と同様に塩分を必要とするので、動物がいるところはどこでも、近くに天然の塩の源が見つかるはずです。実際、天然の塩の源を見つける最も簡単な方法のひとつが、草食動物が通った跡をたどることです。根気よくたどっていけば、ついには「塩なめ場」（岩塩の露頭）、塩水（元々は真水だったものが、塩の上を流れることで塩分を帯びたもの）、海、あるいは、その他の天然の塩の源が見つかるでしょう。

　塩の源として最も一般的なのは、塩水です。塩水は、海から、あるいは、塩水の湖、川、泉などから得られます。塩水を入手したら、濃縮して運搬しやすい形、つまり、固体の塩に変えたくなるでしょう。すぐ思いつく方法は、塩水を煮詰めることです。これは、紀元前800年ごろの中国で、そしてその数百年あとにギリシアやローマで、安価な素焼きの粘土の壺を使って行われていたことです。最後に壺を割って、塩を取り出していました。しかし、水分をすべて沸騰させ蒸発させるのは高く付きましたし、火を燃やし続けるにはたくさんの木を燃やさなければならないでしょう。そこまで環境破壊をしないやり方が、中国人たちが紀元前450年ごろに見つけた、大きな鉄製の平鍋を使う方法です。塩水を平鍋のなかで加熱して、水がなくなったら塩をこそげ落とします。

　しかし、あなたが近くに塩水（海または塩水の泉）がある日当たりのいい地域に住んでいるなら、あなたに代わって太陽に水を蒸発してもらえば、はるかに安上がりに塩を作ることができます。塩水源の近くに粘土で浅い水路を作り、塩水をその水路のなかに引いて、せき止め、水が蒸発するのを待ちましょう。蒸発してしまったら底に塩が残るので、あなたはそれを

＊　これはつまり、草食動物を家畜化しはじめると、食物と水だけでなく、塩も与えなければならないということです。与える塩は、何も立派なものでなくてもいいのです。近代以降も、私たちは農場で塩のブロックを使っていますが、これは要するに巨大な四角い塩の塊に過ぎません。ウマは人間の約5倍、牛は約10倍の塩を必要としますので、あなたが柵の内側にたくさんの動物を飼っておきたければ、信頼できる安定した塩の供給が欠かせません。

回収すればいいのです[*]。

　紀元前6000年ごろの人間は、夏に干上がる自然の湖でこれを行っていましたが、それから数千年経ってようやく、人工池を使って意図的に塩を作るようになり、あまり日差しのない地域でも使える、覆いのついた池が発明されたのはようやく1793年になってのことでした。この技術は難しいものではありません。雨のとき（雨水の混入を防ぐ）や、夜間（露の混入を防ぐ）に池の上に覆いがかかって、真水が塩水を薄めるのを防ぐわけです。

　海が近くになければ、塩を入手するのは難しくなります。近くに塩類の鉱床があれば、地中から手作業で岩塩を採掘することができますし、かつて人類は、岩塩鉱床は稀にしかないと思い込んでいましたが、現在では、そのようなものは世界中にたくさん散在していることがわかっています。これらの岩塩鉱床の多くは、太古の海の浅瀬が干上がり、残された塩分が土に覆われてできたものです。しかしあなたが実際に、大きな岩塩鉱床の上にいると気付いたなら、気を付けてください。岩塩坑の坑内空気に含まれる塵状になった塩で坑内作業者たちは短時間で脱水症状を起こしてしまいます。塩のような乾燥剤が微粉末になって空中を浮遊している環境に常にさらされることで起こる健康問題はそれ以外にも山ほどあり、坑内作業者たちの平均余命は昔から短かったのです。ポンプ（セクション10.5.4参照）があれば、「ソリューションマイニング」というプロセスを使って、塩を掘り出すことができます。塩の鉱床のなかに真水を送り込み、ポンプでくみ上げると、塩水が得られるので、あなたにとって一番やりやすい方法を使って水分を蒸発させましょう。

---

[*]　役に立つ情報を。塩水に卵白を加え、泡立てると、表面にできた泡が、塩水のなかに懸濁している不溶性の物質を吸着してくれます。泡をすくい取ってから塩水を煮詰めると、純度の高い、白い塩ができます！　この「精製」のプロセスは、ワインのように、異物が漂っていてほしくない、ほかの食物にも使えます。少なくとも白い塩が安価でありきたりになるまでは、塩は白いほど望ましいですが、白い塩が安くてどこでも入手できるようになると、誰もが不純物の混じった、珍しい色や風味を持つ「生」の塩にますますお金を出すようになります。そうです、あなたが割高な代金を払って買っていた高価な「レッドソルト」は、不純物が多少混ざった普通の塩に過ぎなかったのです！

地中の塩の上にある岩の重さで、塩が押し上げられ、地表でも見える巨大な塩のドームになることがあります。そのようなものを見つけたら、それは素晴らしい場所です。表土の下まで掘ると、文字通り塩の山が発見できるのですから。[*]

このセクションでご提供した情報で、あなたは人間の歴史の大部分を跳び越えて、あなたが覚えておられる、塩が安くて大量に存在する時代へと至れるに違いないと心から確信しながら、このテーマを終える前に、ヨウ素について手短にお話しておきたいと思います。ヨウ素は、ひとつの元素で、塩と同じように、人間が生きるために必要で、欠乏すると倦怠感、抑鬱、甲状腺腫（首の腫れ）などを起こし、妊娠中にヨウ素欠乏症になると、子どもの精神の発達を遅滞させます。ヨウ素は海藻に豊富に含まれ、また、海水魚、淡水魚の両方にも多く含まれています。近代以降は、私たちは食塩にヨウ素を噴霧して、成人1日当たりの推奨摂取量0.15ミリグラムが、何を食べていても確実に摂取できるようにしています（訳注：日本では海藻を食べる習慣があり、それ以上ヨウ素を摂取する必要がなく、ヨウ素化塩は食品として認可されていない）。塩がヨウ素を導入するための媒介として使われているのは、塩は腐らないし、そして、人々の塩摂取量は大体想定できる──たとえば、朝、腰を下ろして、朝食に5キログラムの塩の山を食べようと決心する人はいません[**]──という、ふたつの理由からです。ヨウ素化塩は、人間がこれまでに思いついた、市民の健康を守る最も単純で安い手段のひとつで、この場合は、身体の健康と知能の両方を強化します。1924年にヨウ素化塩が全米に導入されたとき、それまでヨウ素が欠乏していた地域の知能テストの得点が平均で15ポイントも上昇しました。そして、あなたは当面ヨウ素化塩を作ることはないと思われますが、あな

---

[*] 塩は、圧力のもとでは、圧縮されて気密性の高い物質となります。この物質は、亀裂も自然に修復しますが、そのためこのような塩のドームは、有機物が拡散することなく石油や天然ガスに変化する、理想的な場所となります。

[**] ともかく、実行して生き残っている人もいません。

たの文明に属する人たちが、魚、エビ、海藻、牛乳、鶏卵、ナッツ類など
を確実に食べられるようにすれば、彼らは——そしてあなたも——うまく
やっていけるでしょう。

10.3 「気分が悪い」

　人類がこれまでに築いたすべての技術のなかで、最も人に優しいのが医療です。「セクション14：体を癒す」にある知識と共に、本セクションのふたつの発明は、人々が——すべての人々が——可能な最善の生活を送ることができるように助けてくれるでしょう。これらの技術の効果は驚くほどです。数百万人の人間が、これらふたつの技術のおかげで今日生きているのです（そして、あなたの文明のなかで生きていくでしょう）。そのふたつの技術のうち、ひとつは予防のための生物学的技術、もうひとつは診断のための機械的技術です。

　ペニシリンは、微視的なレベルであなたが感染症を撃退するのを助け、一方、**聴診器**は人間のレベルであなたを助けますが、どちらも、個々の病気の症状を見分け、それらの病気が人類全体にどのような影響を及ぼすかを理解するのを支援してくれます。確かに、このふたつの技術がなくても、文明は可能です——事実、地球の「最も偉大な文明」のなかには、このふたつなしに興隆し没落したものもあります——が、それらの文明では、疾病、感染、若者の突然死という残念な傾向が目立っています。それらとは対照的に、あなたの文明は、丘の上の灯台のように、健康の秘訣を世界と共有しましょう。

10.3.1：ペニシリン

　カビの生えたパンからペニシリンができるんだから、君からだって**絶対何かが生まれる**。

　　　　——あなた（モハメド・アリ〔訳注：1942〜2016年。アメリカ合衆国のプロボクサー〕も）

どのようなものか

　私たちが手にした最も効果的な抗生物質のひとつで、あなたはそれを古い食物からタダで手に入れることができます！

発明以前は

引っかき傷のような、無意味でばかばかしいことで命を落とす恐れがありました。それはいけませんよね。

最初の発明

西暦1928年（発見）
西暦1930年（使用しての最初の病気治療）
西暦1940年代（大量生産）

前もって必要なもの

コップまたはガラス容器（分離のため）、石けん、酸、エーテル（精製のため）

発明の仕方

よく知られていることですが、1928年、アレクサンダー・フレミングがブドウ球菌を培養していたときに、不注意で空気にさらしたままにしていた試料に、開いていた窓から流れ込んだ空気が運んできたカビが混入し、コロニーを作ってしまいました。捨てようとしたときに、ひとつのコロニーに目が留まりました。試料に生えた青緑色のカビの斑点の周囲がリング状に透明になっており、ブドウ球菌の繁殖が阻まれていたのです。フレミングはなぜこんなことが起こったのかを調べ、その過程で、彼のペトリ皿のなかで繁殖していたカビを分離し、そこに抗菌物質が含まれていることを確認しました。このカビはペニシリウム属と呼ばれる種類のものでした。

ひとつ、重要な問題があります。人間は数千年前から、ある種のカビは傷が化膿するのを防いでいるようだと気付いていました。古代インド、ギリシア、中国、南北アメリカ大陸、そしてエジプト（紀元前3000年ごろ）で、腐った食物から取ったカビが、傷の治療に使われていました。しかし、こういった治療は、そのカビが役に立つペニシリンを含んでいるのか、そ

れとも、あまり役に立たない物質を含んでいて、状況を悪化させる一方なのかは、運任せでした。「薬としてのカビ」という認識は、17世紀のヨーロッパで再浮上し、ペニシリウム属の抗体性がヨーロッパの科学者らによって、1870年、1871年、1874年、1877年、1897年、そして1920年に繰り返し発見され、1923年にはコスタリカでも発見されました。しかし、カビの抗体としての効果に気づいたのと同じ人が、有効成分を認識し、単離し、濃縮しようとしたのは、1928年になってからのことでした（訳注：フレミング自身は、抗体物質の存在に気づき、単離しようとしたものの、それには成功しなかった。1940年にフローリーとチェインが単離に成功）。人間がペニシリンを発見するために必要だったのは、ガラス容器、好奇心、そして少しの幸運で、それらがそろうまでに5000年もかかってしまったのです。*

　歴史上発見されたよりもはるかに早くあなたがこれを行うには、次のようにしてください。

　まず、ペトリ皿がたくさん必要です。ペトリ皿とは、要は浅くて底が平らなガラスのお鉢です。石けんと水で、ペトリ皿をできる限り清潔にし、あなたの手も洗います。

　次に、成長培地が必要です。これは、バクテリアの餌となると同時に、バクテリアがなかで繁殖できるような媒体です。これには、牛肉を煮出したスープ**を水と混ぜればそれでよく、ここまで済んだらその日の作業は終わりにしましょう。ですが、成長培地は固体のほうがいいでしょう。なぜなら、カルチャー（培養液）がはずみで動いて、ぐちゃぐちゃになったり、そのせいでバクテリアが活性化して、文明そのものがぐちゃぐちゃに

---

* 　じつのところ、ガラス容器はそれほど必要ではありません。代わりに陶器を使えばいいのです。ガラスのほうが、清潔に保ちやすく、密閉しやすいというだけです。そして、運もあまり必要ありません！　あなたが生き延びられるどの時代でも、ペニシリウム属のカビの胞子は地球表面の至るところに漂っているのですから。ペニシリウム属のカビの分離に必要なのは、好奇心とカビが生えた食物だけです。

** 　新鮮な骨を水で煮て作ります。風味をよくするには野菜を2、3切れ入れるといいでしょう。基本的には、肉の風味が付いた水を作るわけです。美味しいですよ！

なったりする危険を回避できるからです。そのようなわけで、スープと水の混合物にゼラチンを少々加えます。ゼラチンは、動物の皮（セクション8.9参照）または、海藻を煮て作りましょう（いろいろな種類の海藻を煮て、一晩でゲル化する海藻を見つけるといいでしょう）。カビもバクテリアも、どこか落ち着いたところで運よく増殖しようという戦略で生き抜いているので、ここに完璧な環境を作らなければ、と、凝りすぎる必要はないことをお忘れなく。

　さて、ここで、ペトリ皿にペニシリウム属のカビがコロニーを作っているかどうかを示してくれるバクテリアが必要になります。フレミングが見たのと同じ、透明な輪をコロニーの周りに作るバクテリアが欲しいわけです。フレミングはブドウ球菌を使ったので、私たちもそうしましょう！ブドウ球菌は人間の粘膜に常在する基本的には無害なバクテリアで、このことから、次の「文明の達人からの助言」が出てきます。

　　文明の達人からの助言：鼻をほじってペトリ皿にこすりつけるだ
　けで、史上最も偉大な科学者のひとりになれることもあります。

　あなたの鼻水を仕込んだペトリ皿を一枚ずつ、違う場所で採取した異なるカビの胞子にさらしましょう。腐った果物や野菜のカビはとてもうまくいきますし、パンのカビもいいです。ただの土の粉でも、ペニシリウムの胞子が含まれていることがあります。1週間待ち、証拠となる透明な輪がカビの周囲に現れて、あなたの鼻から取った鼻水から成長したバクテリアとカビとを隔離していないか探してください。そのようなカビの試料を採取し、水で薄めたビーフ・スープ（科学者はこれを「溶液」と呼びます）を満たした密封瓶のなかに加え、カビが気楽に増殖できるようにします。[*]

---

[*] ペニシリウム属のカビはトウモロコシからデンプンを取ったあとの残り物であるトウモロコシの汁（「コーンスティープリカー」とも呼ばれます）が大好物です。コーンスティープリカーは、トウモロコシを2日ほど水に浸けて殻を柔らかくし、残った水（訳注：可溶成分が溶け出している）を煮詰めて粘り気のある粥状の液（スラリー）にし、あなたの新しいお気に入りのカビに与えましょう。ペニシリウム属のカビは糖類も大好きです！

こうしてあなたは今、ペニシリウム属のカビを分離したわけです！

これらのカビを傷にすり込み、最善を願うこともできますが、ペニシリンの純度を上げれば、効果がさらに増します。ペニシリウム属のカビが生み出すペニシリンは水よりもエーテルのほうが溶けやすいので、まずあなたの溶液を濾過して固体を除去し、残った液体に弱い酸（酢またはレモン果汁がいいでしょう）を加えてペニシリンが活性を保つようにし、次にエーテル（補遺C.14参照）を適量混ぜます。よく混ざるように全体を振って、液が落ち着くのを待ちます。エーテル——ここまでのプロセスの結果、抗生物質の大部分が溶け込んでいます——は水と分離して最上層に来ているはずです。下側の水の層を排出すれば、作業は終了です。あなたはペニシリンを高純度で単離したのです。これを水に混ぜて注射してもいい（あなたが針を既に発明していたなら）ですし、経口摂取しても、ベーキングソーダ（重曹）（補遺C.6）と混ぜて常温保存可能なペニシリン塩にしても構いません。ペニシリン塩は、溶液を遠心分離機（すなわち、溶液を高速回転させるのです。理屈の上では、ホイール以外の技術は一切必要ありませんが、セクション10.6.2の電気モーターがあると助かります）にかけて分離するといいでしょう。注射するなら、破傷風、壊疽、その他の傷の場所に打つのが最も効果的でしょう。

ペニシリンの背後にある真実はこうです。ひどく化膿した傷をひとつ治すのに十分なペニシリンを生成するには、フレミングが発見したカビの培養物が2000リットル必要でした。もっといい原料が1942年にメアリー・ハントという当時イリノイ州ペオリアにあった農業省北部研究所の助手だった人物によって発見されました。八百屋のゴミのなかにあった腐ったマスクメロンに生えていた「金色のきれいなカビ」というのがそれです。このカビは、フレミングが発見したカビの200倍以上のペニシリンをもたらしたのです。やがてこのカビは、放射能で突然変異を人工的に起こして、なお一層多くのペニシリンが生成できるような種を生み出そうという希望のもと、X線を浴びせられ、素晴らしいことに、それは成功しました。今や人類は、フレミングが最初に発見したカビの1000倍以上のペニシリンを生

み出すカビを手に入れたのです。おそらくあなたはX線源をお持ちではないでしょうが、手近なところにカビの源はいろいろあるでしょうから、この実験を時折繰り返し、ペニシリンをより多く生み出すカビを見つけてください。ペニシリンを生み出すカビを単離することに成功したら、あなたの文明に属するメンバーの誰かに専任でペニシリンの生成に取り組んでもらってください。

10.3.2：聴診器

　今夜から新しい暮らしの約束、決めない？　いつも、必要なより少しだけ余分に親切にしよう、っていうの。
　　　　──あなた（J・M・バリー〔訳注：1860〜1937年。イギリスの作家。『ピーター・パン』の作者〕も）

どのようなものか

　その作り方が一言（「何かを丸めて筒を作ります」。ほら、これで完成です）で表現できるほど、非常に基本的な医療機器ですが、それでも数十万年にわたり人間の発明から漏れていました。

発明以前は

　生きた人体を切り開いて見てみることなしに、人体の内部で何が起こっているかを知るのは極めて困難でした。

最初の発明

　西暦1816年

前もって必要なもの

　紙

発明の仕方

　先に述べたとおり、聴診器を発明するには、筒を作って誰かの胸に当てるだけでいいのです。それでおしまい。最初の聴診器は紙で作られましたが、あなたは木や金属で、より効率的で耐久性のあるものを作ることができます。また、あなたが聴診器作りにはまってしまったなら、自由に曲がるチューブと左右の耳それぞれのイヤピースを付けることもできますが、それらのものは必要ありません。

　単純であるにもかかわらず、聴診器が発見されたのはまったくの偶然で、患者（女性）の胸にあまり近づきたくなかったある医師（男性）が、紙を丸めて筒状にしたものを使えば、耳だけで聴くよりも、はるかにはっきりと聞こえることを発見したのでした。この発明によってついに、生きている人間の体内がどのような構造で、どのような挙動をしているのかを詳しく、そして、もっと重要なことに、相手の命を奪うことなく、調べることができるようになりました。これは、医療における大きな変化の始まりを告げる出来事でした。その変化とは、病気は、一連の症状の集まりではなく、体のいろいろな部分が、加齢、衰弱、感染によって、困った挙動をし始めることだと考えられるようになったことです。

　やがて人間たちは、体内ではたくさんの音が出ていること、そして、これらの音の違いが、とりわけ心臓、肺、消化器系を調べたいときには、診断に利用できることを発見しました。本書は医療マニュアルではありませんが、あなたが医者になりたいのなら、聴診器を使えば、多くの臓器について、それが健康か病気かを素早くはっきりと区別でき、それに基づいてあなたは診断を下すことができます。

　この技術は、補聴器にも使えます！　筒型聴診器の基本構造を少し変更すると、「ラッパ型補聴器」になるのです。つまり、巨大なトランペット型の筒を耳のそばに掲げれば、素朴ではありますが、効果的な補聴器として、音の聞こえをよくすることができます。

10.4 「この辺にある天然資源は最悪。
もっとましなものがほしい」

本セクションに記述されている発明はどれも、どんな技術社会にも不可欠です。

鉱業は、もちろん、たまたま地表に出ていたりはしない資源を手に入れたければ必要で、また、**窯、溶鉱炉、鍛冶場**があれば、新しい材料が手に入るのみならず、金属細工から蒸気機関に至るまでの、たくさんの新しい技術を可能にし、これらの技術を基軸として、今後、夥しい数の新しい技術が生まれるでしょう。そして極めつけはこれです。窯は砂を、人類がこれまでに生み出した最も便利な物質のひとつ、**ガラス**に変えることができるのです——ガラスは光を曲げるという能力を持った物質なのです。これを利用すれば、あなたの文明に属する人々が、よりよく見ることができるようになり、しょっちゅう物に躓いたりしなくなるばかりか、微視的な微生物から遠方の恒星の光まで、まったく新しい科学の領域が開かれ探究できるようになるのです。

ほかのいろいろな技術がスポットライトを浴びがちですが、その多くは、本セクションに記されている技術の支えがなければ存在できなかったでしょう。これらの技術を最初に発明する者となることで、あなたは世界史上最も賢明で、影響力が強く、極めて重要な人物となるのです。

これまで、よくがんばりましたね。

10.4.1：鉱業 ──────────────────────

かつて祖父は私にこう言った。2種類の人々がいる——仕事をする人と、その手柄を自分のものにする人だ。ひとつ目のグループに入りなさい、そのほうがはるかに**競争**が少ないから、と祖父は教えてくれた。

　　　——あなた（インディラ・ガンディー〔訳注：1917～1984年。インドの女性政治家〕も）

どのようなものか

もしかしたら役に立つかもしれないと思うものを、地中から掘り出すこと。

発明以前は

あなたが関心を抱いている物質がたまたま地表にない限り、あなたの運は尽きたようなものでした。

最初の発明

紀元前41,000年（最初期の鉱業：絵画や化粧で使う赤い顔料の原料として、赤鉄鉱を採掘）

紀元前4500年（火力採掘）

紀元前100年（ハッシュ採掘）

西暦1050年（パーカッション採掘）

西暦1953年（埋め立て地採掘。リサイクルが普及する前に埋め立てられた土地は、捨てられたアルミ缶のせいで、実際のアルミ鉱山よりもアルミが高濃度である可能性があることがわかったため）

西暦2009年（最初の小惑星鉱業会社設立）

前もって必要なもの

ロウソク（地下を見るため）、金属の道具（岩を砕いたりパーカッション採掘をするとき）、家畜の飼育（カナリアなどの家禽）

発明の仕方

あなたが幸運に恵まれない限り——歴史を通して、人々は幸運に恵まれてきたわけではありますが——、鉱業を行うなら重たい岩をたくさん動

---

* たとえば、あなたが欲しい鉱物（石器に使うフリントなど）が、白亜のように簡単に掘ることのできる岩に覆われているのを見つけるなどの、幸運に恵まれることもあるかもしれません。白亜はとても柔らかく、シカの角のピックや雄牛の肩甲骨のシャベル程度のもので十分掘ることができました。現在「グリムズ・グレイヴス」と呼ばれるイギリスの採掘場はこの一例で、紀元前3000年ごろに採掘がはじまったといわれています。

かさなければならず、それはとてもきつい仕事になるでしょう。それを避ける方法はありません！　希望の光——英語の慣用表現としては「暗雲にも必ずある銀色の縁取り」＊——は、あなたが欲しい鉱物がたまたま地表の近くにあれば、露天掘りが試せることです。露天掘りとは、一般的な採掘とは異なり、採掘作業者たちはたっぷりの日差しと新鮮な空気が与えられるという利点があります。しかし、あなたが欲しいと思う鉱業資源がすべて地表近くにあるわけもないので、どこかの時点で、あなたは地面を掘り、望みの岩を見つけるまでどんどん深く掘り、岩を見つけたなら、割れるまでたたき、その破片を地上に運ばなければならないでしょう。

　その作業を少し楽にできる方法をいくつかここでお教えしましょう：

ハッシュ採掘：採掘したい場所の近くの貯水場所に水を貯め、十分貯まったら、一気に放水しましょう。一度にどっと流れる水は、瞬間人工浸食のような働きをし、表面の石や土を洗い流し、岩盤を露出させてくれます。あなたが幸運なら、岩盤のなかに鉱脈が現れており、それを採掘することができるでしょう！

火力採掘：岩の隣に縦坑を掘って、そのなかで火を焚いて岩を高温に熱し、次に、その岩に水をかけます。このように急冷することで岩に亀裂が入り、割りやすくなります。しかしこの方法では、採掘場のなか——ただでさえ酸素が貴重な場所——で火を焚かなければなりません。そんなわけで、これはまったく危険がないというわけではありません。

くさび破砕法：単独でも、火力と水で熱衝撃をかけたあとに使っても

＊　ちなみに、あなたが銀を採掘しようとしているなら、銀が塊として見つかることはほとんどないことを知っておいてください。銀は普通、ほかの金属との合金として存在するので、銀を抽出しなければならないわけです。溶鉱炉（セクション10.4.2）が、この仕事をします！

有効。岩の亀裂にくさびを打ち込み、岩を強制的に砕きます。木製の
くさびを使うときは、亀裂に打ち込んだあと水で濡らすと、木が膨張
し、岩により大きな圧力をかけることができます。

パーカッション掘削：先端がとがった鉄または鋼鉄（セクション
10.10.2参照）の重たい棒を垂直に立てて、同じ場所に繰り返し落とし
ます。一旦落としたあと、再び棒を持ち上げるには、てこか滑車を*
利用するといいでしょう。また、棒が常に同じ場所に落ちるようにす
るには、木製または金属製の筒で導くようにしましょう。この工法に
よって、小さな縦穴が作れますが、固体よりも液体（セクション
10.2.6の塩水のような）を採掘するのに適しています。

　最も単純な地下採掘法には、「ベルピット（鐘型坑）」方式があります。
縦坑の形から名付けられました。ベルピットでは、まず縦坑を鉱脈の深さ
まで掘り（通常垂直ですが、傾斜している場合もあります）、次に採掘作
業者たちが採掘作業を始め、縦坑の周囲の壁を外側へと掘り進み、作業が
進むにつれ、縦坑はおのずと鐘型になっていきます。支柱のたぐいはまっ
たく使われず、そのため、ある時点でその穴は、内側へと崩れ始めます。
そのとき（あるいは、理想的には、崩落の数分前に）、その縦坑は放棄さ
れ、新しい縦坑が近くで始まり、こうして採掘は続きます。

＊　てこ（要するに、支点を中心に板が上下に動くもの）と滑車（要するに、ホイールのまわり
にロープを通してやる装置）は、何かを動かすのに必要な力の向きを変えるための、ふたつの
単純な機械。これらが便利なのは、何かを引っ張り上げるのは普通、同じものを引き下ろすよ
りも難しいから。引き下ろすときは、自分の体重（と重力）を仕事の補助として利用できる、
というのがその理由。ほかの単純な機械（斜面、くさび、ねじなど）と同様、てこと滑車は、
力を距離に変えることによって仕事を容易にします。ロープが通過する滑車の数を増やせば、
引っ張らねばならないロープの長さは増えますが、必要な力を小さくすることができます。て
この支点を荷重に近づけるのも、これと同じで、てこを大きく動かさねばなりませんが、必要
な力は小さくて済みます。

図17：ベルピット（避けられない崩落が起こる前の図）

「それ以上掘るのは危険すぎる」ところまで掘るという方式が嫌なら、代わりに「柱房式」採掘という方法があります。この方式では、水平方向に掘っていきますが、途中、岩を縦の柱として何本か残し、あなたが鉱物を採掘している「房」の天井を支えてもらうのです。ここで、もしも柱が1本壊れたら、残った柱にかかる応力がそれだけ大きくなり、連鎖反応が起こる恐れがあることから、崩落の危険が生じます。柱の代わりに（あるいは、柱と共に）、木材に上の岩の荷重を受けてもらって、木材で坑道を支えることもできます。しかし、近現代においてさえ、採掘によって露出した岩の天井が、上にある岩全体の重さを本当に支えられると保証するのは困難です。鉱業には避けられないリスク要素があります。崩落のほかにも、坑内作業者たちは、坑内出水や毒ガスの危険にも直面します。毒ガスの場合、窒息死、爆発、あるいは、このふたつが続けざまに起こる恐れがあります。

　窒息死の脅威を緩和するには、ペットの小鳥を持っていくといいでしょう。多くの鳥は高代謝で呼吸が速いので、一酸化炭素やその他の毒ガスに、人間よりも先にやられてしまいます。具体的には、一酸化炭素のもとで、

人間よりも約20分早く気を失います。坑内にカナリアを連れて行き、カナリアの意識がどの程度はっきりしているか、見守りましょう。そうすれば、それ以外に検出のしようがない毒ガスがいつ発生したかを、あなた自身はまだ逃げる時間があるうちに知ることができます！　これは、数千年にわたって毒ガスが検出されてきた方法——周囲の人間たちが窒息死し始めるのに気づく、という方法——に比べ、各段の進歩です。この、動物が苦労するのを利用させてもらうという、単純ながら根本的な救命法は、驚くほど遅い西暦1913年（すでに電気掃除機、セロファン、そしてテレビが発明されていたほど最近）になるまで、誰も思いつきませんでした。ですから、それより数千年も前に、カナリアなどの手ごろな大きさの鳥の友だちを坑内に一緒に連れていくなら、あなたは私たちが行ったよりもはるかに首尾よくやっているといえるでしょう。

10.4.2：窯、溶鉱炉、鍛冶場

　最初のころ、リストは石に刻まれていて、今よりずっと長い時間にわたる目標だったのだろう。そこには、「もっと粘土を取ってくる。もっといい炉を作る」などのことが記されていたのだろう。

　　　　　　——あなた（ディヴィッド・ヴィスコット〔訳注：1938～1996年。
　　　　　　アメリカの精神科医。『みんな悩んで大人になる』の著者〕も）

どのようなものか

　火からより大きな熱を得る手段。これによって、素焼きの陶器、陶磁器、ガラスなどのように、物質を新しい方法で使うことや、金属そのものを鍛錬することが可能になります。おいしいニュースとして、素晴らしいピザを焼く手段でもあります。

発明以前は

　金属の鍛錬はできず、ガラスを人工的に作ることもできず、土器、炻器（せっき）（訳注：日本の須恵器など、陶器と磁器の中間の性質を持つ焼き物）、磁

器はありませんでした。それに、ピザはぜんぜん美味しくありませんでした！

最初の発明

紀元前30,000年（焚火で焼いた陶器の人形）

紀元前6500年（焚火で鉛の精錬）

紀元前6000年（窯）

紀元前5500年（窯で銅の精錬）

紀元前5000年（釉薬）

紀元前4200年（青銅の生産）

紀元前500年（溶鉱炉）

西暦997年（美味しいピザ）

前もって必要なもの

粘土、木、鍛錬のための木炭、鉄の精錬のための石灰石、モルタル（より良い窯のため）、鉱業（原料調達のため）

発明の仕方

本セクションであなたが発明するものはすべて、粘土から始まります。粘土は、ケイ酸アルミニウムが酸素と結合したものを含む微粒子からなる土で、ありがたいことに、ほとんどどの時代でも世界中に存在しています！　見つけにくいのは、地球の歴史の最初期——岩が形成されたものの、風化して土になるための数百万年はまだ経過していなかったころ——だけです。[*]　粘土は普通、表土の下（掘ることが必要）、または海岸や川岸の近く（浸食によって露出していることもある）に存在しています。粘土は、湿っていると見つけやすいです。粘土は、湿っていると重たく、微粒子で

---

[*]　良い知らせがあります。もしもあなたがこの時代に足止めされているなら、粘土が見つからなくても、あなたにとってはまったく問題ではありません。というのも、粘土がなくて不便だと感じる前に、食物がないために、あなたの命は尽きるでしょうから！

成形しやすい土ですが、乾燥しているときは、岩とあまり区別がつきません。しかし、乾いた粘土も引っかいてみれば、岩と区別が可能です。つまり、引っかいてすぐに細かい粉末が出るなら、それは乾燥した粘土で、多少の水を与えれば粉は出なくなります！

　粘土に不純物や小石が混ざっていることがあるかもしれませんが、純度を高める方法がふたつあります。ひとつは、粘土をカラカラに乾かして、細かく砕き、さらに粉々の塵になるまで砕いていく方法です。最も細かい粒子が粘土のはずなので、ふるいにかけて分離します。これには多大なエネルギーが必要です。もっと簡単な解決法は、不純物が混ざった粘土を容器に入れ、粘土の2倍の体積の水を注ぎます。手を使って泥を砕き、大きな塊をすべて取り除き、残ったものを2、3時間置いて、十分に水となじませます。その後、混合物を徹底的にかき混ぜます。2、3分置いて、落ち着かせましょう。混合物は大体2層に分離するはずです。重たいものは底に、軽い粘土と水の混合物は上に。「粘土 - 水」を別の容器に注ぎ出し、この混合物を再び落ち着かせますが、先ほどより長い時間を置きましょう。1日かそこら、そのままにしておきます。今度は粘土が底に沈殿するはずですので、水を流して捨てます。まだ不純物が残っていたら、このプロセスを数回繰り返しましょう。最終的には湿った高純度粘土が得られるので、これを2、3日日光に当てて、使える状態になるまで乾燥させます。分離した粘土の品質を確認する最も簡単な方法は、それを丸めてヘビの形にし（ほぼ間違いなく——粘土で作る最も簡単な形？）、それを指に巻き付けることです。亀裂が生じることなく巻くことができたなら、あなたはなかなか高品質の粘土を得たことになります。

　問題は、粘土でボウルをつくり、乾燥するのを待つだけでは、うまくいかないということです。なぜなら、乾かしただけの粘土は、もろくて崩

＊　カッコいい対称的な形をしたボウルを作りたいですか？　ならば、「轆轤（ろくろ）」を使いましょう。あなたの粘土を、重たい平らな円板の真ん中に置き、円板を回転させながら、粘土を引っ張っていくと、カッコいいボウルの形になります。車輪は、じつは古代オリエントで「轆轤」として発明されたものが、やがて回転方向を変えて、物の移動に使われたとされています！

れやすく、上記の説明でご覧になったように、濡れるとまた柔らかくなってしまうからです。粘土を加熱して初めて、魔法が起こるのです。* 約600℃から1000℃（粘土に応じて）で、粘土は素焼きに変化します。素焼きは、いくら濡れてももはや粘土に戻ることはない、より丈夫な材料です。

素焼きは、粘土を乾燥させたものよりは、人物の像やレンガを作るのに適していますが、ボウルを作るのに最適とは言えません。粘土に戻ることはないとはいえ、穴が多くスカスカで、すぐに水を吸ってしまいます。その対策としては、素焼きをもう一度熱するといいでしょう。今回は約950℃まで高温にします。この温度に達すると、また別の変化が起こるのです。粘土そのものが融合しあうと同時に、不純物が融けて、粘土の基質にあった隙間という隙間を埋めていきながら冷えていきます。その結果、より強く、密度が高く、水を通さない材料ができます。言い換えれば、あなたはたった今、陶器を作ったのです。あなたの素焼きを、もっと高温（1200℃）まで熱すると、炻器と呼ばれる、陶器よりも欠けにくい焼き物になります。粘土を焼いているあいだに塩を少々投げ込むと、焼き物の表面に薄いガラス層、すなわち 釉 をかけてやることができます。このような高温では、塩は分解してナトリウムのガスとなり、素焼きと反応して、焼き物の表面に直接ガラスを形成します。鉱物を添加すると、いろいろな色のガラスを作ることができます。骨灰はさまざまな赤やオレンジ、銅は緑、という具合に。

普通の焚火では、素焼きを作る温度にも届きません。約850℃に上げることはできますが、土器やガラスを作るには足りません。これらの目的には、火を囲い、その熱を閉じこめて増強する、窯が必要なのです。窯——要するに、特殊化したオーブン——があれば、より高度な陶芸のみならず、ガラス製品、金属加工、そしてほかにもさまざまなものが可能になります。焚き木の山に火を付けて、それでよしとする代わりに、もっと賢く火を起

＊ ここで「魔法」とは、「物理的・化学的永久の変化で、じつは科学的によく理解されているもの」を意味します。

こしはじめたその瞬間に、じつに多種多様な、極めて有用な材料が入手可能となるのです。

窯を作るには、まず普通の焚火を使って粘土からレンガを作ります。素焼きは熱をよく保ち、燃えず、そして融点が非常に高いので、最初の窯を作るには理想的です。そして、最初の窯ができたなら、それを使ってより高品質のレンガを作り、次にその高品質レンガで、より良い、より高品質の窯を作ることができます。単純な窯——基本的に単なる四角い箱で、片側に火を焚く部分があり、反対側に煙突があるもの——は、次のような姿をしています。

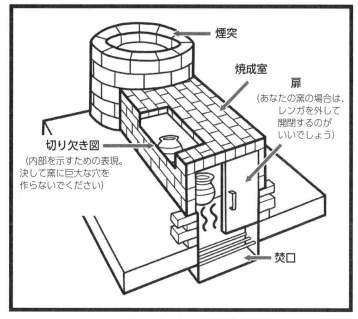

図18：あなたの新しい窯

奥側の煙突が、焚口の火から熱い空気を引き込んで、内部にあなたが置いたすべてのものに行き渡らせます。レンガとレンガのあいだはすべてモルタルで空気が漏れないようにしっかり塞ぎましょう。ただし、2、3個

のレンガはモルタルで固定せず、気流をコントロールしたり、火力を補ったりしやすいようにしておきます。これであなたの最初の窯のできあがりです。陶器を焼くほかに、薄くのばした生地の上に美味しいトッピングを載せたものを２分もかからず焼き上げるのにも、窯は使えます。そうすればあなたは、とびきり美味しい薪焼きピザを発明することができるのです。

　このような窯は、約1200℃の高温に達することが可能です——銅を融かすに十分な温度です。まさに人間たちが、ある種の岩を窯に入れると、ある程度融けることにやがて気づいたときに発見したように。この溶融金属が集まって、外に流れ出るような構造に窯を作り変えれば、あなたは世界で初めて、溶融金属を簡単に入手できるようになるわけです。このように変更した窯は「溶鉱炉」——鉱石から主要成分金属を抽出する装置——と呼ばれ、あなたはたった今それを発明したのです。実際には、溶鉱炉は、誰かが初めてスズまたは鉛を含む石を焚火に投げ込み、翌日、硬化した金属が灰に混じっているのを発見したときに発明されました（スズは231.9℃、鉛は327.5℃で融けるので、十分焚火の温度範囲内で融けます）が、あなたの溶鉱炉は、溶融金属を簡単に収集できる最初のものです。

　溶鉱炉は、そのなかでは溶けない金属を収集するのにも使えます。鉄は、そこそこ熱い1538℃で融けますが、これは窯で達する範囲をはるかに超えた高温です。しかし、鉄を含む鉱石に石灰石を混ぜると——どちらも細かく砕いて、一緒に混ぜます——、石灰石が鉱石の鉄以外の部分の融点を下げるような反応をし、おかげで溶鉱炉は、逆向きに働くようになります。

＊　鉄鉱石とは、要するに、そこから鉄を抽出できる石です！　面白いことをお教えしましょう。地球の鉄の大部分は、溶けていた当時に地球の中心に沈んでしまい、ニッケル‐鉄合金のコアとなり、地球の磁場を生み出すもとにもなっています。地表近くに残っていた鉄は、酸素をはじめとする他の化学物質と反応し、あなたが今純粋な鉄を抽出しようとしている酸化鉄の鉱石を形成します。私たちがこのお話をしているのは、もしもあなたが地表付近で純粋な鉄を見つけたなら、その鉄はきっと、元々地球にあったものではなく、あの、恐ろしい、隕石の衝突で地球にもたらされた可能性が高いということを知っておいていただきたいからです。隕石は、溶鉱炉のないところでは、純粋な鉄が入手できるほぼ唯一の源です。ですので、人類が作った最古の鉄器、鉄製の武器、そして装身具は、地球由来の物質ではなく、よその星の内部で作られて、隕石としてやってきた鉄で作られたというわけです。よろしいですか、私たちはタイムマシンが製造できるほどクールですが、その私たちでさえ、この話はすごいなあと思います。

つまり、鉄以外のものを溶かし去り、純粋な鉄だけを残してくれるので、その鉄をあとから回収し、鍛冶場で成形すればいいのです。鉄を収集するための特別な溶鉱炉を建設するには、煙突のような形をした窯を作りましょう。このとき、窯の最上部に穴を開け、また、側面から空気を引き込むためのパイプ（最初は粘土で作り、金属が入手できるようになったら金属製のもの）を数本付けます。窯の内部で、炭火を起こし（セクション10.1.1参照）、鉱石を細かく砕いておきます。火が高温に達したら、鉄鉱石の層と木炭の層を交互に重ねて、窯の内部に積み上げます。同じ量の鉄鉱石と木炭を積むようにしてください。融けない鉄は底に落ち、多孔質の塊となり、その周囲を溶融したスラグ（不要な不純物）が取り巻いた状態になるでしょう。ここまでくれば、あとはスラグを排出し、必要な鉄だけ回収し、純化します。それには、鉄が温かいうちに平らにのばし、半分に折り、という作業を繰り返します。このプロセスにより、残っていたスラグがすべて押し出され、鉄どうしが融合しますが、このとき、作業するあいだ、あなたの金属を熱いままに保つ手段が必要です。そして、そのためには、鍛冶場が必要なのです。

　鍛冶場は窯に似ています——同じレンガで作るのがいいでしょう——が、鍛冶場のほうがはるかに開放的で、溶鉱炉と同様、より高温で燃える木炭を使います。火を焚く下部には、他端に付いた「ふいご」から直接火に空気を送り込む給気筒が付いています。木炭に空気をたくさん送るほど、木炭はより高温で燃えます。鍛冶場に置かれた金属は、十分加熱されて柔らかくなり、おかげであなたは、既存の金属を叩いて、より有用な新しい形に変えることができるのです。その後金属を、水のなかで冷却しましょう。ご覧ください。あなたが焚火のなかで焼いたあの粘土のおかげで、あ

＊　ふいごは、非常に単純なので、その形を見るだけで（あなたの場合は、形を思い出すだけで）、その基本が理解できるような発明のひとつです。ふたつの木片のあいだに空気を通さない袋を取り付けて、袋の前に小さな穴を開けておきます。あなたはこれを、いつの時代であれ、動物の皮から作ることができます（セクション10.8.3）。隙間を塞ぐには松脂（セクション10.1.1）を使います。ふいごをゆっくり開くと空気が吸入され、素早く閉じると空気が一気に排出されます。

なたは、より高度な窯だけでなく、溶融金属と、それらの金属を成形する能力まで手に入れることができたのです！　これによってあなたは、石器時代から青銅器時代を経て、はるばる鉄器時代まで進んだのです。川の近くで見つけた、妙な泥から始まったにしては、なかなかの成果ではありませんか。

　窯は紀元前6000年ごろに登場しましたが、歴史のどの時点であれ、窯の作り方がわかってさえいれば、窯を作るのを阻むものなど、何もありません。そしてあなたは、今まさに窯の作り方を学んだのですから、ぐずぐずしていることは許されません。今すぐ作りましょう！[*]

10.4.3：ガラス

　月が輝いているなんて言わないでおくれ。ガラスの破片に照る光のきらめきを見せてほしいんだ。

　　　　　――あなた（アントン・チェーホフ〔訳注：1860〜1904年。ロシアの劇作家〕も）

どのようなものか

　強く、熱に耐え、反応せず、無限にリサイクル可能な非晶質アモルファス固体^{**}で、透明な物質であることから、地球で一番便利な材料のひとつになっています。

---

* あなたがまだ窯の素晴らしさを納得されていないのなら、補遺Aの「技術の系統樹」を見てください。窯がありとあらゆるすごい技術をもたらし、窯が本書全体に記載されている発明のなかで、ダントツで生産性の高いものなのだとおわかりいただけるでしょう。

** ガラスは固体です。ガラスは正しくは液体である、あるいは、「液体が過冷却したもので、ただ流動するのに途方もなく長い時間がかかるだけだ」という通説は間違いです。ガラスは、一度固化したら、再び融かさない限り、まったく流れません。ですから、あなたが窓ガラスを作って窓にはめたなら、2000万年後に再びやってきたときも、それは依然として窓ガラスであり、床の上の奇妙なガラスの池にはなっていないでしょう。これは科学的にも（天然のガラスに関する昔の研究のおかげで）、そして実験によっても（クロノティクス・ソリューションズにいるあなたのお友だちが取り組んで）、すでに証明されています。

発明以前は

　もしもあなたが補正レンズを使った眼鏡が必要だったとしても、入手することができず、ものをはっきり見ることができずに生涯を終えるでしょう。字義通り良く見えないのみならず、比喩的にも、ガラスがもたらす無数の技術——顕微鏡、試験管、電球など——がいかにいいか見ることなく一生を終えるでしょう。

最初の発明

　　紀元前700,000年（天然のガラスを道具に利用）

　　紀元前3500年（主にビーズ作りに使われた人工のガラス）

　　紀元前27年（ガラス吹き）

　　西暦100年（透明ガラス）

　　西暦1200年（窓ガラス）

前もって必要なもの

　何もありません（天然ガラス使用時）：窯、ポタシュ（粗製炭酸カリウム）またはソーダ灰、生石灰（人工ガラス製作時）

発明の仕方

　ガラスは、あなたが作ることのできる最も便利な物質のひとつで、そのことを強調するため、その作り方をお話する前に、ガラスでできる素晴らしいことをいくつかご紹介しましょう。そうすれば、ガラスを作る手順を読むことになったときに、あなたは、本ガイドの旧バージョンの顧客のように「おやおや、ガラスなんて負け犬の作るもんだ。ガラスはパスして、何か爆発するやつまですっとばそう」と思ったりせずに、「そりゃあずいぶん簡単そうだね。早く作ってみたいな！」と思うでしょう。[*]

---

[*]　どうしても爆発するものがお望みなら、補遺C記載の化学物質のいくつかが、ご希望に沿うでしょう。

　ガラスで作ることのできる代表的なものをご紹介しましょう。釉薬がか
かった陶器、メガネ、顕微鏡、望遠鏡、ビーカーと試験管（ほとんどのも
のと反応しない、つまり、硫酸も安全に入れられるので、科学でよく使い
ます）、真空チャンバー、プリズム、電球、温度計、気圧計、そしてほか
にももっと。ガラスがあれば、光を曲げ（屈折により）、光を分離し（回
折により）、また、分離した光をふたたびひとつに合わせる（たくさんの
光を同時に同じ場所に送って）こともできます。

　光を曲げることが、どんな目的に使えるのでしょう？　ガラスを、真ん
中が外に向かって膨らんだ形にすると、光線を収束させることができ、拡
大鏡が発明できます。逆に、真ん中が凹んだ形にすると、光線を発散させ
て広げることができ、近眼が補正できます。図で表すと、次のようになり
ます。

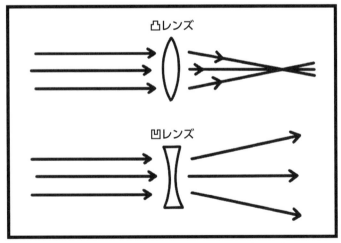

図19：光を便利ないろいろなかたちに曲げるためにガラスが取るべき形

　外向きに膨らんだレンズ（「凸レンズ」と言います）のほうが凹レンズ
よりも簡単に作れます――というのも、吹きガラス法では自然に凸型のガ

ラスができるのですから。したがって、はじめのうちは、あなたは遠視（近くのものがよく見えないこと）のほうが近視よりも補正しやすいでしょう。

　眼鏡は西暦1200年代にインドで初めて発明され、イタリアを経由してヨーロッパにもたらされました[27]。同じころ、中国でサングラスが発明されていました（訳注：裁判官が視線を隠すためのものだったという説がある）が、それは、ここで論じている、オタクがかけるような分厚い眼鏡よりもはるかにカッコいいものでした*。しかし、その後500年を経てようやく――西暦1700年代に入ってかなり経ってから――、耳にかけるつる（テンプル）を付ければ、定位置に固定できることに誰かが気づきました。それまでは、手で眼鏡を定位置に掲げ続けるか、眼鏡だけで定位置に固定できるように、鼻にきつく挟み付けるほかありませんでした。眼鏡につるを付けるだけで、あなたの文明はすでに数百年も歴史に先行することになるのです。

　しかし、眼鏡は手始めに過ぎません。左右に並んだふたつの凸レンズを外して、前後一列に並べれば――調節可能な空っぽの筒のなかにセットして、位置を固定するのが普通です――、顕微鏡を作ることができます。このアイデアが人類に生まれたのは西暦1600年代のはじめのことでした。筒の片側に凹レンズ、反対側に凸レンズをセットすれば、望遠鏡のできあがりです。遠くの島を見つける、宇宙の様子を探る、そしてちょっと変わった隣人を覗き見るなどの目的に便利です。2本の望遠鏡を左右に並べれば、双眼鏡になります。すごいじゃないですか。2、3枚レンズを差し上げただけなのに、あなたは早くもガンガン発明しておられます！

　望遠鏡と顕微鏡は、それまで知られていなかったかたちの生物（バクテリア）、生物はどのようにして存在するかに関する新しい発見（細胞）、生物はどのようにして生殖するか（細胞分裂と、顕微鏡でしか見えない精子と卵子の受精によって）、人間は病気からどのようにして自らを守るか

---

*　これらの初期のサングラスは、ガラスそのもので作られたのではなく、半透明の水晶を平らに薄く切ったものを使っていました。そんなことはまあ、いいじゃありませんか！　カッコよく見えるんですから！

（血液細胞によって）、そしてもちろん、新しい惑星、新しい恒星、そして新しい銀河などの巨視的な物体の発見へと、私たちを導いてくれた、非常に重要な発明です。これらの発見のすべては、科学、医療、生物学、化学、神学、そして文明そのものを根本から変貌させます。私たちのタイムラインでは、これらの発明はすべて、レンズの発明を待たねばなりませんでしたが、レンズには透明なガラスが、透明なガラスには高温の窯が必要でした。しかし、本書にある一連の指示は、これらのものを歴史のどの時点においてであれ、発明するために必要なものをすべて提供しています。*

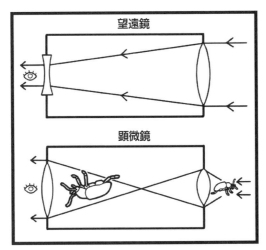

図20：望遠鏡および顕微鏡の略図

---

* 簡単な顕微鏡を作るのに、レンズは必要ありません！ ただの透明なガラスの球でも、像を拡大することができ、このようなものがレンズの発明よりもかなり前、西暦100年ごろのローマで作られていました——当時は、珍しいものとしか思われておらず、その可能性のすべてに気づいていた人は誰もいませんでしたが。このような球を作るには、細いガラスの棒を作り、それを溶かします——ガラスがしたたり落ちて球形になり、落下しながら冷えて、ほぼ完璧な球になります。ガラス球が小さいほど、拡大の倍率が高くなります。そして、小さな球状のガラスを調べている物体の真上にかざし、目をガラス球に近付けてのぞくと、細胞やバクテリアを観察するのに十分な倍率が出ます。これによって、歴史のどの時点においてであれ、一連のさまざまな発明がもたらされます——セクション14で紹介する、病気の細菌原因説さえもが。あなたは、少量のガラスを溶かすだけでいいのです。

　鏡——高度な科学と高度な身だしなみの両方に有用です——を発明するには、透明なガラス板の裏に、銅、アルミニウム、またはスズのような反射性の金属の層を塗ります。鏡が広く使用されるようになると共に「自画像」という概念が登場します——15世紀ごろにヨーロッパで鏡が広く入手できるようになるまでは、自画像という習慣はあまりありませんでした。これと同時に、潜望鏡、より高度な望遠鏡、太陽光線を反射して収束する太陽熱調理器が発明されたほか、どこにでもある鏡によって常に不可避的に自分の外見を絶えず思い出すよう強制されることで生じる、自己の身体のイメージにまつわる無数の問題が人間を煩わせるようになりました。ガラスを三角柱にすると、プリズムが作れます。プリズムは光をその構成要素に分解します（つまり、美しい虹を作ります）。プリズムを暗い箱のなかに入れて、ひとつの針孔だけから光が入るようにすると、あなたは分光器を発明したことになります。宇宙のすべての元素は、加熱されると、特有の色の成分分布を持った光を出します。虹に欠けた部分があるわけで、指紋のような役目をします。分光器を使って、あなたの目の前で燃えている元素は何かを判別することができるのです。また、望遠鏡と組み合わせれば、数千光年も離れた恒星の元素組成を特定することもできます。

　溶かした砂で作ったものとしては、悪くないですよね。

　そうなのです。ガラスとは要するに溶かした砂なのです——あるいは、もう少し正確には、溶かした二酸化ケイ素（「シリカ」とも呼ばれます）です。シリカは重量で地殻の10パーセント以上を占め、世界のほとんどの地域で砂の主成分となっていますので、見つけるのはとても簡単です。シリカは約1700℃で融けます——焚火ではとても届かない温度ですが、あなたがセクション10.4.2で発明したばかりの窯なら十分到達できます。最初の人工ガラスは紀元前3500年ごろに、まさにそのような窯のなかで偶然生

＊　じつのところ、あなたはガラス反射鏡を発明しただけです。鏡はそれ以前から存在しており、濃い色の容器に水を入れ、水面が静まるまで待ってから覗き込むというような単純なものもありました。平らな金属を研磨したものも、ある程度の反射性がありますが、高価で、製作が困難です！

じたものでした。どこからか砂が入り、溶け、冷やされたあとに、面白い物質ができていたのです。[*・28]

　砂にポタシュ（炭酸カリ）またはソーダ（炭酸ナトリウム）（それぞれ補遺C.5、C.6参照）を加えると、シリカの融点を下げ、より簡単かつ安価にガラスを作ることができます。ポタシュやソーダは熱で融けて砂に染み込み、砂（シリカ）の融点を下げてくれます。生石灰（補遺C.3）を少々混ぜると、ガラスの耐久性と耐化学薬品性を向上させることができ、また、水によってすり減るのを防ぐことができます。こうしてあなたは、はるかに到達しやすい580℃で融解する素材を手に入れたのです。そのようなガラスを得るためには、シリカが約60〜75パーセント[**]、生石灰が5〜12パーセント、そしてソーダが12〜18パーセントの混合物を準備しましょう。

　この混合物は、融けるとブクブク泡を出します——外へ逃げて行く二酸化炭素の泡です——ので、十分長い時間「沸騰」させて、泡をできるだけ逃がしてやります。その後、ガラスを注ぎ出し、吹いたり、引っぱったり、型で成形したりしてください。透明なガラスは白い砂から生じます。茶色い砂には普通酸化鉄が含まれており、緑のガラスができます[***]。緑のガラスを白くするには、二酸化マンガン——ある種の海藻を焼いて灰にして作ります。うまくいく海藻が見つかるまで、実験を繰り返してください——

---

[*]　天然ガラスは人工ガラスより前から存在しています。シリカを豊富に含む火山の周囲でタダで見つけることができます。このような火山の溶岩が冷えると、高密度で脆い黒曜石と呼ばれる天然ガラスが生じることがあるのです。黒曜石はその有用な性質ゆえに、原生人の時代から利用されてきました。つまり、黒曜石が割れると、鋭くとがったエッジができ、刃物や矢じりを作るのに最適なわけです。しかし、壊れたときに、新しい黒曜石を生み出す手段がないので、貴重な材料でした。

[**]　純粋なシリカは入手できない可能性が高いですが、大丈夫です。不純物は燃え尽きるか、ガラスに色を付けるだけです。普通、明るい白色の砂は、純粋なシリカですが、そのような砂がまったく見つからなければ、白い水晶の岩でもうまくいきます。

[***]　中世にステンドグラスが流行した時期には、さまざまな不純物が意図的に添加されました。たとえば、緑にするために酸化銅、青を出すためにコバルト、紫のためには金を、という具合です。

を、混合物が融けたときに混ぜましょう。[*]

　ガラスは高温になるほど流動性が増し、低温になるほど粘性が増します。あなたはこの性質を利用して、溶融ガラスをどの温度まで冷やすかを調整することで、サラサラ流れるシロップからクネクネ曲げられるチューインガム、あるいは濃厚なタフィー（訳注：キャラメルとバター飴の中間のような西洋の菓子）まで、ガラスを好みの状態にできます。チューインガム状態のとき、鉄パイプの一端にガラスを塊状に取り、パイプから強制的に空気を吹き込むことができます。その瞬間あなたは、吹きガラスを発明したのです。これにより、ありとあらゆるガラス器が作れます。

　ガラス窓を作るといいでしょう。ガラス窓は、（a）家を、洞穴っぽくなくし、居心地よくできるほか、（b）家を外界から隔離でき、（c）部屋を明るくする発明です。しかし、大きな一枚のガラスを作るのは、ちょっとたいへんで、いくつか異なる方法があります。ここに、最初期の最も単純な方法から、最近の最も複雑な方法までをご紹介しますので、あなたはどこまで凝りたいか、決めてください。

・時間もエネルギーもたっぷりあるなら、溶融ガラスを鉄（鉄は熱いガラスを載せても融けません）の上に注ぎ、冷えるまで放置し、その後、透明になるまで両面を研磨しましょう。研磨は、粗い紙やすりから[**]

---

[*] これを最初に発見したのは、西暦100年ごろのローマ人で、その後14世紀前半にイタリアで再発見されました。ついでながら、このようなイタリアのガラス製造窯は、火事を起こすことがときどきありました。建物の大半が木造ですと、これは非常に危険で、ヴェネツィアの政府はすべてのガラス職人を近くの島へと追放しました。そもそも安全のための対策でしたが、ガラス職人全員を集めることで、才能と共有知が爆発的に増産され、ガラス製作は急速に発達し、「海藻を焼いてその灰を加えて透明なガラスを作る」方法も再発見されました。酸化鉛を10から30パーセントの濃度にすると、一層透明なガラスができました。これが反射性が高く、美しい「クリスタルガラス」ですが、美しい一方で、鉛中毒を引き起こしました。19世紀の欧米の上流階級で痛風が多かったのは、彼らが美しい鉛ガラスのグラスを飲食に使っていたことに原因があると突き止められています。

[**] 紙やすりは、接着剤で紙に砂を貼りつければそれで発明できます。必要なものは、紙（セクション10.11.1）、接着剤（セクション8.9）、そしてもちろん砂です。種（たね）や砕いた貝殻を代用しても、さまざまな粗さの紙やすりができます。逆に細かいものは、砂を布でふるいにかけ、粒が細かい砂をより分ければ作れます。

はじめて、徐々に細かいものへと進み、最後に最も細かい紙やすりを
かけます。かなり時間がかかります。

・吹きガラス法で風船形に膨らませたガラスの上下の端を切り落とし、
円筒に近い形状にします。まだ柔らかいうちに、側面を縦に切断して
平らに開き、鉄板の上でのばします。これであなたは、ブロードシー
トガラスを発明したことになります。窓に適したガラス板を簡単に作
る方法ですが、素朴で、透明でないことが珍しくありません。11世紀
ごろ発明されました。

・吹きガラス製法で巨大なガラスの球を作り（これには熟練を要しま
す）、次にこれをガラスの融点まで再び加熱しながら、轆轤のような
ものの上で回転させましょう。すると、遠心力によって、ガラスは円
盤状に平らになります。こうしてできた透明な円盤状ガラスが「クラ
ウンガラス」で、周辺部のほうが薄く、中央部が最も分厚く、中央部
では同心円状の的のような模様がはっきり見て取れるでしょう。それ
でもクラウンガラスは、切り出して窓ガラスにするのにおおむね適し
た材料です。この方法は、1320年になってようやくフランスで登場し
ましたが、その後数百年、富をもたらす企業秘密として守られていま
した。その秘密は今やあなたのものです！

・ガラスの大きな球を鉄の型に吹き込めば、まったく同じ形のガラスを
繰り返し作ることができます。とりわけ、シリンダーの形をした型に
吹き込んで、ガラスを放置して冷却し、縦に切断し、次にゆっくりと
再加熱してやると、やがてシリンダー型だったガラスが自然に平らに
なって一枚の板ガラスのようになり、最初期のブロードシートガラス
よりもはるかに均一──かつ透明──なものが作れます。このシリン
ダー法は20世紀前半に登場します。

・あなたがすでに液体スズ——非常に密度の高い金属——を作り出して
いるなら、私たちが馴染んでいる、完全に平らな現代の窓ガラスを、
スズの上に溶融ガラスを注ぐことによって作ることができるでしょう。
注がれたガラスはスズの表面に均一な厚さで広がり、やがて冷えるで
しょう。ガラスは約600℃で凝固しますが、スズが凝固するよりもは
るかに高温ですので、ガラスが冷えたら簡単に回収できるでしょう。
この方法は歴史的には1950年ごろに登場し、10年もたたないうちに、
それまでのすべてのガラス製法に置き換わりましたが、この話には裏
があります。スズはガラスにくっつきませんが、二酸化スズはくっつ
くのです。ですから、この作業は、スズがさびないように、酸素以外
のガスで満たされた部屋のなかで行われねばなりません。これが難しす
ぎるようでしたら、クラウンガラスかシリンダーガラスのいずれかが
いいこと、請け合いです。ここで今、より平らなガラスを作るために
溶融金属にこだわり続ける必要はありません。

10.5 「めんどくさい。
代わりに働いてくれる機械がほしい」

　エンジニアリングは、科学、数学、その他の実用的知識を適用して、新しい機械を発明するプロセスです。あなたはここまでずっと、エンジニアリングを実施してきたわけですが、そうとは気づかなかっただけなのです！　しかし本セクションでご紹介する発明はどれも、古典的なエンジニアリングの概念に近いものです：あなたに代わってさまざまなタスクを行うエンジンを構築し、その分空いた時間であなたは何でも自由にできるのです（あなたが作ったエンジンの監視ももちろんですし、それに限らず）。

　水車と風車は、あなたが最初に発明する技術で、地球の自然の過程を利用し、あなたに代わって仕事をさせ、あなたはその必要から解放されます。**ペルトン水車**は、それらをさらに改良したものです。**弾み車**は、回転速度を均一化し、均一な力を生み出すことを可能にするもので、**蒸気機関**をはじめとするあらゆる機関で有用です。蒸気機関は、躍動的に働く物質としては水しか必要としない素晴らしく便利な機械で、燃料は燃えるものなら何でもかまいません。

　機械好きの読者の方々がこのセクションを待ちわびておられたことは承知しておりますので、楽しみにされていたこれらの技術を発明するのに必要なすべてをここでお教えします。つまりこうです。タイムトラベラーのみなさん……

　……さあ、エンジンをかけよう！

10.5.1：水車と風車

　辛い労働なしに大地の産物を堪能できたなら、再び黄金時代を味わうことができるだろう。

　　　　　──あなた（テサロニカのアンティパトロス〔訳注：古代ギリシアの
　　　　　　風刺詩人〕も）

どのようなものか

　自然界の実際のさまざまな力をコントロールして、たまにはあなたのために働いてもらうための手段。

発明以前は

　穀物をすりつぶして粉にしたいとき、木をのこぎりで切りたいとき、岩を砕きたいとき、道具を鋭く尖らせたいとき、あるいは、鉱石を砕きたい、ふいごを動かしたい、鉄を鍛えたい、紙の原料のパルプを作りたい、水をポンプでくみ上げたいとき、あなたはそれを自分自身で、しかも、手作業で、必死にやらねばなりませんでした。

最初の発明

　紀元前300年（最初の水車とカム）

　紀元前270年（かさ歯車）

　紀元前40年（トリップ・ハンマー）

　西暦100年（最初の風車）

　西暦400年（落ちる水を動力源とした水車）

　西暦600年（水車用のダム）

　西暦900年（最初の実用的風車）

　西暦1185年（最初の近代的な風車）

前もって必要なもの

　ホイール、木または金属、布（風車用）

発明の仕方

　水車と風車は、同じひとつの概念を別々の形に具現化したものです。地球の表面には、さまざまな液体やガスが絶えず動きまわっているのだから、そんな液体やガスに、私たちのために何かやらせることができれば、いい

ではありませんか？

　水車は簡単に発明できます。それは要するに巨大なホイールで、水が押せるように、羽根が付いているだけです。水の流れのなかに置くと、水が流れるにつれて水車は回転します。しかしこのままでは、水の総エネルギーの20〜30パーセントしか利用できません。これを2倍の60パーセントまで上げるには、上から落ちてくる水を動力源とすればいいのです。こうすることで、水の運動のみならず、質量も、水車の動力源にすることができます。そのためには、水車の羽根をカップに替え、水車を滝の下に設置します。滝がなければ、人工的な滝を作ることができます。水車よりも高いところに設置した樋を通して水を流せばそれでいいのです。この「人工滝」を作る一方、その水流をせき止め、水は水車を通らなければ外に出られないようにしておくと、あなたが作ったその「せき止め湖」は、必要なときにはいつでも使える、力の倉庫として機能します。それは世界初の「バッテリー」であり、あなたはまさに今それを発明したというわけです。

　シャフトを使ってホイールを作業小屋の内部に接続することもできます。そのようにすると、シャフトはホイールと同じ速さで同じ向きに回転します。これは、コンベヤーベルトを回転させるなどの、ある種の作業に便利ですが、この回転運動を、単純な技術の助けによって、ありとあらゆる異なる運動に変換することもできます。

　かさ歯車（補遺H）を加えると、縦向きに回転している水車に、水平なホイールを回転させることができます。これは、穀物をすりつぶすのに便利です。それには、石のホイールを2個準備します。一方は回転させ、もう一方はその下で定位置に固定しておきます。回転するホイールの真ん中の穴に穀物をどんどんつぎ込みましょう。2個のホイールの間で穀物がすりつぶされて、粉になって側面から押し出されます。使う歯車の相対的な大きさを変えれば、すりつぶすスピードと、それにかけるトルクの大きさを調節できます。水車にクランクを取り付けると、その回転運動は前後の往復運動に変換されます。これは、機械仕掛けののこぎり、ポンプ、ふいごなどを発明するのに使えます。クランクの代わりにトリップ・ハンマー

を取り付けると、水車は今度は繰り返し岩を砕く（あるいは鋼鉄を鍛える）ことができます。これらはすべて、同じ動力源、すなわち、ホイールを押す水から来ているのです。

風車も同じ原理で働きますが、水がホイールを回す代わりに、風が駆動軸を中心に扇風機の羽根のように取り付けられた帆を押します。これによって、さまざまな複雑な要因が生まれるのですが、それらを詳しく見るために、水車を愛し、風車を批判する人——ウォーターホイール博士としましょう——と、風車事情通で理性的なその擁護者——チョンプスキーとしましょう——との架空の会話を聞きましょう。ウォーターホイール博士は人間、一方のチョンプスキーは、可愛いしゃべる犬で、博士にお腹を搔いてもらって大喜びでハーハー息を吐いているとしましょう。だって、私たちが好きなように想像するのを誰も止めたりできないのですから。

ウォーターホイール博士の主張 （水車愛好家で風車懐疑論者）	チョンプスキーの反応 （可愛い喋る犬で風車事情通、 お腹を搔いてもらうのが大好き）
水車がベストよ、チョンプスキー！　水を使うんだから。水の流れは予測できるし、普通は急には変化しない。一方、風は予測できないし、ワイルドで気まぐれなことで有名でしょう！	おっしゃるとおりです、ウォーターホイール博士。でも、風車はどこでも建てられますが、水車は水の近くでないとだめ。だから、どっちも一長一短でしょ。あの、もうちょっとお腹の上のほう搔いてもらえません？
このへん？	はい、ありがとうございます。私の脚が可愛くキック、キックしてるんで、ちょうどいいとこを搔いてくださってるって、おわかりいただけるでしょう。ところで、風車について、ほかに問題点はありますか？
ありますとも！　水車の回転が速すぎるときは、水から離しさえすれば止まるけど、風車は風から逃げられないわ！	確かにおっしゃるとおり、風車は風から逃げられませんが、風の負荷が大きすぎるのに対処できるような設計ができます。木で作った枠をシートでくるんだものを風車の羽根にすれば、シートを外せば、風は木枠をただ通過してしまい、風車は回らず力は生み出せません。こうして風車が風から引き出す力の大きさを調節できます。

ウォーターホイール博士の主張 (水車愛好家で風車懐疑論者)	チョンプスキーの反応 (可愛い喋る犬で風車事情通、 お腹を掻いてもらうのが大好き)
わかったわ、そうかもね……でも、やっぱり水は常に同じ方向から流れてくる。風はいつもあらゆる方向から吹いてくるわ。どうするの？ 風向きが変わるたびに風車の向きも土台から回転させるの？	はい、まったくそのとおりのことをします。向きの変更は手でやってもいいのですが、賢い人なら、風車の後ろに駆動羽根に対して直角にもうひとつ羽根を取り付けて、風車が自ら向きを調整してくれるようにできます。風向計と同じです。付け足した羽根に風があたって風車は自動的に風が効率よく当たる方向に向きます。実際、もっとカッコよくしたければ、羽根の代わりにもうひとつ小さな風車を付けて、円形ギアの上に沿って回転するようにしても同じ効果が得られます！ でも、確かに風はあらゆる方向から吹きますが、地球のあらゆる場所で、そこで最も頻繁に風が吹く向きが決まっていますので、一年を通しての平均風向が前もってわかるのだと指摘しておくのは価値のあることでしょう。
そうでしょうね。でも、やっぱり水のほうが風よりもはるかに多くのエネルギーを持っているわ。たとえば、風で地平線の向こうまで吹き飛ばされるよりも、水で地平線の向こうまで流されてしまうほうがずっと簡単じゃない！ だから、一台の水車のほうが一台の風車よりもたくさん仕事ができることが多いと認めなさいよ。	はい、でも、私たちはみんな、持っているもので最善を尽くそうとがんばりますよね。私は、いいイヌでしょうか？
あなたはいいイヌよ。ほーら、誰がいい子ちゃんかしら？	私で〜す。
そうよ。なんていい子でしょ。いい子ちゃんねー。お利口なチョンパースちゃん。自分のお顔を見てごらん。	〔お腹をますます激しく掻いてもらう。対話はおしまい〕

表12：ついでながら、ここで使われている、ふたりの人間の対話を通して教育と洞察が起こるという考え方は「ソクラテス法」と呼ばれ、紀元前400年ごろソクラテスによって広く知られるようになったものです。私たちはここでそれを、言葉をしゃべるイヌと技術を議論するというかたちで利用しています！

　そして、風車と水車をいかに発明するかの説明は、これでおしまいです。

10.5.2：ペルトン水車

地球と地球の大気のあいだで、水の量はいつも同じです。一滴多いことも、一滴少ないことも、決してありません。これは循環する無限の物語、自らを生み出す惑星の物語です。

——あなた（リンダ・ホーガン〔訳注：1947年生まれのネイティヴ・アメリカンの著述家。『大地に抱かれて』などの著者〕も）

どのようなものか

水車の改良版で、より小型であるのみならず、水車の効率が60パーセントぐらいに甘んじていたのに対して、90パーセントを超える効率に達し得ます。

発明以前は

人々は水車でなんとかやっていましたが、もっといい方法があることなど知りませんでした。おそらく今は、自分たちは何と愚かだったのかと思っていることでしょう。

最初の発明

西暦1870年代

前もって必要なもの

木製、あるいは、より望ましくは金属製の水車

発明の仕方

前のセクションであなたが発明した水車（あなたが本書を前から順番に読んでおられる場合）、あるいは、あなたがやっと見つけた水車（あなたが「ああ、めんどうだ、今すぐ水車かタービンか、水流を回転運動に変えられるものが必要なんだよ」とぶつぶつ文句を言いながらこのセクションを直接開かれた場合）は、ふたつの意味で水からパワーをもらっています。

ひとつは、水の質量が回転を起こしてくれていることによって、そしてふたつめは、運動する水がホイールにぶつかることで運動エネルギーを移すことによって。ペルトン水車は、普通の水車と同じ量の水で働きますが、水のエネルギーをより多く捉えるため、はるかに効率が高くなっています*。

　基本的な考え方は、水に圧力をかけ（これを行う最も簡単な方法は、水をパイプを通して下向きに流すこと。このとき、パイプの下端の口を上端の口より小さくしておきます。水自体の重さで、下端で水に圧力がかかります）、超強力ホースのように、あなたのホイールにぶつけるということです。水車の羽根を、水を受けやすいカップに替えるには、特別深く考える必要はありませんでした。しかし、レスター・アラン・ペルトンが思いついた名案は、水をカップの真ん中に当てる代わりに、ホイールに付けたふたつのカップのあいだの、くさび型の境目に水を当てることでした**。

　それがなぜ大きな違いを生んだのかは、レンガの壁の脇に立って、そこにホースで水を当てるところを思い浮かべれば、おわかりいただけます。ホースの水を壁に垂直に当てれば、水圧にかかわらず、あなたはびしょびしょに濡れてしまうでしょう。水は壁に当たり、真っ直ぐあなたに跳ね返ってくるでしょう。これが、捉えられずに浪費されてしまった水のエネルギーというわけです。そしてこれがまさに、水車のカップの真ん中——カップが最も平らなところ——に水を当てたときに起こっていたことなのです。しかし、レンガ壁が端のところでカーブして向こうに曲がっているところを浅い角度でねらって水を当てると、あなたはまったく濡れないでしょう。水は、壁に当たった瞬間に逆向きに跳ね返るのではなく、徐々に向

---

*　どのくらい効率的なのでしょう？　ペルトン水車は、普通の水車より10〜20パーセント小さいのに、同じパワーを出せます。科学用語では、「すんげーいい」と言います。

**　あなたの両手を、隣り合う爪どうしをくっつけて、手のひらをあなたに向けてカップ型にしたものが、ペルトン水車のカップの形の概略です。また、これらのカップは歴史的にはカップではなく「インパルス・ブレード」と呼ばれていましたが、私たちはここで、誰かを印象付けようなどとはしていません。インパルス・ブレードというと、宇宙船のエンジンか何かのように聞こえますが、ここで言っているのは、水を打ち込む小さなカップです。

きを変えて、カーブを回って端から向こうへ飛んでいくでしょう。これがペルトン水車の仕組みの要（かなめ）です。水は、カップの真ん中に直接ぶつかるときよりも、カップのエッジ沿いに進むときのほうが、はるかに多くのエネルギーをホイールに与えるので、ホイールがより速く回転できるというわけです。ペルトンが、水を1個のカップのエッジに当てるのではなく、2個のカップを使った理由は、バランスのためでした。2個使えば、ホイールが両側に均等に力を受けることになりますから。

ぶつかる水の半分の速度で回転しているペルトン水車は、水のエネルギーのほぼすべてを捉えることができます。ペルトン水車をうまく作れたかどうかは、カップの反対側から出てくる水に注目すればわかります。その水が、ほとんど動いていない状態になったときが、正しいペルトン水車の完成です。このときあなたは、流れる水のエネルギーを90パーセント以上の効率で抽出しているわけです！　これであなたは、同じ量の水からより大きなパワーを得ることができるのみならず、世界中に新しいパワーの源を導入したのです。なぜなら、水車を働かせるには小さすぎる川や滝でも、ペルトン水車は何ら問題なく動かせるのですから。

この時点であなたはおそらく、人類が水車を発明してから2000年以上もかかってようやく、カップの真ん中ではなく端に水を当てたら、効率を2倍近く向上させられると気付いたことに、かなり恥ずかしい思いをされているかもしれません。ですが、実際の話はそれ以上にひどいのです。ペルトン水車の誕生秘話には、こんなエピソードが含まれているからです。「ある日ペルトンがホースで岩に水を当てていたところ、1頭の牛が彼に近づきすぎてしまいました。そのため彼はその牛にホースで水を当てたのですが、水はカップのような形をした牛の鼻孔に当たり、牛の頭が後ろにガンッと反り返りました。こうして彼はペルトン水車を発明したのです」。このエピソードが実話かどうかを私たちがここであなたにお教えすることはありませんが、それは次のような事実があるからです：「ここから抜け出すうまい方法はない」というのがそれです。なぜなら、もしもそれが実話なら、私たちは科学の基本的な進歩を遂げるだけのためにも、びしょぬ

れの牛が必要な大バカ者の集まりだということになってしまいますし、もしもそれが作り話だったとしてもやはり、びしょぬれの牛が道を示してくれなければ科学はまったく進歩しないと喜んで信じてしまうほどの大バカ者の集まりらしい、ということになるのですから。[29]

10.5.3：フライホイール（弾み車）

変化は、必然という車に乗ってやって来はしない。それは絶え間ない闘争を通して訪れるのだ。

> ——あなた（マーティン・ルーサー・キング・ジュニア〔訳注：1929〜1968年。アメリカの牧師。人種差別撤廃のために尽力〕も）

どのようなものか

ただの大きなホイールを使って、エネルギーを抽出かつ貯蔵する方法。

発明以前は

回転エネルギーを蓄えることはできませんでした。エンジンからの出力を均一にすることもできず、ホイールはひどくカッコ悪いものでした。

最初の発明

紀元前300年（焼き物製作で）
西暦1100年（機械で）

前もって必要なもの

ホイール、鋼鉄（高密度で頑丈なフライホイールと、ボールベアリング用に）

発明の仕方

　フライホイールは、運動している物体は運動し続けるという事実を利用しています。あなたが、回転し始めるのに多くのエネルギーを必要とする重いホイールを持っているなら、そのホイールを止めるのにも多くのエネルギーが必要になるはずです。そして、それゆえ、そのようなホイールは電気の代わりに回転の運動エネルギーを蓄えるバッテリーとなります。摩擦のせいで、ホイールはやがて減速するので、完璧なバッテリーではありませんが、高密度あるいは巨大なフライホイールは、止まるまでにかなり長い時間回転することができます。フライホイールは陶器の製作に使われたのが最初です（轆轤は、要するに、一旦回転させると、かなりのあいだ回転し続ける大きな重いホイールです。つまりそれはフライホイールです、粘土まみれになっているあなた）が、それがほかの用途にも使えると気付くまでに相当時間がかかったのです（まあ、驚くことではありませんが）。エンジンによって回転し続ける軸に取り付ければ、それでいいので

---

* 　これは古典力学から来ています。古典力学とは、まさに今この脚注であなたが発明する学問分野です！　古典力学は、物体にかかる力に対して、その物体がいかに反応するかを記述することに関する学問で、このあとすぐ私たちが説明する3つの法則がその基礎をなしています。1686年にアイザック・ニュートンによってこれらの法則が定式化されるまでは、物体がなぜ、そしていかに動くかについて、人々は間違った理解をしており、「石は地面が好きで、煙は空が好きなので、煙は空高くのぼり、石は地面に落ちるのだ」（アリストテレス、紀元前300年）などの劣悪な理論で間に合わせざるを得ませんでした。3つの運動の法則は、（1）外から力がかからない限り、静止している物体は静止しつづけ、運動している物体は運動を続ける。（2）ある物体の運動量の変化率は、その物体にかかる力に直接比例し、その力の向きに変化する。（3）すべての作用に対して、大きさが同じで向きが反対の反作用が存在する。たとえば、あなたが箱を押すと、その箱はあなたを押し返す。以上の3つです。覚えておいていただきたいのですが、私たちはこれらを法則と呼びますが、実際には、これらは人間の尺度でうまく使える近似に過ぎないのです。あなたがものすごく小さくなったとき（10^{-9}メートル以下の量子論的尺度まで）や、途方もなく速くなったとき（3×10^8メートル毎秒、光速に近い）、途方もなく重たくなったとき（ブラックホールのように）は、これらの法則はまったくダメになるのが普通で、そのような場合は、アインシュタインの一般・特殊相対性理論が、ニュートンの古典力学よりも、ずっと正確に運動を記述します。しかしこれは、あなたが気にする必要などありません！　大きく湾曲した時空のなかで慣性座標系を加速させることで生じる、重力による時間の遅れは、興味深いテーマであり、また、FC3000™レンタル市場向けタイムマシン製造の際には非常に有用ではありますが、『なんてこった：空間と時間は、時空と呼ばれるひとつの連続体のふたつの側面にすぎず、おまけに真空中の光の速度は、光源の運動にはかかわらず、その光のすべての観測者で同じだって君は言うのかい？　あのね、一般・特殊相対性理論について、これらの概念をさらに探究する1001の教育的な漫画がここにあるよ』の本を1冊、過去に持って行ったのでないかぎり、あなたはまだそのことで悩む必要はありません。

すよ。それで準備完了です。

　エネルギーを蓄えるほか、フライホイールは機械の働きを円滑にするためにも使えます。ピストンエンジン（セクション10.5.4参照）では、ピストンは断続的にしか動きませんが、これを使う多くの場面で、一定の大きさのパワーが必要になるでしょう。たとえば、トラクターの原動力として使う場合、ピストンに点火する都度、気まぐれに進むのではなく、常に一定のペースで前進してほしいと思うでしょう。ピストンが直接機械に動力を供給するのではなく、フライホイールに接続しているなら、ホイールはピストンが動力を供給していないときも回転しつづけているので、はるかに円滑な動力を供給できるでしょう。

図21：「フライホイール（弾み車）」。「軸付ホイール」とも。

　フライホイールはまた、エネルギーを、それが元々生み出されたときよりも速く解放することもできます。フライホイールをあるスピードに到達させるのに数時間かかることもあるかもしれませんが、重い荷重をひとつフライホイールに取り付け、そのすべてのエネルギーを、一瞬で仕事をするために一気に使うこともできます。これであなたは、普通のやり方で生み出せるよりも、短時間だがはるかに強力なエネルギーを解放させること

が可能になったのです。もちろん、どのフライホイールも、蓄えられるエネルギーには上限があります。ホイールが十分な速さで回転しはじめると、ホイールの材料自体の引張強度を超えてしまい、自らバラバラになり、途方もないスピードで破片が飛び散るでしょう。鋼鉄のフライホイールのほうが鋳鉄のものより安全な理由はここにあります。鋼鉄は強度が高いので、あなたの機械の内部にあるフライホイールが自らをビックリ金属爆弾に変える可能性を最小化してくれるでしょう。

　フライホイールが蓄積できるエネルギーは、ホイールの大きさかスピードか、いずれかを大きくすることで増加できます。回転するホイールに蓄積されるエネルギーは、その速度の二乗に比例するので、小さくて高速のホイールのほうが、大きくて低速のものより多くのエネルギーを蓄えることができることになります。そして、最後に申し上げておきましょう。フライホイールなんて古臭いと思われるかもしれませんが、その用途はピストンエンジンで駆動される機械だけではありません。2004年、NASAは、宇宙でエネルギーを蓄積する安価で信頼性の高い手段のひとつとして、フライホイールを実験的に作製しました。ですから、理屈の上では、フライホイールを発明することで、あなたはご自身の新しい文明の宇宙計画への最初の一歩を踏み出されたのです。素晴らしい！

10.5.4：蒸気機関

　蒸気のように強力な動力源を、ホイールのついた乗り物を動かすのに導入することは、人類の状況に大きな変化をもたらすだろう。

　　　　──あなた（トーマス・ジェファーソン〔訳注：1743〜1826年。
　　　　第3代アメリカ合衆国大統領〕も）

どのようなものか

　水は沸騰して膨張するといろいろな仕事を成し遂げられるという事実を利用したエンジン。この技術は極めて有用で、ついに発明されたときには、「産業革命」と呼ばれる出来事が起こり、これを利用したさまざまな機械を中心に社会が自らを再編成したほどでした。

発明以前は

　何かやりたいことがあれば、自分でやるか、動物にやらせるか、誰かほかの人にお金を払ってやってもらうしかありませんでした。お湯を沸かすだけでその日の仕事はおしまい、という具合には絶対にいきませんでした。

最初の発明

　西暦100年（蒸気で動くおもちゃ。技術的には蒸気タービンと同じ）

　西暦1606年（最初の蒸気水送ポンプ）

　西暦1698年（最初の実用的蒸気ポンプ）

　西暦1765年（復水器という別のチャンバーを加える。1776年に商品化）

　西暦1783年（蒸気船）

　西暦1804年（蒸気機関車）

　西暦1884年（蒸気タービンの再発明）

前もって必要なもの

　鉄（ボイラー用）、鋳鉄（ピストンリングとシリンダー用）、鋼鉄、溶接

発明の仕方

　蒸気機関なんて古臭いと思われるかもしれませんが、今日なお、世界中の発電の大部分が蒸気によって行われているのです。昔の蒸気機関と、私たちの最新式のものとの違いは、昔はボイラーで木を燃やしていたのに対して、私たちは石炭、ガス、あるいは、原子そのものの神のような力を使うというだけです。そうなんです、文明を滅ぼすこともできる原子炉の力

を手にした今でさえ、私たちはその力をほとんど水を沸騰させるためだけに使っているのです。

最初期の蒸気機関は、その働きの背後にある科学理論がまだほとんど知られていなかった状況で発明されました。ですから、蒸気機関をさっさと作ってしまうことにする前にこのセクションに目を通すだけで、あなたはすでに、元の発明者たちよりも有利なスタートを切っているのです。蒸気機関が科学から恩義を受けているよりも、科学は蒸気機関からもっと恩義を受けていると、昔から言われています。それは正しくはないのですが（科学は誰にも恩義など一切受けていません）、そのことから、人間たちが自分たちの発明したこれらの機関を研究することによって、たとえば熱力学第二法則*など、いかに多くを学ぶことができたかが実感できるでしょう。

蒸気機関はふたつの部分からなります。

・ボイラー、すなわち、何らかのかたちの燃焼を使って水を沸騰させ、圧力のもとで蒸気を発生する機器。
・機関、すなわち、その蒸気を使ってピストン、タービン、もしくは自らを動かす装置。

ボイラーのほうは、金属が入手できればあとは簡単です。気密性の水管

---

* 熱力学の第一法則（「エネルギー保存の法則」）は、エネルギーはかたちを変えることはできるが、生み出すことも破壊することもできないというものです。言い換えれば、ある系のエネルギーの増加は、その系に与えられたエネルギーと等しいということです。第二法則は、閉じた系のなかのエントロピー（すなわち、「乱雑さ」）は常に増加しているというもの。言い換えれば、物事が、より秩序ある状態へとおのずと変化することはなく、むしろ、ぐちゃぐちゃになるということ。地球の上では、物事はより秩序ある状態へと変化してきた（生物が進化し、建物が建設され続けている、など）ことは、注目に値します。しかしそれは、地球が閉じた系ではないからです。地球は太陽からエネルギーをもらっています。熱力学の第三法則は、ある系のエントロピーは、その系が絶対零度に近づくにつれ、ゼロに近づくというもの。冷たくなるほど、エントロピーの量は低下します。「絶対零度」（あり得る最低の温度）では、すべての物理的運動は停止するのです。

数本を、火で熱した燃焼室のなかに通す（「水管ボイラー」と呼ばれるもの）か、あるいは、半分水を満たした気密性の容器（「水缶」）のなかに、燃焼ガスを数本の管で通します（「煙管ボイラー」）。どちらも、加圧された水蒸気を発生させます（そして、ボイラーが爆発する危険性をもたらしますので、それにはご注意を）が、水管のほうが安価な傾向があります。水蒸気が発生したら、それを第二の燃焼室に通し、一層加熱すれば、過熱蒸気が生じます。過熱蒸気はより多くのエネルギーを持っているので、より多くの仕事を行うことができます。しかも過熱蒸気は、温度が少し下がっても凝結して水に戻ったりしないという素晴らしいメリットがあります。作ったばかりのカッコいい蒸気機関がしょっちゅう水で詰まって悩む必要がなくなりますからね。

　水蒸気が機関のなかで働けるようにするには、方法が2、3あります。最も簡単なのが、ピストンが組込まれたシリンダーの内部に水蒸気を送り込む方法です。ピストンとは、シリンダー（円筒）の内部で自由に動く円盤もしくは小さな円筒状の部品ですが、作製には精密工学が多少必要になります。端から端まで径が一定の金属製シリンダーと、そのシリンダーの内部でスムーズに動くことのできる、径が少しだけ小さいピストンが必要なのです[*]。このピストンに気密性を持たせるシール（封止）として、鋳鉄の輪を取り付けることができます。いわゆるピストンリングですが、これはバネ性のある金属の輪で、ピストンとシリンダーを常に接触させるためのものです。鋳鉄製になる前は、ピストンの側面に麻をきつく巻いてシールしていました。麻は密度が高く、摩擦によっても容易には摩耗しないので、ほとんどピストンリングと同等の──しかし完全にというわけでは

---

* シリンダーは手作りしてもいいのですが、それでは形が不均一になってしまい、その結果ピストンの周囲から水蒸気が漏れ出し、蒸気機関の効率は落ちてしまうでしょう。これを解決するには、シリンダーの内径を、必要な大きさよりほんの少し小さく作ります。そして真ん中に、真っ直ぐな金属棒を通し、その棒に沿ってドリルを通しましょう。ドリルによって、シリンダーは均一なサイズになるでしょう。そして金属棒があることで、さらに、ドリルがシリンダー形状の欠陥に追随することが防止されます。こうして正しい形状と寸法のシリンダーができます。

ありませんが——働きをします。なになに、心配はいりません。水蒸気が少しくらい漏れても、あなたの機関は問題なく働きます。効率が少し落ちるだけです。

　ボイラー内の水蒸気をシリンダー内に送り込むと、水蒸気は膨張し、ピストンを押し上げます。水蒸気は冷えるにつれ凝結し、シリンダー内部の圧力が下がり、外部の大気圧がピストンを元のところまで押し下げます。この水蒸気は普通、素早く冷えてくれたほうがいいので、シリンダー内に冷水を注入して、冷却を加速しましょう。さあ、あなたの蒸気機関のできあがりです。ピストンの上下運動で、のこぎりを引いたり、ポンプに動力を提供したりできるほか、クランク（補遺H参照）を介して回転運動に変換することもできます。

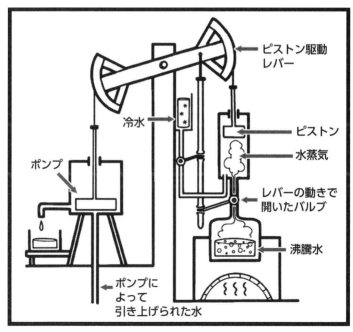

図22：あなたの文明に動力を提供する機械：蒸気機関

　こうしてあなたの蒸気機関は、1698年の最先端のものにまでなったわけですが、同じシリンダー内を熱しては冷ます作業を何度も繰り返すのは、大量のエネルギーの浪費ではないのかと、疑問に思っておられるなら、鹿撃ち帽*をかぶり、自分はシャーロック・ホームズ**だと名乗ってください。なぜなら、その疑念は正しいのですから！　高温部は高温のまま、低温部は低温のままに保てるように、蒸気機関の設計を変更して、80年近い進歩をすぐさま遂げさせることができるのです。それには、こうしてください。シリンダーから、それとは独立した凝結室につながる接続部を作ります。その接続部は、ピストンの上昇によって開くようにします。シリンダー内の高圧が水蒸気を凝結室へと押しやります。凝結室は独立したチャンバーなので、冷水を浴びせて素早く冷やすことができます。

　ピストンを作るのがいやなら、水蒸気でパワーを生み出す方法がもうひとつあります。じつのところ、その方法こそ、西暦100年ごろに人間が最初に発見したものなのです。それは「アイオロスの球」と呼ばれ、作るにはこうします。すなわち、水を沸騰させ、その水蒸気を、次の図に示すような、排気ノズルが2本ついた回転する球のなかに導くのです。

---

*　鹿を撃つ際に狩猟者がかぶる帽子。そのため、この名称で呼ばれる。今日ではむしろ、「シャーロック・ホームズの帽子」として知られている（次の脚注を参照のこと）。

**　シャーロック・ホームズは、存在したことなどない架空の探偵ですが、犯罪事件解決に最も優れた探偵だと誰もが認めています。この人物をあなたの文明にも導入したければ、どうぞご自由に！　あなたの記憶にある姿からバージョンアップするために、ホームズはコウモリのようなコスチュームに身を包んでいることにするのもお薦めです。コウモリのねぐらになっている大きな洞穴を隠れ家として与え、また、コウモリのモチーフを使った自動車、飛行機、そしてバタラン（コウモリをモチーフにしたブーメランのような武器）を持たせましょう。そして、解決してほしい犯罪が付近で起こったときはいつでも、空に彼のシンボルを投影するよう、警察に取り計らってもらいましょう。このバットマン・バージョンのシャーロック・ホームズのほうが、歴史的に言って、一般市民にはウケがいいのです。とりわけ、殺人ピエロが宿敵のときには。

図23：古代ギリシア文明の動力源だったかもしれない機械、「アイオロスの球」

　ノズルから噴き出す蒸気がジェットのように働き、球が回転します。要するに、これは蒸気を動力源とするロケットエンジンなのですが、これを発明した古代ギリシア人たちは、こんなものはおもちゃにすぎないと思い込んでいました。あなたは今これから、彼らの鼻をあかしてやりましょう。このアイオロスの球を、これからダイナモに変貌させるのです。

　セクション10.6.2で見るように、ダイナモは力学的回転を直流電流——電気ですよ！——に変貌させますが、その際、磁場のなかを運動するワイヤーの内部には電流が誘導されるという事実を利用しています。球の内部に静止した磁石を置き、回転球の外周をワイヤーでぐるぐる巻きにすれば、電気を生み出すことができるはずです。そして、アイオロスの球を作るのなんてやだよ、という人は、蒸気のジェットをタービンの羽根に当てれば——ペルトン・タービンを水で動かしたときと同様に——、回転運動（と、

お望みなら電流も）を生み出すことができます。[*]

　ここで良くない知らせがあります。ピストンエンジン、ロケットエンジン、あるいはほかの何であれ、蒸気機関はすべて、根本的に非効率的なのです。どんな手を打とうが、ものすごく大量のエネルギーが熱として無駄になってしまうのです。高圧蒸気、コンデンサー、そして膨張複式機関（蒸気を使ってピストンを2回以上動かす機関）を採用しても、あなたの機関が20パーセントの効率から大きく向上することはおそらくないでしょう。ですが、現代の最新鋭の蒸気機関ですら、40〜50パーセントの効率が関の山なので、あまりがっかりしないでください。そんな機関でも私たちの世界の動力源となっているので、あなたの世界でも問題なく使えるでしょう。

　蒸気機関のもうひとつの大きな弱点は、その重量毎出力値です。蒸気機関に使われている金属と水はどれも重たく、蒸気機関の重量が加わっても元々の重量が大きくてさほど影響のない建物の中や大型の乗り物（列車や大型船舶）においてはうまく機能するのですが、飛行機や自動車など小型の乗り物では、あまりうまく使えません。このようなものに対しては、より軽量の内燃機関を発明するのがいいでしょう。

　蒸気機関は外燃機関です。エンジンの外部で何かを燃やして蒸気を発生させ、その蒸気をパイプでエンジンに送るのですから。内燃機関は、仲介するものをすべてなくし、シリンダーそのものの内部で何かを爆発させてピストンを動かします。燃えやすくするために空気と混ぜた揮発性の燃料ガスをシリンダー内に注入し、これを圧縮します。ここで電気的に火花を発生させてガスに点火し、ピストンが外に押し出されます。このピストン

---

[*] 先に見たように、アイオロスの球は西暦100年ごろに発明されましたが、ダイナモの背後にある原理が発見され、蒸気機関がついに生産的な用途に使われるようになったのは1831年になってのことでした。ひとつだけ例外があります。1551年、オスマン帝国で、串刺しにした肉を回転させるのに使われていました。

が元の位置に戻るにつれて排気ガスが放出されます[*]。それぞれのピストンが、吸入、圧縮、燃焼、排気というサイクルで動きますが、ひとつずつピストンが燃焼するよう、すべてのピストンが連動しています。このような機関は、蒸気機関よりも間違いなく複雑です（ただお湯を沸かせばいいだけだったのが、制御された一連の爆発によって機関を動かすわけですから）が、それにまつわるいくつかの問題は、決して乗り越えられないものではありません。直列に4つのピストンをつなぎ、ひとつが燃焼しているときに別のピストンがガスを吸入しているように設定しておくことが可能で、こうすることで出力を一定に保つことができます。4つのピストンがうまく順番に働くようにするには、それぞれのピストンに接続したカムを1本の棒に通しておけばいいでしょう。こうして吸入バルブと排気バルブを連動させ、4つのピストンが正しく順番に働くようにできるでしょう。もう1本の棒を曲げてそれぞれのピストンと接続し、それぞれの推力をまとめます。この棒自体をフライホイール（セクション10.5.3）に接続すれば、その動きを均一にできるでしょう。

---

[*] これが、少なくともガソリンエンジンがいかに働くか、です。ディーゼルエンジンは、この反対に働きます。つまり、ピストンが圧縮しているときにディーゼルが導入され、これで圧力が急激に高まって熱も出るので燃料が発火します。いずれにしても、あなたがガソリンまたはディーゼルを燃料として扱うにはもう少し時間がかかるでしょう。とりわけ、『原油（またの名を石油）を精製して灯油、ガソリン、ディーゼル、そしてその他のオイルにする方法：環境にとっては壊滅的かもしれないが、極めてクールなレーシングカーをあなたが入手できるようにしてくれるだろう化学物質。というわけで、それだけの価値があるといいですね』の本を持ってきていないなら。ですが、ピンチのときには、そこまでパワフルではないエタノールなら、あなたはいつでも醸造できますよ！

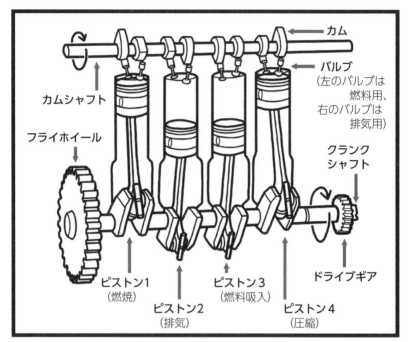

図24：内燃機関：ピストン1は燃料ガスを燃焼中。ピストン2は排気ガスを放出中。ピストン3は燃料ガスを吸入中。ピストン4は燃料ガスを燃焼させるために圧縮中。あなたにも作れます！

　しかし、喜び勇んで内燃機関を発明しようとする前に、よく考えてください。内燃機関は、蒸気機関よりもずっと複雑で作るのが難しく、動かすにもずっと高く付き、より高品位の燃料を必要とします。すべてをゼロから作り出さなければならない時代にあって、蒸気機関のようなもの——水で動き、文字通り燃えるものなら何でも燃料になります——は、とても貴重です。

10.6 「そうじゃなくて、ほんとうに何もしたくないんだ。魔法のように、スイッチを入れるだけで機械に働いてほしいんだ」

　スイッチを入れるだけで動く機械を作りたければ、即座に使えて、静かで、目に見えない動力源が必要です。つまり、電気が必要になります。電気は、容易に遠くや細部まで伝わり、貯蔵も簡単で、現代世界の大部分の動力源となっており、飛行機から自動車まで、あらゆるものを動かしています。

　電気は、あなたの世界の動力源にもなります。

　電池は、化学反応を使って電気を要求に応じて生み出すもので、なかには、逆向きの反応を使って再充電することができるものもあります。**発電機**は、単純な物理法則にしたがって、物理的な運動を電気的なパワーに変換し、**変圧器**は、可動部は一切なしに、電荷をより有用なかたちに変換します。電気の発生、貯蔵、そして変換は、あなたの文明を、歴史のなかで初めて、動力源から離れて拡張し、地球上のほとんどどこにでも定住できるようにしてくれます。電気があれば、あなたは世界を征服できるのです。

　しかも、それを発見するまで、あと、たったの1ページなんですよ！

10.6.1：電池

　物理の授業で習ったよね、磁気はとても強い力で、ある種のものを冷蔵庫にくっつけるんだ。

　　　　　　――あなた（デイブ・バリー〔訳注：1947年生まれのアメリカのユーモアライターで、『デイブ・バリーの日本を笑う』などの著者〕も）

どのようなものか

電流を生み出し、貯蔵する手段。

発明以前は

電力源を携帯したければ、電気ウナギ*を連れて回るほかありませんでしたが、これはエネルギー源としては、実用性も信頼性も大してありませんでした。

最初の発明

西暦1745年（静電気を貯蔵した、最初の「電池」）（訳注：ライデン瓶のこと）

西暦1800年（電流を生み出した、最初の化学電池）（訳注：ボルタ電池のこと）

前もって必要なもの

金属（ワイヤー用に銅。非常に曲げやすく、簡単に引き伸ばしてワイヤーの形にできます）、金属（電池用に、片方の電極に銅または銀、もう一方の電極に鉄または亜鉛を使うと、とてもうまくいきます）

発明の仕方

電池を理解するには、電気を知ることが必要で、電気を理解するには磁気についても知らなければなりません。かつて人間たちは、電気と磁気は違うものだと考えていましたが、やがて、両者は密接に結びついていて、一方なしには他方もないことに気づき、頭のなかでこのふたつを結び付け

---

* もちろん、電気ウナギは実際には魚類です！ 電気ウナギが実際には魚類であることを知っている人は、ピーナッツが実際にはマメ科植物だとか、コアラは実際には有袋動物だとか、モルモットは実際には齧歯（げっし）動物だなどのことを知っている人たちとほぼ同様に、そのことをひどく気にしがちです。そういう方々に申し上げたいのですが、私たちに文句を言うのはやめて、前向きに考え、これまで人間が付けてきたよりも、もっとましな名前を動植物に付けるようにしてはいかがでしょうか？

て、その新しい力を「電磁気力」と名付けました。電磁気力の発見と利用
によって第二次産業革命（お気づきのとおり、史上2回目の産業革命）が
進み、その結果、人間の生活は大きく変貌しました。電磁気技術が登場す
る前は、誰もが燃料源の近く（木なら森、石炭なら炭鉱、水車なら川な
ど）に住むか、さもなければ、こういった燃料を届けてもらうのにお金を
払わねばなりませんでした。その後、エネルギーは光速の50〜99パーセン
トのスピードで国じゅうに運ぶことができるようになり、今では誰もが、
ワイヤーを通せるところならどこでも快適に暮らせるようになりました。
要するに、電磁気を使いこなせるようになれば、あなたの文明は川辺や炭
鉱から離れたところまで拡張し、大陸、地球、そしてついには時間さえも
支配できるでしょう。

　それではここに、その方法をご紹介しましょう！

　電気は、電荷を持った（「帯電した」）粒子――通常は電子（これらの
「悪ガキ」粒子についての詳しい情報は、「セクション11：化学」の、
「物は何でできているのか？」を参照のこと）――の運動です。電子は負
の電荷を持っているので、電子をたくさん持っているものは、それ自体が
マイナスに帯電します。逆に電子を失う物質はすべて、正の電荷を得ます。
大事なのは、同種の電荷を持った粒子どうしは反発しあいますが、異種の
電荷を持った粒子どうしは引き付けあうということです。

　ある種の物質は、電気を容易に通します（こういう物質は「伝導体」ま
たは「導体」と呼ばれ、銅、鉄、銀、亜鉛などの金属は優れた伝導体で
す）が、電子を強く拘束してその位置を移動させず、電流を流すことに抵
抗を示す物質もあります（この手の物質は「絶縁体」と呼ばれ、ガラス、
ゴム、木はすべて絶縁体の好例です）。しかし、普通の状況では、伝導体

＊　電磁波が運ぶ電気的エネルギーは常に、真空中を光速で伝わります。しかし、真空の外では、
何のなかを通過するかによって速度が影響されます。しかし、心配はいりません。光速の50パー
セントでも、とてつもなく速いです（宇宙の究極の制限速度の50パーセントなのですから。
補遺F参照）、どのみち人間の目には違いなどわかりませんから。

＊＊　FC3000™タイムマシンは、電気、内燃機関、常温核融合のハイブリッドです。

の内部の電子の運動は完全にランダムです。電気を生み出すには、これらの電子をすべて同じ向きに運動させなければなりません。これを私たちは「電気回路」と呼ぶのですが——なぜなら、電子はループ状に運動するからです——、あなたはものすごく素晴らしい人なので、今ここで、最初の電気回路と最初の電池を同時に発明しましょう。

　電池は、金属が使えるようになったら、じつに簡単に思いつくはずですので、ここでもやはり、実際に発明できたのがようやく1800年だったのは、ちょっと恥ずかしい話です。電池は、化学反応を電気的エネルギーに変換し、うまく反応しあう２種類の金属を見極めることでうまく機能します。種類の違う金属はどれも、電子との親和性が異なるので、伝導性のある水溶液にそのような２種類の金属を浸すと、化学反応が起こって、溶液内においてこれらの金属のあいだで電子が交換されます。このような水溶液は「電解液」と呼ばれ、その役目を果たすものはたくさんあります。酸、塩水、あるいは、美味しいジャガイモでもいいのです。たいていの塩、塩基、そして酸は、電解液として使えますし、とりわけ優れた電解液である硫酸が作りたければ、その方法は補遺C.12にあります。

　電子がもっと欲しい金属は、もう一方の金属から電子を引き寄せます。その結果として、そちらの金属（「電極」と呼ばれます）は、負に帯電し、もう一方の「電極」は正に帯電します。電子を欲しがっていた電極のなかに集まった電子（負に帯電）どうしは、互いに反発しあうので、電極どうしをワイヤー（導線）で接続したら、電子たちは導線に沿って一斉に同じ向きに正の電極へと移動して、混雑から「逃れる」でしょう。やりましたね、あなたは今まさに、導線に沿って同じ向きに動くよう電子を誘導したのです！　あなたは電気を生み出したというわけです。[*]

---

[*]　最初に作られた電池は、銀と亜鉛の板を交互に重ね、あいだに電解液にあたる塩水に浸した厚紙をはさんで金属板どうしが接触しないようにした構造でした。これはうまく行ったのですが、電解液も化学反応に関与してしまうため、時間が経つにつれて伝導性が低下してしまいました。これは36年後、ふたつの電極のそれぞれに、専用の異なる電解液を与え、こうしてできたふたつの「セル」を、「塩橋」と呼ばれる橋（訳注：水酸化カリウムや塩化カリウムなどの電解質を大量に含むゼラチンをU字管に入れて端を綿などで封したもの）——塩水に浸した紙で

電気を使って、電灯、電気暖房、電気調理器、電気機関、その他さまざまなものが発明できます——しかも、2、3段落の説明で——が、さしあたっては、腰を据えてお待ちください。というのも、あなたが今発明したばかりの電池を、もう少し進歩させておきたいからなのです。あなたの電池は化学反応を使ってパワーを生み出しますが、電池の金属はやがて反応できるだけ反応し尽くしてしまい、そうなると電池は切れてしまいます。せっかくですから、もう少しがんばって、今日のうちに充電式電池を発明しませんか？　ぜひそうしましょうよ。

鉛蓄電池は、1859年に発明されました。あなたが今発明したばかりの二極電池と似ていますが、鉛でできた電極が、水と硫酸を３対１の比で混ぜた電解液のなかに浸かっています。一方の電極は純粋な鉛、もう一方の電極は二酸化鉛です。どちらの電極も硫酸と反応して硫化鉛を生じますが、この反応が起こるには両方の電極のあいだで電子が交換されなければなりません。そのため、電極どうしを導線でつなぐと、反応が続くかぎり電流が流れ続けます。そして、これが大事なところなのですが、この電池に電流を外から流すと、この反応が逆向きに起こり、プロセスが反転されます。つまり、硫化鉛が電解液に再び溶解し、一方の電極に鉛、もう一方に二酸化鉛が析出し、電極が修復されるわけです。このように反応を反転することができるということは、あなたはこの電池にパワーを貯めて、将来の利用を可能にしたというわけです[**]！

というわけで、あなたは新しいパワーを生み出す電池と、既存のパワーを蓄える、別種の電池を入手しました。ただし、電池を使って実験したり、

もいいので、この名があります——でつなぎ、ふたつの電解液がイオンを交換できるようにし、両者を電気的に中性に保つことによって改良されました。この電池は、硫酸銅水溶液に浸した銅と、硫酸に浸した亜鉛を使っていました。このダニエル電池（もちろん、発明者のジョン・フレデリック・ダニエル氏によって命名されました。あなたの名前をつけたほうが、きっとずっといいですよ）は、より安定したパワーを生み出したので、どうぞご自由に、このアイデアを借用してください！

[**]　これはまた、この電池に必要な二酸化鉛も作り出すことができるということでもあります。つまり、硫酸に純粋な鉛を浸して、電流を流せば、鉛の表面に二酸化鉛が析出します。

電池に基づき何かを作ったり、ついには最新型マスマーケット向け携帯音楽プレーヤーの電源として使ったりすることができるのは確かですが、文明は電池の上には作れないということも厳然たる事実です。では文明は何の上に作られるのかというと、明かりをつけるために、特定の金属を掘り出したり、いろいろな酸を合成したりすることなしに電気を生み出すことができる方法の上にです。言い換えれば、文明は発電機、または、発電所と呼ばれているものの上に作られるのです。そしてこの話の一番いいところは、もしもあなたがすでに水車、風車、またはタービンについて、よく読んで十分理解されているなら、あなたは基本的には、もうそれらを発明したようなものだということです。

10.6.2：発電機

　電気はとても安くなって、金持ちだけがロウソクを灯すようになるだろう。

——あなた（トーマス・エジソン〔訳注：1847〜1931年。アメリカの発明家〕も）

どのようなものか

　1.21ギガワットまで、また、それ以上の電力を生み出す方法（訳注：1.21ギガワットは、映画『バック・トゥー・ザ・フューチャー』に出てくるタイムマシンが作動するのに必要な電力1.21ジゴワットを示唆しているらしい）。

発明以前は

　1.21ギガワットの電力を得る唯一の方法は、雷を待つことでしたが、残念なことに、いつどこに雷が落ちるかを予測することはできません。

最初の発明

　西暦1819年（電気と磁気が「電磁気」というひとつの現象のふたつの側

面だと認識される）

西暦1821年（最初の電気モーター）

西暦1832年（運動から電気を生み出す最初のダイナモ）

前もって必要なもの

金属：水車、タービン、あるいはその他の、回転運動を生み出す方法

発明の仕方

これまで本書では、電磁気の電気の側面だけに注目してきましたが、ここでは、どんな電流も磁場を生み出すという事実を利用しましょう。このことは、方位磁針（セクション10.12.2）を導線の隣に置くことで証明できます。なにしろ、その導線に電流が流れ始めた瞬間に、方位磁針が動くのですから。ちなみに、こうすることであなたは、磁気を使って、電気を物理的な運動に変換したわけで、ここからありとあらゆる種類の発明が可能になります。ほとんど自明ですが、これを使って、電力を定量的に測定する世界初の装置を作ることもできます。もう少し複雑なものとしては、鉄芯のまわりに導線を巻き付けて、導線から生じる磁場を一層強化し、世界初の電磁石を発明することができます。これは、オンにしたりオフにしたりできる、電気を動力源とした磁石です。磁石が自由に回転できるように吊るし、その両側に電磁石をひとつずつ置き、２台の電磁石を交互にオンオフすると、あいだに吊るした磁石は、電磁石に通電しているあいだずっと回転し続けるでしょう。これが電気モーターの基礎です。

このような発明は、電気を使って磁場のなかに運動を生み出すことで機能しますが、じつは逆もまた真なのです。つまり、磁場のなかの運動を使って、電流を誘導することができるのです。これが発電機の基礎なのですが、あなたはすでに「セクション10.5.4：蒸気機関」で、アイオロスの球をダイナモとして使ったときに、事実上発明していたのでした。しかもこれは現在もなお、発電の基本なのです。中核となる機構は非常に単純です。回転するものを何か持ってきて、その回転子を囲むように導線で作ったコ

イルを置き、中央に磁石をひとつ入れておけば、電気を生み出すことができます。この方法で生み出された電気を「交流電流」（AC）と呼びます。なぜなら、1回転するたびに電子が導線に沿って進行方向を反転するからです（これは、あなたが電池で生み出した、「直流電流」〔DC〕とは対照的です）。これが発電機を発明するのに必要なすべてです。都合のいいことに、ACはDCよりも長距離伝送に適していますが、それでも歴史のなかで、「電流戦争」を止めることはできませんでした。送電システムをAC、DCのいずれで作るかを巡り、アメリカの企業のあいだで対立が起こり、市民を説得するために、両陣営が相手方の方式を標準にするほうが致命的に危険だというキャンペーンを展開しました。[*]

発電ステーションから導線沿いに電気を送ることができますが、あるところでそれは限界にぶつかります。つまり、どんな伝導体にも抵抗があり、電気エネルギーが熱となって失われてしまうのです。したがってどんな導線も運べる電気には限界があり、やがて導線の温度が上昇して電気は運べなくなり、場合によっては融けてしまいます。この抵抗を積極的に利用して、トースター、電熱器、オーブン、電気ヒーター、ヘアドライヤー、そして先ほどちょっと触れた電球[**]を発明することができますが、長い距離にわたって電気を送るには、その電気の性質を調整しなければなりません。

---

[*] この戦争の一環として、どちらの電力がアメリカ初の電気椅子に採用されるかを巡る対立（どちらも、自社の方式の安全性をPRするために、相手の方式が死刑の道具に採用されて、人命を奪う危険なものだと市民に印象付けたかった）、相手方の電気で動物が感電死するという公開実験、そして、両社の代表どうしが同じ強さの自社の電気でショックを与えられ、パワーを徐々に上げて、先にやめてくれと言ったほうが負けという「電気決闘」の提案まであ\りました。決闘は、私たちのタイムラインでは実施されませんでしたが、ほかのタイムトラベラーの皆さんは、当時の緊張状態のなかでは、「おーい、あの男、敵は軟弱すぎて、仕事のために感電するのが怖いんだって、今さっき言ってたぜ！」と、誰かが絶妙のタイミングで叫んだだけで、電気決闘が実際に行われたに違いないと報告されています。

[**] 白熱電球とはつまるところ、過負荷をかけられて輝いているが、融けるところまでは行っていないワイヤーです。この目的に最適な金属を見つけるのに、多数の実験が必要でした。最後にたどり着いた答、タングステンは、あなたの場合にもうまく使えるでしょう。しかしタングステンは、見つけて抽出するのが困難な金属なので、代わりに、電球の初期の発明者らが行ったように、炭素のフィラメント（竹または紙を燃やさずに加熱して作ることができます。その際、セクション10.1.1で木を木炭にしたときと同じ方法で加熱します）を使いましょう。こ

そこで変圧器の登場です。次はこれを発明するほかないでしょう！

10.6.3：変圧器

どのようなものか

　安全に伝送できるように電気を変換する安全な方法。

発明以前は

　電気を長い距離にわたって移動させるのは、無駄が多く危険なことでしたが、率直な話、大半の文明が、電気を理解してほどなく変圧器を発明しているので、あなたにもきっとできるはずです。

最初の発明

　西暦1831年（磁気誘導の原理が発見される）
　西暦1836年（最初の変圧器が発明される）

前もって必要なもの

　電気、金属

発明の仕方

　ここまで私たちは、あまり単位を使わずに電気を論じてきました（その主な理由は、単位の名称は、あなたが今いる時代にはまだ生まれていなかった可能性が高い人物にちなんでつけられたものだし、その人たちは、発明の功績をすべて自分のものにしたいと思っているからでした）が、ここでひとつの単位を導入しましょう。それが「ボルト」です。ボルトは、ひ

うしたフィラメントは長持ちはしませんが、真空中で電流を流すと、燃えることなく輝きます。そして、「真空なんて簡単に作れないよ。なんで私がいつでもその気になればササッと真空を作れるなんて考えるのさ？　そんなの、私が今いる状況とまさに同じぐらいばかげてるよ」とあなたがおっしゃるなら、代わりにアークランプを使ってください。アークランプは、空気中でふたつの伝導体を正負の電極としてわずかな間隔だけ離して設置し、電圧をかけて電極間で放電を起こし、光を生み出すものです。

とつの電気回路の２点のあいだの電気的ポテンシャル・エネルギーの差（電位差、電圧）です。電気は水のようなものだと考えると、導線はパイプ、電流はパイプを流れる水の量、そして電位差は、パイプに沿って水を動かしている圧力に相当します。パイプから出てくる水の量を増やしたければ、パイプの径を大きくするか、圧力を上げるか、あるいは、この両方を大きくするか、という方法があります。[*]

電気についても同じことが言えます。あなたが得る電気エネルギー（電力）は、電流と電圧の積です。問題は、電流が大きくなるほど、導線が発生する熱も大きくなって、導線が融けてしまう可能性がますます大きくなってしまうことです。これに対処するには、水が流れるパイプと同様に、方法がふたつあります。パイプの径を太くする（導線の径を太くして、導線が融ける前に運べる電気の量を増やす）か、圧力を上げる（すなわち、電圧を上げる）かです。高電圧の導線、つまり高圧線は、近くにいるのがより危険になるのですが、[**]あなたが電気を高圧に変換して、国を縦断するほどの距離で伝送し——好奇心が強く、欲が深い人々が手を触れないように、人々から離れたところを——、その後、安全に使えるほど低圧に変

---

[*] ここで、ボルトの正確な定義は示していません。なぜなら、現在それは、かなり混乱しているからです。それは、アンペアという別の単位に基づいているのですが、まずアンペアの定義が２種類存在し、ひとつは、「電気素量を正確に 1.602176634×10⁻¹⁹ クーロンと定義することによって決まる、毎秒１クーロンの電荷を流すような電流を１アンペアとする」です。そしてもうひとつは、「真空中に１メートルの間隔で平行に配置された、無限に小さい円形の断面積を持つ、無限に長い２本の直線の導体のそれぞれを流れ、これらの導体の長さ１メートルにつき 2 × 10⁻⁷ ニュートンの力を及ぼし合う一定の電流」です。そのうえでボルトとは、「１アンペアの電流が流れる導体上の２点の間で消費される電力が１ワットであるときの、その２点間の電圧」と定義されています。どうですか、こういう定義？　全然使えないですよね。ですから、ご自身のボルト（電圧）とアンペア（電流）の単位を、ご自由にお決めください。

[**] 少し厳密に言うと、高電圧でありかつ電流が流れ続けているという状態が非常に危険なわけです。50ボルトで流れ続ける電流は、あなたの皮膚を通り抜けて、心臓の鼓動を乱し、内臓を損傷し始めるのに十分な威力があります。その一方で、静電気は、20,000ボルトの電圧にまで容易に達します。これはいったい、どういうことでしょう？　その答はこうです。確かに、絨毯の上で足をこすったあとにドアノブに触れると高電圧のショックを受けますが、その電流はたいしたことはなく、ものの１ナノ秒という瞬時に放電してしまいます。１ナノ秒の高電圧はほとんど問題ありません。高電圧で電流が流れ続ける状態が、命にかかわるほど危険なのです。

換しなおすことができれば、準備完了です。

　変圧器は単純です。なぜなら、可動部がないからです（動いているのは、もちろん、その導線を流れる電子だけです）。大きな四角い枠を鉄で作りましょう。入力側の交流電流に接続された絶縁電線（絶縁された導線のこと）を、枠の片側にらせん状に巻き付けます。反対側でも同様に絶縁電線をコイル状に巻きますが、こちらは、出力電流を外に流すためのものです。このふたつのコイルは電気的に接続されていませんが、入力側のコイルに電流が流れると、それによって電磁場が生じ（先に見たときと同じです）、出力側のコイルの内部の電子も動くように誘導します。この時点で、あなたの最も新しい発明品は、（まだ）電気を変換しませんが、導線は使わずに磁場を使って電気を短い距離のあいだ伝送しています。

　本当にすごいことは、出力側の回路のコイルの巻き数を変えると起こります。ふたつの回路でコイルの巻き数が同じなら、電流と電圧は両方の導線で同じです。しかし、出力側のコイルのほうが巻き数が多ければ、誘導される電流は小さく、電圧は高くなり、長距離伝送に理想的な状態になります。もしも出力側の巻き数が少なければ、電圧は低くなり、電流は大きくなって、送電線から引き込んだ電流を家庭や地域の仕事に使うのに最適です。電圧はコイルの巻き数に比例するので、入力側と出力側の巻き数の比が３：１なら、出力電流の電圧は入力電流の電圧の３分の１になります。これでわかったように、電気を伝送するのに必要なのは、鉄とコイル状にした導線だけで、そんなことが可能なのは、電気と磁気が表裏一体の関係にあるからです！　ありがとう、電磁気。

　そのような次第で、本セクションで紹介したほかの発明も使い、あなたは今や、電気を生み出し、伝送し、貯蔵し、変化させることができます。ここで一言触れておきたいのですが、基本的な金属が発見されて以降は、歴史のどの時点においても、電池が発明される可能性があったのと同様に、発電装置や変圧器も、いつ発明されてもおかしくなかったのです。水車や風車を発明したときでさえ、人間たちはそれを、あくまでも直接力を生み出すことにのみ使い続け――ホイールを回す、クランクを動かすなど――、

誰かがダイナモを発明し、はるかに多用途があり伝送が容易な電流を生み出すようになるのに、2000年以上かかったのでした。蒸気機関とダイナモの知識を得たあなたは今、別々に起こったふたつの産業革命を、あなたの社会において、あなたが決めた歴史上の時点で、同時に起こすことが可能になったのです。

10.7 「もう夜遅いし、寒くなってきた。どれくらい遅くてどれくらい寒いか知りたい」

時計は、正確に時間を計ることを可能にする最初の発明です。これは実は、驚くほど深いテーマなのです――レンタル・タイムマシン市場が生まれるはるか以前の世界においても。そして、ガラスが使えるようになりさえすれば、ちょっとした知恵とちょっとの水があれば、**温度計**と**気圧計**を発明することができ、これで熱と圧力を初めて定量化することも可能になります。

機械に温度や時間を教えてもらいたいなんて、あなたの今の状況を考えれば、浅はかで無意味な望みだと思われるかもしれませんが、そうではありません。本セクションでご紹介するいくつかの技術は、製造、化学、医療、そして天気予報などの、実にさまざまな分野での飛躍的前進を可能にしてくれます。そしてあなたは、こういったものをできれば早く入手したいと思われること間違いなしです。また、あなたが出発する前にいた世界で慣れ親しんでいたデジタル時計は、あなたがこれから発明する時計よりもはるかに進化しているように見えるかもしれませんが、気にすることはありません。

あなたはすぐに失われた時間の埋め合わせができるでしょう。

10.7.1：時計

あなたと共にあること、そしてあなたと共にないことが、時を計る私の唯一の方法だ。

――あなた（ホルヘ・ルイス・ボルヘス〔訳注：1899～1986年。
アルゼンチン出身の作家。『伝奇集』などの著者〕も）

どのようなものか

真のタイム・マシン。ただし、「今何時？」という意味においてのみ。

「とうとう、ついに、私が生まれた時代に私を戻してくれる装置を作るための方法」という意味ではありません。ごめんなさい。

発明以前は

　時の経過は定量化されていませんでした。つまり、それはもっと定性的な方法、たとえば、「日の出から日没まで」などで計られていました。良かった点は、誰かに今何時かと訊かれて、嘘を答えたとしても、相手はそれが嘘だとは決して証明できなかったことです。

最初の発明

　　紀元前1600年（水時計）

　　紀元前1500年（日時計）

　　西暦350年代（古代ギリシアの砂時計）

　　西暦700年代（ヨーロッパで再発見された砂時計）

　　西暦1300年代（ヨーロッパで普及した砂時計）

　　西暦1656年（振り子時計）

　　西暦1927年（クォーツ時計）

前もって必要なもの

　　焼き物（水時計用）、ガラス（砂時計用）、緯度と方位磁針（日時計用）

発明の仕方

　現代の腕時計は、小さなクォーツ片を使って正確に時を刻んでいます。クォーツは、地球で2番目に豊富な鉱物で、「圧電性」という便利な性質を持っています。つまり、クォーツの結晶を圧縮すると、微量の電気が発生し、逆に、微量の電気をクォーツに流すと、クォーツの結晶は予測可能な振動数で振動します。これを利用して安価な電子時計を作ることができ、今では、毎秒32,768回振動する小さな結晶が、世界で最も普及した時間管理技術となっています。しかし、あなたには今、現代のエレクトロニクス

もクォーツの結晶もないので、あなたは現代の時計を複製するために、もっと単純な発明を使いましょう。

実は時計にはふたつの機能があります。時間を正確に合わせた時計は、時刻を告げることができますが、時間がずれた時計でも、ある瞬間からどれだけ時間が経ったかを計ることはできます。もしもあなたの目的が、時間の経過を追跡することなら、ぐっと単純な発明——水時計など——で、その問題は解決できます。

水時計は最初に発明された時計で、その最も単純なものは、極めて簡単です。水の容器に小さな穴を開ければ、それで完成です！ 水は穴から（そこそこ）一定のペースで滴り落ちるので、容器に「満タン」を示す線を記しておき、「分」や「時間」といった単位時間のあいだにどれだけの水が容器から失われるかを測定しておけば、その後はその容器を使って、分や時間、それに、十分大きな容器を使えば、「日」も計れます。17世紀に振り子時計が発明されるまで、水時計は時間を計る最も正確な手段として普及していました。ですから、あなたはよく頑張っておられますよ。

砂時計も水時計と同じ原理で働きますが、水の代わりに砂を使い、ひっくり返すたびに砂を再利用します。一握りの2、3倍の砂と、くびれ部分が、砂が少しずつ流れ、決して詰まらない程度の大きさの径になった、ひょうたん型のガラス容器を使えば、約1時間を計ることができます。砂の量を増減することで、あなたが計りたい単位の時間を計ることができます。砂時計が1個あれば、理屈の上では、何時間でも計りたいだけ長い時間を計ることができます。砂が完全に下に落ちたところでひっくり返し、何度ひっくり返したかを記録していけばいいのですから。ただし、そのためには常に見守っている必要がありますし、誤差を避けることは難しいでしょう。

砂時計をひっくり返したり、水時計を満タンにし直すのがいやなら、日時計を発明するといいでしょう。日時計は（少なくとも天気がいい日の昼間には）、時刻を示してくれますから。日時計を作るのは簡単です——平らな地面に棒を1本突き立てて、1日のあいだ、その棒の影に印を付けて

いけばいいだけです。しかし、とりわけあなたが、正確に何時かを知りたければ（あなたはそう思われているものとご推察します、なにしろ、そうでなければそもそも、あなたはただ太陽を見上げて、「そろそろおしまいにする時間だな」と言って、そこで作業を終えてしまうでしょうから）、正しく作るにはちょっと込み入った作業が必要になります。

　まず、棒をまっすぐ地面に立てるのではなく、あなたがいる場所の緯度（「セクション10.12.3：緯度と経度」で特定できます）と同じ角度に傾斜させて、かつ、先端が北（あなたにはわからないとは思いますが、たいていの時代で、磁北〔方位磁針が指す北〕が良い近似として使えます）を指すように突き刺します。この作業を正確に行えば、棒の影が、正午には必ず棒の真下に、そして午前6時と午後6時には、その左右にちょうど90度の位置に来るようになります。それ以外の時間に影がどの角度に来るかは、次の式を使って計算できます。ここで、lは緯度、hは時間です。

$$\text{angle} = \tan^{-1}(\sin l \times \tan h)$$

　過去に旅する前に、三角関数表を覚えてこなかったんですか？　大丈夫です。そんなことをするなんてまともじゃありませんし、三角関数表は補遺Eに記載してあるので、この計算が簡単にできるようになっています。

　しかし、ひとつ問題があります。ここまでいろいろ測定や計算をしてもらいましたが、それだけやっても、あなたの日時計は正確なものにはならないのです。もしも腕時計をお持ちで、それと比較できるようですと（そして、あなたにはぜひ時計を持っていてほしいな、と思います。というのも、時計をのぞきこんで、恐怖にとらわれるというのが、タイムトラベラーの美学における定番なのですから）、一年を通して日時計は約15分早くなったり遅くなったりすることにお気づきになるでしょう。でも、いい知らせがあります。こればかりはあなたのせいではありません。このような誤差は、あなたの日時計の作り方がまずかったから生じたのではないのです！

　誤差が生じるのは、太陽があなたにウソをついているからです。

　もっと正確に言うと、太陽があなたにウソをつく状況を地球がもたらしているのです。地球はふたつのことで、日時計を狂わせています。ひとつめは、地球が1年で太陽を回る軌道は、私たちが想像しがちな完璧な円ではないということです。実際には、地球の軌道はわずかに楕円になっており、太陽はその楕円の片側に寄ったところに位置しています。このように、軌道がどれだけ円から離れているかを「離心率」と言います。

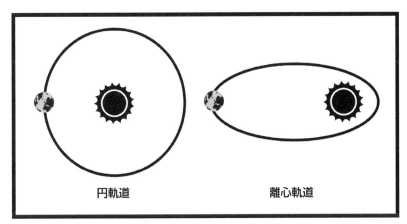

　　　　　　円軌道　　　　　　　　　　　　離心軌道

図25：円軌道と離心軌道。上の図は、説明のために強調されており、
実際にこのような楕円になっているわけではありませんのでご注意を。
たとえば、地球の離心軌道はここまで極端ではありませんし、
地球のサイズも、通常は数ミリメートルよりもっと大きいですし。

　離心軌道では、惑星は常に一定の速さで運動しているわけではなく、軌道が太陽に近づくと、より速くなり、遠ざかると、より遅くなります。[*]
地球の離心軌道では、完全な円軌道に比べ、太陽が空の同じ場所に現れるのが、最長で8分、早かったり遅かったりします。つまり、あなたの日時

---

[*]　この離心率自体が時の経過に伴って少し変化しており、約10万年の周期で変化しています。このように地球の軌道速度が変化すると、あなたが南北どちらの半球にいるかによって、夏または冬が長くなります。

計は、１年のあいだに、最長で８分も真の時間からずれてしまうことになります。

　もうひとつの要因は、地球の自転軸が斜めになっていることです。独楽のように、垂直方向にまっすぐ立って自転しているのではなく、実際には約23.5度垂直からずれて傾いて自転しています[*]。これは「自転軸の傾き」と呼ばれ、このため太陽は、１日の同じ時刻において、空に見える高さが、１年のあいだに、高くなったり低くなったりし、日時計に最長10分の誤差が生じます。離心軌道は太陽が示す見掛けの時間を１年周期で変化させ、自転軸の傾きは、半年周期で変化させます。グラフでまとめると、次のようになります。

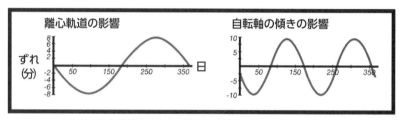

図26：離心軌道と自転軸の傾きの影響を別々に表したグラフ

　そのような次第で、一年のなかで、離心軌道の効果で数分がマイナスさ

---

* そして状況をさらに複雑にしているのが、この自転軸の傾きも時の経過に伴って変化しているということです。約41,000年の周期で22.1度から24.5度まで変化しています。自転軸の傾きが大きいほど、季節間の違いがより目立つようになり、冬の寒さと夏の暑さが厳しくなります。あなたが今いる時代の地球の自転軸の傾きを測定するには、地軸が太陽に向かって最も傾斜する６月の夏至（セクション10.12.3参照）まで待ち、この日に地面に棒を突き立てましょう。棒が完全に垂直であることを確かめてください。そのうえで、太陽が空の最も高い位置にあるときに、棒の影の長さを測ります。影の長さの逆タンジェントを取り（三角関数表はすべて補遺Eにあります）、それを棒の長さで割れば、角度が得られます。さあ、あともう少しです！　あとは、あなたの緯度を測るだけです（これもセクション10.12.3を参照）。あなたが北回帰線（太陽が年に一度夏至の日に真上に来る、地球上の北緯が一定の線。その緯度は地軸の傾斜角に等しく、22.1度から24.5度のあいだの値である）の北側にいるなら、あなたが測った値を自分のいる場所の緯度から引きます。あなたが赤道の南側にいるなら、測定値から緯度の値を引きます。そして、赤道と北回帰線のあいだにいるなら、緯度の値と測定値を足し合わせます。その結果得られた数が現在の地軸の傾斜角です！

れる一方、地軸の傾斜の効果で数分がプラスされる、等々の複合効果が起こっているわけです。このふたつのグラフを一体化すると、両者の複合効果の通年変化がわかり、あなたはそれにしたがって、日時計の見掛けの時間に調整を行えば、正確な時間が得られるというわけです[*]

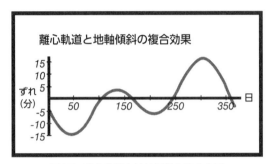

図27：離心軌道と地軸傾斜の複合効果

　もちろん、問題点はもうひとつあります。離心軌道も地軸傾斜も、時の経過に伴って少しずつ変化しますし、また地球自体、歳差運動をしています（つまり、独楽のようにゆっくり首振り運動をしているのです。セクション10.12.3を参照のこと）。そのため、この複合グラフを、あなたが今存在している時代に対して調整することなく適用すると、現代から100年遡るごとに、2、3秒のずれが起こってしまい、そのずれはみるみるうちに積み重なるでしょう。次に示す、これらの誤差要因が過去100万年のあいだにいかに変化したかのグラフ[30]の値を加味していくことで、図27のグラフ（現在の地球の離心軌道、地軸傾斜、歳差運動を使ったもの）を修正することができます。

---

[*]　この図は、歴史的に、「均時差」と呼ばれています。英語では「The Equation of Time」というとても印象的な言葉になりますが、ここでequationは、「ずれを調整すること」という中世の意味で使われています。残念ながら、あなたをここに運んできた「時間の方程式」という意味ではありませんので、あなたを元の時代に送り返すにはまったく役に立ちません。ですから、そろそろそんな幻想は捨て去ってください。私たちを信じてください。もっと楽な対処法があったなら、ここまでがんばって本書を書くわけないでしょう。

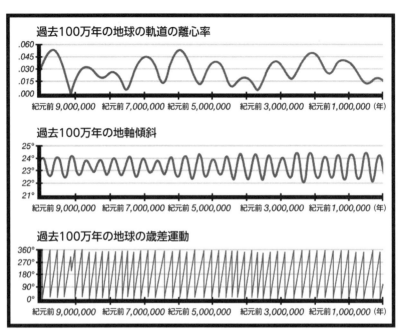

図28：100万年間の地球の運動のデータ。くねくねした線グラフで簡単に表示

　ですが、このあたりで申し上げたほうがいいと思うのですが、正確に今何時かをあなたが知る必要は実際にはなく、私たちがこれほど手間暇かけて修正しようとしていた15分のずれは、率直に言って、どうでもいいのです。

　時間を正確に計ることが重要になったのは、ここ数百年のことで、それも最初は、ただ海で経度を計算するだけのためでした。そんな必要はあなたにはまったくありません（「セクション10.12.3：緯度と経度」を参照のこと）。現代においてさえ、大多数の人間は、太陽が実際に告げている時刻ではなく、単なるその近似に従って生活しています。それがタイムゾーンです。大勢の人々が、地球上の広い領域にわたって、時間はひとつなのだというふりをすることで、それぞれの町が固有の少しずつ違う時間を使うことから生じる混乱を回避しているわけです。タイムゾーンが最初に使

われたのは1847年のことで（訳注：イギリスで鉄道網が国土の広範囲に及ぶようになり、路線上で共通の時間を使うことの必要性が高まった〔それまでは地方ごとの時間が使われていた〕ため、1847年に鉄道運賃交換所がグリニッジ標準時を採用し、翌年までにほぼすべての鉄道会社がこれを採用した。本書ではこれをタイムゾーンの始まりとしているようだ）、その数十年後、国際的なタイムゾーンが提案されました。さあ、あなたもタイムゾーンを発明しましょう。そうすれば、あなたの未調整日時計が示す近似的時間でうまく行くでしょうし、大量の数学の宿題も不要になるでしょう。

10.7.2：温度計と気圧計 ─────────────

雷が聞こえると、あなたは私を思い出し、「彼女は嵐を望んでいたなあ」と思うでしょう。

──あなた（アンナ・アフマートヴァ〔訳注：1889～1966年。ロシアの詩人〕も）

どのようなものか

熱（温度計）と圧力（気圧計）を測定するひとつの手段。

発明以前は

物がどれくらい熱いか、何度で煮えているか、そして、この先天気はどうなるかについては、当てずっぽうのようなものでした。*

---

* 温度計登場以前は、さまざまな温度測定法が台所で使われていました。最も素朴な方法は、かまどや暖炉の内側に手を差し込んで、どれだけ痛いかを見るというものでした。しかし、この方法には（明らかに、であってほしいです）欠点があります。1800年代のフランスでは、白い紙を使って温度を測っていました。かまどのなかに一定の時間入れたあとの紙の色を見て──瞬時に燃え尽きたりしないという前提のもとで──内部はどれくらいの熱さなのかを判断したのです。「こげ茶の熱さ」は、ペイストリーの艶出しをするのに最適で、それより少しだけ低温の「薄茶の熱さ」は、パイの皮に最適、そして「濃い黄色の熱さ」は大型ペイストリーに最適、そして最も低い「薄黄色の熱さ」は、メレンゲを焼くのに最適という具合です。

最初の発明

西暦1593年（水測温器）

西暦1643年（気圧計）

西暦1654年（アルコール温度計）

西暦1701年（温度尺度の概念）

西暦1714年（水銀温度計）

前もって必要なもの

ガラス、液体（水、アルコール、油、ワイン、水銀、尿——これらを始め、多くのものが用いられてきました）

発明の仕方

温度計も気圧計も、それらがなければ目には見えないものを測定するもので、どちらも水とガラスがあれば発明できます。温度計の場合、（たいていの）液体や気体は熱せられると膨張し、冷えると収縮するという性質を利用します。つまり、この膨張や収縮を測定することによって、温度を測定するわけです！

最初の温度計は、あなたが今日認識しているものとそれほど変わりません。一端が球状になった長いガラス管で、管の開いているほうの端を、球状部分がまだ熱いうちに、バケツまたは池の水に浸したものです。球状部分に入っている空気は、冷却するにつれて収縮し、管のなかに水を引き込みます。逆に暖められると膨張して、水を押し下げます。問題は、目盛りがないということでした。ですので、この装置があなたに告げられるのは、より暖かくなりつつあるのか、それとも寒くなりつつあるのかだけです。こういう装置は、温度計（温度を測る手段）ではなく、温度スコープ（温度を見る手段）でした。

あなたは人間の実績をもう十分よくご存じなので、驚かれないとは思いますが、温度スコープが発明されて100年以上が経過してようやく、それに固定した目盛りを付けることを誰かが思いついたのでした。ふたりの人物（アイザック・ニュートンとオーレ・レーマー）がついに、それぞれ

別々に1701年にこのことを思いつきました。しかしレーマーの目盛りのほうが優れていました。ニュートンが、温度の基準としていろいろと主観的なものを使った（たとえば「7月ごろの真昼の暑さ」ですが、「何考えてるんだよ、ニュートン？」と言いたくなりますね）のに対し、レーマーは自分の温度目盛りの基準として、少なくとも水の凝固点と沸点などの定数を使ったのです。[*]

　もうひとつ問題があります。温度スコープのなかの水は外の空気に接しているので、水も気圧の変化の影響を受け、その結果この発明は、実際には温度スコープと気圧計を組み合わせたもの、すなわち「温度気圧スコープ」になります。ガラスを密封すれば、気圧の影響はなくなるので、この問題は解決します。底の密封ガラス球には液体を満たし、一番上の密封ガラス球には空気が満たされている状態にすれば、気圧の変化の影響を受けない温度スコープを作ることができます。外側に目盛りを付ければ、温度計の完成です。ジャジャーン！

　だが、まだ問題がありまして。水は妙なもので、温度に比例して膨張・収縮しないのです。たいていのものと同じく、冷えるにつれ密度が高まりますが、4℃以下になると、水はじつは膨張するのです。氷が、水に沈まずにその上に浮かぶのはそのためです。氷は水より密度が低いのです。[**]おかげで水は温度計に使うには最善とは言えません。4℃と0℃のあいだ

---

[*]　何を基準に選んでも、温度目盛りを作ることはできます（ニュートンが気まぐれで使った、役に立たない基準に見るように）が、物理定数のほうが優れています。物理定数を基準にした目盛りなら、たとえあなたが、どういうわけか、気候が1701年のイギリスのそれとほぼ同じである地球上で、夏にアイザック・ニュートンの裏庭に行くことができないとしても、あなたの測定に一貫性と再現性が生まれますから。本書で使用している温度の摂氏目盛りを再現する方法は、セクション4を参照のこと。

[**]　これは、あなたの文明がその段階に達したなら、湖を使って建物を冷やすことができる理由でもあります！　水は約4℃（正確には3.98℃）に達すると、密度が最大になります。これはつまり、湖のなかの4℃でない水はすべて、4℃の水の上に浮かぶということですので、十分大きな湖の底の水は、常に4℃だと保証されているも同然です。夏場にこの水を、建物を通してくみ上げれば、再生可能かつ効率的なエアコンを発明することができるわけです。深さが50メートル以上で、赤道から十分離れており、4℃以上に熱せられることのない湖が最適です！

の測定値はずれてしまうでしょうし、0℃以下のものは何も測定できなくなります。なにしろ温度計が凍り付いてしまうのですから。現代の温度計は水銀を使います——水銀は熱とともに劇的に膨張し、かなり高温の357℃で沸騰し、−38℃まで凍りません——が、おそらくあなたは水銀はしばらくまったく入手できないでしょう。[*] アルコール（セクション10.2.5参照）は温度にもっと比例して膨張し、かなり低温の−115℃で凍りますが、たった78℃で沸騰するので、あまり都合がいいとは言えません。ですが、温度計は1本しか使えないなどということはありません。あなたは、低温に対してはアルコール温度計を使い、もっと高い温度に対しては水温度計を使うことができます。アルコールの沸点が低いことと、水の奇妙な性質の影響を緩和するために、ワイン——水とアルコールの美味しい混合物——が代替として長年使われています。

　というわけで、これが温度計です！　気圧計は、先ほど私たちがたまたま気圧計と温度計の組み合わせを作ってしまったときに見たように、基本的には温度計と同じなのです。中空の管を1本準備し、液体をそのなかに入れ、一端を密封して、密封していないほうの端を同じ液体に浸します。これで気圧計の完成です。空気の重さが、管の外側の液体を押し下げて、管の内部の液体が外に流れ出るのを防いでいるわけです。外部の空気の密度が高まると、管のなかの水は上昇し——気圧計はこの現象を使って気

---

[*]　水銀は、室温で液体である唯一の金属です。どうしても水銀が欲しいなら、辰砂（しんしゃ）という朱色の鉱物から抽出することができます。辰砂の鉱脈は、温泉の近くや、最近火山活動が起こった場所の近くでよく見つかります。人間には有毒なので、取扱いにはご注意ください！　辰砂から水銀を抽出するには、辰砂の石をできるだけ細かく砕き、加熱します。蒸留（セクション10.1.2）を使って、石から蒸発したものを回収し、凝結させます（水銀の沸点は357℃で、焚火でも達成可能です）。これで水銀が手に入ります！　毒性があるにもかかわらず、人間は紀元前8000年ごろから辰砂を採掘しています。ただし大昔は、顔料として使われていました。辰砂を細かく砕くと、鮮やかな赤の顔料になります。この色は朱色と呼ばれています。

[**]　人間たちが空気にも重さがあると気付いたのは、気圧計が発明されてからのことでした。それまでは、空気には重さがないと考えられていたのです。なにしろ、空気は浮きますからね。しかし、すべての物には重さがあり、空気というものも、重力で地球の表面に押し付けられているガスの層に過ぎないのです。はい、あなたをその同じ場所に押しとどめているのと同じ重力で。

圧を測るのです——、頂上が真空であるおかげで、水は自由に管の内部へと膨張します。ところでこの気圧計、液体として水銀を使う分にはうまく働きますが、液体として水を使うなら——水は入手するのははるかに簡単ですが、密度ははるかに低いので——、まっとうに働くようにするには、高さ約10.4メートルの管が必要になります。これより短ければ、外部の水が管内に水をとどめておくことができず、水はすべて外に流れ出てしまうでしょう。水を使って気圧を測定する、より賢明な方法が、次の図に示す、「ゲーテの気圧計」と呼ばれるものです。これは1800年代初頭にヨハン・ヴォルフガング・フォン・ゲーテという名前の人によって発明されたものですが、今、それがいつの時代であれ、あなたがいらっしゃる時代において、あなたの名前を持つ人間によって発明されようとしています。

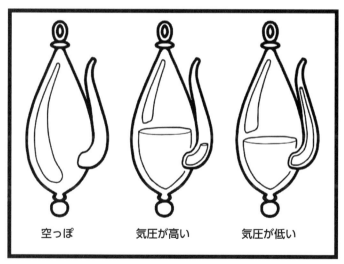

空っぽ　　　　気圧が高い　　　　気圧が低い

図29：ご覧ください、あなたの最新の発明品、優れた気圧計です。

これは、要するに、空気に対して開いた細長い口の付いたガラス容器で、

＊　水銀なら高さ約76センチメートルでいいのです。ずっと作りやすいでしょう、あなたの近くに、バシャバシャ音がするほど大量の水銀が存在しているとして、の話ですが！

その空気は容器の真上からずっと上空まで続いています。容器を寝かせた状態で、水を入れていきます。こうすることで、容器の内部の空気が占めていた場所に水を入れながら、押しやられた空気を外に逃がしてやり、内部に残る空気の圧力を、あなたが今いるところの大気圧と同じにすることができます。半分ほど水を満たしたら、容器を通常の向きに立てましょう。水はあなたの気圧計の底に落ち着き、現在の大気圧である空気は上部に閉じ込められます。外部の気圧は、細長い口の部分に示されるようになります。外部の気圧が、あなたが気圧計に水を入れたときよりも低ければ、細い口のなかの水は上昇します。なぜなら、気圧計の内部の空気は、それに比べると圧力が高くなりますから。同様に、外部の気圧が水封入時よりも高ければ、細い口の水は下降します。平均的な気圧の静穏な日に容器に水を封入すれば、その水が入っているかぎり働きつづける、素晴らしい気圧計になります。ただし、蒸発した分の水を補うため、ときどき細い口から水を足さなければなりません。*

　あなたが気圧計を使う一番の目的は天気を予測することなので、単位はまったく必要ありません。気圧が急激に下がるときは、雲、風、嵐が予測され、そして気圧が急激に上昇するときは、悪天候がまもなく終わるだろうというしるしです。どうです、あなたは今まさに、短期天気予報を発明したのです！　もっと長期の天気予報には、もっと複雑な技術が必要ですが、そのことであまり悩む必要はありません。地球の気象を長期的に予測することは、難しいのみならず、実際に不可能なのですから。大気全体に、針の先ほどの微小センサーを、地表から上空100キロメートルまで、１ミリメートル間隔の完璧な格子状にぎっしり並べ、それらが収集するすべてのデータを瞬時にコンピュータで処理したとしても、長期予報をしようという試みは、すぐに不正確になって破綻してしまうでしょう。１ミリメー

＊　維持すべき水位がわかるように、気圧計に線を引きましょう。水を着色しておくと、水位が読みやすくなります（顔料はセクション13で作ります）。あなたが使う液体は熱膨張するので、あなたの気圧計は、温度が変化すれば、同じ気圧でも水位が変化します。そのため、気温の変化が大きい場合には、気圧計の温度をコントロールして一定に保つか、温度変化を考慮して水位を読まなければなりません。

トルの誤差が１日以内に10キロメートルになり、そこからはたった２、３
週間で地球規模の不正確さになってしまうでしょう。長期の気象に関する
すべての疑問には、ただ「晴れて、ときどき雲が出る可能性があります」
と答えておくのが、はるかに安上がりで、しかも予報精度はほぼ同じだと、
きっとお気づきになることでしょう。

10.8 「人々から素敵だと思われたい」

　本書は、身だしなみやファッションのヒントそのものをご提案してはいませんが（ただ、あなたが自分をどんな人として見せ、何を着ることにするとしても、自信は常にあなたを魅力的にすると、私たちは思います）、カッコよく見せるのに必要な技術を発明する手順をお示ししています。これで、どんなスタイルを選ばれるにせよ、あなたのセンスの良さを、ゼロから再発明する機会が得られます。

　石けんは、いつも自分が一番よく見える（しかもいい匂いがする！）ようにする簡単な方法で、しかも、文明のなかに病気が蔓延するのを防ぎ、感染の危険を劇的に低減するという副次的効果もありますので、とてもいいです。**ボタン**は、体にフィットする衣服を作る、ささやかな手段ですが、それでも人間たちは、これに気づくのに数千年もかかってしまいました。また、動物の皮を丈夫で身を守るのにも使える革に変えるためには、**鞣し**という技術が使えます。これは、衣服、ブーツ、水筒などを作る際に便利です。そして最後に、**紡ぎ車**は、天然繊維を糸に変えますが、その糸を織って、質素な麻袋から、最高級生糸を使ったきらびやかな日本の着物まで、布や衣服を作ることができます。あなたの文明は、文字通りこれらのすべてを手に入れることができるのです。

　なにしろ……あなたは過去に足止めされてしまったわけではありますが、それは、カッコよく見えるようにしない言い訳にはなりません。

10.8.1：石けん

物事は、あなたがそれを愛するなら、美しい。

　　　——あなた（ジャン・アヌイ〔訳注：1910〜1987年。フランスの
　　　　作家〕も）

どのようなものか

「その泥、落としてきなさい」の意味と、「病気の細菌原因説のおかげで、

見かけはきれいな肌にも有害な細菌が付いているってことはみんな知って
るわよ。だから、口に手を入れる前に、石けんと水で汚い手を洗いなさ
い」の意味の両方で、あなたを清潔に保つ物質。

発明以前は

　洗うこと、入浴すること、細菌を回避すること、そして、清潔な状態を
維持すること全般が、はるかに困難でした。なぜなら、油脂をはがして水
に混ぜて流してしまうことを可能にする物質がなかったわけですから。し
かし、よかったこともあって、それは、あなたがおじいさん・おばあさん
の家に行って、好きなだけ下品な言葉を使っても、おじいさん・おばあさ
んは、「お前の口を○○で洗ってきなさい！」と言ってたしなめることが
できなかったことです（訳注：英語で、卑語をたしなめるときに、「口を
石けんで洗ってきなさい」という意味で、wash your mouth out with
soapと言う）。

最初の発明

　紀元前2800年

前もって必要なもの

　素朴な、あまり上等ではない石けんには、オリーブオイルと石灰（補遺
C.3参照）；少し上等な石けんには、ポタシュ（炭酸カリ）またはソーダ
灰、塩；上等な石けんには「灰汁」

発明の仕方

「オリーブオイル＋石灰」の"石けん"（上記の「あまり上等ではない石
けん」）は、一番簡単に作れます。オリーブオイルと石灰（石灰がなけれ
ば砂）を混ぜて、きれいにしたいところ全体にこすりつけて、その後、
こすって落とします。これじゃあ、石けんというより「潤滑油」だよ、と言
われるとそうなのですが、古代文明では、肌を清潔に保つ一助に使われて

いました。肌以外には、あまり役立たないのは明らかです。布をきれいにするのに、油と砂の混合物をこすりつけても、せいぜい「最小限の効率」しかありません。

　本物の石けんを作るには、ポタシュ、ソーダ灰、または「灰汁」（訳注：植物の灰を水に浸してできた上澄み液）が必要です。これらはアルカリですが、補遺Cを見れば簡単に作ることができます。原子のレベルの話をしますと、アルカリは、陽子を提供してくれる相手なら、喜んでその陽子を受け取る物質です。陽子を提供する物質である酸とは、逆です。＊このアルカリを油や脂肪と結びつけると、なかなかいいことが起こります。つまり、「鹸化」と呼ばれる化学反応が起こるのです。鹸化のプロセスでは、油脂がアルカリと化学的に結びつき、新しい分子――細長い鎖状の炭化水素＊＊――を形成するのです。これらの鎖には、すばらしい（そしてあなたにとっては非常に都合のいい）性質があります。一端が水と結びつきやすく油を嫌うのに対し、反対側の端が水を嫌い油脂と結びつきやすいのです。＊＊＊

　油と水が互いに反発しあうことは、あなたもおそらくすでにご存じでし

＊　そして、酸が極めて強い酸性を示す場合があるのと同様、アルカリも極めて強い塩基性を示す場合があります。極めて強い酸性または塩基性を示す物質は、近くに置いておくと危険です。というのも、どちらもあなたの（化学的には、より中性的な）肉体と反応するからです。酸は、酸っぱい味がし、皮膚が焼かれるような感じがすることが多いのに対し、塩基は苦く、ぬるぬるした感じがします。しかし、酸や塩基を体じゅうに塗り付け、なめて味を確認するのは、ほんとうに危険なので、酸を確認するには、数滴を、何かの炭酸塩（補遺C参照）に垂らしましょう。酸なら反応を起こし、泡を立てながら二酸化炭素ガスを発生するでしょう。塩基の確認には、脂肪と混ぜ、反応を待ちます。言い換えれば、それを使って石けんを作れるかどうかを見るのです。まさに今、あなたがやろうとしていることですね。

＊＊　鎖状の炭化水素がどのようなものか、あなたがご存じないとしても、どうということはありません。小さな毛虫を想像していただければ結構です。毛虫がどのようなものかご存じない場合は、モジャモジャした毛で覆われた可愛いミミズを想像してください。そして、ミミズがどんな姿なのかご存じない場合は、残念ですが、あなたは本書の範囲を超えた問題を抱えていると、申し上げるほかありません。

＊＊＊　炭化水素が実際に「好き」や「嫌い」という感情を経験することはあり得ませんが、「水を好む」や「油を嫌う」などの表現は、正式な科学用語の「親水性」（水をひきつける）や「疎油性」（油をはじく）よりもわかりやすいので使っています。

ょう。油でべとべとのなべに水を入れ（あるいは、あなたの脂ぎった肌の上に油を垂らし）てみると、何が起こるかを見ることができます。油（または脂肪）は、水の底に押しつけられるか、または、水の上に浮かび、決して水とは混ざりません。油を除去するのに水があまり役立たないのはそのためで、そもそも、私たちが（そして今、あなたも）石けんを発明しようと思ったのもそのためでした。

　あなたが鹼化した物質（すなわち、あなたの石けん）が油脂に出会うと、鹼化物質の炭化水素の鎖は、親油性の端で油脂を囲み、見つけたすべての油脂の周囲を包んで、小さな球を作ります。鎖分子の親油性の端が油脂に結合するので、親水性の端が外を向き、油脂は親水性の殻で外側全体を覆われることになります（訳注：この殻のような構造をミセルと呼ぶ）。こうして油脂は水に溶けるようになり、何の表面にこびりついていたのであれ、そこから浮き上がり、簡単に洗い流せるようになります。この親水性の殻は、次のような姿をしています。

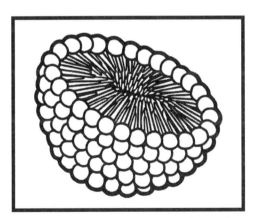

図30：ミセル構造を作った、炭化水素の鎖分子の集団。
このおかげで石けんが機能します。

　これであなたは、石けんがどうしてうまく油を落とすのか、詳しく説明することができます——石けんの働きを理解することなく、数千年にわた

って石けんを作り、使ってきた人類より、あなたははるかに早く進歩しているわけです——さて、いよいよこれからその作り方をご紹介します！

　最も簡単な石けんは、ポタシュ（炭酸カリウム）とソーダ灰（それぞれ補遺C.5とC.6参照）で作ります。煮立っている油の入ったなべに入れて混ぜればいいだけです。油としては、あなたが食べている動物（種類は不問）から取ったものを使いますが、最初に、必ず「レンダリング」という、ちょっといやなにおいがする作業をやって、動物の油から不純物を取り除いてください。それにはこうします。集めた油脂を細かく切断し、なべのなかに入れ、同じ量の水を加えて沸騰させます。油脂は融け、お湯に混ざります。油脂がすべて融けたら、さらに水を加え（最初と同じくらいの量）、なべごと一晩冷やしましょう。油脂は水の表面に浮かび——ここでは、油と水は混ざらないという事実を、私たちに役立つように利用しているわけです——、不純物は底に沈みます。純化された油脂の最上層を、これから使うのです。

　それをすくい取り、別のなべに入れて再び煮立たせ、ポタシュまたはソーダ灰を加えます。よく混ざるまでかき混ぜましょう。ただし、この作業は実際、数時間かかります。さて、次のステップには選択肢がふたつあります。（１）なべの中身を、そのまま放置して冷えるに任せる方法。この場合、液体から、柔らかくゼリーのような茶色の石けんができます。（２）なべに塩を少々入れて、放置して自然に冷却させます。すると、液体のなかから、小さな石けんの塊がたくさん固化し、液体の表面で凝結します。この場合、より硬く、より純粋な石けんができ、これは保存にもより適しています。この硬い石けんを再び水に入れて煮て、塩を加えて再度固化させることで、より一層純度の高い石けんを作ることができます。

　最高の石けんを作るには、ポタシュやソーダ灰ではなく、灰汁を使います。灰汁は塩基性が一層高いので、これを使えば一段と効果の高い石けんができます。難しいのは、灰汁の濃度が最適かどうかをいかに判断するかですが、歴史的に、石けん作りをする人たちは、「そのなかで、卵またはジャガイモが浮くかどうか」を濃度のおおまかな目安にしてきました。灰

汁を薄めるには水を加え、濃くするには煮詰めましょう。これですべてです！　石けんの説明は終わりです！　これであなたは、石けんマスターです！

　石けんがあれば、あなたとあなたの文明は、石けんがないときに比べはるかに効果的に、感染と病気を防ぐことができます。あなたはまた、これを正しい順序に発明したという優位性に立っています。つまり、歴史のなかでは普通、「バクテリアがびっしり付いた手は、石けんと水で洗ってから、ほかの人間の体内に突っ込んだほうがいい」[*]と人間たちが気づく前に、手術が発明されるからです。ですからあなたは、とても順調にやっておられるのです。究極の清潔さを求めるなら、アルコール（セクション10.2.5）を使いましょう。アルコールも殺菌効果があり、石けんで洗ったあとに使うと、医師たちが必要とする、手術水準の殺菌消毒が可能です。

10.8.2：ボタン

おしゃれな服を着ていたら、いい人になるのはずっとずっと簡単だわ。
　　　　——あなた（L・M・モンゴメリ〔訳注：1874～1942年。『赤毛のアン』で有名なカナダの作家〕も）

---

[*]　この考え方は、1847年にセンメルヴェイス・イグナーツ医師によって提唱されました。彼が勤めていた病院には産科がふたつありました。一方では助産師だけが勤務し、もう一方では医学生が出産時に助手をしていましたが、医学生たちは死体の解剖を行った直後に、手を洗うことなく出産に立ち会っていました。医学生が学ぶ産科では、出産後に30パーセントもの母親たちが腟腔にひどい感染症を生じて死亡する（一方、助産師のみの産科では、死者は約5パーセント）ということを突き止めたセンメルヴェイス医師は、手洗い法を導入しました。すると、両方の産科で、感染症による死亡率が1パーセントにまで低下したのです。しかし当時は、病気の原因は患者ごとに違うと考えられており、手洗いだけで病気を防ぐことができるという考え方は極論と見なされました。病院から解雇されたセンメルヴェイスは、他の医者たちに手紙を書き、手を洗うよう促しましたが、それが受け入れられなかったため、今度は、彼らを殺人者と非難する手紙を新たに書きました。このような行為により、彼は1865年に精神病院に収容され、14日後に、衛兵に殴られた際にできた傷が感染したことがもとで亡くなりました。清潔さが感染を阻止できるという考え方がようやく受け入れられたのは、彼の死後20年経ってのことでした——そのとき、細菌が感染症の原因だと、ついに明らかになったのです。そして今日、深く根付いた信念に矛盾する情報を、ほとんど反射的に即座に拒否する人間の傾向は、センメルヴェイス反射と呼ばれています。

どのようなものか

　衣服を閉じて留めるため、あるいは、物と物を一時的に一緒に留めておくための手段。おしゃれのためにも使います！

発明以前は

　衣服は紐で閉じるか、さもなければ、頭を通して脱ぎ着するほかないため、だぶだぶで形のはっきりしないものでした。

最初の発明

　紀元前2800年（装飾として）

　西暦1800年（留め具として）

前もって必要なもの

　糸

発明の仕方

　ボタンは、任意の硬い材料（木や貝殻が使いやすい）を取ってきて、あそびを持たせて衣服の一部に付けるものです。その次に――これが大事なところです――、あなたが閉じたい、その衣服の別の部分に、穴を開けます（あらかじめ布を織ったり編んだりする際に、穴になるような織り方・編み方をするか、単純に布に切れ目を作るなどの方法があります）。こうすれば、その穴にボタンを通すことができるようになり、衣服を留めて閉じることができます。

　ボタンがどのように働くかは、ご存じですよね。これは説明の必要もないでしょう。ボタンは、私たちが成し遂げたなかで最も単純で実用的な発明です……それにもかかわらず、ボタンがいかに働くかを明らかにするのに、人類は4000年以上かかってしまいました。

　紀元前2800年以来、ボタンは「カッコよく見えるように、衣服に付ける、素敵な貝殻」として使われてきました。そして、ようやく西暦1200年ごろ

になって、ドイツでついに誰かが、ボタンにも実用的な目的があることに気づきました。ボタンが装飾として縫い付けられたシャツを着て、自分たちはとてもカッコよく見えると思いながら歩き回っていたこの数千年間、彼らは実際には、ボタンがどのように機能するかを知ってすらいない大バカ者みたいなものだったのです。

ボタンは、人間の歴史のなかで、いつ発明されていてもおかしくなかったのです。数千年のあいだずっと、前チャックを下ろしたままで歩き回るのと同じようなことを文化の面でやらかさないよう、人類を救ってください。今すぐボタンを発明しましょう。

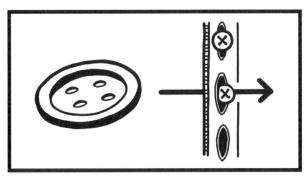

図31：ボタン。さあ、もう言い訳はできませんよ。

10.8.3：皮を鞣す

私が12か13だったころ、父が教えてくれた、とても大切な話を覚えています。父は、「あのね、今日パパは、継ぎ目を完璧に溶接できたんで、そこに自分の名前をサインしたんだ」。私は、「でもパパ、誰にも見えないじゃない！」と言いました。すると父は、「そうだよ、でも、パパにはそこにあるってわかってるから」。

——あなた（トニ・モリスン〔訳注：1931～2019年。アメリカの作家〕も）

どのようなものか

動物の皮を、腐らない豪華な「コリンシアン・レザー」（訳注：1970年代にクライスラー社が高級車の広告で内装の豪華さをアピールするために広告代理店に作らせた架空の高級皮革の名称。ぜいたくや豪華さを売り物にする商品やサービスの広告で一時期多用された）に変える手段。

発明以前は

動物の皮は、割れるし、臭いし、腐るし、着心地は良くありませんでした。おまけに、クールなレザー・ジャケットはありませんでした。

最初の発明

紀元前7000年

前もって必要なもの

木（タンニンを取るため）、家畜の飼育（オプションですが、皮の安定な供給源になります）、塩（オプション）

発明の仕方

あなたはこんなふうに思っておられるかもしれません。「あーあ、過去に足止めくらっちまったよ。ってことは、ライオンをしとめて、皮をはぎ、その頭を自分の頭の上に載せて、帽子みたいにできるんだぜ」と。これはうまくないアイデアです。鞣さないと、動物の皮はすぐに腐り、乾燥させた皮でさえ、堅くなって、しなやかでなくなり、もろくなります。鞣すことで、このような皮をレザー（革）にすることができます。革は非常に腐敗しにくく、紀元前3500年の革靴が現代まで良好な状態で保存されているほどです。これはあなたも何としても手に入れたいものですが、動物の皮を鞣すための準備には、皮の発酵のみならず、皮を尿に浸し、ペースト状の糞のなかで揉む作業もありますので、鞣し場は風下に設置するのがいいでしょう。

　動物を殺したらすぐに、皮を平らに寝かせて、肉の付いている側を塩または砂で覆います。これによって、肉はすっかり乾燥し、ほとんどパリパリになり、鞣し場まで運びやすくなります。鞣し場では、皮を水に浸します。こうすることで、汚れと血糊が落ち、皮が再び柔らかくなります。皮をこすり、残っていた肉をすべて取り去ったあと、尿に浸します——このプロセスにより、毛根を発酵させて、毛が抜けやすくなったところで、毛をこそぎ落とします。先に触れた糞ペーストを作るために、糞と水を混ぜ、皮をそこに浸けましょう。糞に含まれる酵素が皮を発酵させ、柔らかくし、柔軟性を高めます。糞ペーストのなかに立って、足で皮をもむように踏むと、このプロセスを促進することができます——自分はブドウ酒を作るためにブドウを踏みつぶしているのだと、自分に言い聞かせ続けましょう——が、終了後には忘れずに、石けんと水で体をよく洗ってください。あるいは、もっといいのは、人間以外の動力（水車など）を使い、あなたに代わって皮をもませることです。

　これだけのことをすっかりやり終えたら、ふたつのことが起こっているはずです。まず、あなたが手をかけている動物の皮は、柔らかく、しなやかになり、すぐに鞣せる状態になっているでしょう。そして、誰もあなたに近づきたがらないでしょう（訳注：ここに紹介されている方法は、手近に使える物資が限られている状態で、過去に足止めを食らったタイムトラベラーが実施しやすいとガイドの著者が考えたものであり、日本の現在の皮鞣し業では用いられてはいない）。

　これらの皮を鞣すには、「タンニン」を集めなければなりません。タンニンの名称は、「鞣す」を意味する英語「タン（tan）」から来ています。じつに適切な命名ですが、タンニンは、こちらも非常に適切な名称である、「タンニン酸」という物質を含む、さまざまな木から取ります。オーク、栗、アメリカツガ、そしてマングローブの木などは、樹皮にタンニンを多

＊　5章で見たように、今、私たちは農場主——世界を食い尽くす者——になっています。あなたは病気の感染を最小限に抑えるために、人間のウンチではなく、動物のウンチを使用したいと思うでしょう。

く含み、また、杉、セコイア、その他さまざまな木は、木材にタンニンを多く含んでいます。タンニンは茶色なので、樹皮ではなく木材を使うなら、赤または茶色の木を探してください。また、一般に広葉樹のほうが針葉樹よりも多くのタンニンを含むことを覚えておくといいでしょう。タンニンを抽出するには、木材または樹皮を細かく切断し、お湯で数時間煮ます。すでにタンニンがある程度抽出できているなら、水に重曹（補遺C.6参照）を加えると、塩基性が強まり、さらにタンニンを効率よく抽出できます。同じ樹皮を使って、このプロセスを数回繰り返すことで、徐々に薄いタンニン溶液を作ることができます。

　これらのことをすべて終えたら、いよいよ鞣しのプロセスに入りますが、実際、それは全工程のなかで一番簡単です。動物の皮を平らに延ばし、あなたが作ったタンニン溶液に、薄い液から順番に、数週間かけて浸けていきます。このプロセスのあいだに、皮に含まれる水分がタンニンに置き換わり、皮のタンパク質構造を次第に変え、皮はよりしなやかに、腐りにくく、そして耐水性を持つようになっていきます。そして、これがすべてです。あなたは革を作ったのです！　革は、クールなジャケットを作れるだけではありません。靴、ブーツ（両者は、完全に革だけで作れます）、馬具、ボート、水筒（革は、水を漏らしませんし、陶器のように落として割れることもありません）、鞭（おもしろ情報：鞭を打つときの音は、じつは、鞭の先端が音速を超えるときに起こる小さなソニックブームです。したがって、理屈の上では、あなたは既に超音速技術を発明しているわけです）、そして防具にも使えます。

　皮を準備したものの、まだ鞣していない状態なら、それは生皮と呼ばれます。生皮は、水分を含んでいるときは柔らかいですが、乾燥すると堅くなって縮むという便利な性質があります。この性質は、何かを縛るのに利用できます。棒に刃を付けて斧を作るには、濡れた生皮の紐をきっちりと棒と刃の周りに巻き付け、乾燥させるだけでいいのです。あなたの飼い犬（私たちは、あなたが既に飼い始めているとの仮定でお話しています。今すぐセクション8.6をご覧ください）の美味しいおやつになるだけでなく、

生皮は太鼓の皮、ランプの傘、初歩的なホースシューズを作るのにも適しており、ギプスにも昔から使われています。しかし、ギプスを作る場合、縮むことを考慮に入れて、ゆとりを持たせて作りましょう。きつ過ぎる生皮で手足を包むことが、拷問に使われてきた歴史があるのです。そうです、生皮が手足の周りで収縮しても、骨が折れるほどの圧力は生じませんが、骨が通常とは異なる位置に移動してしまうに十分な圧力が生じます。

　ともかく、革と生皮の面白さを味わい、そのテクノロジーを存分に楽しみ、水で薄めた排泄物のなかであなたがしぶきをあげて作業していたことは、なるべく忘れるように努力してください（287ページの訳注参照のこと）。

10. 8. 4：紡ぎ車

　紡ぎ車は、それ自体がひとつの精巧な機械だ。

その名もなき発明者への敬意に、私は日々頭を垂れる。

>　　　——あなた（マハトマ・ガンディー〔訳注：1869～1948年。インドの政治指導者〕も）

どのようなものか

　物理学を利用して、天然繊維（羊毛、木綿、麻、亜麻、絹）を、手だけで行うより10倍から100倍も効率よく糸にする機械。

発明以前は

　ドロップ・スピンドル（下側に錘、上側にフックが付いた棒）が使われていました。フックを羊毛につなぎ、手でゆっくりと羊毛を引き出しながら、空中で棒を回転させます。糸ができるにつれ、棒を自然に落下させるわけですが、この方法は途方もなく長い時間がかかります。ドロップ・スピンドルが発明される前は、羊毛を手でねじって回転させ、糸の形に紡いでいましたが、この作業は一層時間がかかりました！

最初の発明

紀元前8000年（ドロップ・スピンドル）

西暦500年（紡ぎ車）

西暦1500年代（ペダル、すなわち、足踏みポンプと、フライヤー）

前もって必要なもの

ホイール、木、天然繊維（というわけで、植物の育種または動物の牧畜が行いやすいように、農牧業を行うようお勧めします）。

発明の仕方

ここでは時間を浪費しないことにしましょう。あなたの文明は、手やドロップ・スピンドルを使ってウールを紡いでいた何千年もの時間を跳び越えて、いきなり最終段階に入るのです。完全に近代的な紡ぎ車を作りましょう。これがあれば、はるかに効率的に糸を作ることができます。糸がたくさんあれば、「糸だけから布を作り、いつも死んだ動物の皮ばかり着ていなくてもよくなる」などの、すぐに思いつくことが可能になるのみならず、次に挙げるような意外な恩恵にもあずかることができます。

・大騒ぎしなくても、傷口を縫い合わせることができるようになります。

・温めた蠟や油脂に糸の一端を浸し、ロウソクを作ることができます。

・釣り糸を発明し、魚を簡単に捕ることができます。

・網を発明し、釣りとは違う方法でも簡単に魚が捕れるようになりますし、鳥もつかまえられます。

・キルティングの鎧（訳注：ギャンベゾンと呼ばれる、中世のキルティング製の防御ジャケットをイメージしていると思われる）が発明できます。これは、こん棒の衝撃を和らげるには最適ですが、刀が発明されれば、まったく役に立たなくなります。

・飛ぶ（セクション10.12.6参照）。

　ここでは、あなたはウールを使っておられると想定しています——ウールは、天然繊維では最も入手しやすいですから——が、どんな繊維でも同じ原理が当てはまります。ウールを紡げる状態にするには、まず、塩水のなかで洗い、付着した油脂をすべて取り去り、次に櫛で梳きます。櫛を通すことで、ウールの繊維が一定方向にそろうほか、塊があればそれをほぐすことができます。全体が膨らんで、フワフワの繊維玉ができます。この状態になれば、紡ぐ準備完了です。[*]

　基本的な考え方は、シリンダー（「ボビン」と呼ばれます）を回転させて、ウールを引き出し、それを撚って糸にする、ということです。ウールを効率的に引き出すには、ボビンの回転が非常に速くなければならないので、ボビンを、ベルトを介して、もっと大きなホイール——「弾み車」と呼ばれています——につなぎます。大きなホイールの回転が小さなホイールの回転とつながっているとき、小さなホイールは、遅れないように、大きなホイールより速く回転しなければなりません。ボビンの太さを均一にせず、太さが違う部分を数カ所作っておくと、ベルトを接続する部分の太さを選ぶことによって、ベルトから見て、相手のホイールのサイズを選ぶことができるようになります。そうすれば、回転速度も選べます。

　大きな弾み車を回すには、自分の手を使ってもいいのですが——人間は数千年にわたってそうしてきました——、あなたはおそらく、その段階は

＊　絹は櫛を通す必要はありません。すでに糸の形をしていますから！　紡ぎ車、カイコ、そしてトウグワの木（セクション7.26参照）をお持ちなら、あなたには産業規模で絹を生産するために必要なものがそろっていることになります。まず、トウグワの木を育て、5年以上育ってきた木から葉を取ります。藁で作ったカイコのベッドの上にトウグワの葉を広げ、35日間にわたり、カイコたちに好物の葉を食べさせます。カイコたちが自分の繭を完成させたら、繭を沸騰しているお湯のなかに入れて、なかにいるカイコを殺します。これで繭が解体できる状態になりました。それぞれの繭は、1本の絹の糸からできていて、糸としての長さは1300メートルに達するものもあります。こうした繭からの糸を数本集め、あなたの紡ぎ車で1本に紡ぐことができます。1枚のブラウスを作るのに十分な絹を得るには、約630個の繭が必要ですので、裸でいないようにするための安価な手段とは、決して言えませんが、これは素敵な衣類製造法です！　絹の生産の秘密が、紀元前200年ごろ中国から漏れるまでは、この脚注に記された情報だけでも数十億ドルの価値がありました。

飛ばして、ペダルを発明するのがいいでしょう。ペダルは、片足で弾み車に動力を与えられる単純な木の板で、両手が自由になります。床に棒を一本寝かせた上に、足で踏める高さに、ペダルになる木の板を1枚載せ、棒をもう1本使って、この板を弾み車のスポークの1本に接続します。この状態で弾み車を回転させると、木の板は上下運動をします――というわけで、逆に、この板を足でリズミカルに上下運動させれば、弾み車が回転します。一段とカッコよくしたければ、ペダルを2枚にするといいでしょう。こうすれば、両足で回すことができます。それぞれのペダルを、弾み車の回転面の反対側に接続すると、自転車のペダルと同様に機能します。

この時点で、あなたの紡ぎ車は、人類が一千年間使ってきた、最低限の目的を満たす道具でしかありません。始動させるには、ウールの一部を手で糸の形にし、その糸をボビンに結び付けます。糸を片手でしっかり握り、もう一方の手で、ウールの玉から少しずつウールを引き出し、細い繊維の束になるように伸ばします。素晴らしい道具ではありますが、完璧とは言えません。撚った糸は強くなりますが、この設定で可能な最大の撚りは、紡ぎ車にウールを送り込む際に、角度を付けてウールを保持する場合に可能な撚りに比べれば微々たるものです。もっと撚りをかけるためには、最後にもうひとつ発明を加えなければなりません。それがフライヤーです。

フライヤーは、U字型をしたシンプルな木製の部品で、ボビンの周りで自由に回転することができるものです。U字の左右の翼部分に、フックが多数付いており、ボビンのどの位置に糸を巻き取るかを調整することができます。ボビンが回転し、ウールを引き込むにつれ、フライヤーも一緒に、まったく同じスピードで回転します。あなたは、このフライヤーの回転のスピードを変えればいいのです。そのためには、フライヤーにブレーキを付ける（フライヤーの柄にベルトを巻き付け、巻き付けの強度を調節することで張力を変える）か、フライヤーに独立した駆動ベルトを取り付け、異なるスピードで回転させるといいでしょう。フライヤーとボビンの回転速度がずれてくると、ウールは、撚りがかかった状態に紡がれるようになります。フライヤーは、レオナルド・ダ・ヴィンチが思いつき、彼の存命

中に実際に作製された数少ない発明のひとつです。そして今あなたは、フライヤーを彼が生まれてすらいないうちに発明することで、彼よりひとつ優_{まさ}ろうとしているのです！[*]

十分な長さの糸が2本できたら、同じ紡ぎ車を使って、この2本をねじり合わせて、より強度の高い「撚り糸」を作ることができます。この2本が作られたときの撚りの向きと逆向きに撚りをかけながら2本を合わせて紡げば、自然に撚りがほどけない向きに絡み合って固定されます。このプロセスは際限なく繰り返すことができ、撚り糸からロープ、そして、文明全体を支える産業用ケーブルまで作ることができるのです。このすべてが、あなたの小さな紡ぎ車のおかげです。

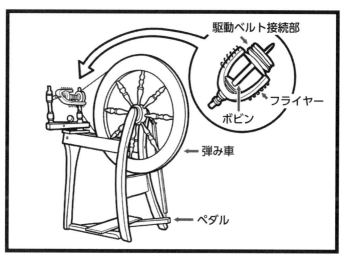

図32：紡ぎ車とフライヤー

＊ ここで私たちは、あなたがレオナルドが生きていた、西暦1452～1519年よりも前の時代にいると仮定しています。しかし、あなたがルネサンスの時代に足止めを食らっているなら、これまでに私たちが行ったタイムマシン実験が注目すべき成功を収めているのをお知らせしておきます。レオナルドにこのガイドブックのコピーを一部こっそり渡し、ここに書かれた情報を教えてしまうのです。彼はこれに大喜びで賛成してくれています。

10.9 「いいセックスがしたい」

　多くの人にとって、セックスはとても素敵な生活の一部であり、また、新たに人間を作り出す唯一の方法であるため、セックスは個人の生活と、文明全体の両方に、大きな影響を及ぼします。避妊は、あなたの文明に属する人々が、自分の家族と生活を計画的に形成するのに役立ちます。人々が子どもを持つことに決めたなら、産科鉗子と保育器が、あなたの文明の最も若く最も貴重なメンバーが、最も弱い瞬間、すなわち、出産時とその直後に生き延びるのを助けます。

10.9.1：避妊

　二度語られたラブ・ストーリーなどありません。世界が始まる最初の朝のように新しく感じられない、恋人たちの物語など、私は聞いたことがありません。

　　　　──あなた（エリナー・ファージョン〔訳注：1881～1965年。イギリスの児童文学者〕も）

どのようなものか

　無計画に家族が始まってしまうのを避けて家族を計画し、女性も男性も今後の人生を自分たちで決定し、計画外の望まぬ子育てのために過酷な状況に陥るのを回避するための手段。

発明以前は

　セックスしたら、子どもができてしまう可能性がありますが、もしもそうなったなら、それであなたの人生が決まり、あなたは親になります。おめでとうございます。いろいろな計画については、残念でしたね。

最初の発明

　紀元前1500年代（物理的な障壁）

西暦1855年（最初のゴム製コンドーム）

西暦1950年代（経口避妊薬）

前もって必要なもの

ありません

発明の仕方

物理的なかたちの避妊の、最初期の試み——これは、最初期の有効な避妊という意味ではありません——は、非常に基本的なものでした。古代エジプト*の女性**は、ハチミツ、アカシアの葉、そして糸くずを混ぜたものを、精子に対する物理的障壁として、セックスの前に挿入しました。これは意外にも、ある程度有効でした。アカシアが、殺精子作用を持つ乳酸を生じたからです***。それが入手できなければ、女性たちは障壁の代替品として、ワニの糞を使うよう勧められました。アカシアの葉とは対照的に、これは印象どおり、役に立ちませんでした。アジアでは、油を染み込ませた円形の紙が初期のペッサリーとして挿入されていました——これは、「女性が受け身で、動かずにただ横たわっているなら、妊娠することはない」（紀元前1100年ごろの中国）や「女性が猫の睾丸かアスパラガス、あるいはその両方を装身具として身に着けていれば、妊娠しない」（ギリシ

---

* 古代エジプト、ギリシア、ローマをはじめ、多くの古代文明においては、避妊は普通女性だけの責任でした。もっとちゃんとやりましょうね！

** このセクションをはじめ、本書では、「膣を持っている人々」の省略表現として「女性」を、そして「陰茎を持っている人々」の省略表現として「男性」という言葉をそれぞれ使います。もちろん、すべての女性が膣を持っているわけではなく、また、膣を持っているすべての人が女性ではありません。しかし、私たちの言語はこのようなものなので。もう少しうまくできていてもいいとは思いますが。

*** アカシアは、小さな明るい黄色の花と複葉がシダのように一本の茎に多数付く、木または低木。紀元前2000年ごろに出現し、オーストラリアとアフリカを原産とします。あなたは、身近なところでアカシアを見たかどうかはっきりしないのですか？ ならば、この方法を。人間の精子は、顕微鏡（セクション10.4.3）でも観察できるくらい十分大きいので、さまざまな植物を試し、殺精子能力のあるものを見つければいいのです。精子は死んではじめて鞭毛の動きを止めるので、この性質を指標にしてください。

アで西暦200年にもなって）、そして「女性が男性の尿を飲むか、あるいは
カエルの口のなかに３度唾を吐くと、妊娠しない」（西暦1200年のヨーロ
ッパ）などの、流布していた生殖にまつわる迷信よりは、少なくとも有効
でした。ローマ帝国でも女性が挿入していた物理的な障壁があったのです
が、帝国が西暦476年ごろに滅亡した際に、この技術に関する知識も失わ
れてしまいました（セクション10.10.1のコンクリートと同様）が、西暦
1400年代になって復活しました。

　初期に試みられた男性側の避妊法も存在し、陰茎をレモン果汁またはタ
マネギの汁に浸ける、もしくは、タバコのヤニを塗る（西暦1000年、ヨー
ロッパ）などの方法がありました。この考え方は、じつは2010年代に、
「陰茎の先端にシールを貼って、一時的に封をして塞ぐ」というかたちで
復活しました。誤解のないように申し上げますが、こういった方法は、ど
れも使い物になりません。コンドームは、麻、絹、あるいは、動物の腸か
ら作ることができますが、これらの素材は、あなたが使い慣れているもの
ほどの有効性はありません。これらの素材はラテックスに比べ穴が多く、
使ったとしても精子がある程度通過してしまうのです。

　残念ながら、あなたが覚えておられる有効な避妊法は、化学変化（経口
避妊薬など）または、強力でしなやかで液体を通さない障壁（ラテックス
製コンドームなど）によるもので、そのどちらも、あなたには今後当分の
間入手不可能でしょう*。歴史を通して、さまざまなハーブが妊娠の可能

---

*　あなたが、ゴムノキ（セクション7.19）の近くにいらっしゃるなら、少なくともコンドー
ムはもう少し早く手に入るでしょう。経口避妊薬は、２種類の女性ホルモン（合成したもの）
を女性の体内に導入し、妊娠時の状態をまねたホルモンのバランスにすることで、ある意味体
をだまして排卵を阻止するもの。これらのホルモンはエストロゲンとプロゲステロンです。エ
ストロゲンは、じつは妊娠した馬の尿から採取できるのですが──そして、エストロゲンは更
年期障害の治療にも使えますが──、プロゲステロンは合成がより困難です。しかし、あなた
がこれを合成できる段階まで達したときのために、その目標とする化学式を申し上げておきま
すと、$C_{21}H_{30}O_2$ です。女性が卵子を持っているという事実などを知るだけでも、あなたは歴史
の大半において有利な立場にいることができます。紀元前350年ごろのギリシアでは、アリス
トテレスが、男性が「種（たね）」を提供し、女性は「養分」を提供するだけに過ぎないと思い
込んでいました。西暦1200年ごろのヨーロッパでも、そのような考え方がなおも議論されてい
ましたが、反対論者たちは、少なくとも、女性にもう少し積極的な役割を認めていました。つ
まり彼らは、

性を下げるために使われてきましたが、その多くが有毒か、さもなければ、すでに受精が起こっている場合には先天性疾患を持った子どもが生まれるおそれがあります。地球のどこかに、100パーセントの精度で、望まぬ副作用なしに、避妊するのに使えるような植物があればいいと思いませんか?

あなたが、「もちろん、絶対そう思うよ。あればすごくいいよ」と、独り言のようにつぶやいておられるなら、いい知らせがあります。そんな植物が存在するのです! それは、「シルフィウム」と呼ばれるもので、現在のリビアの沿岸に自生していました。茎が太く、その最上部に複数の花が丸く付いており、特徴的なハート形の鞘に包まれた実がなる植物を探してみてください。栽培はできませんが、避妊効果が非常に高いため、古代ローマ人には銀よりも珍重され、太陽神アポロからの贈り物と考えられていました。

そして彼らは、西暦200年までに、シルフィウムを食べ尽くし、絶滅させてしまったのです。

畏るべし、古代ローマ人。もしもあなたが彼らより前の時代にいるのなら、シルフィウムは避妊には完璧な選択です[32]。しかし、そうでなかったとしても、ほかにも手段はあります。現代においてあなたが使い慣れていたものほどの効果はありませんが、何もないよりはましです[**]。

男性の種と、より「弱い」女性の種とが何らかの形で結びついて、新しい人間を生み出すのだと考えていたのです。人間の女性が体内に卵子を抱えているという事実が確認されたのは、ようやく1827年になってのことでした。

[**] とはいえ、避妊法を明らかにできるほど賢明だったのは、われわれ現代人だけだと勘違いしないでください! 多くの時代と場所で、避妊法の民間伝承が存在し、先にお話ししたシルフィウムなどの植物に関する知識と共に、女性が世代から世代へと口頭で伝えていたのです。母親が娘に、自らの妊娠・出産をコントロールできるように、必要な知識を教えた、というわけです。男性は——同じ鉢からサラダを取って食べながら——何ひとつ健康被害を受けることもないし、彼らが生活を共にしている女性がなぜこれらの植物を選んで使っているかに気づくことも、おそらくなかったでしょう。

方法	概要	有効性
膣外射精	射精の前に陰茎を膣の外に出す。タイミングと判断に依存するため、また、一部の精子は射精前から出ているため、成功しにくい。	78パーセント。すなわち、100人の女性がセックスのたびにこの方法を使うとすると、平均22人が妊娠する。
リズム法	女性が妊娠しやすい時期を避けてセックスをする。現在では、女性は排卵の時期（生理の12〜16日前）に最も妊娠しやすいことがわかっているため、この方法は、以前よりも有効になっている。1930年代にこのことが確認される前は、女性は生理中とその直後に最も妊娠しやすいという説があった。そのため、リズム法実施者は生理の1、2週間前にセックスをしたのだが、もちろん、それは女性が最も妊娠しやすい時期だった。言うまでもないが、避妊法としてはあまり有効ではなかった。	76パーセント。だが、忘れないでほしいのは、これらの方法は同時にいくつも使えるわけで、それにより成功率を上げることはできる。
母乳を与える	出産後、できるだけ長く母乳を与え続ける。女性が母乳を与えている間、ホルモンのバランスにより排卵が防止されるため。	出産後6カ月しか使えないが、その間は98パーセントの有効性がある。また、その赤ん坊は、母乳だけで育てなければならない。つまり、日中は4時間おき、夜間は6時間おきに授乳が必要。さもないと、女性の体は必要なホルモンの生産を停止してしまう。
陰茎を膣に絶対に挿入しない	この方法は禁欲のようにも見えるが、ほかの楽しいことがいろいろできる。	100パーセント。あなたがそれを守ることができるとしてだが、歴史的に言っても、膣に挿入することに関心のある人は、機会を得たときにまったくそうしないでいるのは大変苦手であるということを忘れないようにしなければならない。

表13：近現代に私たちが既に発明した、著しく優れた避妊法が使えない場合に、使うことができる避妊法の一覧。もしかして、コンドームか避妊リングを持って過去に行っておられませんか？　ならば、それをお使いください！

　最後に強調しておかねばなりなせんが、この表に記載されているどの方法も、性感染症を防いではくれませんので、今後あなたは性感染症には気を付けなければなりません。とりわけ、梅毒は避けてください。梅毒を起こす菌には、現代に入る以前に絶滅した、一層恐ろしい菌種が存在していたからです。最初に梅毒が登場したころ、感染者たちは、全身が膿疱に覆

われ、やがて顔の肉が崩れ落ちた*ために、非常に恐れられました。ペニシリン（セクション10.3.1）は、梅毒の有効な治療薬ですが、私たちのタイムラインでは、それが発見されたのは、「顔が崩れ落ちる」菌種が絶滅したあとのことでした。

これをお知らせし、このセクションを終えたいと思います。

あなたの文明が、ほんとうにクールなセックスを楽しめますように！

10.9.2：産科鉗子

どんなに小さくとも、親切な行為は、決して無駄になることはない。
　　　　　　——あなた（イソップ〔訳注：古代ギリシアの寓話作家〕も）

どのようなものか

体内にあるものをつかむのに使われるトングのような道具。困難な出産の際に特に有用。

発明以前は

母親や子どもは、回避可能だったであろう死に至りました。

最初の発明

西暦1500年代ですが、150年以上にわたって秘密にされてきました。理由は、発明者（訳注：アイルランドのピーター・チェンバレン）の一族の

---

* 現代（あなたにとっては遠い未来）よりも過去（あなたの現在）においてのほうが、より命に関わる恐ろしい病気だったものはたくさんあるのです！　理由は簡単です。あまりに致死率が高い菌種は、広がる前に宿主を殺してしまい、その結果絶滅してしまったからです。そのため、致死率はあまり高くない菌種だけが存続しました。そしてこれは、梅毒だけの話ではありませんでした。粟粒熱などの病気には、感染性が非常に高く、症状が現れた数時間後に死んでしまうほど致命的な菌種がありました。あなたの今の状況からして、おそらくあなたは、このような話など聞きたくないと思われているだろうとお察しし、この知らせを脚注として隠している次第です。もしかすると、少し安心していただけるかと思うのですが、粟粒熱は1485年に初めて現れ、1552年までには完全に終息しましたし、梅毒は15世紀になるまで出現しません。あなたが出会う可能性がある病気は、これらのものとは違うでしょうし、それゆえ驚かれるようなものになるでしょう。

腹黒い者たちが何世代にもわたり、助産術という専門的職業全体を自分たちの支配下に置きたかったから。

前もって必要なもの

アルコール、石けん、金属（木も使えますが、清浄がはるかに困難で、感染症をもたらす恐れがあります）

発明の仕方

産科鉗子は単純な発明品です。着脱可能な2枚からなり、どちらも先端が、赤ん坊の頭の周囲を包むことができるような形状に湾曲しています。鉗子の先端部で包んだ頭を回転させ、ゆっくりと赤ちゃんを産道から外へと引き出します。産科鉗子は、分娩が滞ってしまった難産の際に、母親と子ども両方の命を守り、出産を成功に導いてくれます。この技術が発明されたのは、かなり時代が下ってからなのですが——人間が道具を使い始めてからは、基本的にいつ発明されてもおかしくなかったのです——、産科鉗子は発明後も、発明者の一族が私腹を肥やすため、何世代にもわたって秘密にしてきました。公（おおやけ）に知られていたのは、チェンバレン家には出産を補助する秘密の道具があるということだけで、チェンバレン家の人は鉗子を封印した箱に入れて出産室に運び込み、ほかの全員を部屋から追い出してからようやく使用しました——もちろん、当の母親は室内にいるわけですが、その母親も目隠しをされました。この発明の秘密が漏れてようやく、難産を助けるためにこの鉗子が広く使われるようになり、20世紀に帝王切開があまり致命的でなくなるまで*、標準的方法として使用されました。

---

* 帝王切開は、もちろんそれまでにも数千年にわたって実施されていました——しかし、あまりに母体の致死率が高かった（1865年のイギリスで85パーセント以上、その2、3世紀前には、イギリスでもその他の国でも100パーセント近く）ため、最後の非常手段としてのみでした。これは、医学的知識と抗生物質の欠如、麻酔の不足または欠如、そして、手術の清浄度の恐ろしいほどの悪さが原因でした。これらの問題が解決すると、帝王切開はほとんど日常的に行われるようになり、21世紀初頭までには、すべての分娩の3分の1以上で使われていました。

産科鉗子は子宮口が完全に広がり、胎児が産道の下部まで下りている状態で使わねばなりません。母体は、仰向けに横になる必要があります（あぶみを使うと、脚を支え続けることができます）。鉗子を片方ずつ挿入してから、2枚を結合します。胎児の頭部を回転させながら、出産に最適な姿勢を取らせます（頭を下に、顎を胸に引いた状態にし、母体の背骨側に顔が向くようにさせます。これにより、頭の最も小さい部分が最初に出てくるわけです）。そして、ゆっくり少しずつ、優しく産道から引き出します。

10.9.3：保育器

ハロー、赤ちゃんたち。ようこそ地球へ。夏は暑く、冬は寒い。

丸くて湿ってて混みあっている。外ではね、赤ちゃんたち、100年過ごすんだよ、君たちは。

わたしが知っているルールはたったひとつだ、赤ちゃんたち──「いいかい、親切にしろ」だよ。

> ──あなた（カート・ヴォネガット〔訳注：1922～2007年。アメリカの作家〕も）

どのようなものか

生まれてくるのが早すぎた赤ちゃんを入れておく暖かい箱。赤ちゃんが死んでしまう可能性を3分の1近く低下させます。

発明以前は

人々は、これとまったく同じものがニワトリの孵卵器として使われているのを見ては、「いやいや、人間に使うのは無理だ」と思っていました。

最初の発明

紀元前2000年（ニワトリ用孵卵器）

西暦1857年（人間の保育器）

前もって必要なもの

　ガラス、木（枠を作るのに）、石けん（赤ちゃん毎に清浄するため）、革（保温用湯たんぽに）、温度計（オプション）

発明の仕方

　孵卵器が最初に発明されたのは、紀元前2000年ごろでしたが、それは、ただ単に、暖かく保たれた建物や洞穴を、卵が孵るのを助けるために使ったのでした。このときまでに、人間はふたつのことに気づいていました。（1）ニワトリは美味しい、そして、（2）メンドリが暖かい温度に保って世話をした卵は、孵る率が高く、その結果美味しいニワトリがたくさん生まれる。このふたつです。このプロセスを大規模化するために、大きな孵卵場が作られました。

　しかし、人間の赤ちゃんも、早産だった場合、母親の子宮を真似た、常に暖かく保たれた環境に置いてもらえば、やはり恩恵を受けるのだと誰かが気づいたのは、それから4000年近く経ってからのことでした。それ以前は、早産の赤ちゃんはそのまま親や助産師に任され、そしてみんなでただ最善を祈るほかありませんでした。そして、そうです、現代の保育器は、酸素、熱、湿気などを供給し、さらに栄養も静脈から与え、それと同時に赤ちゃんの心拍数、呼吸、脳の活動などを常時監視する、複雑な機械ですが、あなたが足止めを食らっているのがどの時代であれ、あなたが今おられる環境で、実際的な違いをもたらすのに、そんな複雑なものは必要ありません。最初の保育器は、ただの二重のたらいで、熱を保つために定期的にお湯を入れ替えるだけのものでした。

　1860年までには構造が進化し、湯たんぽで暖められるようになったほか、もうひとつ重要な革新がありました。それがガラス製のふたです。これにより、赤ちゃんが呼吸できる状態を維持しながらランダムな気流を低減することができるようになり、空気感染、隙間風、雑音、そして、看護師の必要以上の接触——これも病気を媒介する恐れがあります——から、赤ち

ゃんを守ることができるようになりました。内側に湯たんぽを設置したガラスの箱というような単純なものが、驚くべき効果をもたらしました。この装置が発明された病院では、新生児の死亡率が28パーセントも低下したのです。温度計（セクション10.7.2）をお持ちでしたら、保育器の温度を定量的に管理できます。人間の赤ちゃんの保育器は、普通35℃くらいに保たれていますが、あなたがヒヨコを孵卵器で育てておられるなら、37.5℃が理想的でしょう。

あなたが、医療の目標は、人がその医療を受けなかったときに比べて、何年か長く生きてもらえるようにすることだとお考えなら、早産の赤ちゃんが生き延びるのを助けることは、あなたが提供できる、最も効果的で効率的な医療です。大人に２、３年長く生きてもらうのとはちょっとまた意味が違うのです。あなたは新生児に、これからの全生涯を与えることになるのですから。

そして、それには、暖かい箱のなかの小さなベッドがあれば十分なのです。

10. 10 「燃えないものがほしい」

　本セクションでご紹介する発明には、耐火建造物を作る以外の用途も多数ありますが、まさにこの、燃えない建物を作るという問題を大いに助けることもできます。実際、**セメントとコンクリート**は、安価であるにもかかわらず、それを使えば、1000年以上建ち続けることのできる建物が構築できます。それ以上に有用なのが**鋼鉄**です。鋼鉄は、非常に強度が高く多用途に使える素材で、文明に、橋からボールベアリングに至るまで、あらゆるものを作る能力を与えてくれます。最後に、**溶接**は、窯に入らないほど大きなものでも作れるようにしてくれて、さらに、これらの構造物に、巨大なひとつの金属の塊から作った継ぎ目のないものと同等の強度を与えてくれます。

　近代の再興は、これらの技術から始まりますから、あなたがいよいよこれらのものを発明しようとされているのを、私たちは大変嬉しく感じています。

10. 10. 1：セメントとコンクリート

　理想的な建築には3つの要素がある。それは、強さと用（実用性）と美である。

　　　　──あなた（マルクス・ウィトルウィウス・ポッリオ〔訳注：共和制
　　　　　　ローマの建築家〕も）

どのようなものか
「液状の岩」と呼べることに気付くまでは、つまらなそうな建築材料。

発明以前は
　型に流し込んで、固まるまで待ち、それでその日の仕事はおしまいにしてしまう代わりに、苦労して、岩を希望する形に切断せねばなりませんでした。

最初の発明

　紀元前7200年（しっくい）

　紀元前5600年（セルビアで床材として使われた初期のコンクリート）

　紀元前600年（水硬セメント）

　西暦1414年（セメントとコンクリートの再発見）

　西暦1793年（近代的なコンクリート）

前もって必要なもの

　窯（石灰石を加熱するため）、火山灰または陶器（セメントの材料として）

発明の仕方

　補遺C.3とC.4の指示にしたがって、石灰石を生石灰に、そして生石灰を消石灰に変えましょう——消石灰は空気中の二酸化炭素と反応して、自ら硬化します。消石灰に粘土（または砂と水）を加えれば、モルタルができます。モルタルは、ペースト状で延ばしやすく、乾くと石のようになります。砂と水の一部を藁または馬の毛に替えると、引張強度が高まります。こうして今あなたが発明したのが「しっくい」です。しっくいは、外装に使うに十分な耐久性があり、硬化すれば防水性も生まれます。これらの性質のおかげで、しっくいは地下の食糧貯蔵庫を作るのに最適です。食糧は低温に保たれますし、しっくいは湿気や水を防いでくれますから。

　しかし、これらの材料はみな、完全に硬化するには空気と時間を必要とします。しっくいの場合、何カ月もかかる可能性があります！　これを解決するには、モルタルにケイ酸アルミニウムを加えましょう。これにより、水硬セメントができます——水硬セメントは、要は、速く硬化するのみならず、耐水性があり、しかも、水中でも硬化するしっくいで、灯台、防波堤、その他水辺の建造物を作りたい場合、極めて有用なことは間違いありません。ケイ酸アルミニウムは、火山灰と粘土に含まれているので、あな

たの周りに火山灰が降り積もっていたら、それをモルタルに混ぜるだけで
いいのです。もしもそうでなければ、古い陶器を粉々に砕き、火山灰の代
わりにそれを混ぜましょう。亀裂を防ぐには馬の毛を加え（しっくいのと
きと同様）、また、動物の血液を加えると、セメントの内部に小さな気泡
が多数でき、その結果セメントに、凍結融解サイクルのストレス（訳注：
季節変化などで、凍り付いては融けることを繰り返すと、建築材料は劣化
しがちである）に対する耐久性が生じます。[*]

　セメントは素晴らしいですが、砂利、小石、がれきなどを混ぜるだけで、
一層良くすることができます。じつは、それがコンクリートなのです。こ
のように文字通りの屑岩をただ加えるだけで、実際にセメントの強度をは
るかに向上させられるのです。岩の破片は荷重をより多く担ってくれるの
で、より大きな、すごい構造を作ることが可能になります。[**]建物だけで
なく、コンクリートは舗装道路の建設にも使えます。道路を作るときは、
左右両側の端に少し傾斜をつける（断面が屋根のようになるように）のを
忘れないようにしてください。こうすれば水が道路の外に流れ落ちるので、
水たまりと路面凍結を防ぐことができます。

　セメントとコンクリートは、ローマ帝国で最初のピークを迎えますが、
西暦476年ごろに帝国が滅亡すると、1000年のあいだ、完全に失われたも
同然の状態になってしまいました。滅亡後の歳月に建てられたセメントの

---

[*] ばかばかしいと思われるかもしれませんが、これでうまく行くのです！　セメントは硬化す
るとアルカリ性（セクション10.8.1参照）になるので、血液に含まれる脂肪と反応し、小さな
石けんかすのようなものがたくさんでき、そのあとに小さな気泡が残るわけです。理屈の上で
は、どんな血液でも効果は同じですが、動物の血液を使ってください。私たちが保証します、
人間の血液を使う必要はありません。

[**] コンクリートは圧縮（押し縮める力）を受けているときは非常に強度が高いですが、引っ
張り力（引き伸ばして広げる力）を受けているときは強度が低くなります。そのため、コンク
リートは、荷重を支える壁（壁では荷重が圧縮力のように働く）には最適ですが、梁や地面よ
り上にある床には向きません（床自体の重さで、床が曲がり、ついにはコンクリートが真っ二
つに割れて、床が崩れてしまいます）。これを解決するには、コンクリートが固まる前に補強材
を加えればいいのです！　水平方向の棒を入れれば、構造に引張強度を与えることができます。
金属をお持ちでしたら、鋼鉄の棒（すなわち、「鉄筋」）は高い効果を発揮しますし、鉄がなく
て困ったときには、竹も使えます。1853年になるまで、誰もこのことに気づきませんでした！

建造物もいくつか存在するのですが、必要な知識はギルドの内部だけで維持され、書きとめられることもほとんどなく、決して広められませんでした。1414年にスイスのある図書館で、それまで注目されていなかった紀元前30年ごろのローマの手書き文書（本セクションの冒頭にあげた名言を残したウィトルウィウスによって書かれたもの）が再発見されてようやく、セメントとコンクリートの秘密が取り戻されたのでした[*]。例の「石灰石を熱して生石灰を作る」という方法が発見されるまでに、さらに数百年——1793年まで——かかりましたが、これでセメントとコンクリートがかなり簡単に製造できるようになりました。あなたは、コンクリートの作り方を1000年間忘れないことによって、人類の本当の歴史を改善することができます。

たとえば、もっと人が大勢訪れる図書館に製法を保管するといいでしょう。

10.10.2：鋼鉄

解決法はすべて簡単——それに到達したあとは。

だが、簡単なのは、それがどういうものかがすでにわかっているときだけだ。

　　　——あなた（ロバート・M・パーシグ〔訳注：1928〜1978年。アメリカの哲学者で作家〕も）

どのようなものか

鉄と炭素の合金で、このふたつの元素のいずれかを単独で使う場合より

---

[*]　しかし、ウィトルウィウスの文書にあった解説図は失われていたので、画家たちが新たに図を作成し、ついには、レオナルド・ダ・ヴィンチも、この文書の記述にしたがって図を描きました。強烈な印象で、一度見たら忘れられない、彼の見事な「ウィトルウィウス的人体図」——あなたもきっとご覧になったことがあると思いますが、正面を向いた全裸の男性像に、余分な手足と、全体を取り囲む円と正方形が描き加えられた絵——は、人体の比率は、円と正方形というふたつの理想的な形状と同じく完璧であり（そんなことはありません）、また、より大きな意味で、人体は宇宙と同じように働く（そんなことはありません）ということを視覚に訴えるように描こうとしたものでした。

も頑丈で、驚くべき引張強度——折れたり、引きちぎられたりすることなく、重い荷重に耐えられる能力——を持つもの。立派な建物、道具、乗り物、機械、あるいは、ほかの何かを作るのですか？　材料には鋼鉄を検討されてはいかがでしょう。

発明以前は

　期待にはまったく満たない建築材料を前にして、覚悟を決めなければなりませんでした。

最初の発明

　紀元前3000年（鉄の精錬）

　紀元前1800年（最初期の鋼鉄）

　紀元前800年（溶鉱炉）

　紀元前500年（鋳鉄）

　西暦1000年代（最初期のベッセマー法）

　西暦1856年（ベッセマー法がヨーロッパ人たちによって再発見され、そのときヨーロッパ人によって、ヨーロッパ人にちなんだ名称が与えられた）

前もって必要なもの

　溶鉱炉、鍛冶場、木炭またはコークス

発明の仕方

　セクション10.4.2では、溶鉱炉を使うと、鉱石から非鉄金属を溶かして分離し、鉄を抽出することができることを見ました。そしてその鉄は、鍛冶場でハンマーで鍛造して、純化することができます。しかし、そこに炭素を加えると何が起こるでしょうか？　申し上げましょう。炭素は鉄と相互作用して、引張強度が非常に高い合金を形成します。この性質は大きな利点で、この合金を私たちは「鋼鉄」と呼びます。鋼鉄はさまざまなもの

を作るのに役立ちます。たとえば、次のようなものです。

- 橋
- 鉄道*
- 鉄筋コンクリート
- ワイヤーならびに鉄鋼製ケーブル
- 釘、ねじ、ボルト、金槌、ナット
- 針
- 缶詰
- ボールベアリング**
- のこぎりと鋤
- タービン
- フォーク、スプーン、ナイフ
- ハサミ
- 車輪のスポーク
- 楽器の弦
- 刀

---

* はい、理屈の上では、鉄道は鋼鉄である必要はなく、鉄でも作れます。理屈の上では。しかし、このような事実があります。人間たちがそうしてみたところ、列車の運行頻度が高い鉄製の鉄道は、6〜8週間おきにレールの交換が必要になり得ることがわかったのです。鋼鉄が発明されると、同じ運行頻度でレールの寿命が数年にのびたのでした。

** ボールベアリングのことは、発明するに十分ご存じだと思いますが、万一のためにご説明します。ボールベアリングは、ふたつの同心状に配置された輪の間に、小さなボールが多数入ったものです。ボールベアリングは、エンジンや車両（自転車、自動車、そしてカッコいいスケートボードなど）をはじめ、多くの機械で有用です。というのも、動くパーツどうしのあいだの摩擦を大いに減らしてくれるからです。重たい岩を動かすときに、地面の上でその岩をただ押しながら動かすよりも、丸太をたくさん並べた上で岩を転がすほうがはるかに楽ですが、これをリング状にしたようなものとお考えください。ボールがほかのボールとこすれ合うのを避けるために、ボールをひとつずつ「かご」のようなもの（訳注：「保持器」と呼ばれるもの）に入れます。これで摩擦が一層小さくなります！　このようなボールベアリングは、1740年ごろに発明されるのが普通ですが、ダ・ヴィンチは16世紀からこのようなものを考案していました。

・有刺鉄線*

・ふたつの刀を蝶番でつなぎ、巨大なハサミとして使う

・ほかにもっと？？

　炭素の量が違えば、それはもう別種の合金となり、炭素の含有量が0.2〜2.1パーセントのものだけが「鋼鉄」と呼ばれます。鋼鉄どうしでも、炭素量が異なれば、硬度や引張強度が異なるので、あなたが望む種類のものを見つけるために実験するといいでしょう。包丁——刃が強靭で折れにくいもの——は、約0.75パーセントの炭素を含みます。

　鉄に炭素を加えて、素敵な鋼鉄を作るには、木炭の粉が入った箱のなかに鉄を入れ、箱ごと約1週間700℃に熱します。木炭の炭素が、熱で軟化した鉄と反応し、鋼鉄の薄い層ができます。しかし、これでは、鉄の外側が鋼鉄になっているだけなので、この鉄を金床の上で平らに延ばしては折るという作業を繰り返し、鉄を「こねて」、均一な材料にしなければなりません。おわかりのとおり、これは時間もかかればコストもかかる作業で、しかも、まず鉄を得るために金属をハンマーで打って平らにしたうえで、鋼鉄を得るために同じことをもう一度行う必要があります。金属をハンマーで打つ作業は、連続で何時間もかかり、暑く、困難で、多大な労働力を要する、退屈な仕事で、最低です。というわけで、あなたはもっといい方法を今すぐ発明しましょう。

　高炉の発明、おめでとうございます！

　あなたもすでにご存じと思いますが、高炉は基本的には、あなたの加熱

＊　有刺鉄線は、家畜をフェンスで囲い込むことができるようになった最初のワイヤーです——動物は、一度刺（とげ）で刺されたら学習して、その後は永久に近づかないようになるのです——し、完全なフェンスを作ったり、数キロメートルにわたって生け垣を植えるよりはるかに安価です。当時の広告の謳い文句に見るように、有刺鉄線は「場所を取らず、土地を消耗させず、植物を影で覆ったりせず、強風にも耐え、雪だまりも作らず、耐久性が高くて安価」です。この、「ワイヤーに一定の間隔で刺を付ける」という単純なアイデアは、畜産に革命的変化をもたらし、それ以前は不可能だった規模に畜産業を拡大することを可能にしました。その一方で、人間が金属を使いだしたあと、いつ発明されてもおかしくなかったのですが、19世紀中ごろになってようやく発明されたのです。

炉をパワーアップしたものです。あなたの溶鉱炉は、側面の隙間から空気を吸い込む方式ですが、それとは違い、高炉では、炉の底部から空気を強制的に上に向かって送り込みます。そして、鉄の鉱石と木炭の層を交互に重ねるのではなく、鉄鉱石、石灰石、そしてより高温で燃焼するコークス*を繰り返し何層も重ねます。これで、より激しい燃焼が起こるわけで、あなたがお持ちの溶鉱炉とまったく同じように鉄を溶かすことができるほか、さらにすごいことを行います。鉄鉱石・石灰石・コークスの積み重なった層のなかで鉄が炭素と反応し、1200℃付近という低い融点を持つ、新しい合金を形成するのです。これだけ低温で融解するなら、あなたの炉でも溶かすことができます！　炭素濃度が高い液体状の鉄は底部から流れ出て冷えます。こうしてあなたは金属を手に入れました。

　ですが、これは鋼鉄ではありません。ここで持ち上がった問題は、あなたが得た鉄には炭素が多く含まれ過ぎているということです。炭素が0.2〜0.4パーセント含まれた鉄が欲しかったのに、高炉から出てくる鉄には炭素が4.5パーセントも含まれているのです。これほど炭素の含有量が多い鉄（「銑鉄」と呼ばれます。英語では、「ピッグ・アイアン」〔訳注：初期の高炉で得られた銑鉄は、砂型で丸い形に鋳造されたが、その形が子豚に似ていたことから名付けられたという〕）はもろいのです。曲げたり引き伸ばしたりするとすぐに折れてしまうので、橋や建物を作るのには使えませんが、融点が低いため、溶かして型に注いで、フライパン、パイプ等々を「鋳造」するには便利です。この「型で成形された（鋳造された）」「銑鉄」は「鋳鉄」と呼ばれますが、あなたは今まさに鋳鉄を発明したのです。

　銑鉄の炭素レベルを、鋼鉄を作るに十分下げるには、「ベッセマー法」を使いましょう。ベッセマー法の基本は、11世紀に東アジアで発見されま

＊　コークスは、石炭を乾留したもので、セクション10.1.1で木を乾留して木炭を作ったときと同じプロセスを使って（まずは石炭を採掘してからですが）、つくることができます。コークスがない場合は、木炭を使えばいいのです——最初期の溶鉱炉では木炭を使っていました。ただし、コークスのほうが高温で燃焼します。

した。当時の考え方は、溶けた鉄の全体に冷気を吹き付けるというものでしたが、より近代的な方法（1856年に、お察しのとおり、ベッセマーという名前の人物によって特許が取得されました）では、液体状の銑鉄に「ふいご」または空気ポンプで空気を通すようになりました。空気を通すことで、銑鉄に酸素が導入され、溶融炭素と反応して二酸化炭素を形成します。これはすべてガスとなって、そのまま消散するか気泡になって、どのみち外に出てしまい、あとには純度の高い鉄が残されます。そして、おまけとして、これらの反応も熱を発生するので、溶融鉄は一層高温となり、徐々に純化することで融点も次第に上昇するにもかかわらず、反応が継続していくのです[*]。いつ空気を通すのをやめれば、ちょうどいい量の炭素が残るのかを判断するのは非常に難しいので、それは考えないことにしましょう。できるかぎりたくさんの炭素を燃やしてしまい──できるかぎり純粋な鉄を作るわけです──、そのあとで、あなたが望む量の炭素を加えましょう。

　鉄は宇宙で6番目に多く存在する元素で、地球の地殻のなかでは4番目に最も多い元素ですが、人間が高炉とベッセマー法を発明するまでは、安価に、あるいは、効率的に、鋼鉄にすることは不可能でした。しかし、あなたが今その方法を見出されたので、今や地球最強の金属のひとつが、最も安価なひとつとなりました。お見事です！　あなたの文明に技術者たちが登場した暁には、彼らがこのことであなたに感謝するのは間違いないでしょう。

　鋼鉄について最後にひとつお知らせしておきます。鋼鉄の高い引張強度を利用し、「伸線」と呼ばれる手法を使って、高品質の鋼線を作ることが

---

[*]　ケイ素などの他の不純物も酸化物を形成しますが、これらの酸化物は「スラグ」となって底に沈みます。ここでひとつ、お役立ち情報を。あなたの鉄鉱石が硫黄を含んでいるなら（地球の鉄鉱石の多くが硫黄を含んでいますから……たぶんそうでは？）、それを元に鋼鉄を作っても、本来の強度は出ないでしょう。この問題を解決するには、塩基性の物質を何か、あなたの鉄鉱石に混ぜてください（ここでもまた、石灰岩が使えるわけです！）。石灰岩は硫黄と反応して、スラグが一層多量に生じて底に沈みますが、その結果、より良い鋼鉄が得られますし、硫黄を多量に含んだスラグが冷えたなら、それを細かく砕いて肥料として使うことができます！

できます。それには、鋼鉄から太い素線を作り、次の図のように、それを円錐型の穴を通して引っ張ればいいだけです。

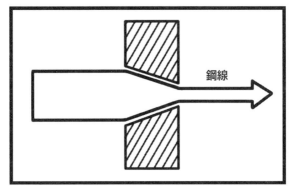

図33：伸線法でワイヤーを穴を通す道具。側面から見た断面図

　これにより断面積と体積が一定のワイヤーが得られ、用途のなかった大量の鋼鉄も、より長いワイヤーを製造するのに使えるわけです。次々と、より小さな穴を通すことで、手で作るのに比べ、はるかに細いワイヤーを作ることができます。鋼鉄を引くには、ラチェット（補遺H）を使うことができ、また、都合のいいことに、この作業はすべて室温で行うことができます。必要なのは潤滑剤だけです。

　ここでちょっと言いにくい話になるのですが。17世紀前半には、獣脂や油が潤滑剤として使われたのですが、それには比較的柔らかい鋼鉄である必要があり、そのため、伸線時に摩擦が大きすぎるとワイヤーが切れてしまうおそれがありました。1650年までに、ヨハン・ゲルデスという人物が、鋼鉄を尿のなかに十分長い間浸けておくと、表面に柔らかい被覆が形成され（今日では「腐食」と呼ばれるプロセスに当たります）、その結果伸線時にワイヤーにかかる摩擦が低下することを「偶然」発見したのです。この処理法——「サル・コーティング」と呼ばれました——は、150年間使い続けられましたが、ついに誰かが、薄めたビールを代わりに使ってもま

ったく問題ないことを発見しました。そして、ようやく1850年ごろになって、誰かが、水でもできるかどうか試してみようと思い立ったのです。水で大丈夫です。水で何ら問題ありません。

　人類が歴史上やってきたよりも、あなたはうまくやってください。何の理由もなく100年以上、鋼鉄を尿に浸けたりしないでください。

10.10.3：溶接

　僕、俳優になるよって言ったら、親父はこう言ったんだ。
「いいじゃないか。だが、万一のために溶接は勉強しとけ」。
　　　　　　——あなた（ロビン・ウィリアムズ〔訳注：1951～2014年。アメリカの俳優〕も）

どのようなものか
　ふたつの金属部材を、元の金属よりも丈夫になるようなやり方で結合する方法。

発明以前は
　どんな金属部材も、ひとつながりのものとして、鍛冶場で鍛えるほかありませんでした。それは、一旦作ってしまうと、別の金属部材と結合するにはボルトとナットを使うほかなく、それでは強度が劣ってしまったからです——うまく溶接したときよりもはるかに。

最初の発明
　　紀元前4000年（鍛接）
　　西暦1881年（アーク溶接）
　　西暦1903年（トーチ溶接）

前もって必要なもの
　　金属、鍛冶場

発明の仕方

　鍛接は簡単です。溶接したいふたつの金属部材を融点の50〜90パーセントまで加熱します。このような温度では、金属は柔軟になりますが、まだ固体です。問題は、金属がここまで高温になると、表面が酸化しやすくなり、酸化すると溶接がうまくいかなくなることです。金属の表面に砂（または塩化アンモニウム、もしくは硝酸カリウム、あるいは三者の混合物）をまぶせば、この問題は解決します。これによって酸化物の融点が低下し、あなたがふたつの金属片を叩いて一体化するあいだに、酸化物は金属片どうしのあいだから流れ出てしまいます。「叩いて一体化するの？」と、お尋ねですか？　はい。これは、おしゃれな溶接法ではありません。鍛接は、ふたつの金属片を加熱し、一体化するまでハンマーで叩く溶接法です。腕が疲れたら、水車（セクション10.5.1）を利用して機械式ハンマーを作り、あなたに代わって金属を繰り返し叩いてもらいましょう。

　電気（セクション10.6.1）が使えるなら、アーク溶接を発明することができます。アーク溶接は鍛接ほどの肉体労働を必要としませんし、鍛冶場に入らない大きなものでも溶接できます。アーク溶接では、「電極」と呼ばれる通電された金属の棒から、あなたが溶接したい金属部材（溶接物）に向かって生じるアーク放電で発生する熱を使って溶接を行います。電極を、溶接物の溶接したい場所の近くまで持っていくと、電極から溶接物へとアーク（弧）状の放電が生じ、これによって溶接物が融けて融合します。電極とは別に、溶かして溶接金属とする溶接棒をさらに放電箇所に配置する場合もあります。このようにすると、溶接部の強度を溶接物そのもの（母材）よりも高めることができます。溶接物のアースを必ず取り、*そのうえで、アーク放電が起こるに十分なところまで電極を接近させ、溶接

＊　アースを取るには、アースを取りたいものと、地面に突き刺した導電性の金属片をワイヤーでつなぎます。地面は電気を通すので、こうしておけば、電流が安全に逃げる経路が確保できます。アースがなければ、電流が代わりにあなたの体を通って地面に向かう可能性がありますが、これは避けなければなりません。なにしろこれは感電そのものですから。

します。アークが安定して生じ続ける適切な距離を保つよう心掛けましょう。さもないと、アークの電流が揺らぎ、その結果熱が変化し、溶接の質が落ちてしまいます。

　言うまでもありませんが、アーク溶接はとんでもなく危険です。とりわけ、あなたがこれまでに電気を扱った経験がまったくないまま、過去の時代に足止めを食らってしまっている場合はそうです[*]。おそらく、「ふたつの金属部材を加熱し、砂を少々まぶして、両者が一体化するまでハンマーで叩く」という方法を当面のあいだ続けるのがいいでしょう。

---

[*]　溶接の方法はほかにもありますが、それらはアーク溶接よりも一層危険で、また、おそらく現状のあなたが使える範囲の資源では無理でしょう。トーチ溶接――トーチと呼ばれる道具を使って、強力なアークを発生させ、その熱で金属を溶接します――は、溶接だけでなく、金属の切断も可能ですが、そのためには非常に高温になるトーチが必要です。アセチレンガスを純粋な酸素のなかで燃やせば、十分な高温（3100℃）が得られますが、アセチレンを製造するには、石炭を乾留してコークスを作り、これを2200℃（普通の火では到達できない高温ですが、電気アーク炉を作れば可能。電気アーク炉とは、その名称が示しているとおりのもの）で石灰と混ぜ、そのプロセスで得られたもの――「炭酸カルシウム」と呼ばれる粉末――を水と混ぜます。この反応でアセチレンガスが生じます。しかし、このとき同時に熱も生じ、また、アセチレンガスは爆発しやすいので、これは細心の注意を要する作業になります。

10. 11 「読むものが何もないんだけど」

　紙でできていようが電子でできていようが、本は文明にとって不可欠です。言うまでもないことですが、あなたが今お読みになっているガイドが、まさにこれを証明しているわけです。しかし、フィクションの本にしても重要です。つまるところフィクションとは、人間が自分たちについて書いた物語なのですから。

　紙は木を、薄くてしなやかで簡単に燃やせる物質に変える技術で、あなたは、自分が発見したことと成し遂げたことのすべてを後世に伝えるために、この物質に託すことができます。紙はあなたのお尻を拭くにも最適です。紙が手に入ったなら、印刷機を使って、あなたの文明の知識が広められ、議論され、共有され、そして保管されるようにすることができます。これらは、非常に大きな変革をもたらす技術で、自らのアイデアを広く安価に普及させ、確実に複製し、脆弱ではかない物体——申し上げにくいのですが、あなたが縛られている体というのがまさにこのようなものです——の限界の外側でも存続させたいと願うすべての文明にとって極めて重要です。

10. 11. 1：紙

　車を使わなかった偉大な社会はいくつもあったけれど、物語をしなかった社会は存在しない。

　　　　　　　——あなた（アーシュラ・K・ル・グィン〔訳注：1929〜2018年。
　　　　　　　　　アメリカのSF、ファンタジー作家〕も）

どのようなものか

　その上に書くことができる安価な物。

発明以前は

　人々は、動物の皮（「羊皮紙」とも言う）に書きました。したがって、もしもあなたがひとりぼっちで、しかも本を書きたいと思ったなら、最初

に動物を育てるか狩るかして手に入れ、次にそれを殺さなければならず、おかげで書くという創造的プロセスは少し失速してしまいました。

最初の発明
紀元前2500年代（羊皮紙）

紀元前200年代（中国で紙が発明される）

西暦500年代（中国でトイレットペーパーが発明される）

西暦1100年代（ヨーロッパで紙が発明される）

前もって必要なもの
布または金属（目の詰まったスクリーンを作るため）。木、ぼろ布、あるいは、その他の天然繊維。水車（パルプをすりつぶすため）、重曹または水酸化ナトリウム（オプション。パルプ生成を速める）、顔料（オプション。しかし、紙がふんだんに製造できるようになって、あなたの周囲に散らばった状態になったなら、おそらくあなたはインクが欲しくなるでしょう。「セクション10.1.1：木炭」参照）

発明の仕方
紙を発明しなくても、動物の骨、竹を割ったものを糸でつないで巻物にしたもの、羊皮紙（あなたに時間があって、また、動物の皮から毛を抜き、その皮を引きのばして乾燥させるだけの気力があればですが。セクション10.8.3参照）、絹（カイコを飼っておられれば）、蠟板（蠟はミツバチから採取する、あるいは、お湯で動物の脂肪を煮てから冷やしてできる表面の蠟状の固形物を使うことができます）、粘土板（記入した情報を持続させたければ、板ごと焼くことができます。セクション10.4.2参照）、あるいはパピルス（セクション7.16参照）にメモを書きつけることはできます。しかし、これらの記録媒体はすべて重たく、かさばり、高価で、運びにくく、あるいは、これらの欠点の少なくとも一部を持っています。あなたに本当に必要なのは、軽くて、便利で、安価で、たとえ文字通り木になっている

のではないけれど、少なくとも植物の地上に出ている部分を使って作れるので、どこにでも豊富に存在するようなものです。あなたが本当に手に入れなければならないのは、紙です。紙があれば、あなたの文明には、印刷機を使った本、雑誌、新聞のみならず、トランプなどのゲーム用カード、紙幣、トイレットペーパー、ペーパーフィルター、凧、パーティー用の帽子、その他たくさんのものが登場し普及します。

　紙づくりの基本は非常にシンプルです。植物繊維を取ってきて、ばらばらにほぐし、そして薄いシート状に成形すればいいのです。セルロースが含まれているものなら何でも原料になります。そして、光合成を行うすべての植物は、そのプロセスの一環としてセルロースを生み出すので、セルロースは世界で最も広く存在する有機化合物のひとつです。一本の大きな木から、15,000枚を超える紙を作ることができますが、セルロースの供給源はほかにもあります。たとえば、古着やぼろ布からも立派な紙が作れます——古布からだけでも、木質繊維を補うという使い方でも。残念でしたね、あなたが元いた未来世界ではどこでも使われていた洗濯物の乾燥機のフィルターにたまっていた糸くず、取っておいたら紙が作れましたのにね。

　紙作りの最初の一歩は、パルプ作りですが、これには、原料を小さく切断（すなわち、木を木っ端にする、ぼろ布をズタズタに裂くなど）します。これを数日間水に浸けておけば、繊維がほぐれるので、これをすりつぶしたり、叩いたりして、パルプにします。このプロセスを加速させるには、重炭酸ナトリウム（重曹）または水酸化ナトリウム（それぞれ補遺C.6とC.8参照）を水に加え、木っ端またはぼろ布をそのなかで煮ると、植物繊維が化学的に分離します。*こうして水気の多いパルプができたなら、かき混ぜて繊維が動いている状態にして、底から上に向かって、編み目構造の面でできた平らな板をくぐらせる——編み目の板は、金属または糸から

＊　このプロセスは、あなたの植物繊維に含まれるリグニン（木質素）という物質を分解させます。リグニンは、何本もの植物繊維をひとつにまとめている物質ですが、年を経るにつれ、紙を黄色く変色させてしまいます。パルプに含まれるリグニンが少なければ、まとまりやすくするために何らかの糊を加えなければなりませんが、その結果あなたの紙はより白く、より丈夫になります！

作れます（セクション10.8.4参照）——と、一部の繊維が平らな層として板の上にすくい取られます（訳注：和紙作りの「紙漉き」に相当）。板をひっくり返してパルプを外し、外したパルプを上から圧縮して水を絞り出し、繊維どうしを強制的に一体化させて、乾燥させます。紙の完成です！そして、この紙は、一旦使ったなら、同じプロセスを繰り返して、リサイクルすることができます。使った紙をまたビリビリと引き裂いて、繊維に分解し、そして新しい紙を作りましょう。

> **文明の達人からの助言**：紙づくりの基本（植物繊維を分解し、それを板の上にすくいあげて平らに広げ、乾燥させる）は、紙が発明されて以来数千年にわたってほとんど変わっていません。あなたが過去の時代に足止めを食らって、未来に戻る希望がないとしても、あなたが作る紙は、あなたが元いた時代の地球上のすべての紙とつながりを残しているわけで、そう考えれば、少しでも気持ちが晴れるのではないでしょうか！

　紙は紀元前200年ごろに中国で発明されましたが、他の文明が知って利益を得るのを防ぐため、その製造方法は、秘密として厳重に守られていました。[33]西暦500年代までには、中国では紙が非常に普及し、人々はお尻を拭くのに紙を使うようになっていました（ありがとう、トイレットペーパー）が、ヨーロッパ人たちが紙が発明されたこと自体を知るのはそれから500年以上経ってからのことで、トイレで最後に、ばっちいお尻を拭くのに紙が使えるなど、彼らには知る由もありませんでした。アメリカ合衆国でトイレットペーパーが商業的に生産されるようになったのは、やっと1857年のことで（それまでは、古紙なら何でも使っていました。本のページを破って使うことも珍しくありませんでした）、トイレットペーパーが束ではなくロールで売られるようになったのは1890年のことでした。あなたの文明のメンバーたちが、もっと気持ちよくトイレに行けるようにするため——そして、彼らが羊毛、ぼろ布、葉っぱ、海藻、動物の毛、草、コ

ケ、雪、砂、貝殻、トウモロコシの穂軸、自分の手、あるいは、共用のスポンジ付きの棒*を使わないようにするため——、トイレットペーパーは歴史的事実より前倒しに発明するのがいいでしょう。

10.11.2：印刷機

礼拝で説教しても数人に話しかけるだけだ……

本を印刷すれば全世界に話しかけることができる。

> ——あなた（ダニエル・デフォー〔訳注：1660～1731年。イギリスの作家、ジャーナリスト〕も）

どのようなものか

大量の情報を素早く安価に広める方法。大量情報拡散事業に乗り出したいなら、非常に有用。

発明以前は

本は非常に高価で、裕福な人しか読めませんでした。したがって、比喩的にですが、巨人の肩の上に立てさえすれば、素晴らしいアイデアを思い付いたかもしれない、裕福ではない人々は、そんなアイデアを思い付くのは不可能でした。**そのため文明は、そのなかにいるすべての人間の頭脳

---

* これらはすべて、歴史のさまざまな時点で実際に使われていました。最後のものを使っていたのはローマ人たちで、棒の先に付いた海綿（訳注：合成樹脂などで作られた、日本でスポンジと呼ばれるものは、海綿を模したもの。英語では海綿もspongeと呼ぶ）をトイレの前部にある穴を通して、脚のあいだに挿入することで、立ち上がることなく拭くことができました。使う前に海綿をさっと水洗いすれば、安心して使えます——細菌の存在をまったく知らなければ（訳注：ローマ時代の海綿付きの棒は、掃除用具だったとの説もある）。

** この比喩が最初に使われたのは、西暦1159年に、シャルトルのベルナルドゥスなる人物が、このアイデアをもう少し長い文章で、次のように述べたときのことでした。「われわれ〔現代人〕は、巨人〔古代人〕の肩に乗った小人のようなもので、それゆえわれわれは、彼らよりも多くのものを遠くまで見ることができる。そしてこれは、われわれの視力が研ぎ澄まされたから、あるいは、われわれの背丈が伸びたからではまったくなく、われわれが巨人の偉大さによって高められ、高いままに運ばれているからだ」。知識が積み重ねられてみんなを高めているというこのイメージは、非常に強力で豊かな表現であるため、人間たちはその後1000年間、この表現を繰り返し借用しています。

が持つ可能性のすべてを生かしていたなら到達できたはずの偉大さからは
程遠い状態でした。

最初の発明

紀元前33,000年（手形）

西暦200年（木版印刷）

西暦1040年（中国の活版印刷）

西暦1440年（ヨーロッパの活版印刷）

西暦1790年（輪転機）

前もって必要なもの

顔料（インク用。「セクション10.1.1：木炭」参照）、紙（印刷用）、陶
器（オプション。活字作成用）、金属加工術（印刷機製造のため。しかし、
理屈の上では木でも作れるので、オプション）、ガラス（眼鏡用。遠視の
人も含め、誰もが新聞を読めるように。遠視の人は、細かい字の新聞を手
渡され、読んでくださいと言われるまで、自分が遠視とは気づいていない
こともあるので）

発明の仕方

顔料（セクション10.1.1を見れば、木炭から作れます）をお持ちで、何
か切れるもの（紙のようなもの。しかし、大きな葉でも構いません）をお
持ちなら、あなたが「〜時代」と呼べる、過去のどんな時期にいらっしゃ
るとしても、言葉の型板を作ることができます——そして、それを使って、
本を大量生産することができます。[*] 人間が作った最古の型を使った印刷
は、自分たちの手型ですが、そんな手型のいくつかが洞窟の壁に近世まで

---

* そのためには、あなたの本のページ毎に、異なる型板を1枚作り、各単語の文字を一つひと
つ手作業で型板から抜いていかなければならないのですが、それでうまくいきます。そして、
完成したら、型板は擦り切れるまで使うことができます。

残っています。当時の誰かが、書き言葉を発明しようと考えさえしていたら、紀元前35,000年に生きていたこの人たちは、自分たちの手がどんな形だったかを記録するだけではなく、型の手法を使って自分たちのアイデア、信仰、希望、夢、成功、失敗、物語、そして伝説を、近世まで伝えることができたでしょうに。そして、もしもあなたが、35,000年前の人間の手はどんなふうだったかな、と思っておられた場合のために申し上げますと、それは間違いなく、まさに手のような形でした。

　それを確かめるのにタイムマシンは必要ありませんでしたね。

　型を使った印刷は問題なく行えますが、この方式は、細かい形状の印刷には向いていません（そのため、あなたの本は大きな文字で印刷されることになります）。それに加えて、あなたには何らかの形のスプレー・ペイントが必要になります（古代人は自分の口を使いました。あなたは、セクション10.4.2にある「ふいご」を使って、ノズルを一端に付けた管から顔料をスプレーするといいでしょう）。このような問題を避けるには、数万年の歳月を跳び越えて、西暦200年ごろに中国で発明された木版印刷を使うことをお勧めします。これには、印刷したい文字や画像のすべてを、一枚の版木の上に反転した像として彫ったうえで、版木をインクで覆い、紙、絹布、あるいは、あなたがその上に印刷したいと思うものの上に押し付けます[*]。木版印刷は、絵画の印刷にはとてもいいのですが、言語を印刷するにはいくつか問題点があります。それらの問題点のなかでも無視できないのが、間違いを修正するのが難しいということです。一文字間違っただけで、そのページ全体を新しい版木で一から彫りなおすはめになるかもし

---

[*]　このような印刷法は、じつのところ、もっと早く、紀元前500年ごろに発明されてもおかしくありませんでした！　古代ギリシアのある種の地図は、金属板に彫って作られていました。これは、高級感を出すため、あるいは、長旅でも破損しない丈夫なものにするためでした。しかし、地図を一枚でも複製する必要があるときには、もう一枚の金属板に同じものを彫る方式を取っていました。言い換えれば、ギリシア人たちは、印刷を発明するのに必要なすべてのものを持っており（プレス機も含めて。オリーブオイルを搾るのに使っていました）、たったひとりの人間が、金属製の地図の上にインクを塗って、パピルスにプレスしようと思いつきさえすれば、簡単に印刷が発明できたのです。しかし、誰もそう発想しなかったのでした。

れないのです！　そんな時間のある人などいませんし、これほど時間がかかり、労働力を集中しなければならないプロセスがあるため、一冊の本を印刷するのに何年もかかります。そして、あなたの本のすべてのページの版木を彫り終えたとしても、さらに保管という問題が生じるのです。一枚の木版が厚さ2.5センチメートルだとすると、この本だけで、404,128,224立方センチメートル（訳注：原書のページの面積とページ数と、木版の厚さ2.5センチメートルという数値を使って計算した体積）の保存スペースが必要になります！

　文書を印刷する目的には、あなたは直接「活字」まで、歴史を跳び越えてしまうのがいいでしょう。活字を使うことにすれば、1ページ全体を彫る代わりに、個々の文字のスタンプを作ればそれでいいことになります。これらの文字のスタンプを枠のなかに並べて、ページ全体のスタンプを作ります。これにより、保管の問題が解決する——巨大な木のページの代わりに、小さな文字を保管するだけでよくなる——のみならず、印刷の経済性そのものも大きく変化します。文字をページに配列するには数分でよく、木版でページを彫って作るのに数週間から数カ月かかっていたのとは雲泥の差で、本をもっと安価に生産することができるようになり、印刷できる本の種類も大幅に広がりました。活字が生まれるまでは、印刷される文書のほとんどが宗教的なもので、その内容は変化せず、大勢の熱心な、一部は法的義務を負った、読者たちに向けられたものでした。活字が登場してからは、誰でも（その代価が支払えるに十分裕福なら）、何でも印刷できるようになり、おかげで、数百年後のインターネットの発明までは、文明が経験した最大の文化的変化のひとつだったものが始まったのでした。

　活字は、西暦1040年ごろの中国に存在しましたが、本当に軌道に乗ったのは、数世紀のちにヨーロッパにこの技術が到達してからのことでした。それは、もうひとつの画期的発明、アルファベットのおかげです。中国の表記法は、表音的な言語のように、音を表す限られた数の文字を使うのではなく、意味を表す膨大な数の文字を使うので、一冊の本に60,000種以上の異なる文字が使われています。どちらの文字体系にも長所と短所があり

ますが、活字を使う際の中国の文字体系の短所は深刻です。60,000種類の文字よりも、26種類の文字のほうが、保管し分類するのは、はるかに安価で簡単です。[*]

　あなたが印刷する文字——活字——は、木彫りでもいいのですが、木彫りには欠点があります。木は繰り返し印刷に使うことで摩耗し、刷り上がった文字がかすれたりする場合がありますし、また、木は印刷用インクを吸収していくうちに歪んでしまいます。中国では焼成粘土が使われていましたが、これは、丈夫で長持ちする活字を作ることができました。あなたは、木でも焼成粘土でも、どちらを使っても活字を作ることができますが、これらのものを原型として使って、新たに金属の活字を作ることをお勧めします。粘土または木の文字を、細かい砂または柔らかい金属（銅が適しています）に押し付け、続いてその跡に溶融金属を流し込みましょう。印刷業者たちは、最終的には、ひとつの標準的な合金を使って活字を鋳造することに決定しました。それは、鉛、スズ、アンチモンの合金で、「活字合金」と呼ばれており、丈夫で長持ちする活字を作ることができます。[**]

　活字を組むには、文字を順番に木枠のなかに収めていきます。[***]その作業が終わったら、それにインクを塗布し、紙の上にプレスすることで印刷を行います。これを機械化し、広い平らな面全体に均一な圧力をかけるには、「ねじプレス」を発明しましょう。ねじプレスは、要するに垂直に設

---

[*]　もちろん、26種類の異なる文字だけしか使わない印刷所などありません。印刷所では、同じひとつの文字の活字をたくさん準備して、仕切りが付いた木箱——「タイプケース」——に、句読点、スペーサー、その他の文字と並べて保管しています。大文字は、上段の別の箱に保管される習わしになっており、大文字を「アッパーケース」、小文字を「ロウアーケース」と呼ぶ習慣もここから来ています。

[**]　鉛は冷えると収縮するので、鉛製の活字は歪むおそれがありますが、スズとアンチモンを加えた合金を使えば、あまり収縮せず、固化するとより硬くなります。印刷所ごとに、異なる比率の合金を使いますが、鉛54パーセント、アンチモン28パーセント、スズ18パーセントの合金が伝統的に使われていました。しかし、より長期間の連続印刷のための活字には、鉛78パーセント、アンチモン15パーセント、スズ7パーセントの、耐久性が高い合金が使われています。

[***]　もしも、将来本を増刷することをお考えなら、ページの鋳型を作るといいでしょう。そうすれば、ページ毎に、改竄（かいざん）不可能な複製が素早く作れます。先にお話しした木版と同様です。

置した巨大なねじの底部に、大きな平らな板を付けたものです。ねじの
最上部にはハンドルが取り付けられ、そのハンドルを回すことで、ねじを
——そして、その底部に付いている板も——上下に動かすことができるよ
うになっています。ハンドルは、それにかけられる軽い回転の力を、はる
かに強い下向きの力に変換するわけです。ねじプレスは次のような外観を
しています。

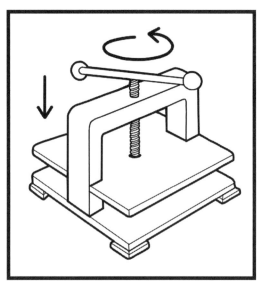

図34：ねじプレス。印刷とワイン作りの両方に使われる装置。
ただし、普通はこのふたつの用途で同時に使うことはありません。

＊ ねじは、回転（円を描いて運動する）の力を、線形運動（直線状に下へと進む）に変換しま
す。ねじを発明するのは理屈の上では簡単ですが、実際には、使えるねじにするには、ねじ山
が均一でなければなりません。目視で作るのは避けて、まずは紙（セクション10.11.1）で直
角三角形（補遺E）を作り、それを、直角三角形の最も細い部分が一番下に来るようにして、先
端が細くなった金属の円柱の周りに巻き付けます。紙を巻き終えたときに、紙の上端（訳注：
直角三角形の斜面）が作る形は「らせん」で、それは偶然ながら、ねじ山の形と同じです！
ですので、このらせんの線に沿って金属の円柱を彫って、ねじ山にしましょう。これで完璧な
ねじになります。

　そしておまけとして、ねじプレスを発明したなら（普通なら西暦100年ごろ発明されます）、ほかのさまざまな目的にも使うことができます。たとえば、木材パルプをプレスして水を切ることができます——製紙に便利——が、もっと「美味しい」目的のためにも使えます。ワインを作る際にブドウを、オリーブオイルを作る際にオリーブを、それぞれ圧搾することができます。大きな平たいプレス面の代わりに、もっと小さな物を接続すれば、金属に穴を開けるのにも使えます。

　印刷機がこれほど成功したのは、ひとつには水性インク——標準的には煤、糊、水から作ります——の代わりになるものとして、油性インク——普通は、煤、テレビン油（松脂を蒸留して作る）、そしてクルミの油（ふたつ前の段落であなたが発明したばかりの、ねじプレスでクルミを圧搾して得る）から作ります——が発明されたためでした。油性インクは金属活字によく馴染み、紙にはそれほど深く染み込まないので、文字がぼけるのを防ぐことができます。活字にインクを塗布するには、インクを染み込ませた鞣し皮を丸めて棒の先端に付けて、皮の球の先端を平らにしたもので、活字を叩きましょう（叩く回数で、活字に付くインクの量を調節できます。組んだ活字をインクに浸けていた——毎回、最大量のインクに活字を浸けていたということ——のに比べれば大きな改良です）。しかし、あなたが頭のいい人なら、インクローラーを発明するのが自然な流れです。インクローラーとは、組んだ活字の上を転がして、手軽にインクを全体に塗布できる円筒です。[*]

　印刷機が高速で稼働できれば、それだけ多くの本を作ることができます。また、たくさんの人が協力して作業できれば、単純な印刷機を最大効率で稼働することができます。まず植字工が、何枚ものページの活字を組み上げて、一人の印刷工がその活字にインクを塗布し、そのあいだにもう一人

---

[*]　インクローラーが発明されたのは西暦1810年代ごろでしたが、塗装用ローラー——インクローラーと基本的にまったく同じものですが、活字ではなく、壁の塗装に使うものとして大型化しています——がカナダで発明されたのは、1940年のことで、「おい、みんな、表面が毛で覆われた円筒を棒に付けたらどうだい？」というような単純な発明にしては、非常に遅い登場だったと言わざるを得ません。

の印刷工が紙を印刷機にセットし、同時にまた別の作業者が印刷機を紙の上に下ろして印字します。こうしてあなたは、今まさに、アセンブリライン（流れ作業方式）を発明したのです！　あなたのねじプレスは、最初は手作業で稼働させますが、あなたの文明に蒸気や電気の動力技術がすでにあれば、プレスをこれらの動力で動かすのは十分容易なことです。そして、十分な工学技術をすでにお持ちなら、あなたの印刷機を輪転機に発展させることができるでしょう。輪転機は、1790年に初めて登場した発明です。輪転機では、平らな活字を紙に押し付けるのではなく、少し湾曲した活字を巨大なホイールに取り付け、このホイールを長い紙に接するように回転させながら、文字を印刷していきます[*]。標準的な印刷機では、新しい紙を一枚セットするたびに機械を止めなければなりませんが、輪転機は、それに供給できる紙とインクが十分あるかぎり、いつまでも稼働することができます。

　初めて印刷するのに一番簡単なのは、ポスターでしょう。ポスターとは、素早く安価で正確な大衆伝達（マスコミュニケーション）を可能にする、公に掲示（英語で「post」）できる通知です。何枚ものポスターを、折り、切断し、そして一冊に綴じれば、本になります。同じ本の複製をたくさん印刷すれば、その情報が長い時間存続できる可能性が高まります。印刷がより安価になれば、ページ数が比較的少ないものを定期的に製本して、読み捨てにできるような本、すなわち「雑誌」を発行することができます。雑誌には、科学者たちが、どこに住んでいるかにかかわらず、協力しあい、発見を共有するための学術誌や、人々が今起こっている出来事や有名人のゴシップについて情報をいつも入手できるように出す、ニュースとエンタメの定期刊行物が考えられます。実際、印刷はやがて非常に安価になるで

---

[*] 私たちは、輪転機は1790年に発明されたと言っていますが、じつはこれは、紀元前3500年ごろまで遡る、現代では「円筒印章」と呼ばれている、メソポタミアの発明がヨーロッパで再発明されたものなのです。円筒印章は、小さな円筒の側面に、さまざまな図が彫られたもので、この円筒を湿った粘土の上で転がすことで、側面の画像を素早く複製することができました。円筒印章は、メソポタミアでは装飾から署名まで、さまざまな用途に使われていましたが、残念なことに、文書の大量生産用に規模が拡大されたことはありませんでした。

しょうから、やがては、最も質の悪い紙を使って、一度読めば、読み捨てて構わない文書を毎週、あるいは毎夕出版することで一儲けできるようになるでしょう。

　印刷機は、あなたの文明を、そして、そのなかにいる人々を、娯楽も教育も共に充実した最高の段階に高め、しかもたゆまぬ進化を続けさせてくれるでしょう。ですから、あなたがまさに今、印刷機を発明しようと思われたのは、まことに素晴らしいことです。

10. 12 「ここは最悪。どこでもいいからほかのところに行きたい」

　交通がなければ、文明は小さく窮屈で、周囲の広い世界をフルに探検したり、そこから利益を得たりできません。

　しかし、交通があれば、文明は拡張し、安定化し、まったく異なるさまざまな地理的領域を、ひとつにまとめることができます。**自転車**は、そのような交通手段のひとつです。自転車は、人間が自分の脚で歩くよりもうまく自力で動き回れるようにしてくれる、洗練された機械です。**方位磁針**は、誰でも自分が移動している方向を特定できるようにしてくれます。これと共に使うと最強のコンビになるのが、地球上のあらゆる地点に固有の座標を与えてくれる**緯度と経度**です。緯度と経度があれば、地球上のどこにいても、誰もが自分の正確な位置を特定することができます。海上で使える時計がないときは、**無線**の技術が、経度を可能にしてくれます（訳注：地球は1日360°の一定のペースで東向きに自転しているので、1時間は15°の角度に相当する。経度の基準線と自分の位置での時間の違いがわかれば、1時間は15°という関係を使い、その時間差を角度の差に換算することができ、自分の現在地の経度が特定できる。時報の無線放送が始まると、船上でも基準値の時刻を知ることができるようになり、経度の把握は容易になった。1904年に米国海軍がボストンの本部から放送したのが最初という。347〜348ページの段落を参照のこと）。最後に、**船**は、探検家たちが海を行くことを可能にしてくれますし、また、**有人飛行**は、それと同じことを空に対して可能にします。

　これらの技術を発明すれば、あなたの文明に属する人々は、どこでも行きたいところに行くことができるようになりますし、また、家に帰る道に迷うこともなくなるでしょう。

10. 12. 1：自転車

　自転車で出かけることについて、私がどう思うかをお話しましょう。そ

れ以上に女性の解放に貢献したものは、この世に存在しないと私は思います。女性が自転車に乗って通り過ぎるのを見るたび、私は立ち上がって喜びます。それは女性に自由と自立を感じさせます。自分が独立した存在であるという感覚になるのです。自転車に座った瞬間、女性は、自転車から降りない限り危害が加えられることはないとわかり、彼女は遠くに向かいます。それは、自由で、制約を受けない女性像そのものです。

> ——あなた（スーザン・B・アンソニー〔訳注：1820～1906年。アメリカの公民権運動のリーダーで特に婦人参政権獲得のために闘った〕も）

どのようなものか

歩行の3倍の効率で、人体が自らを移動させる手段。繰り返します。人間は、自分の2本の脚で歩き回るよりも良い移動手段を発明したのです。本書では、主として、極めて単純なことに気づくのに、とんでもなく長い時間をかけていることで、随所で人類をひどくけなしていますが、自転車は、いつどこであなたがそれを発明するとしても、見事な技術です。*

発明以前は

それについては、触れないでおきましょう。

最初の発明

西暦1817年（最初期の自走式二輪車。乗る人が自分の足で押した）

西暦1860年代（前輪にペダルが付いた自転車）

西暦1880年代（前輪が巨大で後輪が小さい、ペニー・ファージング型自転車）

西暦1885年（ふたつの車輪が同じ大きさとなり、ペニー・ファージング

---

* はい、たとえそれが、自転車の基本的な必要条件である道路、木材、そしてホイールを手に入れたあとに、さらに数えきれないほどの年数を経てからだったとしても。

の巨大な前輪から落ちる危険性がはるかに低減された「安全型自転車」と呼ばれるもの）

西暦1885年（二輪車にエンジンが初めて搭載される。すなわち、世界初の自動二輪車）

西暦1887年（チェーンで後輪が駆動される初めての自転車）

前もって必要なもの

ホイール、金属（オプション。チェーンとギア用）、布（オプション。ドライブ・ベルト用）、かご（オプション。楽しいピクニック用）

発明の仕方

あなたが座ることのできる骨組みに、ふたつのホイールを、前後に並べて取り付けます。ホイールのひとつにペダルを取り付け、この機械装置全体をあなたの足で動かせるようにし、中央に座席を設置します。そして、進行方向をあなた自身の意志で変えられるように、前輪が自由に左右の角度を変えることができるようにしておきましょう。さあ、これで、あなたはたった今、自転車を発明したのです！　あなたが慣れ親しんだ、ピカピカの金属製の自転車ではありませんが、そんなことにはこだわらなくていいのです。最初期の自転車の多くは、ほとんど完全に木だけで作られたのです。自転車は、社会を根底から変貌させ、普通の人たちが、長距離を高速で容易に、しかも完全に自分自身の力だけで、移動できるようにします。

ここまでの説明には少しごまかしたところがあります。自転車は、普通はもう少し複雑なのです。先の段落で説明した自転車は、ペダルがホイールに直接接続されているため、あなたがペダルを1回転させると、ホイールも1回転します。ホイールが巨大でないかぎり、ペダルを何度回転させても、わずかな距離しか進めません。この問題を解決する方法はふたつあります。最も簡単な方法は、駆動ホイールを大きくすることです——あの昔懐かしい、巨大な前輪を持つペニー・ファージングが生まれたのはこのためです——が、これでは自転車の重心が非常に高くなってしまいます

（ちょっとばかばかしいですが、外観はカッコいいという人もいます）。こんな自転車に乗っていれば、あなたはしょっちゅう自転車から落ち、しかも、非常に高いところから落ちることになります。

　より良い解決法は、自転車にホイールをもうひとつ取り付けることです。自転車のほぼ真ん中に、足と同じくらいの高さに、ペダルによって回転する小さなホイールを付けます。これがペダル・ホイールで、駆動輪になっている後輪につながっています。このような構造にしておけば、後輪にいろいろなギアを取り付けて、ペダルの1回転で行われる仕事の大きさを変えることができます。最近では、後輪とペダル・ホイールとを接続するには、ギアの歯にしっかりかみ合うチェーンを使いますが、あなたの文明がまだ金属加工を発明していないなら、チェーンの代わりにドライブ・ベルトを使いましょう。ドライブ・ベルトは、布を輪（ループ状）にしたもので、これをペダル・ホイールと後輪の両方にぴったりときつく巻き付けます。
[*]

　チェーンとギアを使うことにするなら、「ディレイラー」（変速機）を発明するのがいいでしょう。ディレイラーは、要するに、ペダルと後輪ギアのあいだに設置された、可動式のチェーンガイドです。水平方向にディレイラーを動かすと、チェーンがギアからギアへと移動し、自転車を止めなくても、ギアシフトが可能です。ディレイラーがなければ、自転車を止めて、手作業でギアを調整しなければなりません。これを嫌がってはいけません。というのも、フランス人が1905年にディレイラーを考案するまでは、誰もがそうやっていたのですから。さらに何らかのブレーキ（ホイールをはさんで減速するクランプ）を取り付ければ、これで自転車の基本的な構造はできあがりです。自転車は、発明以来その基本構造はほとんど変

＊　一方のホイールの動きが、摩擦によってもう一方のホイールに伝わり、こちらのホイールも動き始めます。しかし、ドライブ・ベルトは非効率的（摩擦によって多くのエネルギーが失われます）で、すぐにスリップします。「チェーンとギア」の代わりに初期に用いられたもうひとつの工夫は、「トレドル」です。トレドルは、後輪に接続された棒で、セクション10.8.4の弾み車の場合と同様、これを踏んで上下に動かすことで後輪を回転させるものです。トレドルを作る金属があるなら、チェーンとギアを作ったほうが、より効率的で信頼性も高いです！

わっていません。自転車は、人間がほとんど最初から完璧なものを作った数少ないもののひとつなのです！　それ以降の改良——乗り心地改善のための空気を詰めたゴムタイヤや、軽量化をはかったワイヤースポークタイヤなど——は、革命的にというより進化的に起こりました。そして、それらの改良はよかった（空気入りタイヤのおかげで、自転車は、初期の「ボーンシェイカー」〔骨を揺する乗り心地の悪いものの意〕というニックネームを返上することができました）のは確かですが、必要ではありませんでした。

　先ほど、自転車は歩くよりも効率的だと申しましたが、散歩に行って、あなたの体が実際に何をやっているかを見れば、ご自分でそれを証明することができます。あなたがする動きの多くは、実際には前に進む動きをもたらしません！　たしかに、足を前に振り出す動作が、からだ全体を前に動かすわけではありますが、それはあなたがしていることのほんの一部にすぎません。あなたの両脚は上下に動いています（エネルギーの浪費）し、両腕はバランスを取るために前後に揺れています（エネルギーの浪費）し、体全体も上下に動いています（もうおわかりでしょうが、これもエネルギーの浪費です）。自転車では、あなたが生み出すエネルギーの大半がペダルを踏むことに使われ、ペダルの動きの大部分が前向きの運動を生み出すのに使われます*。そして、坂では自転車は一層効率的になります。というのも、下り坂では、漕がなくても慣性で走ることができるからです。

　自転車は文明を、ほかの多くの点でも向上させます。自転車があれば、人々は安価に通勤できますし、それは都市の混雑の緩和にもつながります。また、中ぐらいの大きさのものを人力で容易に輸送できますし、その結果、

---

*　人間が直立歩行するように進化したのは、そのほうがはるかに効率的に動き回れるからだとかつては考えられていましたが、それは間違っていました。人間の歩行は、特に効率的ですらありません！　体重の違いを考慮に入れると、私たちの歩行は、ウマ、イヌ、ネズミ、クマ、カモノハシ、ゾウ、サル、そして人間に最も近いチンパンジーを始めとするほかの哺乳類の歩行の効率として期待されるものの95パーセント以内でしかないのです。実際、人間（二足歩行）とチンパンジー（四足歩行）の効率の差は、まったく大したことがなく、むしろ、キツネとイヌや、カンガルーとワラビーの間の違いや、ネズミ、シマリス、リスという近い関係にある種どうしの間の違いのほうが大きいくらいなのです！

農業従事者が農産物を市場に運べるのみならず、職人やさまざまなサービスを行う人々も、歩いて行けるよりもはるかに広いエリアで仕事をすることができるようになります。そして、あなたが人力飛行を実現するのはもう少し先のことでしょうが、私たちの歴史において、ついに1961年に人力飛行が成功したのは、要するに自転車に大々的に手を加えたもののペダルを人間が踏んで、離陸したときのことだったのです。

　私たちの歴史においては、自転車は初期の女性解放にも重要な役割を果たしました。あなたの文明では、そのような問題は生じないことを願いますが——あなたは、数千年にわたる家父長制の遺物のもとで苦労する必要はないのですから、私たちよりもいい条件からスタートされるはずですので——、自力で安価に自らを移動させる能力を人々に与えるという非常に単純なことが、19世紀後半のヨーロッパ社会をいかに変えたかは、注目に値します。新たに獲得したこの機動性のおかげで、女性は、それ以前には不可能だったかたちで文明に参加できるようになったのみならず、実際に自分自身を見る目も変えることができたのでした。女性たちはもはや、社会によって動かされる観察者ではなくなりました。今や女性たちは、自ら動くことができ、そして実際にそうする、積極的な参加者となったのです。女性の服装も、自転車に対応するために変化しました。自転車で必要となる最低限の動きを可能にする新しい「合理的な服」への需要が生まれたことは、それまで使われていた、コルセット、糊のきいたペチコート、そして足首までの長いスカートといった、動きを制約するものの終焉を意味したからです。

　その単純さ、値ごろ感、文明を変えるほどの有用性、そして、人体と共に使われたときの驚異的な効率に加え、自転車は、もうむちゃくちゃ楽しい乗り物です。あなたは、自転車の前にカゴを付けて、それにワイン（セクション7.13）1本、美味しいパン何個か（セクション10.2.5）を入れて、よかったら気持ちいい毛布（セクション10.8.4）と、爽やかな味のピクルス（セクション10.2.4）も詰め込むことだってできます。文明を再発明するためのガイド本が、最高に楽しいピクニックをするためのガイドとして

も見事に役立っているのは偶然でしょうか？　ピクニックは、客観的に言って、人類の最高の成果のひとつです。そして、なあに、心配はいりません。私たちの説明にしたがっていけば、あなたはついにはそこに到達します……

　……あなたの自転車で。

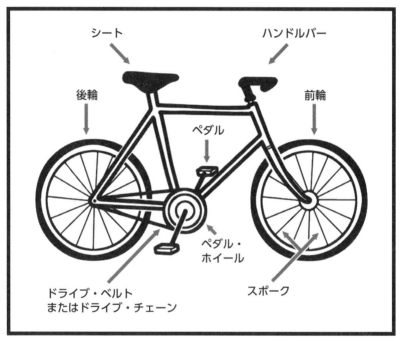

図35：美しい機械

10.12.2：方位磁針

風も波も、常に最も有能な航海士の味方だ。

　　　　──あなた（エドワード・ギボン〔訳注：1737〜1794年。イギリスの歴史家〕も）

どのようなものか

北はどの方向かを知るための手段。そこから、自分がどの方角に向かっているかを知ることも可能。

発明以前は

すぐに道に迷いました。電気すら使わずにアクセスでき、地球全体で使える、目には見えないウェイファインディング信号（訳注：「ウェイファインディング」は、羅針盤などの道具によらずに、自然現象や生物の行動を頼りに方向を判別する航海術。ここで言っているウェイファインディング信号とは地磁気のこと）は、実際、ものすごく便利なのです。

最初の発明

紀元前200年代（占い用）
西暦1000年代（航海術用）
西暦1200年代（ヨーロッパの航海術用）

前もって必要なもの

ロープ（オプション）

発明の仕方

最初の方位磁針は、紀元前200年ごろ中国で発明されました。方位磁針を作るには、磁性を帯びた石を見つければいいだけです。そのような石は、ありがたいことに、自然に地球の表面近くに存在しています。石と石どうしでくっつくものを探せば、磁石が見つかります！[*] ひとつ見つけたなら、それを使ってさらに多くの磁石を見つけることができ、また、それを

---

[*] 磁石がまったく見つからなくても、心配はありません。鉄などの、磁化することができる金属を少しお持ちなら、その金属片の内部に磁場を誘導する——その金属を磁石にする——ことができます。あなたの髪の間で、その金属片を繰り返しひとつの方向にすべらせるのです。この方法は、針1本くらいの大きさと形状の鉄に最も効果があります。そしてもちろん、あなたが電気（セクション10.6.1参照）をお持ちなら、いつでも好きなときに磁石が作れます。

使えば、鉄でできたほかの物をゼロから磁化して、新たに磁石を作ることもできます。*

　これらの初期の方位磁針は、あなたが覚えておられる、「ピンの上に針が乗ったものをプラスチックのケースに収めたもの」ではありませんでした。それらは、石を紐に結び付けただけの、平凡で基本的なものでした。紐に結ばれた石は自由に回転し、北を向きます。こうしてあなたは今まさに方位磁針を発明したのです。紐がなければ、磁石の小片を葉に載せ、水のたまっているところに浮かべましょう。これであなたは、ひとつのパラグラフのなかで方位磁針を２回も発明したことになります。

　問題なのは、これらの初期の方位磁針は航海術ではなく占いに使われたのであり、これをナビゲーションに使おうと誰かが思いつくまで1000年以上——西暦1000年代まで——かかってしまったことです。ヨーロッパ人たちがこれを思いつくにはもっと時間がかかったので、あなたはここで、人々を唖然とさせる時間的余裕がたっぷりあるわけです。

　ひとつご注意を。地球の磁場はときどき反転し、「北」と「南」がひっくり返ります。このような反転は、10万年から100万年の間隔で起こり、１回の反転が終了するのに1000年から１万年かかります。「北」と「南」は、地球の磁場の極に対して恣意的に与えられる「名札」に過ぎませんが、この反転の期間にも、この磁場の強度は通常値からほんの５パーセント低下するだけなのです。言うまでもなく、このような状況では、方位磁針を使うのは難しくなるので、もしもあなたが、このような地磁気反転が起こっている最中にいらっしゃるとわかったら、しばらくのあいだ、海を越える船旅をするのはおやめになったほうがいいでしょう。過去300万年程度のあいだに（私たちから見て、ですが）起こった地磁気反転の時期を次の図に示します。黒が、あなたが慣れ親しんでいる向きの時期、白が反転した時期です。

＊　磁石を鉄片に対してひとつの方向に繰り返しこすりつければ、髪の間をすべらせるより早く磁石にすることができます。

図36：過去500万年間に起こった地磁気反転

　ご覧になっておわかりのとおり、現代は、いつ地磁気反転が起こっても おかしくないのです！　このことは、2040年代前半に地磁気安定化技術が 発明されるまでは、ちょっとした懸念材料でしたが、それ以降は、この問 題についてはもう誰も心配する必要がなくなりました。ただし、今のあな たを除いてですが。

　それについては、お気の毒に思います。

10. 12. 3：緯度と経度

　探すために旅をし、自分自身をそこに発見するために家に帰るのだと 思います。

　　　　　——あなた（チママンダ・ンゴズィ・アディーチェ〔訳注：1977年 　　　　　　　生まれのナイジェリア出身の作家〕も）

どのようなものか

　地球上のすべての場所を、たったふたつの数値によって正確に定義する ための手段。これにより、「私は今どこにいるの？」という疑問を、この ふたつの数値を特定するという単純な仕事にしてしまう。

発明以前は

　方角は、普遍的というより局所的なもので、「これらの座標が10センチ の精度で位置を記述します」ではなく、「大きな木のところで右に曲が れ」や「陸に出会うまで西に航行せよ」という世界でした。

最初の発明

紀元前300年（最初の地理的座標系）

紀元前220年（四分儀とアストロラーベ）

西暦1675年（あまりうまくないマリン・クロノメーター）

西暦1761年（そこそこ使えるマリン・クロノメーター）

西暦1904年（無線で送信される時報）

前もって必要なもの

カレンダー（太陽緯度を知るため）、無線（経度を知るため）

発明の仕方

　地球が球形だと仮定すると（実際はそうではありません[*]）、その球全体を、何本もの水平な線と垂直な線で覆うことができます。どんな名前を付けてもいいのですが、水平な線を「緯線」、垂直な線を「経線[**]」と名付けましょう。これであなたは、地球の最初の地理的座標系を発明したのです。はい、これは簡単でしたね！

---

[*] 　地球は自転しているため、なかほどで外に膨らんで、真球ではなくなり、専門用語で「偏球」と呼ばれるものに変形しています。しかし、それほど大きく膨らんでいるわけではないので、地球は球だと仮定して、計算を簡単にすることができます！　そして、私たちは、一度思いつくままに時間を駆け抜けたけれども、今ではほかのすべての人と同じように、時間のなかを一方向、つまり、前へとしか進めず、しかも、1秒間に1秒ずつという決まったペースしか許されなくなってしまった、あなたにとって少しでも物事が楽になるように心を尽くしているのです。

[**] 　ここでも、すべてのものがそうであるように、あなたはこれらの線に何でも好きな名前を付けていいのです。私たち自身の歴史よりうまくやりたければ、このよく似た間違えやすい2種類の線に、同じようによく似た間違えやすい名前を付けないようお勧めします。一方を「緯線」、もう一方を「ゲーリー」と呼びましょう。

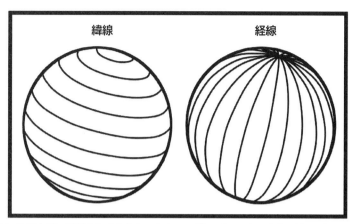

図37：地球を球で近似的に表したものふたつ。誰かがその表面全体に線を引きました。

　地球は自転しているので、自然に上と下、そして真ん中という位置が決まっています。地球の真ん中を取り巻いている線を「赤道」と呼ぶことにし、これを０度と定義しましょう。そして、ほかの緯線はすべて、緯線と地球の中心をつなぐ直線がなす角度によって呼ぶことにしましょう。そうすると、緯線は赤道で０度から始まり、北に向かうにつれ、徐々に値が増加し、北極に達すると90度になります。また、赤道から南に向かうにつれて、徐々に値が減少し、南極に達すると－90度になります。

　経線――「子午線」とも呼びます――に対しては、ゼロ度にする「垂直な赤道」のような自明なものは存在しませんので、このような問題に直面したときに、ほかのすべての人間が、あらゆる時代に行ってきたのと同じことをしましょう。つまり、肩をすくめて、無作為に選ぶのです。近代以降は、誰もがイギリスのグリニッジを通る仮想的な線（この線を本初子午線と呼びます）をゼロ度としています。というのも、これを決めたときに、

＊　地図、あるいは、地球全体で、どこが「上」かは、実際まったく恣意的です。私たちは「北が上」だというのに慣れていますし、本ガイドでもそれを採用していますが、上下逆さまの地図も、まったく同様に正確です。ですから、あなたがいいと思われる方向をご自由に上に決めてください。面白いのは、これから何千世代もの人々が使い続ける地図がどんな姿になるかが、あなたがこの２、３秒のあいだにする選択で決まるだろう、ということです！

イギリスはすでに、この線を本初子午線とした地図をたくさん印刷していたからです。しかし、国ごとに、彼らが好きな都市を通過する経線を自国の本初子午線と定めて長年使っており、あなたがどの線を選ばれようが、まったく構わないのです！

　経線には、緯線とは少し違う方法で角度の数値を割り振ります。緯線は「輪」として扱います——どの緯線も、ベルトのように地球全体を取り巻いています——が、経線は、半円として扱います。つまり、どの経線も、北極と南極のあいだに線を引いたときに得られる曲線と定義されるわけです。したがって、緯度が−90度から＋90度まであるのに対し、経度は0から180度（本初子午線の東側にある場所に対しては）と、−180から0度（西側の場所に対して）になります。こうして完成したあなたの座標系は、次のような姿をしています。

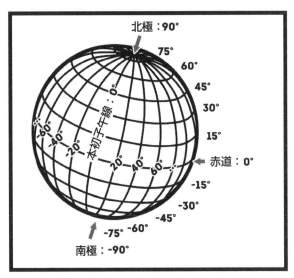

図38：突如、確固たる緯線・経線系となった、たくさんの線

　さて、今やあなたは、地球上のすべての位置に正確な座標を与えたので、あとは、あなたが今立っている場所の座標を知る方法を見つければいいだけです。

　緯度を知るには、恒星を使って自分の位置を測定しましょう。あなたは、「ああ、そうだね！　船乗りたちは『北極星』をナビゲーションに使うって聞いたことがあるし、私もそれを使おう！」と思っておられるかもしれませんが、この問題をじっくり考えると、次にあなたは、「ああ、だめだ！　今思い出したよ。地球は独楽みたいに自転して、それで『日』があるわけだけど、地球は独楽みたいに軸がグラグラ揺れてもいて、約25,700年の周期で『地軸の歳差運動』が起こってるんだった！　地軸の歳差運動のおかげで、北極から真っ直ぐ上に伸ばした線、または、南極から真っ直ぐ下に伸ばした線は、宇宙で巨大な円を描いているように見えるんだな。それで、近代以降にナビゲーションに使われている恒星は、私が足止めを食らっている時代には、しかるべき位置には見えないかもしれないんだよね。それは大問題だ。恒星そのものも、長い時間をかけてゆっくり動いていることからすると、一層大変だ！」と思われるはずです。

　そして、そうです、あなたは正しく考察されています。あなたは、タイムトラベルに出る前の暮らしのなかで、夜空を見上げて北極星（あなたが北半球にいたなら）または南極星（あなたが南半球にいたなら）（訳注：現在は北極星と同等に明るい恒星は、南極星に当たる位置には存在していない。南十字座が代用されることが多い）を探したことを思い出しておら

＊　たとえば、タイムトラベルが初めてデモ実験で成功したのは、北緯43.660155度、西経79.395196度の地点において、小さな塊が3秒間にわたり250年前に送られ、その後回収されたときのことでした。それほど重大な成果にしては、よく知られているように、実験そのものは静かで地味なものでしたが、もちろん、終盤近くで一瞬例外的な騒ぎがありました。塊が戻ってくるときに、研究者ベネットは突然気づきました。タイムトラベルの最初の成功例は、その本質上、タイムトラベラーにとっても最も有名な瞬間のひとつになる、ということに。ほとんど彼女自身の意に反して、彼女は部屋中をさっと見渡し、未来のタイムトラベラーが本当にこれを目撃しに戻ってきていないかを確かめました。ですから、もしもあなたが、影から飛び出して正体を明かすことにされるなら、これは私たちの『地球で最もワイルドでワッキーな歴史の瞬間ツアープログラム』の、一番人気のオプションになるでしょう。

れるかもしれませんが、これらの恒星の位置は保証されておらず、あなたが正確にいつの時代に今おられるかわからない状況では、それらに頼ることは不可能です。しかし、あなたがどの時代に生き延びておられようが、常に、あってほしいところに存在してくれる恒星がひとつあるのです。それが私たちの恒星、太陽です。正午──太陽が空の最も高いところにある瞬間──に、あなたと太陽のあいだの角度を測定してください。それでもあなたは、恒星を使って緯度を計算しているのに違いありません。

　このためには、四分儀が必要です。四分儀とは、要するに円の4分の1で、角度の目盛りがついているものです。言い換えれば、それはセクション4であなたがすでに発明している分度器のちょうど半分です。ここにテンプレートをご提供しておきます。木または金属で、あなたの四分儀を作ってください。

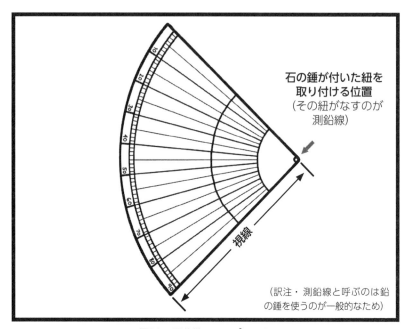

図39：四分儀のテンプレート

石に結び付けた紐を角に取り付けます。これがあなたの測鉛線で、常に真下をさします（風が直接当たらないようにできると仮定して）。視線の両端にひとつずつ輪を取り付けます（訳注：照準とするため）。視線に沿って、太陽のほうを見ながら、太陽の姿が、両方の輪の真ん中に来るようにします。このとき、測鉛線の角度を四分儀で読むと、この角度が、あなたが今太陽に四分儀を向けている角度で、これはたまたま、あなたが今いる場所の緯度と一致します。より正確な緯度の数値を得るため、数回測定を繰り返し、平均を取りましょう。こうして緯度の問題は、解決しました！

厳密に言えば、太陽を長時間見つめたために、回復不可能な失明を起こしたりしなければ、少なくとも、解決する可能性は高いでしょう。

あなたがたった今発明した四分儀は、恒星を使ってナビゲーションするには便利ですが、太陽を使う場合、間接的に太陽を観察できるように改良するのがいいでしょう。その方法はこうです。まず、測鉛線に近い側の輪を、中央に小さな孔が開いた木片に替えます。そして、もうひとつの輪は、中央に的が描かれた木片に替えましょう。こうすれば、あとは、太陽を目で見る代わりに、小さな針孔を通った光線が、的の中央に当たるように四分儀の角度を調節すればいいだけです。ジャジャーン！　こうして、もはや誰も、舟を漕ぐためだけに失明しなくて済みます。

最後にもうひとつだけ、調整しなければならないことがあります。あなたが恒星を使っている場合、恒星は十分遠くにあるので、地球から見たときには、静止しているように見えます。そのため、地軸の傾きに対して調整する必要はありません。しかし、私たちの太陽が空に現れる位置は、地軸の傾きの影響を受けるので、太陽の位置については、次の表にしたがって、読みを調整してください。

出来事	季節	この出来事が起こっていると知る方法	おおよその日にち*	調整
3月の春分	春（北半球）秋（南半球）**	昼と夜の長さが同じ	3月20日	不要
6月の夏至	夏（北半球）冬（南半球）	一年で昼が最も長く、夜が最も短い（北半球）夜が最も長く、昼が最も短い（南半球）	6月21日	地軸の傾きを足す（近代では23.5度）
9月の秋分	秋（北半球）春（南半球）	昼と夜の長さが同じ	9月23日	不要
12月の冬至	冬（北半球）夏（南半球）	一年で昼が最も短く、夜が最も長い（北半球）夜が最も短く、昼が最も長い（南半球）	12月22日	地軸の傾きを引く（近代では23.5度）

表14：太陽を使うときに必要な緯度の調整。地球上ではとにかく必要。

ここまで申し上げるのを忘れていたのですが、すべてのタイムマシンは、必然的に宇宙船でもあり、対応する空間内の動きを伴わない時間旅行は、あなたを宇宙のどこかに足止めしてしまうでしょう。なぜなら、地球は太陽を周回して宇宙のなかを運動しており、その太陽も銀河のなかで運動しており、その銀河も宇宙のなかで運動しているのですから。あなたが地球上ではない場所に足止めを食らっていることに気づかれた場合、あなたは、私たちの孤独な惑星の拘束から逃れることに成功したのみならず、本書の範囲からも逃れられたのです。幸運をお祈りします！

---

* カレンダーの発明の仕方をお教えしていなかったのに、あなたはどうやってこれらの「おおよその日にち」を知ることができるのでしょうか、という問題ですが。答は簡単です。これらの、春分・秋分、夏至・冬至を元に、カレンダーを作ればいいのです。毎日、昼と夜の長さを測れば（セクション10.7.1「時計」参照）、春分・秋分がいつ起こったかがわかるはずです。そして、それを中心にして、カレンダーを構築すれば、翌年、これらの節目の日がいつくるかを前もって知ることができます。その気がおありなら、カレンダーを可視化することもできます。たとえば、岩をうまく配置し、太陽が夏至と冬至の朝だけ、岩と岩のちょうど真ん中を昇っていく、という具合に、一種のストーンヘンジを作るなどです。私たちは、あなたも慣れ親しんでおられる、グレゴリオ暦と、英語ではユリウス暦の月名を使っていますが、あなたはそれにこだわる必要はありません。月はあなたの好きな名前で呼べばいいですし、月の長さも好きに決めて構いません。本初子午線と同様、月の長さもまったく恣意的なのです。あなたのカレンダーの唯一の科学的制約は、平均すると1年は365.256日でなければならないということだけですが、この平均値も、好きなやり方で達成すればいいのです。私たちは、1年365日を3年間つづけ、4年に一度、余分な1日を加え、ときどきうるう秒を足して、不足を補っていますが、ほかにもやり方はあります。

** 南北どちらの半球にあなたがおられるかを判断するのは簡単です。巨大な振り子を作り――長さ12メートル以上ならうまくいきます――、2、3時間程度揺らしておきます。振り子の慣性系は地球のそれとは無関係なので、十分長い振り子（あなたが今作ったような）なら、地球の自転を実際に目で見ることができるのです！ 振り子が振れる面は徐々に回転します――北半球では時計回り、南半球では反時計回りに回転し、赤道ではまったく回転しません。レオン・フーコーという名前の人が1851年にこのことを思いつきましたが、今やそれはあなたによるものです！

もしもあなたがこれを読んでおられるのが、ここで申し上げた夏至・冬至、春分・秋分以外の日なら、地軸の現在の傾きを考慮に入れるのに必要な調整を、次の式で近似することができます。四分儀の測定値に、この式の答を足してください。

$$調整＝(-t)×\cos[(360°)/365×(d+10)]$$

ここでdは、1月1日を0、1月2日を1、などと数えたときに、測定日が1年の何番目の日かという番号で、10は、その日数を冬至から数えた日数に換算するために加えます。また、tは、地軸の現在の傾きを度で表した数値です（あなたがいる時代の地軸の傾きを測定する方法は、セクション10.7.1を参照のこと）。

こうして、ついに、緯度の問題は解決しました。あとは、経度を計算すればいいだけで、それはずっと簡単です！

経度は、あなたが、本初子午線から東または西にどれだけ外れているかという尺度です。あなたはすでに、地球が毎日西から東へと360度自転していることをご存じですので（私たちがつい今しがたお話しましたので）、経度の1度が一日の1/360、すなわち、4分に対応するのは明らかです。[*]あなたの経度は、あなたがいる場所の正午と、あなたの本初子午線上の正午の差です。[**]たとえば、あなたの正午が本初子午線の正午の8分前なら、あなたの経度は本初子午線の2度東側だとわかります。同様に、あなたの正午が本初子午線の正午の20分あとなら、あなたの経度は5度西側です。

---

[*] ここでは1日は24時間だと仮定しています。あなたの1日は、これより短い可能性があります。その理由は、月の重力が潮汐を起こし、地球とその海のあいだに摩擦が生じて、地球の自転に対して小さなブレーキのように働くからです。おかげで、地球の自転は、未来に行くと遅くなり、過去に行くと速くなります。時間を100万年遡るごとに、約17.8秒ずつ、1日は短くなります。

[**] ここでは、正午の天文学の正式な定義、「太陽が子午線を通過する時刻」（つまり、その地点で、太陽が空の最も高いところにある時刻）を使っています。タイムゾーンを決めたときに、あなたが作った近似的な正午ではありません（セクション10.7.1「時計」参照）。

本初子午線で今何時かを追跡する程度のことが、人類の進歩を数千年にわたって滞らせるわけなどないと思っておられるのだとしたら、経度など確かに取るに足らないことでしょう。

申し分けありませんが、ここで、本初子午線で今何時かを追跡しなければ、間違いなく人類の進歩は数千年間滞ってしまうのだとお知らせしなければなりません。

その理由は単純なことです。時計は普通、何らかの繰り返し運動に依存しています——振り子の揺れ、滴り落ちる水、転がるボール、などいろいろ——が、これらの運動は、陸上では問題なく進みますが、船の上ではまったく使えません。激しい波が一度押し寄せたなら、振り子の調子は狂ってしまいます。しかもこれは、船は絶えず波に揺らされていることをまだ考慮に入れない話でしかありません。これに対処するために、船は何十個もの時計を載せていました。どの時計も、さまざまな理由から少しずつずれた時間を表示するようになるとしても、すべての時計の時間を平均したものはきっと正確だろうという考え方でした。しかし、これでは問題は解決せず、船が海上で迷い、沈没する状況は続きました。* これは非常に深刻な問題で、早くも西暦1567年には、さまざまな政府が、海で経度を特定できる解決策に対し、賞金を提供しはじめました。1707年にはイギリスが、有効な解決策には最高2万ポンドを与えると発表しました。今日の通貨では、数百万ドルの賞金に相当します。

あなたがこの時代にいらっしゃるなら、朗報です。あなたは、このあとすぐ大金を手にします！

実際の歴史における解決策は、ほぼあなたが考えておられるとおりのこ

---

* 英国海軍戦艦ビーグルは、1831年に、乗船していたチャールズ・ダーウィンがやがて進化論を構築し始める航海に出発したとき、22個の異なるクロノメーター（訳注：船舶上でも性能を維持できる、高精度な時計で、17世紀半ばまでの大航海時代に経度の測定のために帆船に搭載された）を搭載していました。これらのクロノメーターはすべて、外から加わる動きが極小化できるように、船の底に特別にしつらえられたひとつの船室に収められ、クロノメーターの維持管理に必要な場合以外、誰もそこに入ることは許されませんでした。5年後にビーグル号が帰還したとき、22個のクロノメーターのうち、正常に動作していたのは11個だけでした——しかし、船はちゃんと帰還したのです。

とです。つまり、非常に優秀な時計職人たちがこの問題に全生涯をかけて、ついに、極めて巧妙で、極めて高価で、極めて複雑なマリン・クロノメーターを考案したのです――これらのクロノメーターを作るのは、とんでもなく難しいので、あなたは作らないことにしましょう。その代わりに、あなたはここまでの考え方とはまったく違う観点から取り組み、現代でもなお使われている解決策に一足飛びしましょう。あなたは、光の速度で空間そのもののなかを伝わる、目には見えないエネルギーの波に乗せて、時間を送るのです。

　これからあなたは、無線を発明するのです。

　それによってあなたは、まだ生まれていない、数百万人の船乗りの命を救うのです。[34]

緯線や経線の間隔って、いったいどれぐらいなの？

緯度と経度の１度が、地球と同じ形の惑星の上で占める距離を、異なる緯度ごとに、次の表に示します（ここでは、厳密な偏球に対する値を示しています。なぜなら、私たちはお客さまを大切にしていますから）。緯度が90°の地点では、経線間の距離は０キロメートルになりますが、それは緯度が±90°の地点は北極と南極で、すべての経線が一点で収束する場所になっているからです。

緯度	緯線間の距離	経線間の距離
0°	110.574km	111.320km
+/− 15°	110.649km	107.551km
+/− 30°	110.852km	96.486km
+/− 45°	111.132km	78.847km
+/− 60°	111.412km	55.800km
+/− 75°	111.618km	28.902km
+/− 90°	111.694km	0km

表15：あなたが船に乗って海の真ん中に来たときに、陸地までどれだけの距離があるかを知りたくなるまでは、まったく退屈にしか見えない数値表。でも、その時が来たらあなたは、「この表があってよかったよ。結局、全然退屈なんかじゃなかったんだ。今までいろいろ偉そうなことばかり言って、ほんとうにごめんなさい」と言いたくなるでしょう。

10. 12. 4：無線

無線時代の到来は、戦争を不可能にするでしょう。

なぜなら、それは戦争をばかばかしくするからです。

――あなた（グリエルモ・マルコーニ〔訳注：1874〜1937年。イ
タリア生まれの発明家〕も）

どのようなものか

アイデアや情報を、ほぼ光の速度で伝達し、人類を大昔から拘束してき
た、時間と距離の障壁を軽減する手段。

発明以前は

音楽を聞きたければ、家から出て、物理的にコンサートまで行かなけれ
ばなりませんでしたが、そこまでやろうという人はどれくらいいるのでし
ょうか。

最初の発明

西暦1864年（電磁波の存在の予測）

西暦1874年（鉱石検波器の発明。〔訳注：金属の針を使った電波検出器
がフェルディナント・ブラウンによって発明される〕）

西暦1880年（初の意図的無線伝送〔訳注：デイビッド・ヒューズが英国
王立協会でデモするも、電磁誘導と勘違いされる〕）

西暦1895年（無線信号が2.4kmの距離にわたって送受信される）

西暦1901年（無線信号が3500km離れた大西洋の両岸で送受信される）

前もって必要なもの

電気（伝送のため）、金属（ワイヤーのため）、磁石（スピーカーのため）

発明の仕方

電磁スペクトルのことはお聞きになったことがあると思います。これは、

電波から可視光、X線までをも含む、あらゆる波長の電磁波を、波長の長さの順に並べたものです。電磁放射——空間のなかを伝わっていくエネルギー——の、波長の一覧ということもできます。

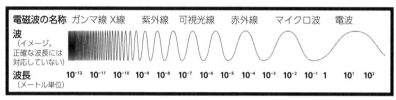

| 電磁波の名称 | ガンマ線 | X線 | 紫外線 | 可視光線 | 赤外線 | マイクロ波 | 電波 |

図40：電磁スペクトル

　最もエネルギーが高い側にあるのがガンマ線、その反対側の端には、エネルギーが低い電波が位置しており、中ほどの狭い範囲に可視光があります。* あなたはおそらく、スペクトルのなかでは可視光の部分に最も親しんでおられるでしょう、なぜなら、これらの言葉を読むには、あなたの目で可視光に相当する電磁放射を吸収されているわけですから。お読み下さりありがとうございます！

　私たちは、可視光をいくつかの色に分けています。赤、橙、黄、緑、青、藍、紫です。** しかし、これらの色を互いに分けているのは、そのエネル

---

*　「狭い範囲」というのは、決してふざけて言っているのではありません。可視光は波長範囲が400から700ナノメートルなので、あなたがこれまで見たすべてのものも、そして、今後見るすべてのものも、電磁スペクトルのなかの、たった300ナノメートルの範囲から、あなたの目に届いているに過ぎないのです。

**　分け方はほかにもいろいろあります！　色はスペクトルなので、あなたは好きな色を選んで、それに好きなだけの数の名前を付けていいのです。たとえば、英語圏の人は、青と緑は別の色だと言いますが、中国の「青」という色は、この両方を含んでいます。逆に、英語のほうが大雑把な区別をしている例をあげると、英語圏では「赤」とひとくくりにされているものが、ハンガリー、トルコ、アイルランドの言語や、そしてスコットランド・ゲール語では、たくさんの名称で呼ばれています。そして、それすら大まかなものに過ぎません。仕事で色を扱う人は、普通の人が区別しようとも思わない色合いを敏感に区別します。室内装飾の仕事をしている人（くよくよしないでください。あなたの文明にもいつかそういう人たちが出現しますから）は、深紅色、バーガンディ（訳注：後出のワインより暗い、紫味の赤）、洋紅色（カーマイン）、アマランス色、エビ茶色、フォリー、赤褐色、暗赤色、紫檀色、朱色、ヒナゲシ色、紅玉髄色、とび色、ローズ、ワインといった色を、手持ちの色見本のなかから選び出すことができます。素人の私たちには、ただ「いろいろな赤色」としか見えないのに。

ギーの範囲だけです。私たちの脳は、あるエネルギー範囲の可視光に相当する電磁放射を「黄」だと認識し、また別の範囲を「紫」と見るわけですが、すべての色（そしてすべての電磁放射）は、基本的には同じ種類のものです。つまり、それらはエネルギー範囲が異なる電磁放射で、すべて、光速で伝わっています。あるエネルギー範囲の電磁放射は、ほとんど相互作用をせずに私たちの体を通過します（電波）が、別のエネルギー範囲のものは、体に激しくぶつかります（光）。

　直観的には、可視光は電波とは違うと感じられるかもしれませんが、可視光はたまたま人体に吸収される周波数であるという以外、何ら特別なことはありません。実際、それは、人間が可視光を見られるように進化した理由のひとつでもあります。そして、私たちが可視光以外の電磁スペクトルの部分を見ることができないのは確かである一方、そのような部分でも一部は感じることができます。赤（私たちが見ることのできる最も低エネルギーの電磁放射）より少しだけエネルギーが低い電磁放射は、「赤外

＊　私たちは、見たいと思っても電波を見ることはできません。電波はすでに、私たちの目を一切刺激することなく、そこをただ通過しているのです。しかし、私たちに見える範囲よりも少しだけ広い範囲の光を見ることができる動物は存在します。エビに近いシャコ類は、私たちに見えるすべての色を見ることができるうえに、赤外線と紫外線のスペクトルも少し見ることができます！　彼らは、人間が夢見たことすらない色を見ることができるわけです……その主な理由は、見たことのない色を人間が想像するのは非常に難しいからです。このことは、哲学上のある未解決問題と関連しています。それは、1982年にフランク・ジャクソンという哲学者が提案した、「スーパー科学者メアリー」という思考実験です。これは、タイトルになっているメアリーという名前の架空の女性についての思考実験で、優秀な科学者である彼女は、生まれつき病気で、白と黒しか見ることができません。信じられないことですが、彼女は生涯を白黒の部屋で過ごし、そこでは白黒のコンピュータがインターネットに接続されています。しかし、このような制約にもかかわらず、メアリーは成功しました！　彼女は、色とはどのようなものか、光はいかに目と相互作用するか、その情報は脳のなかでどのように振舞うか——つまり、色にまつわるすべて——に関して、知ることができるすべての物理的情報を学びました。彼女は、完全に自分の白黒の部屋にこもったままで、色と人体に関する世界的な専門家になりました。やがて、ある日のこと、メアリーの病気が治り、彼女は部屋の外に出ることを許されました。彼女は戸外に出て、美しい青空を生まれて初めて見上げます。そして、あなたへの問いは、これです。「彼女は何か新しいことを学ぶでしょうか？」言い換えれば、「教えることはできず、意識のある状態での直接の経験からしか得ることのできないような知識は存在するでしょうか？」です。私たちに答を訊かないでください！　私たちはタイムマシンを作っただけですから。

線」と呼ばれており、私たちはそれを肌で熱として感じることができます。紫より少しだけエネルギーの高い電磁放射は、「紫外線」と呼ばれ、私たちはこちらも肌で感じることができますが、それは専門用語で「命にかかわる可能性もある、放射線による熱傷」と呼ばれるものによってです。[*]

さて、これであなたももう、電磁放射の基礎をよくご存じなので、無線についてお話しましょう。無線とは、要するに、電磁波を使って情報を伝える技術です。現代では、これはいくつかの方法で行われています。無線信号の振幅（電波の振動の大きさ）を変化（専門用語では「変調」と言います）させることで、AM信号が、そして、無線信号の周波数（電波の振動の頻度）を変化させることで、FM信号が得られ、それぞれAMラジオ、FMラジオに使われます。ここでやっているのは、「振幅または周波数がどれだけ変化するか」に、情報を暗号化して組み込む、ということです。しかしこれは、あなたに必要なことより、少々進歩しすぎています。のちのちあなたもそこに到達しますが、あなたの当面の目的のためには、まず無線信号が送れるようにしましょう。

あなたは、簡単な方法で電波を生み出すのです。そして、たまたまですが、その方法は、マッドサイエンティストのやることのなかでも、最も印象的なものです。つまり、人工雷を起こすのです。これは、「電気」とも呼ばれています。さて、電気が空間を伝わるとき——これは、「アーク放電」と呼ばれるもので、セクション10.10.3で詳しく学べます——、それはあらゆる種類の電磁放射を生じます。光も出ます（だからこそ雷はカッコよく見えるのです）が、たくさんの無線放射も出ます。アーク放電を意図的に発生させられるなら——導線を一カ所切断し、電気が伝わるには、切断されて生じたギャップを、一方の端からもう一方の端へとアークを描いて飛ぶしかないようにすれば可能です——、無線信号を発生させることが

---

[*] これが日焼けの正体です！ 熱傷（やけど）を起こすのは、あなたに見える日光や、あなたが感じる赤外線の熱ではなく、高エネルギーの紫外線です。紫外線が、あなたの皮膚を貫通し、あなたのDNAに損傷を与え、放射線による熱傷を起こしているのです。細胞のDNAに損傷を与えるたびに、その細胞がガン化する危険性が生じます。本文で「命にかかわる可能性もある、放射線による熱傷」と言ったのはそのためです！

できるわけで、それがどんな強さで伝わるかを制限するのは、あなたがアーク放電に与えられるエネルギーの大きさだけです。

もしもあなたが、電波バーストの存在だけで情報を伝えようとしているなら（たとえば、時間管理のために正午に送信するなど。セクション10.12.3参照）、あなたの仕事はこれでおしまいですが、スイッチを1個加えて、電波をさまざまなパターンでオンオフできるようにするなら、どんな情報でもモールス符号を使って送信することができます[*]。これは、有線電信で使われているのと同じ技術です。お望みなら、有線電信も今発明することができます。あなたのスイッチを、アーク放電型の無線送信機ではなく、離れたところにあるブザーに導線で接続すればいいだけです。有線電信は、陸上通信にはより単純でいいでしょうが、海を横断する通信には無線を使ったほうがいいでしょう。少なくとも、海底ケーブルを敷設(ふせつ)できるようになるまでは。

これらの信号を受信するために、あなたはこれから、世界初の無線信号検出器を作ります。それには、電池すら不要です。無線信号そのものが検出器の動力源になります。まず必要なのはアンテナです。長い導線なら何でもいいのですが、30メートル以上が理想的です（訳注：さらに、電気を通さない絶縁物で導線を覆った「ケーブル」が望ましい）。その一端を地面に刺し、他端を高いところに固定します。陸上なら木の上、船上ならマストの上がいいでしょう[**]。電

---

[*] モールス符号をご存じなくても、気にすることはありません。あなたが今作ればそれでいいのですし、モールスではなく代わりにあなたの名前を付けましょう！　モールス符号の背後にある考え方は、各文字を、ダッシュ（長点。「ツー」という長い1音の信号）とドット（短点。「トン」という短い1音の信号）の異なる組み合わせで表すということです。あなたがスマートにやりたければ、最も頻繁に使われる文字に短い符号を使い、あまり使われない文字に長い符号を使ってください。こうすると、情報をより効率的に伝送できます。どの文字が最も頻繁に使われるのでしょうか？　あなたに便利なように、私たちは総計60万字を超える文章を、本ガイドのかたちでご提供していますので、あなたは各文字を数え上げ、どの文字が最も頻繁に使われているかを調べればいいだけです。これは演習問題として、読者のみなさんが取り組むことになっています。

[**] そして、あなたが船上におられるなら、ワイヤーを水中に垂らしておけば、単純な「アース」として機能しますが、船底の下側に金属板を張っておけば、より面積の広いアースになり、したがって有効性も高まります。

波（思い出してください、要するに電磁放射です）がこの長い導線と相互作用して、そのなかに電子の振動が誘導され、電流が生じます。このエネルギーを検出するために、あなたはこれからダイオードを発明しましょう。

　ダイオードは、電流を一方向にだけ流す装置です。ダイオードは「半導体」──異なる状況の下では、電流の伝え方が異なる物質──の一例です。近現代において、私たちの半導体は真空管からトランジスタ、さらに集積回路へと進化しましたが、あなたにはそれらのものは必要ありません。あなたに必要なのは、ただの普通の石なのです。石のなかには、天然の半導体もあって、それらは、方鉛鉱（最も一般的な鉛の鉱石で、灰色で金属光沢があり、角ばった六面体をしていることが多く、しばしば方解石と共に発見されます）や黄鉄鉱（「愚者の黄金
フールズゴールド」とも呼ばれ、黄色く、とてもよく光ります）などです。ほんの少しあれば十分です。これらの鉱物の結晶が1個あれば大丈夫です。あなたは、あなたの先祖たちが若かりしころ、ラジオがまだ珍しかった時代に、おもちゃの「鉱石ラジオ」を作ったという話を覚えておられるかもしれません。あなたはここで、それと同じものを作っているのです。

　結晶ダイオードができたら、アンテナ（地面にアースしたままで）をそれにしっかりと接続し、別の細い導線──歴史的に「ねこのひげ
キャッツウィスカー＊」と呼ばれています──に、結晶ダイオード上のもう一カ所に、ごく軽く接触させます。おそらくあなたは、「ねこのひげ」に、結晶ダイオード上のあちこちを接触させ、半導体の性質が最も強く現れる点を探さねばならないでしょう。そのような点を特定したら、あなたの「ねこのひげ」は、アンテナが無線信号を捉えたら、電流を流すでしょう。わずかな信号には違いないですが、無線信号がとらえられたことを示すには十分です。[35]

　この電流を聞こえるようにするために、これからソレノイドを作りましょう。ソレノイドとは、絶縁物で表面を覆った導線（絶縁電線）を密にコ

＊　そのように呼ばれているのは、細いワイヤーなら何でも、目を十分細めて見れば、ちょっとねこのひげのように見えるからです。

イル状に巻いて、筒の形にしたものです。一般に導線に電流が流れると、磁場ができますが、その導線を（訳注：絶縁被覆した上で）コイル状にすると、磁場が強化されます。セクション10.6.2で見たように、これは電磁石です！　コイルの内部に普通の磁石を入れると、電気の振動と同じペースで磁石が振動します。軽くて丈夫なコーンを磁石に取り付け、磁石が動くと同時に空気も動くようにすると、電流の変化が空気の運動へと変換されるというわけです。言い換えれば、あなたは今まさに世界初のスピーカーを発明したのです。

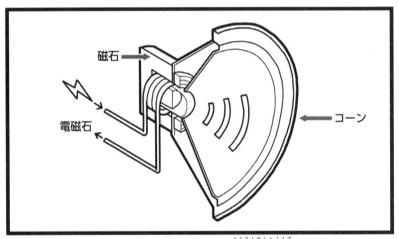

図41：世界初のスピーカー。音を立てよう。
（訳注：『メイク・サム・ノイズ』は、2006年に発売された、ジョン・レノンの曲を
著名アーティストがカバーしたアルバム。スーダンのダルフールで起こった
人権の危機に対する、民間人保護のための国際キャンペーンの一環）

このシステムでは、電流はとても小さいので、スピーカーも大きな音は出せず、どちらかといえば、小さなヘッドフォンなどに適しており、パーティーで大集団を同じロックのビートでノリノリにさせる『ブロック・ロッキン・ビート』用大型スピーカーには向かないでしょう――しかし、どちらもスピーカーの原理は同じです。

　ここで少し、ご注意いただきたいことをお話します。無線伝送（ラジオ送信）は、昼間よりも夜間のほうがうまくいきます。それは、地球の大気の上層部に存在する、電離圏と呼ばれる、太陽エネルギーによってイオン化され、電荷を持った空気の層が影響を及ぼしているからです。日中、電波が電離圏の下部（訳注：電離圏のD層と呼ばれる部分）を通過するとき、電波は、太陽によってイオン化された空気分子と相互作用をし、損なわれてしまいます。しかし、夜間は、この層も電波の進行を邪魔することはなくなり（ありがたい！）、実際、その上にある電離圏の別の層（訳注：電離圏のE層）が、十分斜めの角度で入ってきた電波を反射してくれます（なおありがたい！）。夜間に電離層で信号を反射するのは、長距離にわたって情報を送る、非常に理に適った方法です。実際、地球の湾曲が意味を持つほどの長距離にわたって信号を送る際には、送信者と受信者のあいだを結ぶ一本の直線の経路で、（経路上に存在する）電波を遮る岩を通過できるものは存在しないので、恐らく、電離層で反射させるのが唯一の通信手段でしょう。

　また、電磁放射はいつまでも同じ強度で伝わっていきはしないということも忘れてはなりません。あらゆる送信用放射（電磁波、重力、音波など、何の放射であれ）の強度は、じつは、源からの距離の二乗に反比例するのです。言い換えれば、源との距離が遠くなればなるほど、信号は急激に小さくなるように感じられます。クロノトンそのものを思いのままに曲げることができる私たちでさえ、逆二乗則を変えることはできませんが、強度を上げて発信することで減衰は緩和されます。最初の大西洋横断通信（本セクションの冒頭を飾った言葉を述べたマルコーニその人が主催して実施されました。冒頭の言葉に予言されたことは、残念ながら当たりませんでしたが）は、本セクションで述べたアーク放電型の発信機を使って達成されましたが、非常に強力な電源を使い、大西洋の対岸には、巨大な受信アンテナを設置してのことでした。

＊　電波はたいていのものを通過しますが、分厚く密度が高い物質になるほど、信号は大きく減衰します。

10.12.5：船

非常に長いあいだ、海岸を目にしないことを受け入れない限り、新しい陸を見つけることはできない。

————あなた（アンドレ・ジッド〔訳注：1869〜1951年。フランスの作家〕も）

どのようなものか

水に覆われた、世界の表面の約70パーセント[*]を、探検、漁業、通商、そして公海上での素敵なパーティーに使えるようにする手段。

発明以前は

人間たちは、歩いたり、這ったり、泳いだりして行けないところには、広がることができませんでした。そのため、小島から大陸全体まで、あらゆるところにまったく移住することができぬままでした。人々は、海の彼方を見つめてはため息を吐くばかりでした。

最初の発明

紀元前900,000年（原生人たちが18キロメートルの海を渡ってインドネシアのフローレス島に到達）

紀元前130,000年（人間たちがギリシア本土からクレタ島まで海を渡っ

---

* この比率は、あなたが生き延びられる時代ならいつでも正しいです！ 地球の表面のうち水に覆われた部分の面積は、紀元前3億年ごろに超大陸パンゲアが形成されて以来ほぼ一貫して約70パーセントです。というのも、その後パンゲアが分裂してできた諸大陸は、大きさはほとんど変わっておらず、ただゆっくりと移動しただけだからです。地球上のすべての水は、どこかに行かなければなりませんが、水を貯蔵できる場所は、次の3つだけです。 (a) 「海」や「湖」と呼ばれる、地表の巨大な貯水場。 (b) 大気中の雲。しかし、大気が含むことのできる水分量には限界があります。 (c) 北極と南極の氷。これらの極地の氷は、よく知られているように、増減を繰り返しますが、その都度、海水位が上下し、それに伴い陸地が水に覆われたり、現れたりします。しかし、極地の氷が完全に融けたとしても、海水位はそれほど変化しません。高々70メートル上昇するだけで、陸地の面積は3パーセントしか減少しません。とはいえ、人間の居住域が海岸線上にあることを考えれば、それは非常に重要な3パーセントです！

て移動）

紀元前46,000年（人間たちが海を渡ってオーストラリアに到達）

紀元前7000年（葦船）

紀元前5500年（帆船）

西暦100年（帆船で風に向かって進む）

西暦1783年（蒸気船）

西暦1836年（プロペラを主動力とする船）

前もって必要なもの

木（丸木舟）、ロープ、タール（葦や丸太でできた舟のため）、金属加工および溶接（舵針(かじばり)と壺金(つぼがね)のため）、布（帆のため）、方位磁針、保存食、緯度と経度（カッコいい船のため。そのカッコよさを知れば、絶対に作りたくなりますから）、紡ぎ車（沖合漁業を発明するために必要な漁網のため。沖には本当に美味しい魚がいるので、あなたは絶対に発明したくなりますよ）

発明の仕方

最初期の船（「丸木舟」と呼ばれました）は、とことん単純でした。十分大きな木の幹をくりぬいて、中に座れるようにし、そして、これで船が発明されたわけです。あなたは、もっと性能の良い、もっと大きい船を作ることができます。それには、葦、丸太、もしくは木の板などを集め、それらをロープや釘でつなぎ、船の形にし（前が尖り、後ろが四角い形）、隙間に植物を詰め込み、全体にタールか松脂（「セクション10.1.1：木炭」参照）を塗って防水処理をします。そんなの野心的すぎると思われるなら、いかだを作るだけでもいいのですが、いかだは、どこかに行くことよりも、海を漂うことのほうに適しています。方向を定めて水を切って進ませてくれるのは、先端が尖った船なのです。覚えておいていただきたいのですが、船はあなたが行きたいところへ行きますが、いかだはいかだが行きたいところへ行きます。あなたに必要なのは船です。

船の進む方向は、舵を使えば簡単にコントロールできますが、人間がこ

れに気づくには長い年月が必要でした（もう今となっては、そう聞いても
あなたはまったく驚かれないとは思いますが）。舵が発明される前は、大き
な「舵取りオール」を1本または複数本、船の片側に設置し、船べりか
ら水におろしていました。これは、西暦100年ごろに中国で舵が発明され
るまでは最先端技術でした。舵のアイデアは、その1000年後の西暦1100年
ごろにようやくヨーロッパに伝わりました。ヨーロッパのみなさん、もっ
とちゃんとやりましょう。

舵（セクション10.12.6参照）は、舵針と壺金を使って、あなたの船の後
ろに取り付けることができます。舵針（英語ではpintle〔ピントル〕）と
壺金（英語ではgudgeon〔ガジオン〕）とは、少なくとも英語では単純な
発明に付けられたかわいらしい名前です。壺金は筒で、舵針はこの筒にち
ょうどはまる太さのボルトですので、舵針に何かつければ、それは自由に
回転できます……舵は、まさにそのように動いてほしいわけです。

これらは、西暦1400年代になってようやく発明されたので、あなたの船
に使われる技術は、たった2、3段落で早くも数千年進歩してしまいまし
た。とはいえ、これはまだ手始めに過ぎません。

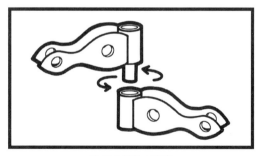

図42：舵針と壺金

第一級のおばかさんのように、水をオールで掻いて、力で押して船を進
めるのを避けるために、あなたは帆またはエンジンを発明するのがいいで
しょう。エンジンはほかのところ（セクション10.5.4）で論じていますの

で、ここでは帆を取り上げましょう。帆を使えばとにかく、もっと美しい船が作れますし。

　四角い一枚の大きな布を、ほいっと掲げて、真っ直ぐに立てます。ただし、風を受ければ膨らむ程度のゆるみを残します。布の向きは、船の中心線に対して垂直になるようにし、風を捉えることができるようにしましょう。ほーら、御覧じろ、あなたの船は水をすいすいかき分けて進み、あなたは今まさに、セーリング——帆船による航行——を発明されました……船長。水の流れよりも速い風が吹いているときはいつでも、帆で進むことができます*。しかし、これは入門レベルの航行法で、歴史を通して何度も発明されたもので、風の方向から60度以上はずれた方向に進むことはできません。どんな方向でも望むままに進むことができたら、素晴らしくないですか？　風に真正面から向かって、風上へと進むことができたら、素晴らしくないですか？　自然の力そのものを、あなたの意志にしたがわせ、それによって海そのものを征服できたなら？　素晴らしいですよね。ですから、その方法を今発明しましょう。

　四角い帆を船の中心線に直交する向きに立てるのではなく、三角形の帆を船の中心軸に沿う向きに立てましょう**。このような帆は「縦帆」と呼ばれています。英語では、fore-aft sailと言いますが、この名前も帆の向きが、船の後ろ（船乗り用語でaft）から前（船乗り用語でfore）へと中心軸に沿った帆（sail）という意味を表しています。この帆を「帆げた」（マストに取り付けられた、太く長い回転する梁）に取り付ければ、帆は回転

＊　風速が水の流れる速度よりも遅い場合、あなたは帆走（セーリング）はしていません。あなたは、漂っているのです。そして、風が強くなるまで、あなたは漂い続けることになります。船乗りたちはこれを「凪（なぎ）」と言い、英語では、「静かになる」という意味のbecalmという言葉で表しますが、陸から何キロも離れた海で凪にはまると、とても心静かではいられません。食糧や真水は減っていくし、太陽は照りつけるし。船乗りたちは、そんな言葉ではなく、「静かになったけどこれは実際大問題だから心しろ（becalmbutalsobeawarethatthiscouldactuallybeabigproblem）」と呼ぶべきです。

＊＊　帆の種類は、じつのところ、横帆か縦帆か、ではないのです。多くの船（特に大きな船）で、横帆と縦帆の両方を組み合わせて装備しており、状況に応じて、有利なほうを使っています。風が真後ろから吹いているときには、やはり横帆が最も効率がいいのです！

できるようになり、船と、それを駆動する帆との角度を変えることができます。角度が調節できたら、帆げたにロープを結び付け、角度を固定します。

このように、帆をよりよくコントロールできるようになると、風をほぼすべての角度——具体的には、風に向かって約45度までの角度——から利用できるようになります。確かに、風上に向かって真正面から進むことはできませんが、風の向きから45度ずれたところから始めて、次に、船の方向を約90度回転させて、船の反対の側面（「舷」と言います）から45度の角度に、という具合に、左右の舷を交互に風に向けて、45度の角度で徐々に進むことができます。これは「タッキング」と呼ばれる操作で、ジグザグの動きになります。たしかに、まっすぐ進むよりは非効率的ですし、また、しょっちゅう帆の向きを操作しなければなりませんが、そんなことは構わないではないですか？　地球上のほかのすべての文明がおそらく依然として木をくりぬいて、丸木舟を作っては、「俺たち、この舟でどこまでも行くのさ」などと豪語しているのを尻目に、あなたは風に向かって航行しているのですから。

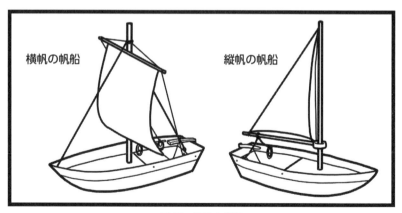

図43：横帆と縦帆

しかし、この新しい帆が風でできることはこれだけではありません。帆

を、風に対して斜めに――ほんの少しだけ風の方向と角度をなすように――向けると、風の一部は帆を膨らませますが、それ以外の部分は、帆の裏側を通過します。このような気流ができると、帆は翼のように働き――セクション「10.12.6：有人飛行」で、翼が飛行機に対して働くのと同じように――、揚力が生じます。揚力が生じれば、風は船を後ろから押すのみならず、反対側から、同じ方向へと、帆を引き上げます。この押す力と引き上げる力を組み合わせることで、帆船は実際に、風そのものよりも速く進むことができます。熟練した船乗りが適切な装備をした船に乗っていれば、風の1.5倍のスピードで航行することも可能です。これは目指してみる価値のあるスキルです！

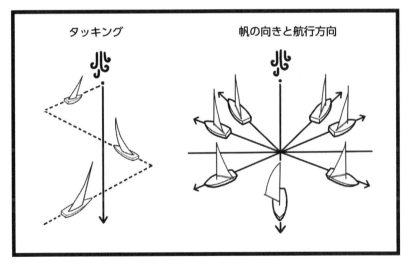

図44：タッキングと、風位（船の進路に対する風の向き）

今、このようにしてあなたが利用している風の力は、あなたの船を転覆させる可能性が非常に高いので、船の底に重いものを貯蔵し、船を安定化させるバラストにします。さらに、「竜骨」（サメのひれのような形をした、長い板で、垂直に立てて設置）を、船の外側の底に、中心線に沿って

取りつけましょう。キールは、船の前側と後ろ側に分けて、2枚付けても
いいですし、中央部に1枚でも構いません。キールは、風に対して対抗す
る力として働き、船が転覆するのを防ぐほか、風のなかで船が横にずれて
動かず、前進するように助けてくれるというおまけ付きです。

　船にエンジンを取り付けることに決めたのなら、水中プロペラを入手[*]
しましょう。プロペラは、単に回転運動を推進力に変換するだけの装置で、
厳密に言えば、人間はこれをかなり早い時期に発明していたのに、自分た
ちが何を発明したのかを理解するのに2000年近くかかってしまいました。
プロペラの最も古い起源のひとつは、アルキメデス・スクリューにまで遡
ります（あなたの場合はおそらく、遡るのではなく、「進む」でしょう）
――紀元前650年ごろにアッシリアで最初に発明されたのですが、紀元前
300年ごろにこれをヨーロッパに広めたアルキメデスにちなんで名付けら
れました。アルキメデス・スクリューは、要は、巨大な長いスクリューを、
両端が開いた長い管のなかに収め、管ごと傾けて、一端を水の中に浸して
おくものです。スクリューを正しい向きに回転させると、水が管のなかを
昇っていくので、畑を灌漑したいときなどは非常に便利です。[**]アルキメ
デス・スクリューは、このようにして数千年にわたって利用されてきまし
たが、誰かがついに、スクリューの1回転分を切って、それを水に入れよ
うと思いつくのに、西暦1836年までかかってしまいました。このような形
にすると、「すべての作用には、それと同じ大きさで向きが反対の反作用
がある」[***]という法則のおかげで、これらのプロペラはただ水を動かすだ

---

[*]　初期の蒸気船にプロペラはありませんでした――代わりに大きな外輪を使用していました―
―が、プロペラはより効率的に力を使うことができます。外輪、確かに見た目はいいですけ
ね。見た目がよくてより故障しにくいものをお望みなら、プロペラの代わりに外輪を試してみ
ては。

[**]　スクリューと筒の寸法は、きっちり同じである必要はありません。引き上げる水の量が、
スクリューと筒の間から漏れて落ちてしまう水の量を上回る程度の隙間なら、あっても構わな
いのです。これは、精密加工をまだ発明していない文明――おそらく、あなたの文明もそのひ
とつでしょう――にとっては朗報です。

[***]　覚えておられますか？　この法則は、セクション10.5.3の、これと同じような脚注のな
かで、あなたが発見したものです！

けでなく、それとは逆向きに、それが取り付けられたすべての乗り物を動かすのです。

　最初のプロペラとは本当に、この程度のものだったのです。要するに、2回転するに十分な長さしかないミニ・アルキメデス・スクリューです。あるとき偶然、このプロペラが、初期テストの最中に真っ二つに割れてしまいますが、そのとき人間たちは、「割れてできた」、1回転分の一層短いスクリューのほうが、元々の2回転分のスクリューより2倍も効率がいいことに気づきました。あなたが慣れ親しんでいる、羽根が複数あるプロペラは実際、複数のスクリューが並行して同時に働いているのと同じなのです。

　どうぞお気兼ねなく、その最終的なプロペラのデザインまでスキップしてください！　それがベストなデザインです！

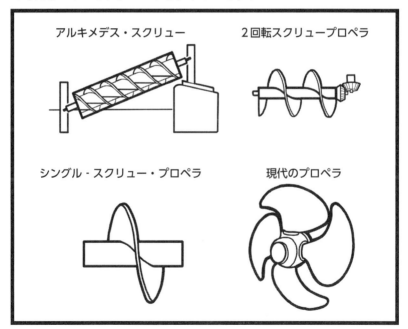

図45：アルキメデス・スクリューとその子孫たち：
シングル・スクリューと現代のプロペラ

10.12.6：有人飛行 —————————————————

航空術は、産業でもなければ科学でもなかった。それは奇跡だった。

——あなた（イーゴリ・シコールスキイ〔訳注：1889〜1972年。
帝政ロシア生まれの航空技術者〕も）

どのようなものか

飛んでいる鳥の荘厳な美に初めて心を打たれ、「うわぁ、すごい、あれ
は素晴らしいなぁ、私も今すぐやってみたいなぁ」と、誰かが思って以来、
ずっと私たちが持ち続けてきた、人類の最古の夢を実現する手段。

発明以前は

人間は地上で生まれ、地上で死に、それで十分なんだ、それ以上のこと
を夢見るなんてばかげていると、自分に言い聞かせてきました。

最初の発明

紀元前500年（巨大な凧に人間を縛り付ける）

西暦1250年（空気より軽いものを使った飛行についての最古のスケッチ。
未発見の技術を動力源としていた）

西暦1716年（空気より重いものを使った飛行に関して出版された最古の
スケッチ。未発見の技術を動力源としていた）（訳注：エマヌエル・ス
ヴェーデンボリのグライダーのスケッチ）

西暦1783年（最初の軽航空機の飛行）（訳注：モンゴルフィエ兄弟の熱
気球による有人飛行と、シャルルのガス気球による有人飛行）

西暦1874年（最初の重航空機の外部動力による飛行）（訳注：デュ・タ
ンプルの単葉機）

西暦1903年（最初の動力を備えた重航空機の飛行）

前もって必要なもの

紙と布（または、あれば絹）、硫酸と鉄（水素ガス飛行船用）、木（グラ

イダーと重航空機による飛行のため)、エンジンおよび金属(重航空機の動力飛行用)、方位磁針、緯度と経度(ナビゲーション用)

発明の仕方

　熱気球は、驚くほど単純な発明でした。火が生み出す熱い空気は、上昇します。その熱い空気の上に布袋をかぶせれば、袋は熱い空気で膨れますから、十分大きく、漏れが十分少ない袋を使えば、空を昇っていくのに十分な浮力が得られます。十分大きな袋につかまれば——あるいは、腕が疲れないように、袋の下に籠を取り付けて、それに乗り込めば——、あなたは袋と共に上昇するでしょう。袋の底を閉じる必要もありません。というのも、最も熱い空気は袋の一番上に移動し、下側の空気は周囲の大気と同じぐらいの温度になりますから。最初のテスト飛行のあいだは、綱で地面につないでおけばいいですし、また、錘として砂を載せておくと便利です(袋のなかの熱い空気が逃げたり冷えたりして、降下しはじめたら、上空から砂を捨てると、降下のスピードを下げることができます)。最終的には、籠に火を載せるようにすれば、危険性は高まりますが、飛行中に高度を上げることができるようになります。

　別の言い方をすると、数千年に及ぶ、世代を超えた人類の夢だった有人飛行を実現するには、多少の布と火があれば、それでよかったのです。それだけです。

　それなのに、このことを明らかにするのに、西暦1783年までかかったのでした。

　このガイドのなかでは、人間たちが、前もって必要なすべての技術を入手したあとも、非常に長い時間をかけないと何かを発明できなかったという話でいろいろと文句を言ってきましたが、今回は、とんでもなく恥ずかしく時間がかかりました。人間たちが、技術的に必要なもの(火と、布を作るのに必要なドロップ・スピンドル)を手に入れてから、彼らがついに初めて飛行するまでを一本の線でつなぐと、その線は1万年近くの長さになるのです。熱気球は、宇宙飛行やタイムトラベルのように、それを生み

出すのに文明の多くのメンバーが協力して取り組む必要がある技術ではありません。最初の熱気球は、時間を持て余した2人の兄弟が麻袋で発明したのです。

　十分やる気があれば、熱気球を作るのに、文明すら必要ありません。新石器時代で、スピンドルや紡ぎ車すらなくても、ひとりの人間が生涯をかけてこつこつと、十分な量の植物と動物の繊維を集め、十分なだけの糸を手で紡いで、熱気球を作ることは可能です。これが可能だった20万年以上のあいだ、誰もそうしようとは思いませんでした。飛びたいという強い意志を持った人たちは、そのようなやり方ではなく、普通はただ鳥を見上げ、鳥をまねようとしたのです。そんな人はたいてい、羽毛に覆われた巨大な人工翼を作り、翼に人間を縛り付け、その人間も羽毛で覆いました――安全のために。

> **文明の達人からの助言**：羽毛で体を覆うことは、飛行にとって、必要でもなければ、十分条件でもありません。羽毛を身にまとうかどうかは、ファッションの観点のみから選択してください。

　このような作り物を身に着けて地面から飛び立とうとしてもにっちもさっちも行かなかったので、人々は人工翼を着けて、塔の上から跳躍してみました。これぞ飛行の秘密だ、と考えたわけです。しかし、せいぜい、短い距離なら滑空できるかな、という程度の期待しかもてなかったし、そんなことを試みたパイロットは、まっすぐ落ちて、骨折、死、あるいは去勢を被るのが普通でした。その挙句、飛べなかったのは、尾を付けていなかったからだ（西暦852年、1010年）とか、ワシの羽毛ではなくニワトリの羽毛を使ったからだ（西暦1507年）とか、あるいは、風の強さが不十分で、彼らの衣服が船の帆のように膨らまなかったので、空中にとどまれな

＊　高さが関わる事柄はたいていそうなのですが、この場合も、何の上に落ちるか、そして、どれだけ激しく落ちるかで、多くのことが決まります。

かったのだ（西暦1589年）などの理由がこじつけられました。[*][36]

　中国では、紀元前500年ごろに凧が発明されました（あなたも凧を発明できます。軽い枠に布を広げて貼り、紐をつけ、安定化のために尾をつけましょう）。のちには、十分大きな凧が、十分強い風のなかで、人間を持ち上げるために使われました。しかし、凧を飛ばしたことがあり、それがいかに簡単に落ちるかを見た人は、凧がいかに危険で命にかかわるかを知っています。西暦200年ごろには、中国人たちは「天灯」という紙の提灯を発明しましたが、これは実質的に、ロウソクを動力源とした小型熱気球でした。しかし、それにもかかわらず、このアイデアを人間サイズに拡張し、人間の飛行を思いついた人は誰もいませんでした。これとは対照的に、西暦1250年、あるヨーロッパ人は、実際に熱気球の構想が載った本を出版しました。[**] しかし、当時は誰も、空気に重さがあり、熱い空気は軽いのだと知らなかったため、それは「エーテル的な空気」——これから発明されるべき、大気中に浮かぶことのできる空気——で満たされるという設計になっていました。簡単に言うと、西暦200年には、人類は片手に、熱い空気は上昇するという知識を持ち、1250年までには反対の手に、熱い空気を動力源にできる機械という構想を持っていたのに、このふたつのアイデアは決して結び付けられることはありませんでした——ついに1783年に、フランスでこれらのアイデアが再発見されるまでは。

---

[*]　はい、この西暦1589年の事例が去勢に至りました！　そのほぼ同時代の解説は、1692年にジョン・ハケットなる人物が出版した、次の本にあります。『開かれた箱：イングランド王の証の守り人、リンカーン主教、ヨーク大主教を務めた経験を持ち、彼の時代の最も注目に値する事件や議論を収集した、ジョン・ウィリアムズ・D.D.の、賞賛に値する偉大なる数々の業績に捧げられた追悼の書　第4巻』（"Scrinia Reserata: A Memorial Offer'd to the Great Deservings of John Williams, D. D., who Some Time Held the Places of Lord Keeper of the Great Seal of England, Lord Bishop of Lincoln, and Lord Archbishop of York. Containing a Series of the Most Remarkable Occurrences and Transactions of His Life, in Relation Both to Church and State, Part 4."）に記されています。

[**]　それは、近代的な熱気球とは少し違うものでしたが、必要な要素はすべて含まれていました。フランシスコ会修道士のロジャー・ベーコンは、船体に4つの巨大な「風船」（中空の銅の球）を付けることによって空中に浮かぶ、1本マストの帆船について記述しました。マストを取り除けば、近代の発明と同等のもの——風船によって空中に浮かぶ籠——が得られます。

　そして、このふたりのフランス人（モンゴルフィエ兄弟。彼らは、自分たちが作った気球を「モンゴルフィエ」と名付け、この名前は今なおフランス人たちに使われています）は、熱い空気が上昇することすら知りませんでした！　彼らの最初期の実験では、先に申しましたとおり、麻袋の裏に紙を貼り、空気が逃げないようにしたものを使っていました。最初、水蒸気を燃料にしましたが、これでは紙がすぐに傷んでしまいました。そこで彼らが使い始めたのが、木を燃やしたときの煙です。彼らは、木の煙は一種の「電気蒸気」で、その電気蒸気は、彼らが「モンゴルフィエ・ガス」と名付けた（もちろん、彼らが名付けたから、この名称なのです）特殊なガスを放出するのだと信じていました。このモンゴルフィエ・ガスこそ、「軽さ」という特別な性質を持っているのだ、というわけです。実際に何が起こっているかについて、これだけたくさんの根本的な誤解をしてはいましたが、「空気より軽いガスを何かのなかにとらえれば、その何かは上昇する」という基本的なアイデアさえあれば、最初の飛行には十分だったのです。

　使う布が細かく密に織られているほど、袋は空気を中に保ちやすく、この目的には絹（セクション10.8.4参照）が最適です。熱気球が進む方向は、もちろん風任せですが、気球にエンジンを取り付けることで、方向が制御できるようになります。そして、これであなたは、今まさに飛行船を発明したのです！　しかし、あなたはもっとうまくやれるのではないでしょうか？

　ええ、絶対に、もっとうまくやれますよ。あなたが使っている熱い空気は、普通の空気よりも軽いので上昇するのですが、存在する最も軽いガスには程遠いものです。ガスが軽いほどいいのは、軽いガスほど、上昇するのに必要な燃料が少なくて済むし、より重いものを持ち上げられるし、遠くまで行けるからです。したがって、当然ここで行うべき改良は、熱した空気はもう完全にやめにして、あなたの気球を、全宇宙で最も軽いガスで満たすことです。では、そうしましょう！

　宇宙で最も軽いガスは水素です。そして、補遺C.11に、電気を使って塩

水から水素ガスを分離する方法が記されています。しかし、大量の水素ガスが必要な場合——あなたの場合はこれに当てはまります、特に飛行船を作るのなら——、もっと安価な方法が必要でしょう。水蒸気を、赤熱した鉄の上に流すという方法があります。こうすると、水蒸気を水素（ガスとして）と酸素（都合のいいことに、鉄の表面に酸化鉄を形成してくれます）に分離することができますが、これには大量の鉄が必要です。もっと簡単な方法は、私たちのタイムラインにおいて、アマチュア飛行家たちが初期にやったのと同じやり方をすることです。それは、希硫酸が鉄と反応すると水素ガスが発生するという事実を利用します。[*] 硫酸を、ゆっくり少しずつ水に混ぜて薄めます（重量で元の硫酸の3 + 1/3倍になるように）。鉄くずを樽に入れ、そこに先ほど作った希硫酸を、鉄くずの上から注ぎます。このとき、希硫酸と鉄くずの重量比を2 : 1にします——つまり、2キログラムの希硫酸を、1キログラムの鉄の上から注ぐわけです。これで、水素ガスが発生する反応が起こります！　発生したガスは、消石灰（補遺C.4で作れます）を満たした第二の樽を通過させて、残留している酸を除去します。さもないと、あなたが作ったガスは、気球に穴を開けてしまいかねません。歴史の上でも、このようなことが起こっており、それがいい結果を招くことはごく稀です。このシステムでは、鉄よりも硫酸のほうが先に消耗しますので、反応しなくなった液を最初の樽から抜いて、新しい希硫酸を注ぎます。反応する鉄がなくなってしまうまでこれを繰り返します。あなたの水素ガス生成装置は、次の図のような姿をしているはずです。

---

[*]　硫酸は実際、アルミニウム、亜鉛、マンガン、ニッケルなど、多くの金属と反応します。しかし、あなたはたぶん、鉄を使うでしょう。というのも、鉄が最も見つけやすい金属である可能性が高いからです。

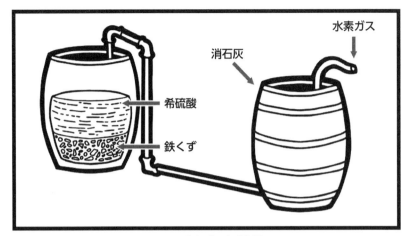

図46：水素ガス生成装置

　約400キログラムの鉄と800キログラムの希硫酸で、約140立方メートルの水素ガスを生成できます。そして、その日の大気圧、気温、湿度によりますが、10立方メートルの水素ガスがあれば、約10.7キログラムを持ち上げるに十分です。

　ところで、あなたが大急ぎで硫酸と鉄を混ぜ始める前に、覚えておいていただきたいことがあります。水素は、非常に燃えやすく、大爆発を起こす恐れのあるガスなのです。1937年5月6日、世界はこのことを、恐ろしい事故で再認識させられました。ヒンデンブルク号という、水素で浮揚していた飛行船が、着陸のために飛行場の係留柱に接続しようとしていた最中に炎上し、墜落したのです。あまりに恐ろしい災難で、これによって、水素を使った飛行船の航空輸送時代は幕を閉じてしまいました。原因は、たった一度発生した、静電気による火花だったそうです。[37]

　この時点であなたは、「えーっ、どうしてその人たちは、水素じゃなくてヘリウムを使わなかったんだろう？　自分だったら絶対ヘリウムを使ってたよ」と思っておられるかもしれません。そうです、確かにヘリウムは爆発も反応もしませんし、水素の次に軽いガスです——浮力も水素の88パ

ーセントほどあります——が、ヘリウムは、水素とはくらべものにならないくらい入手が難しいのです。地球上の唯一の天然のヘリウム源は、ウランのような重い元素の（極端に遅い）放射性崩壊です。そして、放射性崩壊でヘリウムが発生したとしても、地底深くに閉じ込められていないヘリウムはすべて、大気に逃げていってしまい、大気中でも非常に軽いので、やがて宇宙へと拡散してしまいます。ヘリウムは、ほぼ完全に再生不可能な資源なのです。そのような次第で、あなたが高価でない効率的な、軽航空機による飛行を目指しているなら、あなたの当面の唯一の選択肢は、水素を、とことん注意深く使うことなのです。

　しかし、選択肢はもうひとつあります。それは、空気よりも重いものを使って飛ぶ方法です。

　軽航空機による飛行を発明するのは、まったく大したことではありませんが、重航空機による飛行の基礎は、残念ながら、「袋に熱い空気か、その他の軽いガスを詰めれば、それでおしまい。じゃあね」と言うのに比べ、はるかに複雑です。なお悪いことに、航空力学を十分詳細に説明するには、この「使用中のFC3000™レンタル市場向けタイムマシンが壊滅的な故障を起こすまで、おそらく誰も読まないだろうし、実際、そんなことが本当に起こる可能性なんてどれくらいあるのさ？　と言いつつも、提供しなければならない修理ガイド」で可能なページ数では、とても足りません。しかし、重航空機による飛行がいかにして可能かに関する基本理論がわかるだけでも、あなたの文明は、歴史の全体のなかで、他のどの文明に比べても数千年も先行することができますし、私たちが自身の歴史のなかでやってきたこと、つまり、飛行機を作り、実験を行い、そして科学を使って、

＊　西暦1960年代に、アメリカ合衆国は実際に、「国家ヘリウム備蓄」の一環として、ヘリウムを地下に貯蔵し始めました。1995年までには、ヘリウムガスの備蓄は10億立方メートルになりました。しかし、その翌年、米国政府は経費削減のため備蓄を段階的に廃止することにし、貯蔵したヘリウムガスを産業界に売却しました。天然のヘリウム資源に頼らずにヘリウムを生成する方法はいくつかあります。水素の核融合、特殊な加速器でリチウムに陽子を照射する、あるいは、月での採掘などです。しかし、これらの代替手段はどれも、少し高く付くと言っていいでしょう。

何がうまくいくかを明らかにする、という作業を、それだけ有利な出発点から行うことができるのです。

膨大な時間を費やしたり、手足を骨折したり、お金や人命を失ったりせずにやるには、まず風洞を作りましょう。風洞とは、要するに巨大な管で、そのなかに空気を吹き込むものですが、そんな単純なものでも、誰かが思いついたのは、ようやく西暦1871年になってのことでした。単純な発明ではありますが、これは、大気のなかを高速で進んでいく翼をリアルタイムで調べる（通常は、実験機を飛ばして、何が起こるかをただ見ようとがんばる、ことになってしまいます）のではなく、静止した翼に気流を当てることによって、飛行時に何が起こるかを調べるという、筋書きを逆転させた調べ方なのです。飛行機の周囲で空気がどのように流れるかを見るため、紐をたくさん取り付けるか、あるいは、空気の動きを直接追跡するために、煙を導入しましょう。飛行機そのものにかかっている空気力学的な力は、飛行機を天秤ばかりにつなげば測定することができます——天秤ばかりとは、もしもあなたがまだ発明しておられないなら、それは、三角形の頂点の上に棒を渡し、その両端に1枚ずつ皿をぶらさげたものです。棒の両側の重さが等しいとき、棒はバランスが取れて水平になります。あなたの風洞用の天秤ばかりは、棒の片方の先端を風洞のなかに入れて、飛行機を保持させます。もう一方の先端のほうは、風洞の外で、飛行機の静止時の重さと等しい錘を皿に載せます。翼が風洞内で揚力を生じると、飛行機の見掛けの重さが変化し、それが天秤の動きに反映されます。天秤ばかりを使い、発生した揚力を定量的に測定することができるでしょう[*]。

翼の断面は、次のような形をしています。

---

[*] 残念ながら、航空力学は、寸法を縮小したときに、現象が正確に再現されません。したがって、模型飛行機は、実物大の飛行機と厳密に同じように飛ぶことはありません。とはいえ、何らかの実験は必要です。風洞の実験を行うことで、あなたは、翼がどのように機能し、翼の形状の変化が、その性能にどのように影響するかを知っているという強みを持つことができます！　そして、「鳥のように翼をはためかす飛行機」、「コウモリのように翼をはためかす飛行機」、「自ら回転して空中を上向きに進むネジ」などを考えて数百年を浪費せずに済みます。

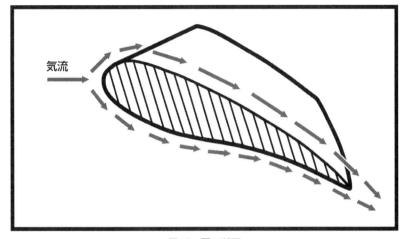

図47：翼の断面

　翼は、気体のなかを運動している物体は、常に、その物体上のあらゆる点において、その気体と接触し続ける＊という事実（今後は、あなたが発見したのだと吹聴してください）を利用して、局所的に気圧を変えることで機能します。翼は空気を分割し、翼の上側を通過する空気を、翼の形状に合うように湾曲させて、下に引き込みます。これにより、上側を通過する空気は、より大きな体積を占めなければならなくなり、圧力が下がります。これとは対照的に、翼の下側を通過する空気は、より小さな体積のなかに押し込まれ、圧力が上がります。このように圧力が変化することで、「揚力」と呼ばれる上向きの力が生まれるわけです。

　翼が揚力を生み出す方法はもうひとつあり、それは、「セクション10.12.5：船」で、あなたがプロペラを発明したときに使ったのと同じ「作用反作用」の法則——すべての作用には、向きが反対で大きさが等しい反作用が存在する——を利用するものです。翼の上側と下側を通過する空気

＊　この事実は、液体に対しても成り立ちます！　これであなたは、同じひとつの文章で、ふたつの自然法則を発見されたのです。この脚注を読んで、よかったですね。

は、どちらもその後下向きになって、翼から離れていきますが、このとき
に翼を上向きに押します。翼の傾きを大きくすればするほど、より多くの
空気を下向きに流すことができ、それによって生み出される下向きの力が
大きくなればなるほど、翼はより大きな揚力を生み出します——とはいえ、
ある限界までなのですが。そこに達すると、空気はもはや翼に沿ってスム
ーズに流れなくなり、空気のなかに「乱流」が生じ、揚力は大幅に低下し、
飛行機は失速し、やがて墜落することになるでしょう。

　もちろん、その揚力を生み出すには、空気のなかで翼を動かさなければ
なりません。それはジェットやロケットでも可能ですが、たいていの飛行
機（そして、標準的なタイムトラベラーの大半もそうだと思いますが）は、
プロペラを使います。プロペラとは、要するに、一組の小さな回転翼で、
飛行機を上向きではなく、前に向かって進めるものです。*プロペラの形
を少しだけねじることによって、プロペラ全体をより効率的にすることが
できます。実際、翼の形——それが使われるのがプロペラにおいてであろ
うとなかろうと——をわずかに変えるだけで、大きな効果が得られます。
そして飛行機を作るときには、この性質を利用しましょう！　単純な飛行
機の外観を次の図に示します。あなたは、ぜひこの図をまねてください。

＊　初期の飛行機設計者たちは、プロペラを飛行機の後ろ側に付けて飛行機を押すのと、前側に
付けて引くのと、どちらがいいのか、よくわかっていませんでした。前側に付けるのがベスト
です。翼の後ろ側にプロペラを付けても非効率的です。というのも、すでに飛行機が通過して
乱れた空気をさらに押すことになってしまうからです。実際、初期の飛行機の設計者たちには、
多くのことがよくわかっていませんでした。ですから、もしあなたもよくわからなくても、心
配することはありません。飛行機で飛んだすべての人は、数十年にわたって、自分の飛行機が
どうしてうまく飛んでいるのか正確に理解することなく、何とか飛んでいたのですから。

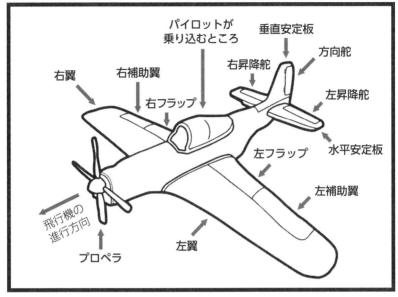

図48：飛行機の各部

　尾翼は、飛行中に機体を安定させる役割を担っており、尾翼の後縁にある「昇降舵」と呼ばれるフラップは、飛行機の後ろ側を上下に動かすので、それを使うと、飛行機の上昇/下降の角度をコントロールできます。方向舵は左右に動き、それによって飛行機の鼻先が左右に動きます。主翼についている補助翼は、機体を自分の中心軸を中心に左右に横転させるものです。一方の補助翼を上げ、もう一方の補助翼を下げると、機体は横転しはじめます。楽しい小技ができるというほかに、これらの機能は機体を安定させ、水平に保つうえで役に立ちます。最後に、フラップは補助翼とまったく同様に働きますが、フラップは特に、補助翼の作用と同時に上昇または下降できるように設計されており、これによって翼が生み出す揚力の大きさを調節することが可能になります。フラップを下げれば、より多くの揚力を生み出すことができます——ゆっくりしたスピードで着陸したいときに飛行機を減速するのに使えます。逆に、離陸後に巡航速度まで加

速するには、フラップを上げればいいわけです。

　推力と揚力のほかに、飛行機にはさらにふたつの要因が働いています。すなわち、重量（すなわち、地球に向かって機体を引っ張る重力）と、抗力（空気抵抗など、推力に対抗するすべての力）です。そして、これらも、重航空機による飛行を複雑にする大きな難題となっています。理論の上では、十分な大きさの翼を、これらの翼を前に推進することのできるものに取り付ければ飛べるはずです。しかし実際には、人間が飛べるに十分な揚力を得るのに必要な推力を生み出すエンジンは、それ自体が重いという傾向があり、そのせいで問題は一層複雑になります。内燃機関は、出力重量比が高いのですが、蒸気駆動の飛行機も、過去に、ごく短いあいだではありますが、飛行に成功したことがあります。世界初の重航空機有人動力飛行は、西暦1874年に、蒸気駆動航空機により行われ、ライト兄弟に30年近く先んじていました[*]。

　しかし、飛行機にエンジンを取り付けるという大変な仕事に取り掛かる前に、まずグライダーで実験しましょう。グライダーとは、エンジンのない飛行機で、どこか高いところから徐々に滑空するものです。グライダーで滑空するのは、飛行機で飛ぶための練習にもなり、重航空機による飛行では前もって必要なものをそろえるのが大変なのに対し、グライダーは、

---

[*]　ライト兄弟は、1903年に世界で初めて、重航空機による有人動力飛行を成功させました。西暦1874年の飛行機は蒸気駆動でしたが、小さな山からスキーのようにジャンプして、その後滑空して着地したに過ぎませんでした。それは、搭載されていた蒸気機関が飛行を維持するには不十分だったからです。ここでは、ライト兄弟について少しお話します。飛行機を発明すると、彼らは新しいものを取り入れるのをやめてしまい、ほとんどの時間を、自分たちの競争相手のみならず、敢えてライト兄弟式ではない飛行機で飛んだ飛行家たちに対しても訴訟を起こすことに費やすようになりました。一連の訴訟は、アメリカの航空活動に破壊的な影響を及ぼしました。たとえば、1912年1月までには、フランス（ライト兄弟はフランスでも特許を取得しましたが、その効力の発生は繰り返し延期されていました）では、毎日800人以上の飛行家が飛行していましたが、一方のアメリカでは、1日当たりたった90人でした。一連の訴訟が終わったのは西暦1917年、アメリカ政府が航空機製造業者らに彼らの特許を共有することを法的に強制するようになったときのことでした。しかし、時すでに遅しで、その同じ年、アメリカ合衆国が第一次世界大戦に参加するとき、彼らはフランス製の飛行機を使うほかありませんでした。アメリカの飛行機はすべて、受け入れがたいほど劣っていると見なされたからです。この顛末から言えることは、「重航空機による飛行を発明することにするなら、自分の発明について、ちょっと冷静になりましょう」ですね。

木、布、そしてノウハウが、それぞれある程度あればそれでいいのですし、これらはすべて、すでに本書でご提供しています。西暦1000年ごろに、一時的に実験が行われ、実用になる木製グライダーがヨーロッパに導入されましたが、当時はそれを支援するようなほかの技術はまったく存在しませんでした。そのような次第で、動力飛行が実現されたのは、ようやく1760年の産業革命のころのことでした。しかしその際にはもう、航空母艦を安定して製造できるようになっていました。その構造は、1400年代前半のルネサンスに発明された、クロスボウ式のカタパルトで機体を空へと発射するというものでした[38]。

あなたの文明は、おそらく、今すぐ熱気球からスタートし、次に、飛行船か重航空機による飛行の実験を始めるのがいいでしょう。しかし、どうするかはまったくあなた次第です。体をニワトリの羽毛で覆って、どうなるか様子を見たりしないでくださいと指示する本を読むために、過去にタイムトラベルなさったわけではありませんものね。私たちは、あなたの選択を尊重します。

10. 13「誰からも頭のいい人だと思われたい」

このセクションでご説明する唯一の技術、論理は、あなたの文明のメンバーに、論理的に考えるのみならず、自分の論法が正確かどうかを判断する、よりよい方法を与えます。そのうえ、それは、「セクション17：コンピュータ」で解説しているように、今後登場するはずの、機械による自動推論の基礎を築くことにもなります。それはまた、人間がこれまでに考案した、最大の成果でもあり、私たちが論理を正しく理解するまでに数百年かかったことからすると、あなたが今、この近道を通って、論理をものにされるのは、まったく理に適っています。

10. 13. 1：論理

もしも世界が論理的なところだったなら、男性たちは鞍を横向きに乗せて馬に乗るでしょう。
> ——あなた（リタ・メイ・ブラウン〔訳注：1940年生まれ。アメリカの著述家〕も）

どのようなものか

私たちが考える方法を変えたのみならず、やがてはあなたが、それとまったく同じ方法で論理的に思考する機械を作ることを可能にする、体系的思考のために構成されたシステム。

発明以前は

明瞭で正確な抽象的思考は、文字通り、はるかに困難でした。

最初の発明

紀元前350年代（論理が、アリストテレスによって初めて科学的に研究された）
紀元前300年代（最初の命題論理）

西暦1200年代（命題論理の再発明）

西暦1847年（命題計算発明される）

前もって必要なもの

話し言葉

発明の仕方

論理の基本は、歴史を通して数回発見されました（中国、インド、ギリシアで）が、歴史上のさまざまな理由で、最も影響力を持つようになったのは、ギリシア版の論理——アリストテレスの三段論法——でした。したがって、あなたがこれから発明するのも三段論法です。そこでは、いくつかの公理——正しいことが自明である事柄——から始め、そこから結論を構築していきます。三段論法は、大前提（1）、小前提（2）、そして結論（3）からできており、たとえば、次のようなものです。

1. すべての人間は、いつか死ぬ。
2. イムホテプ（訳注：古代エジプトの高級神官）は人間である。
3. ゆえに、イムホテプはいつか死ぬ。

とてもわかりやすいですよね？　ありとあらゆることを、この形で論じることができます。

1. すべてのタイムトラベラーは、過去の自分を何とかしようと考えたことがある。
2. すべてのFC3000™ユーザーは、タイムトラベラーだ。
3. ゆえに、すべてのFC3000™ユーザーは、過去の自分を何とかしようと考えたことがある。

あるいは、次のような議論さえ可能です。

1．すべての人間は、肉体を持っている。
2．すべての肉体には、尖った棒、動物の骨、あるいは針によって、色素を皮膚の内部に入れて、クールなタトゥーを施すことができる。このとき、皮膚の最も外側にある表皮の、これらのものが刺さったあとが修復していくあいだに、体の免疫系が色素粒子を表皮の下で捉え、その場所で色素を安定化させ濃縮する。
3．ゆえに、すべての人間は、尖った棒、動物の骨、あるいは針によって、色素を皮膚の内部に入れて、クールなタトゥーを施すことができる。このとき、皮膚の最も外側にある表皮の、これらのものが刺さったあとが修復していくあいだに、体の免疫系が色素粒子を表皮の下で捉え、その場所で色素を安定化させ濃縮する。*

　このように、この構造のなかにはさまざまな言葉を入れることができるので、あなたはご自分の議論を、記号で単純に表すことができます。「主語」をS（subjectの頭文字）、「中間の項」をM（middleの頭文字）、そして「述語」をP（predicateの頭文字）で表しましょう。述語とは、要するに、主語について言おうとしていることです。すると、次のようになります。

1．すべてのMはPだ。
2．すべてのSはMだ。
3．ゆえに、すべてのSはPだ。

　そして、これが三段論法のマジックなのです。つまり、あなたが使っている前提が正しくて、三段論法の構造が妥当なら、あなたの結論が正しく

＊　そうです、あなたはたった今、論理と、ご自分でタトゥーを入れるにはどうすればいいかを、同時に学ばれたのです。

ないことなどあり得ないのです。すべてのMがPで、すべてのSがMなら、すべてのSはPでなければなりません。M、S、そしてPが何であっても構わないのです。これらの基準を満たしているなら、その結論は常に正しいのです。

三段論法は、あなたの文明に属する人々を、生まれて初めて、抽象的な論理や議論について論理的に考えることができるようにしてくれます。彼らはもはや、進行中の議論の詳細に捕らわれて、にっちもさっちもいかなくなったりしなくていいのです。議論の構造が、その議論が妥当かどうかを示してくれるのです！　前提が正しかったとしても、妥当な三段論法の構造になっていなければ、もたらしたい結論は必ずしも導かれません。

妥当な三段論法の構造は15種類あります。そして私たちは、あなたの文明が何年もの徹底的な論理的・哲学的思索をせずに済むように、今ここでそれらをあなたにお教えします。

大前提	小前提	結論
すべてのMはPだ。	すべてのSはMだ。	ゆえに、すべてのSはPだ。
「すべてのM」はPではない。	すべてのSはMだ。	ゆえに、「すべてのS」はPではない。
すべてのMはPだ。	「あるS」はMだ。	ゆえに、「あるS」はPだ。
「すべてのM」はPではない。	「あるS」はMだ。	ゆえに、「あるS」はPではない。
「すべてのP」はMだ。	「すべてのS」はMではない。	ゆえに、「すべてのS」はPではない。
「すべてのP」はMではない。	すべてのSはMだ。	ゆえに、「すべてのS」はPではない。
「すべてのP」はMだ。	「あるS」はMではない。	ゆえに、「あるS」はPではない。
「すべてのP」はMではない。	「あるS」はMだ。	ゆえに、「あるS」はPではない。
すべてのMはPだ。	「あるM」はSだ。	ゆえに、「あるS」はPだ。
「あるM」はPだ。	すべてのMはSだ。	ゆえに、「あるS」はPだ。
「あるM」はPではない。	すべてのMはSだ。	ゆえに、「あるS」はPではない。
「すべてのM」はPではない。	「あるM」はSだ。	ゆえに、「あるS」はPではない。

大前提	小前提	結論
「すべてのP」はMだ。	すべてのMはSではない。	ゆえに、「すべてのS」はPではない。
「あるP」はMだ。	すべてのMはSだ。	ゆえに、「あるS」はPだ。
「すべてのP」はMではない。	「あるM」はSだ。	ゆえに、「あるS」はPではない。

表16：有効な三段論法。これは、人類が数千年をかけて明らかにしたものですが、ひとつの15行3列の表にまとめられます！　やったね！

　ほかの構造の三段論法も考えられますが、それらは、間違っている（「すべてのMはPだ」、そして「すべてのSはMだ」と言って、「ゆえに、すべてのSはPではない」と結論するのは、完全に間違っています）か、あるいは、上の表の15種類よりも、弱い結論しかもたらさないかのいずれかです。たとえば、すべてのプードルが犬で、すべての犬が哺乳類なら、「あるプードル」は哺乳類だと結論するのは、理屈の上では正しいですが、大いに誤解を招きます。以上のことから、次の非常に重要な「文明の達人からの助言」が導かれます。

　　文明の達人からの助言：
　　すべてのプードルは間違いなく哺乳類です。

　アリストテレスによって発明されて以来、三段論法は大きな変更もなく、2000年以上にわたって有効であり続けています。しかし、三段論法は、考えを整理するには非常に便利である一方、完璧ではありません。三段論法は言語に依存していますが、その言語は、曖昧だったり、不正確だったりする恐れが常にあります。一例として、あなたが完璧な論理的思考によって、「ゆえに、ある恐竜は、安全を重視するすべてのタイムトラベラーによって恐れられている」と結論したとしましょう。ある人は、この文を、「安全を重視するすべてのタイムトラベラーは、少なくとも一頭の恐竜を恐れる」と読むかもしれませんが、また別の人は、この同じ文を読んで、巨大なメガ恐竜が一頭存在していて、安全を重視するすべてのタイムトラ

ベラーはこの恐竜を恐れているのだと解釈するかもしれません。これは真といえるのでしょうか？　このことを理解するのは、とても重要だと思われます。

　しばらく時間はかかりましたが、人間たちはやがて、三段論法を計算の形にすることができれば——計算にすれば解くことができるので——、論理や論理的思考を、数学が持つ究極の精度で研究することができると気づきました。このような考え方は、最終的には、「命題計算」と呼ばれるものをもたらします。命題計算とは、その非常に印象的な名称とは裏腹に、実際はごくシンプルなのです。**

＊　どれくらいの時間がかかったのか、ですか？　えっと、命題論理は紀元前300年ごろに発明され、やがて失われたのち、西暦1200年代ごろに再発明され、その後1800年代にジョージ・ブールによって記号論理として精緻化されました。数理論理の分野で「ブール〜」という言葉をよく聞くのは、彼の名にちなんでのことです。ちなみにこのような「ブール」という言葉は、「命題計算」などの「式」で、普通の式では「数値」が使われるのに代わって使われる「真理値」の値が、「真」か「偽」のふたつしかないという特徴を表しています（ブール代数、ブール関数、ブール論理などの例があります）。

＊＊　じつのところ、このように命題計算によって精度が上がったからこそ、アリストテレスが提示した三段論法のいくつかは実際正しくなかったということに、人間たちが気づいたのです。私たちはあなたに15種類の三段論法を示しましたが、アリストテレスの元々のリストはもっと長かったのです。そして、そのうちいくつかは、論じられている集合に実際に元（つまり、その集合のメンバー）が含まれている、つまり、それは実際に存在するものの集合である場合にのみ正しいことが明らかになったのは、私たちがついに、これらの三段論法を非常に正確な命題計算を使って調べたときのことでした。ひとつ、正しくない形の三段論法の例を挙げましょう。「すべてのMはSで、すべてのMはPだ。ゆえに、あるSはPだ」というのがそうです。「すべての馬は哺乳類で、すべての馬は蹄を持っている。ゆえに、ある哺乳類は蹄を持っている」と私たちが主張したとすると、あなたは、「そうだよ、もちろん、わかってるよ」とおっしゃるでしょう。しかし、これと同じ三段論法は、Mが存在しないものを指している場合、完全に崩壊します。同じ形の三段論法を使い、同じように真である前提を使って、「すべてのユニコーンは馬で、すべてのユニコーンは角を持っている。ゆえに、ある馬は角を持っている」と論じることはできます。しかし、21世紀にユニコーンが遺伝子組み換えによって生み出され、小型化されて、どう振舞うか予測がつかないけれども最も人気の高い家庭用ペットとなるまでは、角を持つウマは存在しませんでした。このように正しくない結論が導き出されたのは、この三段論法に欠陥があったからです。これを修正するには、この三段論法に「存在条項」を加えて、次のように述べるしかありません。つまり、「すべてのMはSで、すべてのMはPで、しかもMが存在するなら、あるSはPだ」とするのです。人間たちは、自分たちは非常に頭がいいと思いたがりますが、アリストテレスの論理的思考に含まれていた、このような多数の誤りは、2000年以上にわたり見過ごされてきたのでした。何世代もの論理学者たちが、彼らの例文としてユニコーンが出てくるものをもっとたくさん使っていさえすれば、はるかに早く、これらが誤りだと発見されていたでしょうに。

　先ほど例として取り上げた三段論法をもう一度見てみましょう。「すべてのタイムトラベラーは、過去の自分を何とかしようと考えたことがある。そして、すべてのFC3000^{TM}ユーザーは、タイムトラベラーだ。ゆえに、すべてのFC3000^{TM}ユーザーは、過去の自分を何とかしようと考えたことがある」というものでしたが、これが、「すべてのMはPだ。そして、すべてのSはMだ。ゆえに、すべてのSはPだ」という形にまとめられることを見ました。ここで、「〜は〜だ」という言葉を、それと同じことを意味する記号、「→」で置き換えてみましょう。すると、この三段論法は、次のように表されます。

　　　M→PそしてS→M、ゆえに、S→P

　具体例で言うとこうです。「もしもタイムトラベルが何とかしようという考えを意味し、FC3000^{TM}がタイムトラベルを意味するなら、必然的にFC3000^{TM}は何とかしようという考えを意味する」。タイムトラベラーのみなさん、申し訳ありませんが、これは正しいのです。さて、書かなければならない文字を減らすために、「そして」を「∧」という記号に置き換え、また、括弧を導入して、どの変数がひとまとまりなのかをわかりやすくすると、次のようになります。

　　　(M→P) ∧ (S→M)、ゆえに (S→P)

　さらに、「ゆえに」をその記号「∴」で置き換え、M、P、そしてSを、もっと一般的なアルファベットの連続する文字p、q、rで置き換え、また、より直感的にわかりやすくするために文章の順序も入れ替えると、この三段論法の最終形として、次のような形のものが得られます。

　　　$[(p→q)∧(q→r)] ∴ (p→r)$

　つまり、pがqを意味し、qがrを意味するなら、pはrを意味する。これは、時間を遡って、魅力的すぎる過去の自分自身に会うという話をしたときと同じ議論で、ただ純粋な記号体系にまとめてしまっただけのことです。

　もうひとつ簡単な議論があります。「pではない」（¬pで表しましょう）は、pの逆の値です。私たちの論理は、真か偽かのいずれかであるようなものだけを扱うことにしましょう。したがって、「真ではない」は、「偽である」というのと同じであり、「偽ではない」は「真である」ことを意味します。そして、これらのことから、「pではないのではない」つまり、¬¬pは、pと等しくなければならないと、簡単に証明することができます。それには、あり得る可能性をすべて書き下せばいいだけで、この場合は、次のふたつの可能性しかありません。

p	¬p	¬¬p
真	pの逆、ゆえに偽	¬pの逆、ゆえに真
偽	pの逆、ゆえに真	¬pの逆、ゆえに偽

表17：このような表は「真理値表」と呼ばれ、あなたはたった今、pは¬¬pに等しいことを証明するために、真理値表を使ったわけです。えっとですね、私たちは、「あなたは史上最高の論理学者です」とは、まだ言いません。しかし、こうは言いましょう。「あなたは間違いなく、これまでの歴史で最高の論理学者です」と。

「p∴¬¬p」という命題が妥当だと証明するのに必要なのは、これだけです。証明するにはあまりに単純なことだと思われるかもしれませんし、実際にそうなのですが、あなたは今、この先、もっと複雑な命題を操作し証明するのに使える、有効な議論の形の基礎を築いているのです。あなたの論理的思考をこのような記号を使った形式で表現することにより、あなたは、これらの変数が互いにどのように相互作用できるかというルールを明らかにするのみならず、論理的な推論そのものの実際のルールを発見してもいるのです。あなたは、「それ、たぶん正しいよ」と考える、新しい方法を見出しつつあるわけです。あなたは、論理を発明しているのです。私たちは、議論の形式として有効なものを補遺Dにまとめましたので、あ

なたが非常に論理的な文明を築くことに決めたなら、補遺Dが時間の節約に大いに役立つでしょう。

　もちろんこれは、論理の体系を構築するひとつの方法に過ぎません。あなたは、真理の程度によるもの*や、より複雑な関係を捉えるもの**など、もっと複雑な論理体系を構築することもできます。わたしたちがこの体系をあなたにお教えしたのは、それが完全な真か、完全な偽だけを扱い、その中間はまったく扱わないからです。これは二値なのです。そして、最終的には、「セクション17：コンピュータ」をお読みになれば、あなたはこの二値論理を使って、あなたに可能なのとまったく同じく、しかし数千倍も速く、論理的に思考できる機械を作ることができます。だからこそ、二値論理が大切なのです。

　あなたが再び、ベッドのなかでビデオゲームをやり、映画を見ることができるようになる唯一の手段が、論理なのです。

　　　文明の達人からの助言：お礼なら結構ですよ。

　以上で、よくある人間の不満に対処するための技術をご紹介するセクションは終わりです。このあとは、化学、哲学、芸術、そして医学へと進みます。これらの技術は、名指しでリクエストされることはないかもしれませんが、それでもやはり、あらゆる文明を大いに向上させます。

---

* たとえばファジィ論理は、真理を「度合」のあるものとして捉えます。文章は、偽の場合0、真の場合1の値を与えられますが、0と1のあいだの任意の数も取り得るのです。この体系では、0.9はほとんど真、0.0001は事実上偽、そして0.5は真と偽の中間となります。

** 　関係ごとに異なる演算子を導入することができます。たとえば、「pである可能性がある」を◇pで表すなどです。ちなみにこれは、アリストテレスの三段論法で見た、「あるMはPである」という叙述とほぼ同じです。

化学：物とは何か？　どうやって物を作ればいいのか？

> 化学のコツは、絶対に……過剰反応しないこと。

　化学は、地中から物を掘り出して、それをもっと役に立つ別の物に変えることに関する科学です。このような変化は、さまざまな形で起こる可能性があり、それをすべて理解するには生涯にわたる研究が必要です。しかし私たちは、ここでは数ページしか使えませんので、本セクションには最も重要な化学の本質だけを情報としてまとめましたので、そのつもりでお読みください。

物は何でできているのか？

　これは、人間がこれまでに問いかけた、最も根本的な疑問のひとつで、これに対する答を見つけるのに、人類は何千年もの研究を必要としました。そんな時間のある人はいませんので、ここで答をお教えします。つまり、物は原子でできており、原子とは、直径約0.1ナノメートルの小さな物質の一部分です。原子の中心には、核——原子核——があり、これは、正の電荷を持つ陽子（正＝陽なので、この名があります）と、電荷は中性である中性子（やはり、電荷の種類が名称に反映されています）でできており、原子の質量の99.9パーセントを占めています。

　原子には100を超える数の、異なる種類があり、これらは「元素」と呼ばれています。それぞれの原子の核に含まれる陽子の数が、その元素を決めます。たとえば、陽子を1個だけ持っている原子はすべて水素で、陽子が8個のものはすべて酸素、そして陽子が33個のものはすべてヒ素です。あなたが生きていくためには酸素が必要ですが、ヒ素は間違いなくあなた

を死なせてしまうので、いろいろな原子が何個陽子を持っているかについて、そこそこ知っておいたほうがいいでしょう。あなたにとって幸いなことに、それをまとめ、さらに、元素どうしの関係もわかる、「周期表」と呼ばれる大きなチャートを作りました。それは、補遺Bにあります。これは完璧な表で、最後に周期表が改訂された西暦2041年の時点で正確なものです。原子は、陽子を得たり失ったりすると別の元素になってしまいますが、中性子は得ても失っても同じ元素のままで、これらの中性子の数が異なるものを「同位体」と呼びます。中性子が多い同位体は、中性子が少ない同位体よりも重くなっています。

　それぞれの原子で、原子核の周りに、1個または複数の、負の電荷を持つ電子が存在しています。電子は、いろいろな軌道の上で運動しています——原子核に近い軌道にいる電子もあれば、遠く離れた外側の軌道にいる電子もあります。電子の軌道は、いくつかが集まって、「電子殻」という構造を作ります。最も小さな電子殻は、2個の電子を収容できますが、次の電子殻には8個、その次に大きな電子殻には18個、というぐあいに、$2(n^2)$という式にしたがって、収容できる電子の数が、外側の殻ほど多くなります。ここでnは、内側から数えた電子殻の番号です。そして、電子は原子核に近づきたがる傾向がありますが、内側の殻が満員になる前に、先に外側の殻に電子が入っても構いません。そのような次第で、これらのことをまとめて、模式図的に例で示したのが次の図です。

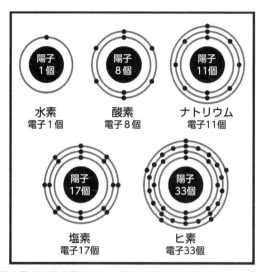

図49：数種類の元素の模式図。ここで何か化学の駄洒落を期待しておられたなら、申し訳ありません。原則そういった要望には対応していません。

　原子は、ほかの原子と結合して、分子を形成することができます。これが、あなたもお聞きになったことがある、「化学反応」です。ある原子が持っている電子は、その原子がどれくらい化学反応を起こしやすいかを知る手掛かりになります。それは、原子というものは、最も外側の軌道に、収容可能な個数と同じだけの数の電子が入って、軌道が満員になった状態にしたいからなのです。そのため、これをなしとげた元素は、そうでない元素よりも反応しにくくなります。そして、最も外側の軌道が電子で満員になっていない一般的な原子の場合、あなたが予想されているとおりの状況になります。たとえば、電子が２個余分にある原子は、電子が２個足りない原子と反応しやすいのです。このことからすると、すでに最も外側の軌道が電子で満員になっている原子――ヘリウムやネオンなどの元素――は、何とも反応したがらないでしょう。そして、ほんとうに反応しません！　ヘリウムとネオンは、非常に反応性が低いので、かつては、実際に反応は不可能だと思われていました。じつは、反応は不可能ではありませ

ん——私たちは、何種類か、そのような化合物を作りました。大したことではありません——が、普通は、非常に高い圧力と、非常に低い温度のいずれかか、両方が必要です。[39]

　化学反応の一例として、水を見てみましょう。２個の水素原子と１個の酸素原子が結合して水、すなわち、H_2O（下付き文字の２は、水素原子が２個あるという意味）ができます。酸素は、最外殻に６個の電子が入っており、電子があと２個だけほしいところです。水素原子は、それぞれ電子を１個ずつ持っていますから、２個の水素が酸素と電子を共有すれば、「水」の分子が１個形成されます。原子に嬉しいという感情があったとしたら、これらの原子はみな嬉しいでしょう。このように電子を共有することを、「共有結合」と呼びます。

　しかし、もうひとつ考えるべき問題があります。電荷です。電子は負の電荷を、陽子は正の電荷を持っており、ほとんどの元素で電子と陽子の数は同じなので、これらの電荷は打ち消し合い、原子というものは電気的には中性になっています。しかし、原子は、先ほど水を作る反応で見たような電子の共有を、常に行っているわけではありません。原子どうしで、電子を交換することもあるのです。このような電子の交換が起こるとき、つまり、１個の原子が電子を失い、もう１個の原子がその電子を獲得するとき、その結果、一方の原子は正の、もう一方の原子は負の電荷を持つことになります。電荷の場合、正負が逆なら引き付けあい、同じなら反発しあいます。

　この具体例をひとつ。ナトリウム（Na）は、周期表の11番目の元素で、電子が11個ありますが、その内訳は、一番内側の殻に２個、２番目の殻に８個、そして最も外側の殻に１個の電子という配置です。塩素（Cl）は、電子が17個で、一番内側の殻に２個、２番目の殻に８個、そして最も外側の殻に７個の電子という配置です。塩素は、もう１個電子を獲得して、最

＊　原子に感情はありませんが、私たちは無生物に感情や望みや動機があるものと見なします。というのも、そのほうが説明がはるかに簡単になるからです。

外殻に8個電子が欲しいところです。ナトリウムのほうは、最外殻の1個の電子を捨てれば、2番目の殻の8個が最外殻となるので、塩素とナトリウムが近くにいれば、このような電子のやりとりが起こります。ところが、その結果、電子を1個失ったナトリウムは正の電荷を持つようになり、電子を1個得た塩素は負の電荷を持つようになるので、両者は電気的に引き付けあい、結合します。この結果生じた化合物——NaCl——は、食塩で、電気的引力によって生じたこの結合を、「イオン結合」と呼びます。

　共有結合のほうが切れやすく——電子の「共有」が、より一時的——、共有結合で生じた化合物は、室温では液体または気体であるのが普通です。共有結合は、非金属どうしでのみ起こります（金属と非金属はすべて周期表に、それとわかるように記載されており、半金属——金属と非金属、両方の性質を持つ、中間の元素——も同様です）。イオン結合のほうが切れにくく、室温で固体となる化合物を生じ、通常は金属と非金属のあいだで起こります。

　えっと、お聞きください。この最初の2、3の段落を読んだだけでも、あなたは紀元前13,799,000,000年から、20世紀中ごろの人類の最先端の理解にまで、一気に進んだことになるのです。元素とは何かを理解するためだけでも、人類は19世紀までかかってしまいました。ですから、最初の2、3の段落を飛ばし読みしただけでも、あなたはすでに立派にやっているのです。この先へと進むには、陽子も中性子も、一層小さな粒子（「クォーク」と呼ばれており、これ自体、6種類の変なフレーバーがあります*）からなり、また、電子は「原子核の周囲の軌道上に存在する」のではなく、「潜在的位置空間の観察不可能な領域のなかに波動として存在し、一点に

---

*　それらは実際に「フレーバー」と呼ばれており、実際に奇妙です。徐々に奇妙になる順番に、アップ、ダウン、トップ、ボトム、チャーム、ストレンジというのがその実際の名称です。詳細については、もしも持参しておられれば、『タイムトラベラーのクォーク入門書：タイムマシン製作時に役立ちますが、製作に成功するには、さらに多くを知る必要があります。とはいえ、私にあなたを止める筋合いはないので、どうぞ、クォークについて読むのをお楽しみください・第9巻』を参照ください。

存在するのではない」*ことを知らなければならないのですが、あなたの現状では、タイムマシンを作ろうというのでないかぎり、そのレベルの詳細を知る必要はないでしょう。そしてあなたは、タイムマシンを作ろうとはなさらないでしょう、というのも、タイムマシンの製作はあまりに難しく、私たちも、その作業をどこから始めるかの説明に取り掛かるよりも、文明をゼロから再発明する方法についてのガイド本を書くほうが簡単だったほどだからです。

　原子の存在を証明することは、非常に強力な顕微鏡なしには難しいですが、原子がもたらしている影響は容易に見ることができます。たとえば、コップに入った水のなかに浮遊している塵は、ランダムに動きますが、この「〔ここにあなたの名前を入れてください〕運動」（元々の名称は「ブラウン運動」。西暦1827年にこれを発見した植物学者ロバート・ブラウンにちなんで名づけられました）が起こるのは、塵が水の微粒子（すなわち分子）によって小突き回されているからです。

物はどこから来たのだろう？

　ビッグバン（紀元前13,799,000,000年。あなたのタイムマシンが壊れていなかったなら、絶対見に行くべきでしたね）で、物質が宇宙に放出され、この物質が凝集して（主に）水素——最も単純な元素——になりました。大量の水素は、やがて集まって、巨大なガスの球になり、それ自体の重さの圧力により、中心部において、水素（陽子が1個）が融合してヘリウム（陽子が2個）となりましたが、このガス球は、（a）大量のエネルギーを放出し、また、（b）私たちの（そしてまた、ほかのすべての）太陽とまったく同じものです。

　このプロセスは、数百万年から数兆年かけて（恒星の大きさによりま

＊　物が非常に小さくなると、それらは同時に非常に奇妙になる傾向があります。これは、量子力学について書いたのではない文章の脚注として期待できる、量子力学の要約としては、十分詳細な説明と言えるでしょう。実際、あなたが量子力学の専門家のふりをしたければ、何を質問されても、この脚注の最初の文章で応えれば、上々のスタートが切れるでしょう。

す）、水素がなくなるまで続きます。その段階に達し、かつ、恒星が十分大きいなら、次はヘリウムの融合が起こります。ヘリウムは融合して、さらに重い元素になります。具体的にはリチウム（陽子が3個）から炭素（陽子が6個）までですが、炭素は安定なので、融合は炭素を目指して進みます。ヘリウムがなくなると、ここでもまた、さらに恒星が十分大きければ、炭素の融合が始まり、マグネシウム（陽子が12個）までの元素が形成されます。この段階は、約600年続きます。もしもその恒星が極めて大きければ、さらに次の段階まで融合が進み、鉄（陽子が26個）までの元素が形成されます。

　しかし、この時点で、恒星内の元素合成は機能停止します。なぜなら、鉄をさらに融合させるには、そのプロセスで生じるエネルギーよりも多くのエネルギーが必要になるからです。このため、鉄を融合している恒星はすぐに死ぬことになります。恒星が死ぬときは、その大きさに応じて、崩壊して残骸となって冷却していくか（冷却しているあいだは「白色矮星」、完全に冷え切ってしまったら、「黒色矮星」で、このころにはもう非常に密度が高くなり、1立方センチメートルあたり3トン以上の重さになっています）あるいは、中性子星（白色矮星の圧力が非常に高く、すべての物質が原子核と同じ密度になり、1立方センチメートルあたりの重さが10億トン近くにまでなる）になるか、ブラックホール（中性子星が非常に重く、その重力に拘束されたら光さえも逃れることができなくなりますので、本当に、1立方センチメートルのブラックホールでも、ちょっかいを出したりしないでください）になるかのいずれかです。

　このような次第で、鉄までのすべての元素がどこから来るかが、これで説明できます。つまり、恒星の内部で核融合によって合成されるのです。

＊　ヘリウム（陽子が2個）どうしがどのように融合すると、陽子が奇数個の元素ができるのでしょうか？　それはこうです。融合の際に、陽子や中性子が崩壊することがあるため、陽子2個からなるヘリウムどうしが融合したときに、陽子の数が4になるはずのところ、3になったり5になったりして、リチウム（陽子が3個）やホウ素（陽子が5個）、あるいは、陽子が奇数個のその他の元素ができるわけです（訳注：このほか、星間物質として漂っている重い元素の原子核が宇宙線によって破壊され〔核破砕〕、リチウムやホウ素が生じるという説もある）。

しかし、鉄より重い元素についてはどうなのでしょう？ 実は、このひとつ前の段落で、あるひとつの段階について、触れていなかったのです。それは、こんな段階です。恒星が一生を終える際、恒星がまだ元気で核融合を行っていたときには、外向きに猛烈な勢いで放出されていたエネルギーのせいで、恒星の中心部には到達できなかったガスが、今や、重力で中心部に向かう運動を阻止するものがなくなってしまい、その恒星は、最後の壊滅的な崩壊を起こします。その物質のすべてが、内向きに崩壊し、とほうもない熱と圧力を生じ、陽子と電子が融合して、中性子ができます。

そして、次にそれが爆発します。

これらの爆発——普通の規模なら「超新星」、とりわけ大きければ「極超新星」と呼ばれます——は、大規模な粒子ストームとして、物質を外向きにまき散らしますが、その粒子ストームのエネルギーが猛烈なため、約１カ月にわたり、10個の恒星を集めたよりも明るく燃え続ける可能性があります。これによって、極めて不安定な核が形成され、これらの核は崩壊して別の元素となります——鉄より重い元素も含めて——ので、超新星は、重い元素が形成される、宇宙で唯一の場所になります——少なくとも、私たちが1950年ごろに地球の上で重い元素を合成しはじめるまでは。また、水素とヘリウムが宇宙でダントツに多い元素である理由もここにあります。つまり、ビッグバンのあとに水素とヘリウムが大量に生じたのち、恒星がそれ以外の元素を作っていかなければならないからです。ヘリウムと水素以外の元素は、実際に宇宙の0.04パーセントを占めているに過ぎません。あなたが炭素を主成分のひとつとしていることを考えると、あなたや、あなたがこれまでに出会ったすべての人は、宇宙の誤差として切り捨てられてしまうほど取るに足りないものでできているということです。

そう聞いて、気が滅入ってしまわれたなら、あなたがどこからいらしたかを思い出してください——そう、むちゃくちゃすごい爆発ですよ。

物質から何を作れるだろうか？

理屈の上では、何でも作れます。そして、あなたがそうし始めるのをお

手伝いするために、私たちは補遺Cに、たくさんの便利な化学物質を一から作る手順をお示ししています。あなたが今おられる状況からすると、これは間違いなくお役に立つでしょう。私たちはまた、それぞれの物質の化学組成もお示ししました——これを知らなくても物質は作れるのですが、それらの起源を知っておくことは、あなたやあなたの子孫が、補遺Cの先の化学の知識を構築するうえで、基盤として役立つはずです。そしてここでもまた、強調しておきたいのですが、補遺Cに記載された化学物質のなかには危険なものもあり、そして、この補遺の表題を「役立つ化学物質とその作り方・いかにそれらの物質が、あなたの目に直接すりこんでも一切問題が起こらないほど安全か」ではなく、「役立つ化学物質とその作り方・それらの物質がいかに間違いなくあなたの命を奪うか」にしたのもそのためなのです。それでは、このあとは補遺Cへと飛んで、化学を研究してみても結構ですし、それはもう少しあとにして、次のページに進み、カッコいい哲学について学ぶのもお勧めです。

12.

ハイタッチについての小洒落た文章で、哲学の主要学派をまとめて紹介

ここが唯我論的世界なのか、それとも私が唯我論的なだけなのか？

　あなたの文明の哲学的基盤をどうするかは、まったくあなた次第ですが、歴史全体から集めた世界のさまざまな哲学を極めて表面的に概観した次の表には、あなた自身の文明のなかで、「アイデアをスタートさせるもの」になるものが、いくつか含まれているかもしれません。表にあるさまざまな哲学は、何百種類もの異なる方法で、統合し、拡張し、弱め、強め、脱構築することができますので、どうぞ遠慮なく、そうなさってください。

　困難でしばしば存在の根幹に関わるようでひるんでしまう哲学の研究を始めれば、あなたは、人生と存在に関する重い問いかけに正面から取り組むことになりますが、そのせいで頭が混乱し、気が滅入るかもしれません。あなたはすでに十分さまざまな問題を抱えておられるでしょうから、これらの哲学を、普通その目的だとされる、人生の意味と目的の追究としてではなく、ハイタッチを使って説明することにします。ハイタッチなら、誰が見てもクールで楽しいですから。

宗教的哲学

一神教：神が私にハイタッチをしてくださった。

多神教：ひとりまたは複数の神が私にハイタッチをしてくださった。

単一神教：ほかにも神がいるかもしれないし、いないかもしれないが、私が知っているのは、私が崇める神が、私にハイタッチをしてくださったということだけだ。

拝一神教：多数の神が存在することは間違いないが、私は、私にハイタッチをしてくださった神だけを崇める。

汎神論（汎神教）：神と一体である宇宙が、私にハイタッチをしてくれた。

万有内在神論：宇宙の全体に神性があるが、神は宇宙の総和よりも偉大なので、宇宙は神と等価ではない。その宇宙が私にハイタッチをしてくれた。

オムニズム：すべての宗教は、異なる種類のハイタッチをくれるが、どのひとつの宗教も、完全なハイタッチ体験を与えることはできない（すべての宗教、もしくは宗教のないことに対する認識と尊重）。

汎心論：宇宙に存在するすべてのものは、意識を持っており、それゆえ、私にハイタッチを与えたいと望む可能性がある。

イエティズム：どこかにいる何らかの神が私にハイタッチをくださったが、それ以上のことが、誰にわかるというのか？（訳注：特定できない超越的実在への、詳細不明の信仰）

不可知論：ひとりの神が私にハイタッチをしてくださったのかもしれないし、私が自分で自分にハイタッチをしたのかもしれない。誰にわかるというのか？

無神論：私は自分にハイタッチをした。

オートシーイズム：私は自分にハイタッチをした。しかも、私は神だ。

アパシーイズム：神は存在するか否かや、神がハイタッチを誰かにしているかどうかを考えるのは、ほとんど無意味だ。君たちみんな、ほかにやることないのか？

イグノスティシズム：「神」という概念には明確な定義がないので、神は存在するか否か、そして現在ハイタッチを誰かに与えているかどうかについて議論しても無意味である。

理神論：神または神々は間違いなく存在するが、神が人間に関する事柄に干渉することは決してないだろうから、私は、これまでに一人として神が私にハイタッチをしてくれなかった唯一の理由はそれだと思う。

二元論：この世界には、善い力と悪い力の両方が存在する。すべてのハイタッチには、対応するアンチ・ハイタッチが存在し、それは表には見えにくいと同時に、悲しいことに、顕在化が非常に遅い。

反有神論：ハイタッチを与えて回っている神など存在しないが、もし存在するなら、私は彼らを完全に放置しておくだろう。

嫌神論：ハイタッチを与え回っている神は確かに存在するが、彼らのハイタッチは極めてたちが悪い。

唯我論：私は自分自身にハイタッチを与えた。残念ながら、それは、私がそのように想像しただけである。なぜなら、私自身の精神の外側には、本当に存在する者は何もないのだから。

世俗的人道主義：私たちにハイタッチをしてくれる神は存在しないが、それでも私たちは親切であり得る……し、私たちは互いにハイタッチを交わすことができる。

存在に関わる哲学

ニヒリズム：何物も、ハイタッチさえも、一切意味を持たない。

実存主義：何物も、ハイタッチさえも、一切意味を持たないので、ハイタッチをできるかぎり真正なやり方で与え、受け取ることによって、それらに可能な意味を与えるのは、個人次第である。

決定論：私はあなたにハイタッチを与えているが、自由意志は幻想である。あなたが宇宙を巻き戻して、再び初めからスタートさせたとしても、すべてはまったく同じに経過し、私たちはまさにこの瞬間にハイタッチをしているだろう。

帰結主義：私がハイタッチを与えられるという帰結が得られるなら、どんな恐ろしいことでも、それは正当化される。

功利主義：どんなに恐ろしいことでも、それが最大数の人々に最大数のハイタッチをもたらすなら、それは正当化される。

実証主義：あなたが私にハイタッチを信じてほしいなら、何か科学的な証拠を見せてもらわなければならない。

客観論：ハイタッチをしてもらうのは、私の合理的な利己心に適うことであり、ハイタッチを私が選んだ方法で与えたり受け取ったりする私個人の権利を尊重しない権力は悪だ。

快楽主義：ハイタッチは気持ちがいいし、喜びは素晴らしいので、私は自分が望む限りハイタッチを与え続ける。結果がどうこうという話を私にしないでくれ。セックスのあいだにハイタッチをするのが気持ちいいなら……実際にやってみようかな。

プラグマティズム（実用主義）：ハイタッチは、それが何かを成し遂げられる場合にのみ良い。

経験主義：直感や伝統を信じるな。ハイタッチを完全に理解する唯一の方法は、自分自身でハイタッチを与え、受け取ることだ。

禁欲主義：感情は、間違った判断をもたらす可能性があり、間違った判断は、明瞭な偏見のない思考に悪影響を及ぼす可能性がある。それゆえ、最善のハイタッチは、極めて論理的な理由で与えられるものである。

絶対主義：ある種の行動は、本質的に正しい、あるいは、間違っている。たとえば、盗みは──空腹の子犬にエサをやるためであっても──、常に間違っており、一方ハイタッチは──たとえ毎回、あなたが相手の顔をひどく平手打ちすることになってしまうとしても──常に正しい行動なのだろう。

エピクロス主義：快楽は素晴らしいが、最高の快楽は、痛みと恐れのない状態だ。したがって私は、手が痛くならないように、常識的な回数だけハイタッチをしよう。

不条理主義：たった一度のハイタッチについてさえ、理解すべき事柄の、大きさ、範囲、そして潜在性は、ハイタッチの真の意味を発見することを不可能にしており、それに対する唯一の理性的な反応は、自殺か、いつかハイタッチを完全に理解できるかもしれない神が存在することを盲目的に信じるかのいずれかだが、その両方に失敗したなら、ハイタッチの不条理さを受け入れ、そのうえで、それにもかかわらず、楽しそうにハイタッチを与え続けることである。

表18：まったくの余談ですが、単語またはフレーズ（「ハイタッチ」など）を繰り返し見聞きした結果、それが意味を失うことを「意味飽和」と言います。ハイタッチ！

13.

視覚芸術の基本。
あなたに真似できるスタイルもいくつか。

ここに示した手順にしたがえば、
あなたが生み出せる色ならどれでも使って、絵を描くことができます。
しかし、あなたがまだ生み出せない色は、
あなたの想像上の色に留まり続けるほかありません。

じつは私たち、このセクションの説明は、本書にわざわざ載せなくても いいのではないかと思っていました。「何か絵を描いてください。ご自分 でおわかりになるでしょう。それでいいのです」と述べるだけにしたかっ たのですが、それは間違いだと歴史が示していました。まっすぐな鉄道の 線路を見ると、２本のレールは、地平線上で見えなくなる点（消失点）で ひとつに収束しているように見えることはご存じですよね？　ご存じなら、 あなたはほかのたいていの時代に生きた大勢の人間たちよりも、すでによ くやっておられます。というのも、西暦1413年（訳注：ルネッサンス最初 の建築家とされるフィリッポ・ブルネレスキの研究を指すようだ）になる まで、人間たちはそのことに気づいていなかったからです。*　大昔の絵が、 ひどく不安定に見えることが多いのはこのためです。地球上の誰ひとりと して、正しい遠近法で絵を描く方法を知らなかったのです。

そしてあなたはここで、「へえ、それは知らなかったな。でも、古代エ ジプト人は、人物の大きさが、空間のなかでの位置ではなくて、彼らがテ

＊　はい、確かに彼らには、鉄道の線路はありませんでした。しかし、それは言い訳にはなりま せん。畑、柵、そして川や海岸線もみな、消失点で収束して見えますから。

ーマ的にどれだけ重要かを表しているような、反-遠近法的スタイルが大好きだっただけじゃないかな。だから彼らは、絵のなかで正しい遠近法を一度も使わなかったんだよ」と、おっしゃっているかもしれません――そして、歴史を通して、遠近法が発見されたときはいつも、画家たちはそれに完全に夢中になったという事実がなかったら、あなたは正しかったかもしれません。ここに、世界で最も有名な絵画のひとつである、レオナルド・ダ・ヴィンチの『最後の晩餐』を示します。これは、ヨーロッパ人たちが遠近法とは何かを発見した、ほんの80年後の西暦1495年に描かれました。

図50：『最後の晩餐』。一番下のアーチは、出入り口です。
一部の人間たちが、値段が付けられないような芸術だけど、
便利な出入り口を付けることは非常に重要だと判断して、後から描き加えられました

　タイル張りの天井をご覧ください。壁に並ぶ四角や、背景の分厚い長方形の窓をご覧ください。この絵は、「私は宗教が大好きだから、私のお気に入りの宗教的人物たちが食事を楽しんでいる絵を描こう」という気持ちはせいぜい３分の１で、少なくとも３分の２は、「おい、俺の消失点は最高だぜ。ほんとに。俺が描いた壁の四角を見ろよ。お前にゃ、遠近法自体わからんだろうが」という気持ちで描かれたものです。こちらは、1509年

に描かれたラファエロの傑作、『アテナイの学堂』です。

図51: 『アテナイの学堂』。
イタリアの壁（訳注：バチカン教皇庁の、ある部屋の壁）に描かれました

　あなたはまず人物に目が行きましたか？　それとも、タイル張りの床や、何部屋も奥へと続くたくさんのアーチ型の天井や、階段や、前景の四角い台の上で何か書いている男が、すべて、注意深く計算された、正面から見た一点透視図法で描かれていることに気づきましたか？　現代人たちがコンピュータによるレイトレーシング（訳注：コンピュータグラフィクスなどで、光線が空間内をいかに伝播するかを物理法則に従ってシミュレートし、実写のような現実感を生む手法）を発明したとき、CGアーティストたちが、数百万とは言わないまでも、おびただしい数の、クロムメッキしたぴかぴかの球体が市松模様のタイルの上に浮かんでいる画像を作っていましたよね、レイトレーシングで、市松模様が球に写っている様子がいかに見事に再現できるかを見せびらかすだけのために。フォトショップでレンズフレアの加工ができるようになったときも（訳注：アドビシステムズ社による画像編集ソフト、フォトショップの機能で、カメラで撮影したときに明るい光源がレンズに当たっていた場合などに起こる光漏れの効果を

画像処理で後から加えられるようにしたもの)、ありとあらゆるものにレンズフレアが加えられるのを、何年にもわたって我慢しなければなりませんでしたが、これもみな、アーティストたちが、使用法をマスターしたばかりの新機能に、むちゃくちゃ興奮していたからでした。遠近法の発明もまったく同じで、たまたま、ヨーロッパでルネサンスが進行していた時期に重なったため、ヨーロッパの古典とされる最も偉大な絵画のいくつかで、レンズフレアやタイル上に浮かぶクロム球の1400年代版とも言える遠近法が顕著だというわけです。

　もちろん、ルネサンス以前の芸術家たちも、物は遠いほど小さく見えることは知っていましたが、彼らはその感覚を裏支えする数学的理論を持っていなかったため、物がどう見えるかを当てずっぽうで絵に表現しなければなりませんでした——そのため、うまくいったりいかなかったりでした。西暦1100年ごろ以降の中国の画家たちのように、いいところまで行った者もいました。そのころの中国では、現在「斜視図法」と呼ばれている手法が絵に使われていましたが、彼らの絵は、実生活のなかで見る、どんな風景にも対応していないとはいえ、少なくとも、空間内に存在する三次元の物体に、大まかには似ていました。

図52：西暦1100年ごろ中国で描かれた、無題の、水車を利用した製粉所の絵

　ついに遠近法が広く受け入れられるようになったのは、消失点が発見されたからでした。本セクションのはじめの部分で、あなたに想像していただいた鉄道の線路は、はるか彼方まで真っ直ぐ続き、地平線上の1点で収束しているように見え、また、そこで消えているようでもありました。あなたが、絵の中のすべての形を、この遠近法を使って描いたなら——壁、建物、立方体、そしてその他のすべてのものが示唆している線がすべて同じ点に近づいていき、そこで消えてしまうように——、まるで窓から見ているかのような、説得力ある、世界を描いた絵画を生み出すことができるでしょう。あなたが次にご覧になるのはそんな絵です。

図53：遠近法をより実感しやすくするために加工を施した『最後の晩餐』

　これは、遠近法のなかでも、一点透視図法と呼ばれるもので、すべての鉛直線は縦に平行で、物体は正面からとらえられています。遠近法には、もっと複雑な図法もあり、それには、物体を回転させて、物体の正面があなたに対して斜めを向くような角度から、その物体をとらえます。これでも鉛直線はすべて縦に平行なままですが、物体の面は、あなたに対して左を向いている面は左側に、右を向いている面は右側に、と、左右のふたつの消失点に収束するように描かれます。これが二点透視図法です。

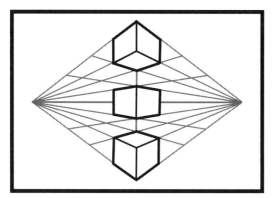

図54：二点透視図法

　最後に、三点透視図法では、物体の上（または下）に、３つ目の消失点が加わる遠近法です。鉛直線はもはや平行ではなくなり、鉛直線の消失点に向かうように傾斜しています。

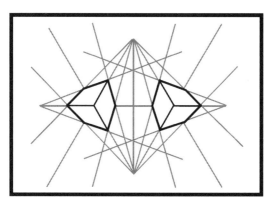

図55：三点透視図法。余剰次元を表した透視図法は、読者の演習問題となっています
（訳注：著者のジョーク。人間に認識できる空間は三次元なので、三点透視図法まで
しか存在していない。理論物理学では四次元以上の空間次元を扱うので、
それを可視化する手法も考案されてはいる）

遠近法は完璧ではありません。厳密に言えば、遠近法によるすべての絵画は、消失点の位置が理屈に合うような、ひとつの位置から見たときにだけ正確な図として見えます。しかし、人間の脳は素晴らしい働きをして、厳密には理屈に合わないさまざまな事柄を、誰にも気づかれずに補正しているのです。脳は、高速で次々と現れる膨大な数の静止画を、動画に見えるように自動的に変換しますし（あなたが簡単に発明できる、パラパラ漫画や、もう少し手がかかる映画などで）、また、私たちの耳に少しずつずれて到達する音を自動的に変換し、はっきりとした特定の場所の感覚を持たせてくれます。そして、遠近法で描かれていれば、どんな絵でも、厳密に正しい角度から見ていない場合にも、説得力のある絵に見えるように自動的に変換してくれるのです。

　これが遠近法の基礎です。これを知っているだけでも、あなたは自分の周囲の世界について、より説得力のある、現実感を伴った、リアリズムの絵画を制作することができます。しかし、リアリズムは視覚芸術の唯一の目的ではありません——これは歴史的には、写真が発明されると強調されるようになった事実です。アーティストたちは、それに気づき、リアリズムを克服すると、ほかのスタイルを模索しはじめます——そして、それには、ほんとうに何の制約もないのです。

　次の図に、視覚芸術のさまざまなスタイルの例を少し挙げます。これを使えば、あなたの文明に属するアーティストたちの精神の自由な模索に弾みをつけることができるでしょう。運が良ければ、彼らは私たちがこれまでに作ってきたさまざまなアートを一足飛びにして、私たちが未だかつて想像したこともない、度肝を抜くような新しい作品を生み出すかもしれません。幸運をお祈りします！

図56：芸術

顔料や染料はどこで手に入る？

　黒の顔料は、石炭または木炭から得られます——石炭または木炭を、水または油に混ぜればそれで黒の顔料は出来上がりです——が、ほかの色はもう少し手間がかかることがあります。紀元前400,000年という遠い過去から、さまざまな鉱物を砕いて顔料の原料とする方法は行われていました。それには、好きな色の石を集め、粉になるまで砕き、水溶性の成分を除去するために水洗いし、乾燥させればいいのです。これで顔料の出来上がりです。生物学的原料から得られる色もあります。昆虫、軟体動物、そして乾燥した糞などを砕くことは、昔から行われていました。やりすぎになることも珍しくありません。「インディアンイエロー」と呼ばれる色は、かつては、牛にマンゴーの葉だけを食べさせ、牛が栄養失調になって尿が明るい黄色になったところでその尿を原料に使いました。また、1600年代のヨーロッパで人気が高かった「マミーブラウン」という茶色は、古代のミイラ（ネコと、はい、そうです、人間の）を砕いて作られました。ご遺体で描いていたわけです。

　鮮やかな色合いの青と紫は、歴史的に見ても最も作りにくい色です。西暦1704年までは、最も鮮やかな青の色合いのひとつは、「ラピスラズリ＊」という珍しい鉱物を砕く以外に作ることができませんでした（訳注：1704年にベルリンで錬金術師によって開発された紺青という鮮やかな人工顔料がヨーロッパで広まり、19世紀には日本にも大

＊　1704年に発明された青の合成顔料は、じつは世界初の人工顔料ではありませんでした！　ヨーロッパ人が発明した最初の人工顔料ではありましたが、紀元前3000年ごろ、エジプト人——やはり、ラピスラズリを砕いて作るのがあまりに高く付くことにイライラしていました——が、熱をかけながら、珪砂、銅、炭酸カルシウム、そしてアルカリ灰を融合させて、人工的にそれに近い青を作り出すことに成功していたのです。この手法は数千年にわたって使われてきましたが、西暦400年までには、その製法を知る人間がみな、ほかの誰かにそれを教えたり、その手法を書いたりせずに死んでしまったため、世界で最も高価な色の、安価な代用品をいかに作るかという知識は、失われてしまいました。みなさん、本当に重要な知識を秘密にしたまま死んでしまうと、こうなるのですよ。

量に輸入されるようになり、浮世絵にも使われたという）。そのため、ウルトラマリンの空が描かれた絵画は地位の象徴で、その持ち主は、ただ1枚の絵を描かせるためだけに、貴重な石を粉々にしてしまえるだけの財力があるという証拠でした。紫が王の色とされるのも、紫の染料が極めて高価なことに由来します。重さが等しい銀と等価な紫の染料が存在した時代も幾度かありました。最高の紫は、地中海に生息する小型巻貝の種（体長6〜9センチメートル）から取った粘液──貝が獲物の動作を緩慢にするために使うもの──から作ります。その粘液を採取する作業が大変でした。2匹をつついて、互いに襲わせる（それによって粘液を出させる）か、あるいは、貝を砕き、粘液を取るかでした。いずれにしても、純粋な染料をたった1グラム得るために、12,000匹の巻貝が必要でした。あなたが興味をお持ちなら、この巻貝は紀元前3,600,000年ごろに登場しました。そのような次第で、タイムトラベラーたちのあいだでは、「周囲にほかの人間がいたなら、地中海のある地域で、超高価な紫の染料を作ることができる可能性がある！」ということわざがよく知られています（訳注：着色に使う物質のうち、染料は、水や油などの溶媒に溶けるもの、顔料は溶媒に溶けないものを言う）。

14.

体を癒す：薬とその発明の仕方

過去の時代に医療をゼロから再構築するには、
人体……じゃなくて、忍耐が必要です。

　ヒポクラテスは、紀元前400年ごろ、西洋の医療にふたつの重要な考え方をもたらした人物です。そのひとつは、少しは役に立つもの、そしてもうひとつは、破壊的な悪影響を及ぼすものでした。少しは役に立つ考え方というのは、「ヒポクラテスの誓い」です。これは、今日なお多くの医師に使われており、どういうわけか彼らは、この誓いを使って、自分は患者を『意図的に殺したりはしない』と公に約束すべきだと確信しているのです。一方、破壊的な考え方というのは、体液病理説と呼ばれるものです。

　体液病理説は、あらゆる職業や身分の人が罹るあらゆる病気は、人間の体内に存在する「４つの体液」——血液、粘液、黒胆汁、黄胆汁——のバランスが崩れることによって起こるという考え方です。これは（議論の余地はありますが）、それまでの病気に関する説（病気は、立腹し、報復してやろうという神々が与える天罰だとし、もしもあなたが病気なら、そんなにしょっちゅう神様たちを怒らせて、報復する気にさせないようにしたほうがいいよという考え方）よりは良くなっているとはいえ、医学や人体の現実とは何ら関係なく、この説に基づくどんな処置も、せいぜい偶然効き目が現れるだけでした。それにもかかわらず、体液病理説に基づく医療は西暦1858年に細胞が発見されるまで実施されていました。細胞の発見により、人間たちは、どんな病気でも、瀉血、吐き戻し、体操、そして快感マッサージで治るわけではなさそうだと気づいたのでした。

　はっきり申しましょう。西洋の医師たちは、2000年以上にわたって、不

正確で役に立たない体液病理説に基づいて患者を治療していたのです。これは、文明の大半が存続したよりも長い歳月で、注目すべきは、この説を生み出したギリシア文明よりも長く続いたということです。医学は、体液病理説が放棄されたあとの２世紀ほどのあいだに、それ以前のすべての世紀のあいだに進んだよりも、はるかに進んだのです。あなたが、ご自分の文明のなかで人々が必要もないのに死んでほしくないのでしたら（なぜなら、あなたは良識ある人間ですし、また、どんな人生でも、病気で倒れて短く終わってしまうのは、客観的に見て、最善とは言えませんから）、近代医学の基礎を早急に導入するのがいいでしょう*。

　もちろん、スムーズに医学を進歩させられなかったのは西洋文明だけではありません。人体の解剖は、さまざまな地域のさまざまな文化でタブーとされてきました。そして、その理由は理解できるとはいえ（遺体に切り込んで、中をつっつきはじめるのは妙な感じがしますし）、それはあらゆる場合に、医学の進歩を妨げてきました。人間をどのように治療すればいいかを学びたければ、人体がどのように機能しているかを知らなければなりませんが、動物を解剖して、そこからの類推で推論しても、ある程度ま

---

*　そして、人間たちは、「体液病理説（４つの体液説）」から、「いや、違う、細菌だ」説へと一足飛びに移ったのではありません。ヨーロッパ、インド、そして中国で、「瘴気（しょうき）説」によって長い歳月が浪費されてしまいました。瘴気説とは、悪臭が病気を引き起こし、媒介するという考え方です。しかしこの説には、少なくともひとつ、プラスに作用したことがありました。排泄物や腐敗したものは普通不快なにおいがするので、「瘴気」問題を解決するために計画された公共事業は、たとえ背後にある理論が間違っていたとしても、実際に人々を助けることができる場合もあったのです。ロンドンで実際にそのようなことが起きました。ロンドンでは、コレラが３度流行したあと、西暦1858年に「大悪臭」が発生しました——夏の猛暑で、テムズ川に捨てられていた未処理の人間の排泄物が、例年以上にひどい悪臭を放つようになったのです。ロンドン市は、汚水を市外へと流すために、下水道の敷設に資金を投じました。これは、ロンドンの既存の排水処理システムの大幅な改善となりました。なにしろそれまでの排水処理とは、市民のみんながただ自分たちの排泄物を道や、近くの汚水溜めに捨てていただけだったのですから。そのくせ、そのあとで、年がら年中どこもかしこもいやなにおいだと不平を言っていたのです。下水道が完成し、ロンドン市民の健康が改善したあとになってようやく、人間たちは、病気を運んでいたのは悪臭ではなく、細菌だと気付きました。ロンドンの多額の資金を要した劇的な下水道システム——今日もなお使われています——は、完全に間違った理由で建設されたのであり、それが公衆衛生を向上させたのは、まったくの偶然だったのです。

でしか進めません。「汗はどこから来るんだ？」、「じゃあ、動脈は、血液か空気か、どっちを運ぶんだ？　それとも何か別のものか？」、そして、「子宮は一カ所に留まっているのか、それとも、子宮は女性の体内に住んでいる別の動物で、好きなところへと動き回ってるんだろうか？」*などの疑問は、歴史的に言って、人体解剖によってこそ、最善の答が発見されてきたのです。幸い、あなたは補遺Ⅰという有利なものを使うことができます。これは、人間の解剖図で、主な内臓の形、大きさ、位置、そして役割がわかるようになっています。これによって得られる、どちらかといえば簡素な情報だけでも、あなたの文明における医療を数千年分進歩させることができます。

　このあと、どんな時代であっても、あなたがご自分や仲間の人間に対して使うことができる、基本的な医療の情報をお示ししておきます。それ以外に選択肢があるなら、私たちも、「ええ、もちろん、タイムマシンの修理マニュアルの、本筋から外れた余談のようなものを頼るより、病院に行ってください」と言うでしょう。しかし、ほかの選択肢はないので、次のセクションをよくお読みになるようお勧めします。

---

*　この、「動き回る子宮」説は、古代ギリシアで信じられていたもので、その後1800年代になるまで、西洋の思想に影響を及ぼしつづけました。「ヒステリー」（訳注：「ヒステリー」は、古代ギリシアの「子宮」という言葉を語源とする）——明らかに、女性だけが罹る、感情がコントロールできない状態——は、子宮が自らの思うがままに体内を動き回っており、そのため、ほかの臓器に圧力をかけているせいで起こると考えられていたのです。治療法としては、においで子宮を誘導して本来の位置に戻す方法がありました。嫌なにおいを鼻の近くに置いて子宮を遠ざけ、いいにおいを陰部の近くに置いて、そちらに子宮を近づける、というわけです。それがうまくいかなければ、セックスが良い代替治療法だと考えられていました。医師たち（当然ながら全員が男性）が、子宮は体内を動き回っている別の生き物ではないということをついに受け入れると、ようやく子宮移動説は廃れました。しかし、「ヒステリー」という概念は存続し、1860年代には、オーガズムが足りない女性が罹る心理的疾患だという説へと進化しました。マスターベーションは不道徳だと見なされていたので、「ヒステリー」に罹った女性が未婚か、夫に意志がない場合、ほかに選択肢がなく、医師たちがマッサージすることによりオーガズムをもたらしました。当時のヨーロッパでは、陰茎が関わっていなければセックスではないと考えられていたので、これは明らかに、どうということのない医療行為のひとつにすぎませんでした。しかし、医学的に誘導されるオーガズムは時間がかかり、そのため、バイブレーターが発明されたのです。バイブレーターは、そもそも、疲れた医療従事者たちが時間を節約するための医療手段として発明されたのでした。

病気の細菌原因説

　あなたの体の内側が、外から侵入した微生物に植民地化されると、良くないことが起こります。これはあまりにおぞましいことなので、医療の専門家たちはこれを「感染」という婉曲表現で呼びます。微生物にはいくつかの種類がありますが、あなたが気にかけなければならないのは、バクテリア（小さな動物）とウイルス（寄生性のある小さなDNAやRNAで、外側を覆っているタンパク質によって細胞を乗っ取り、その細胞をプログラムしなおして、破裂するまで同じウイルスを作り続けさせるもの)[*]です。バクテリアとウイルスをまとめて「病原体」と呼びます。病気の原因については、過去に諸説あり、19世紀になってようやく登場した、病原体が伝染病の原因だという説を、歴史的に「細菌説」、「病気の細菌原因説」などと呼びます。「細菌」という言葉にはウイルスは含まれませんが、それはウイルスが発見されたのが19世紀末で、研究が本格化したのは20世紀になってのことで、しかもウイルスはほかの病原体とは違い、生物とは呼べないことがわかったからです。

　あなたが地球にいて、自分自身を超えた生命を見据えているなら、バクテリアは絶対に避けることができません。バクテリアは、最初に進化した生命体のひとつですから。現代の土壌1グラムには、普通約4000万個のバクテリア細胞が含まれています。これを聞いて気分が悪くなった人は、次の話もお気に召さないでしょうが、申し上げますと、あなたの体の表面と内部には、バクテリアの細胞が、人間の細胞の10倍も存在しているので

＊　ウイルスは生物なのでしょうか？　うーん……ウイルスは生物と無生物の境界線上に存在します。ウイルスは遺伝子を持ち、進化し、そして自己複製しますが、ウイルスの自己複製は、宿主細胞を乗っ取らないかぎり不可能です。今日の科学者たちは、ウイルスを生物とは考えていません。それは、ウイルスだけで自己再生することができず、自己再生する際も、ほかのすべての生物とは違い、細胞分裂を使わないからです。

す。バクテリアは悪いものばかりではなく、なかには、あなたが生き残るために必要なバクテリアも存在します。つまり、あなたの腸の内部のバクテリアは、数種類の食物（植物など）の消化を可能にし、あなたの免疫系を訓練するのに役立つのみならず、それらは人間の体内で暮らせるように特化して進化したのです。ですから、ある意味あなたは、過去の時代にたったひとりで閉じ込められたわけではなく、腸内細菌叢と共にこの経験をされているのです。

ウイルスに出くわすこともあるでしょう。感染している宿主（人間または動物）、あるいはウイルスが付着した表面に一度接するだけで、あなたも感染する可能性があります。具体的には、一般に、咳、くしゃみ、接触、あるいは、より親密な接触（ここではセックスのことを指します）によって、ウイルスに感染する恐れがあるのです（注意：直前の文章は「18禁」です）。各種ウイルスに対して自分を守るには、命にかかわる強力なウイルスがやってくる前に、いろいろなウイルスの死んだもの、あるいは、弱められたものを自分の体内に導入します。これが「ワクチン」と呼ばれるものですが、医療制度が確立していなければ、かなり難しいでしょう。しかし、少なくともひとつの致命的なウイルスに対して、あなたは自分にワクチン接種することができます。それが天然痘で、このワクチンを作るのは、牛の乳搾りをするのと同じぐらい易しいのです！

牛が感染する可能性があるのが牛痘です。牛痘に罹った雌牛は、乳房に膿疱（膿をもった吹き出物）ができます。牛痘は天然痘とよく似た病気で、人間も感染しますが、牛にも人間にもそれほど致命的ではありません。1778年、牛の搾乳をする人が天然痘流行時に死亡することは稀だと、つい

＊　人間の細胞のほうがはるかに大きいのです。これが理由となって（あるいは、理由のひとつとなって）、あなたはバクテリアを寄せ集めたドロドロのものではなく、人間のように見えているわけです。しかし、もしもあなたの細胞を「人間の細胞」と「バクテリアの細胞」とに分けて、それぞれの個数だけを数えて比較したら、私たちはあなたを人間とは思わないでしょう。では何と思えるかというと、さまざまな異なるバクテリアが、歩き回りながら他のグループのバクテリアと交流する方法を次第に身に着け、その過程で、「人間性」に軽度の感染をしたものだと思えるでしょう。

に誰かが気づき、その十数年後、牛痘の膿疱から採取した液体を人間の体に針で刺して導入すると、その後人体の免疫系は——牛痘への対処を終えたころに——、天然痘をはじめ、類似の感染症に対処する能力をあらかじめ備えるということが発見されました。＊ワクチン接種することで、あなたの免疫系は有利なスタートを切ることができ、それがあっさりと、生死を分ける違い、あるいは、もっと具体的に言うと、「天然痘をまるで大したことではないかのように追い払う」か、「天然痘に罹って、数日から数週間で、苦しみながら死ぬ」かの違いをもたらす可能性があります。

バクテリアの感染を防ぐ最も効果的な方法は、石けん（セクション10.8.1）と水でこまめに洗う——特に手を——ことです。飲料水も浄化するのがいいでしょう——水を浄化するには、沸騰させ、また、木炭（セクション10.1.1）を使います。このふたつの技術をできるだけ早く確立すれば、あなたは順調にやっていけます。もしもあなたが感染してしまったら、経口補水液、すなわち、水分補給用の飲み物（425ページ参照）のような単純なもので、脱水症状による死亡を防ぐことができます。チフス、コレラ、そして大腸菌の感染をはじめ、多くの病気の最大の危険のひとつがこれです。感染そのものは、抗生物質で治療できます。抗生物質のひとつ、ペニシリンについては、セクション10.3.1に詳しく述べられています。＊＊あなたの体そのものも、病気と闘います。熱が出るのは、要は、バクテリアもウイルスも体内で生きていけないほど熱くするために、体が温度を上げているのです。

＊ 天然痘——人類がまだ農業さえ発明していなかったころに、齧歯動物から感染したという説もあります——は、1977年に、ついに地球から撲滅されました。種痘が発明されてから、200年足らず後のことでした。いくつかのサンプルが、外部に漏れないようなかたちで、数カ所の研究所に保管されていますが、自然に感染することを恐れる必要のある病気としては、現代ではもはや存在しません。

＊＊ 私たちが、感染症に長々と時間をかけ、現代人の最大の死因、心臓病や癌についてお話していない理由なのですが。これらの病気は、総じて、長生きし、食べ過ぎたり、運動不足だったりすることが原因で起こります。あなたの現状からすると、このうちどれも、「そうなる可能性が非常に高い」ことではありません。しかしそのことには、あなたや、あなたの文明に属するほかの人々が、心臓病については相当長いあいだ気にしなくてもいいという、大きなプラス面もあるのです！

治療法をどのように評価するのか

　あなたに何かの症状が現れ、その後、あなたが見つけた珍しい実を食べたところ、やがて症状が回復するというようなことが、ときどきあるかもしれません。あるいは、あなたが訪れた時代には、人間たちがすでに自分たちの医学を持ってはいるけれども、あなたから見れば、それはとんでもなく雑で奇妙だということもあるかもしれません。ある治療法が実際に有効なのかどうか、判断するにはどうすればいいでしょう？　これを科学的に行うには（まずは、それが有害でないことを、セクション 6 の「万能可食性テスト」を使うか、あるいは、動物で試して、確かめたあとで）、二重盲検試験と呼ばれるものを使います。

　二重盲検試験は、次のように行います。大勢の人間を集めますが、このとき、個人個人の特徴による違いが問題にならないように、できる限りいろいろな人を集めましょう。その人たちの半分に、調べたい新しい治療法を施し、残りの半分には、偽薬を与える（命にかかわる病気ではない場合）か、あるいは、現時点で最善の治療法を施します（命にかかわる病気の場合にはこうしましょう。こうすれば、科学のために人間の命を奪うことにはなりません）。大切なのは、患者たちも、医者も、どの治療法をどの患者に与えているのか、絶対にわからないようにすることです。その後、最も良く回復した患者たちは誰かを見てから、記録を確認し、彼らがどちらの治療法を受けたかを見ましょう。こうすれば、その新しい治療法がほんとうにどの程度有効なのかを特定することができます。患者と医者の両方に、治療法の割り振りを秘密にすることによって、彼らが意識的あるいは無意識に結果に影響を及ぼすのを防ぐことができるわけです。

　忘れないでいただきたいのは、偽薬効果は常にあるということです。つまり、治療を受ける人間は、たとえそれが効果のない治療法だったとし

＊　偽薬（プラシーボ）は、見栄えはするが、病気の治療にはまったく役に立たない治療法や薬です。砂糖の錠剤を与える、いかにも科学的に見える容器で色付きの水を飲んでもらう──何でも偽薬（プラシーボ）になります。

ても、良くなったと思うと報告しがちなのです。二重盲検法は、実際、この問題を解決してくれます。というのも、患者たちが、自分は実際の治療法ではなく、偽薬を与えられているかもしれないのだと知っているなら、彼らは自分が受ける治療に対して、疑いを抱くようになり、その結果偽薬の効果は弱まるからです。

　最後に申し上げておきたいのですが、あなたが医療の確立に着手したときは、医術のようなものは一切ない可能性が高いのですが、水を使うだけで治療できる病気がいくつか存在するのです！　下痢、発熱、便秘、そして軽い尿路感染症は、すべて水を大量に飲むことで治療できます（そして、下痢になった人にも、425ページの、水を主成分とする経口補水液が有効です）。肉離れと捻挫は、どちらもその部位を、負傷した日には冷水に浸し、翌日には温水に浸します。冷水に浸けることは、軽度の火傷による損傷と痛みを軽減するのに役立ち、熱中症の場合にも必要です。熱中症の場合は、致命的になる前に、患者を素早く冷やすことが最優先です。患者が高熱（39℃以上）の場合、冷水ではなく、「やや冷たい水」に患者を浸けるか、あるいは、「やや冷たい水」を患者にかけ、体温が38℃を下回るまで続けます。喉の痛みや扁桃腺の腫れは、温かい塩水でうがいをするとよく、目に何か入ったとき（土埃でも酸でも）は、冷水で30分間洗い流すと、除去できるでしょう。

＊　気温や湿度が高すぎるために、発汗が停止して、皮膚に触れると熱く感じ、脈拍が速く、高熱が出るような状態になると、熱中症が起こります。処置としては、日差しの当たらないところに移動させ、患者の体を急いで冷やします。より軽症の場合（冷や汗が出て倦怠感を覚える場合）も、やはり患者を日陰に移動させ、経口補水液を飲ませましょう。

人間の健康の目安

脈拍：手首に、人差し指・中指・薬指の３本を当てて（もしくは、聴診器を胸に当てて〔セクション10.3.2〕）、１分間（セクション４）に聞こえる脈拍（または心拍）の数を数えます。脈拍（心拍）が、大人なら50-90、子どもなら60-100、赤ちゃんなら100-140の範囲なら正常です。脈拍（心拍）が弱く速い場合はショック状態、不規則で遅い場合は心臓の病気の可能性があります。

体温：健康な場合の体温は、36.5℃から37.2℃です。39℃までは発熱、それ以上は高熱で、即座に患者を冷やす手当が必要です。

呼吸数：人間が１分間に行う呼吸の数は、大人なら12-18、子どもなら20-30、赤ちゃんなら30-40回です。

水分摂取量：大人は１日当たり約2リットルの水分が必要で、約1.4リットル排尿しなければなりませんが、実際の排尿量は0.6-2.6リットルの範囲で変動する可能性があり、それだけ変動しても心配する理由はありません。あなたは、自分が飲んだ量を測定する必要はありません。たいていの場合、喉が渇いたと感じるかどうかで、自分が十分水を飲んだかどうかがわかります。

　水は、皮膚のトラブルに対処する際にも役立ちます。それには、いくつか経験則があります。患部が熱を持ち、痛みがある、または、化膿している場合、患部を体のほかの部分よりも高くして（訳注：少しでも炎症を軽減するため）、温湿布をします。また、患部がかゆく、ヒリヒリしたり、あるいは、透明な液体がしみだしている場合は、冷湿布をしましょう。温

湿布を作るには、水を沸騰させ[*]、手を入れられるくらいに冷めるまで待ち、清潔な布を浸けます。布を絞って余分な湯を除去し、患部に当て、熱をこもらせるために、さらに布を巻いてきつく包みます。湿布が冷めてきたら、布を再び温水に浸けて、同じことを繰り返します。冷湿布もやり方は同じで、ただ、冷たくなくなったら、氷水で再び冷やします[40]。

はい、これでいいでしょう。医療の理屈については、これで十分です。次のセクションでは、実践に入りましょう。タイムトラベラーのための便利な応急処置もご紹介します。ひとつお断りしておきますが、本セクションは身体的な病気についてのみ扱い、一時的な精神病については扱いません。精神の病のほうは——おや、未来の私が肩越しにこの本を読んでいるなと、あなたが突然感じ始めたのでもないかぎり——、もうしばらくのあいだ、気にしなくてもいいことを祈ります。

---

* 耐火性のなべをまだ発明していなくても、水を沸騰させることはできます！ 溝を掘り、水が漏れにくくなるように、粘土、木材、あるいは石で溝の壁を覆ってから、溝に水を満たします。次に、近くで火を起こし、その火で石を加熱します。高温に達した石を、火から溝へと移せば（棒を使いましょう。手で動かさないように。すでに病人または怪我人がいるのですから）、水を暖め、最終的には沸騰させることができます。これと同じ間接加熱法は、直接火にかけることができない、木で作ったなべにも使えます。同じ方法は、肉の調理、サウナ風呂を作ること、そして、ビールの醸造にまで使えます！ もっと小規模に、いっときだけお湯を作りたいなら、溝の代わりに防水処理したひょうたんも使えます。

経口補水液

　脱水症状は、人間の歴史を通して、最大の死因のひとつです。そんなばかな、と思いますよね？　しかしそれは、人体が多くの感染に対して反応して、原因のバクテリアをお尻から流し出そうとするからなのです。その結果、命にかかわる脱水症状に陥ることもあるわけです。ここでご紹介する簡単に作れる飲み物で、常に十分な水分を取るようにしてください。そうすれば、下痢による死のリスクを93パーセントも低減できます！　1リットルの水に25グラムの砂糖（セクション7.21参照）と2.1グラムの塩（セクション10.2.6参照）を加え、混ぜ合わせ、お飲みください。この飲み物は、水だけで飲むよりも、実際に速く体に水を補給することができるのです。というのも、これには電解質が含まれているからです――ええと、これはただ、「塩が入っています」というのを科学的に聞こえるように言っているだけなんですが。これで、下痢によって同時に失われた塩分も補給されます（体が適切に機能するには、適度な塩分は必要です）し、砂糖は、塩と水が体に吸収されるのを助けます。患者が嘔吐していても有効です。嘔吐の合間にひたすら飲ませ続けてください。大事なのは、この飲み物を作るときに、きっちり重さを量ってから混ぜることです。塩と砂糖が多すぎても少なすぎても、効果は薄れ、実際逆に事態を悪化させる恐れがあります。

15.

基本的な応急（あなたの場合、唯一の）処置

> 骨を折っての文明の再構築、ちゃんと報われます、
> 本セクションをマスターされれば。

　応急処置は、医療スタッフが駆けつけるまでのあいだ、怪我人などの状態を効果的に安定化するために考案されました——あなたが今ある特殊な状況では、医療スタッフが来るまでに数百万年かかるかもしれませんが。いろいろな悪いことが起こったときに、あなたにできることを、ここに記しました。しかし、最初にご注意申し上げておきます。ここに記された手法は、何もしないよりは良いのですが、リスクがまったくないわけではなく、正しいやり方で行われなかった場合には、事態を悪化させる恐れもあります。あなたがたまたま看護師もしくは医師と共に過去へタイムトラベルされたのなら、常にその人たちの医学的知識にしたがってください（あと、そんな人たちとタイムトラベルしたなんて、ほんとうに幸運ですね）。

窒息

　ハイムリック法*——1974年に世界で初めて、自分の体をこの方法で操り、意図した結果へと導いた人物にちなんで命名されました——は、誰かが喉に異物がつかえて窒息しかかっているときに、あなたが行うべき処置です。患者を立たせ、そのうしろに立ち、片手でこぶしを作り、患者の「へそ」のすぐ上に当てて、もう一方の手でこぶしにした手を握ります。

---

*　別名「〔あなたの苗字——「ハイムリック」が眉唾に聞こえてしまうので、あなたがそれよりイカした名前だとして〕法」。

そして、この状態で、両手で横隔膜を突き上げるように上に動かします。こうすることで、肺に圧力をかけ、うまく人工的に咳をさせ、喉につかえたものを吐き出させようというわけです。この方法は自分自身に対しても行うことができるので、コミュニティーのみなさん、これを覚えておいてください。

呼吸あり、意識なし

　誰かが仰向けに倒れていて、呼吸はしているが、意識がないとき、その人は自分の舌、唾液、血液、吐瀉物、もしくはその他の同様に厄介なものによって窒息する恐れがあります。1981年（人間たちがついに、「ねえねえ、気を失っても、自分の舌で窒息する心配なんてしないで、しばらくそのままでいられたらいいよね」と気づいた年）以来、気絶した人々は、「回復体位」と呼ばれる姿勢にしてもらって、気道が塞がれないようにしつつ、安定した姿勢を保つことができるようになりました。ここでは、その姿勢にする方法をお話します。

　まず、患者の傍らに跪きます。あなたに近いほうの患者の腕を、その患者の体に対して直角にし、ひじを曲げ、手のひらを上に向けます。患者のもう一方の腕を取り、患者の胸の上を通して、手の甲を、あなたに近いほうの頬に当てます。あなたの手で、患者の手をその位置に保ちます。あなたのもう一方の腕で、患者の、あなたから遠いほうの膝を引き上げて、足が床にぴったりつくようにします。次に、患者をあなたのほうに転がし、横向きに寝た状態にします。このようにし終えたら、あなたが持っている患者の手は、患者の頭を支えた状態になっており、また、あなたが引き上げたほうの患者の足と膝は、横倒しになって、患者が再び転がって仰向きになるのを防げる状態になっているはずです。この脚（あなたに近いほうの脚になっているはずです）を患者の体の前のほうに動かしましょう。こうすることも、患者の姿勢を安定させるのに役立ちます。次に、患者の顎をゆっくりと持ち上げ、頭を後ろに傾けます。これにより、気道が開き、気道に詰まっている液体を排出することができます。最後に、患者の口を

開いて中をのぞき、念のために、まだ何か詰まっていないか再確認します。もしも何かが詰まっており、あなたがそれを除去することが可能なら、そうすべきです。患者の最終的な姿勢は、次のようなかたちです。

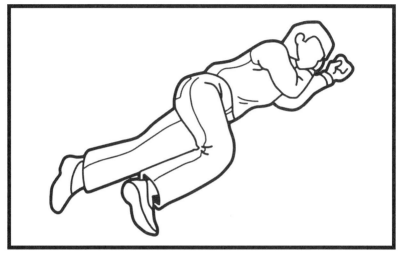

図57：回復体位

もしも患者の呼吸が途中で止まったなら、CPR（心肺蘇生法）を行いましょう。次にCPRの方法をお話します。

呼吸停止

CPR（心肺蘇生法、cardiopulmonary resuscitationの略）は、1950年代に発明されましたが、それ以前の手法の上に築かれたものです。[*] CPRは、

---

[*] 最初期の努力のひとつは、1767年8月にアムステルダム市民たちが設立した、「溺れた人を回復させる会」という組織です。この組織は、溺れた人たちを蘇生するのを助けるためのさまざまな手法を実験しました。たとえば、体を温める、頭を足より低くして水を吐き出させる、口のなかに息を吹き込む、喉をくすぐる、ふいごを使って肛門からタバコの煙を送り込む、そして瀉血などです。言うまでもなく、肛門から煙を送っても蘇生にはほとんど役に立ちませんが、それ以外のものはのちの蘇生術の基礎となり、やがてCPRにまとめられました。

誰かの呼吸が停止した（通常は心臓の停止により）ときに使われる手法で、酸素を十分含んだ血液を脳やその他の器官に流入させ、再び呼吸が始まるように回復させることを目的としています。あなたの傍に呼吸停止した人がいる場合、あなたは最後の手段としてCPRを試みることができます。肝に銘じていただきたいのですが、CPRを行うと、ほとんどの場合患者の肋骨が折れるので、興味本位では絶対にしてはなりません。

　CPRを行うには、患者を仰向きに寝かせて、患者の胸の中心、つまり、左右の乳首のあいだを、1分間に約100回、規則正しいペースで繰り返し強く押し下げます。1分間に100回のペースを簡単に実現するには、歌に合わせて押します。このとき、普通は頭の中で歌いますが、必ずしも頭の中でなくてもかまいません。431ページに、20世紀後半から21世紀前半にかけて流行した歌のリストを掲げておきました。この時代は、ほんとうにCPRにぴったりな音楽の黄金期でした。

　あなたが映画などでご覧になったCPRでは、おそらくマウス・トゥ・マウス人工呼吸法を使っていたと思いますが、もはやマウス・トゥ・マウスは、溺れた人に対する以外は推奨されていません。あなたがマウス・トゥ・マウスをしない場合は、患者に対し、胸骨圧迫を続けます。あなたよりも救急救命に適した人が来る（あなたの現状では、可能性は低いです）か、患者が呼吸を始めるか、あるいは亡くなるまで続けましょう。あなたが蘇生のためにマウス・トゥ・マウスも行うなら、胸骨圧迫を30回行うごとに、患者の頭部を後ろに傾け、口を開きます。正常な呼吸をしているかどうか（喘いだりしていないか）を耳で聞いて確かめます。呼吸していなければ、患者の鼻をつまんで閉じ、口をあなたの口で塞ぎ、患者の胸が上がるまで、息を吹き込みます。これを1度だけ繰り返します（つまり、合計2回、息を吹き込むということです）。そして、胸骨圧迫を再開します。以上です！　高度な医療訓練なしに、あなたは文字通り、自分にできるすべてをやったのです！

CPRの歌

CPRをやるときに歌うべき、1分間に100拍のテンポの名曲の例

「セクシー・レイディーズ（Sexy Ladies）」
（ジャスティン・ティンバーレイク、2006年）

「ボディ・ムービン（Body Movin）」 （ビースティ・ボーイズ、1998年）

「ヒップス・ドント・ライ（Hips Don't Lie）」
（シャキーラ、フィーチャリング・ワイクリフ・ジョン、2005年）

「ジス・オールド・ハート・オブ・マイン（This Old Heart of Mine）」
（1989年のロッド・スチュワートのカバー版限定。1966年の
オリジナルのアイズレー・ブラザーズ版は、毎分130拍なので、
胸骨圧迫をするときは、必ずロッド・スチュワートの1989年
版を歌うこと）

「ハート・アタック（Heart Attack）」 （ワン・ダイレクション、2012年）

「愛をもう一度（Help Is on Its Way）」
（リトル・リヴァー・バンド、1980年）

「アイ・ウォント・ユア（ハンズ・オン・ミー）
(I Want Your〔Hands on Me〕）」 （シネイド・オコナー、1987年）

「エブリシングズ・ゴナ・ビー・オールライト
(Everything's Gonna Be Alright）」（ノーティ・バイ・ネイチャー、1991年）

「ビー・オーケー（Be OK）」 （クリセット・ミッシェル、2007年）

「マイ・ハート・ウィル・ゴー・オン（My Heart Will Go On）」
（セリーヌ・ディオン、1997年）

「ステイン・アライヴ（Stayn' Alive）」 （ビージーズ、1977年）

「ザ・キッズ・アーント・オールライト（The Kids Aren't Alright）」
（ジ・オフスプリング、1999年）

「ビター・スウィート・シンフォニー（Bitter Sweet Symphony)」
（ザ・ヴァーヴ、1997年）

「テイク・ミー・トゥー・ザ・ホスピタル（Take Me to the Hospital)」
（ザ・フェイント、2001年）

「クイット・プレイング・ゲームズ（ウイズ・マイ・ハート）
(Quit Playing Games (With My Heart))」
（ザ・バックストリート・ボーイズ、1996年）

「ブリーズ・アンド・ストップ（Breathe and Stop)」
（Q・ティップ、1999年）

「オール・ホープ・イズ・ゴーン（All Hope Is Gone)」
（スリップノット、2008年）

「ディス・イズ・ジ・エンド（フォー・ユー・マイ・フレンド）
(This Is the End (For You My Friend))」　（アンチ・フラッグ、2006年）

「ハロー・グッバイ（Hello, Goodbye)」　　　（ビートルズ、1967年）

「アナザ・ワン・バイツ・ザ・ダスト（Another One Bites the Dust)」
（クイーン、1980年）

「R.I.P.」（ヤング・ジージー、フィーチャリング　トゥー・チェインズ、2013年）

「キル・オール・ユア・フレンズ（Kill All Your Friends)」
（マイ・ケミカル・ロマンス、2006年）

「遠い昔にトラップされたときCPRで友だちを救えなかったこと
だけが心残り」　　　　（エイブリー・アンド・ワイルドメン、2041年）

骨折

　骨が折れたときは、「整復」と呼ばれる処置をしてください――「整復」とは、骨折などでずれた骨を本来の位置に戻すことなのですが、問題の部位（腕や脚ならやりやすいでしょう）を引っ張り、その後、離して、一種の反動で元の位置に戻します。整復を行うことによって、骨が本来の位置ではないところで修復してしまわないようにし、また、のちのちあちこちがひどく痛むのを防ぐことができます。つまり、やるべき理由がふたつもあるわけです。骨折した腕や脚の、折れた箇所の上と下をつかみ――このとき、上側の手で、患者の腕または脚の位置を固定し、下側の手で下向きの圧力をかけながら、ゆっくり優しく、腕または脚を本来の位置に戻していきます。その後、木の板などの添え木を損傷部位に当てれば、折れた骨が修復するまでのあいだ、骨を固定することができます。添え木は、布などで、ゆるみがないように固定しますが、血行を妨げないように、締めすぎない注意が必要です。この処置も、あなたが自分自身に対して行うことができますが、骨折した部位が腕だった場合には、片手で作業しなければならなくなります。忘れないでいただきたいのは、整復はとても痛い可能性があるということです。しかし、自分自身の骨の位置を直すのは、非常に大変なことなので、必ず機会を作って、誰かにこの方法を説明しておいてください。

創傷

　創傷がもたらす最も差し迫った危険は、出血多量で命を落とすことです。傷を体の他の部分よりも高い位置に上げることができる場合は、そうします。それにより血流を抑えることができます。圧迫によって止血できる場合があります。約20分間、しっかり圧迫し続ければ、普通は血液が凝固しはじめ、出血が止まるのに十分です。それがうまくいかなければ、出血している動脈を特定し、指で直接その動脈を押さえることができます。それでもうまくいかなければ、最後の手段として止血帯――非常にきついバンド――を使います。止血帯をきつく巻けば、その先にあるすべての部位へ

の血液の流れが完全に遮断されます——つまり、出血は止まりますが、2、3時間後、止血帯を施された腕または脚の組織も死んでしまいます。しかし、少なくとも、その腕または脚の持ち主の人間は、その日出血多量では死なない可能性が出てきます。もっと大きな創傷には、焼灼（しょうしゃく）（出血している面を焼いて止血する方法）が考えられます——しかし、やはりこれも覚悟が必要な最後の手段です。やり方はこうです。何か（木、金属）を高温に加熱し、それを直接、傷の出血している部分に当て、傷口を焼いて塞いでしまうのです。焼灼する面積はできるだけ小さくしましょう。なぜなら、この処置は痛いのみならず（あなたが麻酔なしで自分に焼灼をされていて、同時にこの段落を読んでおられ、それゆえ、この括弧でくくった補足説明を読む前に、どれだけ痛いかに身をもって気づかれていたなら、お詫び申し上げます）、傷の内部の組織を殺してしまうので、そこから何かに感染しやすくなってしまいますから。傷が大きい場合、閉じておくために縫合が必要かもしれません。縫合には手品のようなワザはありません。糸と、針として使うものを20分間煮沸して消毒し、あなたの両手を石けんと水で洗い、傷の両側に針で糸を小さな輪のように何カ所も通して傷をふさぎ、最後は糸を結んで閉じます。

感染

　感染を防ぐためにできる最善のことは、こうです。傷を注意深く、徹底的に洗う、これです。はい、引っかき傷でも同じです。あなたは抗生物質を使うことに慣れておられるでしょうが（そして、あなたがセクション10.3.1にしたがってペニシリンを培養し始めて、再び抗生物質を常備できるようになることを願っています）、抗生物質がない場合、感染は非常に致命的で、しかも、皮膚が破れたときには常に起こり得ます。抗生物質が普及する以前は、戦闘そのものよりも感染によって死亡する兵士のほうが多く、引っかき傷ひとつで、そのようなことが起こりました。傷を洗うには、水（もちろん清浄な水）で徹底的にすすぎ、次に、アルコールまたは2パーセントのヨウ素水溶液を傷に注ぎ、バクテリアを殺します。このい

ずれもない場合は、急場しのぎにハチミツが使えます。ハチミツは、バクテリアの繁殖を妨げるのです（あなたが冷蔵庫を持っていたころ、ハチミツを冷蔵庫に入れる必要がなかったのはそのためです！）[*]。その後、傷を縫合します——12時間以上経過していない場合には。12時間以上経過しているなら、傷は開いたままにしなければならず、縫合する代わりに、ガーゼを当てて、傷の乾きを促進します。

---

[*] ハチミツは水分を即座に吸収するので、ハチミツに繁殖しようとするバクテリアは、細胞から水分を吸い取られてしまい、死滅します。しかし、ハチミツを入れた瓶を密封しておかないと、ハチミツが空気中の水分を吸収して、やがて、その水分でハチミツが薄まり、バクテリアが繁殖できるまでになると、ハチミツが発酵してしまいます。詳細は、セクション7.3の脚注を参照ください。

16.

音楽、楽器、音楽理論の作り方。
あなたが盗作に使える、すごくいい歌もご紹介。

音楽をゼロから発明すれば、あなたの業績のなかでも、
特に注目に値するもののひとつになること間違いなし。

　あなたは、覚えている歌をハミングして、曲が終わったところで、「これは、ソルト・ン・ペパ（訳注：1980年代に結成されたアメリカのヒップ・ホップ・グループ）の『シュープ』という曲で、私がたった今作曲したんだ」と宣言するだけで、近代音楽を再発明することができます——私たちは、実際、このとおりになさることをお勧めします——が、のちほど、あなたが近代音楽の曲を、あなたが今いらっしゃる時代に、先取りして盗作できるように、いくつかの曲の楽譜をご提供しますので、それをあなたが読めるように、楽譜の記号を歌にする方法をお教えしなければなりません。この方法をマスターすれば、あなたは覚えているどんな曲でも楽譜として書くことができるようになるので、未来の世代の人々が楽しめるようになりますし、ソルト・ン・ペパの『シュープ』というちょっとした曲に過ぎないものが、歴史から決して忘れ去られることがなくなるという御利益もあります。

　しかし、あなたが音楽を読み書きできるようになる前に、音楽を演奏するための道具が必要です。*

＊　アカペラ・バンド（訳注：アカペラは器楽伴奏なしに声楽のみで演奏する音楽形態）はこれを否定するでしょうが、あらゆる時代と文化に共通する事実は、アカペラでできることには限界があるということです。

楽器を発明するには

　理屈の上では、人間がコントロールできる音を出すものは、何でも楽器になりますが、ほとんどの楽器が音を出す原理は、限られた数種類のいずれかで、その原理の種類で楽器はグループ分けされます。つまり、打楽器（叩いて音を出すもの）、弦楽器（楽器に張られた弦をこすったりはじいたりして音を出すもの）、そして管楽器（楽器のなかに息を吹き込んで音を出すもの）です。

　おそらくあなたにとっては、打楽器が最も作りやすいでしょう。というのも、ただいろいろな物を叩いて、好きな音が出るものを見つけるだけでいいのですから。もう少しかしこまって、実際に太鼓を発明したいのなら、何か膜を——動物の皮が最適です——、箱の上に延ばして張ればいいだけです。皮を叩けば、皮が振動し、皮を張った箱が共鳴して、音が増幅されます。共鳴箱の形、大きさ、そして材料を変えることで、発生する音も変化します。また、十分大きな音が出る太鼓は、中距離通信にも使えます。通信に使うために必要なのは、情報を音にコード化する方法だけですが、それはすでにセクション10.12.4でモールス・コードを考案されたときに発明済みです。太鼓はほんとうに簡単に作れるので、紀元前5500年に、人間が初めて考え出した楽器が太鼓だったのもそのためです。

　おそらく弦楽器が、２番目に発明しやすい楽器でしょう。というのも、弦楽器の発明に前もって必要なのは、弦（つまり紐）（セクション10.8.4

＊　十分大きな貝殻を見つけたなら、それを使うこともできますが、おそらく、最終的には、楽器どうしの音に一貫性を持たせるために、木か金属で作るのがいいでしょう。

＊＊　あなたに作ることができる楽器は、太鼓だけではありません！　長さの異なる木の板を、一本の棒の上に並べて配置すれば、あなたは木琴の誇り高き発明者になります！　木製の容器に小石をたくさん入れて密封したものを振れば、マラカスの発明です！　小さな貝殻２枚を打ち合わせれば、カスタネットになり、木片を曲げて輪にしたものにカスタネットをたくさん付ければ、タンバリンになります！　そして、金属加工が可能なら、お皿のように湾曲させた金属板を２枚打ち合わせると、大きな音が出ますが、これがシンバルです。また、もっと大きな金属板を作れば、ゴングになります。そして、あなたの靴のかかととつま先に金属を付けることで、あなたは、パフォーマンス舞踏的打楽器、すなわち、「タップダンス」の誇り高き発明者となります。

参照）だけで、それは、動物の毛や動物の腸*、あるいは鋼鉄を発明して
おられるなら、針金でも代用できますから。シンプルなウォッシュタブ・
ベース（訳注：金ダライを共鳴体にした弦楽器）を作るには、まず棒を1
本立て、棒の上端に1本または数本の弦を取り付け、弦の他端を、ひっく
り返した箱の上に取り付けたうえで、弦がピンと張るように棒を傾け、弦
をはじくと、箱が共鳴して、弦の音が増幅されます。この共鳴箱を楽器の
内部に作れば、ウォッシュタブ・ベースではなく、ギターを発明したこと
になります！　ギターの弦をはじくのがいやなら、湾曲した棒の両端に馬
の毛を結び付け、弓を作り、先ほど作った楽器の弦の上をこすると、弦を
振動させることができ、これで、バイオリンのできあがりです！　弦をは
じくのもこするのもいやなら、代わりにハンマーで叩いても構いません。
これであなたは、ダルシマー（訳注：ペルシア起源と言われる、台形の共
鳴箱に弦を多数張って、ハンマーで弦を叩いて演奏する打弦楽器）を発明
したわけですが、この共鳴箱を楽器の内部に作れば、ピアノのできあがり
です。こうしてあなたは、5つの楽器を、5つの文章のなかで発明なさい
ました。すばらしい。

　どんな弦楽器でも、出る音の高さは、弦の材質、長さ、張りの強弱（張
力）を調節することにより変えられます。弦の材質をその場その場で変え
ることはできないのは言うまでもありませんが、弦の長さは、弦を押し下
げて、振動する範囲を短くすることで変えられます（ギターはこうして演
奏します）。また、張力は、弦をゆるめたり、きつくすれば変えられるの
で、弦楽器の多くはこうして調律します。弦は、短いほど、あるいは、張
りが強いほど、速く振動し、高い音を発生します。

　管楽器を発明するのは、もう少し複雑です。管楽器の音は、共鳴管の内
部に柱のような形になって入っている空気を振動させて出すからです。音
の高さを変えるには、振動する空気柱の長さを変えるのですが、それには、

---

* 　今日なお、チェロ、ハープ、そしてバイオリンの演奏家は、羊の腸で作った弦を好んで使い
ます！　これは変です！　みんなこれが普通だというふうに振舞っていますが、実際、すごく
変です！

異なる管をたくさん並べて楽器にするか（パンフルート〔訳注：長さや太さが異なる竹等の筒を並べた管楽器。ギリシアの牧神パンが吹いたとされることから命名〕のように）、管にスライダーを内蔵しておく（トロンボーン、スライドホイッスル〔訳注：注射器のような筒の内部にスライドを入れた単純な管楽器で、連続的に音を上げ下げできるもの〕）、あるいは、バルブを押さえて、空気の通り道に余分な経路を追加することで、振動する空気の筒を長くします（トランペット、チューバ）。最後のタイプのバルブは、次のような形をしています。

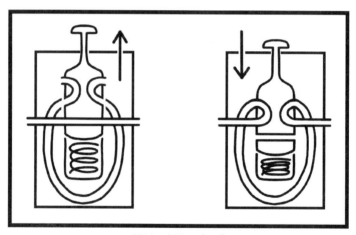

図58：楽器のバルブ

　この図から、バルブを押さえると、空気の通り道が長くなるのがおわかりいただけるでしょう。このようなバルブは、1814年になるまで登場しませんでした──それ以前は、トランペットは人々が期待するすべての音は出せなかったので、楽器編成に使われることはあまりありませんでした。そして最後に、もうひとつ管楽器の音を変える方法を紹介しておきますと、それは、共鳴管に開けた穴をふさいだり開放したりするという、フルートやサクソフォンで使われる方法です。

　以上の、打楽器、弦楽器、管楽器の基礎がおわかりになれば、現在使われているどんな楽器でも、その変形版をあなたがおられるところで作ることができるでしょう。*しかし、作った楽器を使いこなすには、音楽がどのように働くのかを少し知らなければなりません。

音楽の基本理論

　音楽は音でできていますが、音とは、音のスペクトルの上の恣意的な点に、私たちがラベルを付けたものに過ぎません。しかし、たくさんの音をでたらめに鳴らしても、美しい交響曲にはなりません。なぜなら、聞くという行為は、物理的な音波が耳と相互作用するだけではなく、さらに脳がこれらの信号を精神的に解釈してはじめて成立するからです。そして残念ながら、このことで、どんな音が人間に心地よく聞こえるかに制約が生じるのです。

　物理的な制約は単純です。たいていの人間は、20〜20,000Hzの音しか聞こえず、それも、若いときだけです。高周波側の聴力は、年を取ると共に低下し、大部分の成人は、たった16,000Hzが上限です。この範囲の音を選べば、あなたはいつでもロックをやれます。しかし、精神がいかに音を解釈するかを見てみると、状況はもっと複雑になり、このような研究が、「音響心理学」と呼ばれる学問分野になっているほどです。人間の大半は、ある種の音どうしが一緒に鳴っていると快く感じ（「協和音」と呼ばれます）、それから外れた音の組み合わせは、著しく不快に聞こえます（「不協和音」）。しかし、協和音と不協和音は、音だけで決まるものではなく、快い音だけを使い、不快な音は一切使わなければいいというものではありません。実際には、個人個人で違うのみならず、文化や時代によっても異な

＊　電気を使う楽器（シンセサイザーなど）が例外であることは言うまでもありませんが、あなたは少なくともしばらくのあいだ、その手の楽器の情け容赦ない騒音には無縁の生活が送れます。

る、「許容範囲」があるのです。まったく自由に破ってもいい、ごく一般的な原則に、１オクターブ離れた音どうしは、一緒に鳴っていると「快く」感じるというものがあります。では、まずはオクターブを発明しましょう。

あなたが、ランダムに選んだ音をひとつ奏でたとして、それを「A」と呼びましょう。というのも、最終的には、音にAからGの名前を付けるからです。さて、それで、次にあなたは、Aの２倍の周波数の音（「2A」）を奏でるとしましょう。このふたつの音——Aと2A——は、続けて出しても、同時に出しても、たいていの人に快く聞こえます。2AとAの周波数の比は２：１ですが、これから私たちは、周波数が２：１の関係にある任意の音どうしを、１オクターブ離れていると定義することにしましょう。そして、このように１オクターブ離れた音の組み合わせは、失敗の心配などほとんどなしに作曲に使えるのですが、人間に聞こえる範囲内にはごく限られた数しか存在せず、すぐに飽きてしまいます。多くの文化で広く快いと認められている音の周波数の比には、ほかに３：２、４：３、５：４、そして、賛否両論ありますが、５：３、６：５、８：５などがあります。しかしあなたは、自分の歌に協和音だけを使ったりはしないほうがいいでしょう。不協和音を導入し、それを発展させ、やがて協和音へと解決していくことで、歌に驚くほどの美しさと洗練性を与えることができます。**

これらの２：１以外の比の音が使えるようにするためには、あなたがランダムに選んだAと、その１オクターブ上の2Aのあいだの音を発明しなければなりません。思い出してください。音は、音のスペクトルの上で恣

---

* 客観的に完璧な歌など存在しませんが、あなたにとって完璧な歌は存在し得る理由はここにあります。じゃあ、どの歌が自分にとって完璧な歌なのか、ですか？　確かなことは申せませんが、ソルト・ン・ペパの『シュープ』である可能性もゼロではありません。お願いします。試してみてください。

** しかし、この美と洗練についても、特定の聞き手にしか感じてもらえず、ほかの人々はその同じ曲を大嫌いだと思うでしょう。実際、一部の人間は、音楽に対して感情的な反応を一切示しません。この、ごく少数の人々は、みんながノリノリになれるビートにも感情を動かされることはまったくありません！

意的に選んだ点に過ぎないので、あなたはスペクトルの好きなところに音を発明していいのです（音は数個発明するので、順番に並べて、「音階」と呼びます）。そうではあるのですが、そしてまた、ほかの諸文明も、優れた音階を独自に発明してはいるのですが、ここで私たちは、西洋音階の発明の仕方をあなたにお教えします。

　西洋音階は、Aと2Aのあいだを12音に分割します。それぞれの音は、隣り合う任意の2つの音の周波数の比が同じになるように決められており、人間の耳には、隣どうしの音の「距離」が常に同じであるように聞こえます。あなたは、歴史を通して大抵の人間がやってきたのと同じように、これを耳で聞いて近似的に行うこともできますが、音どうしの比の正確な値を導き出す数学は非常に複雑で、人間がこの問題に紀元前400年に気づいてから、小数第二位までの精度でこの周波数を達成するのに西暦1917年までかかったほどです（！）。私たちは今ここで、あなたに厳密な解をご提供しましょう。隣り合う音どうしは、周波数の比が、2の12乗根と等しくなければならないのです。2の12乗根は、約1.059463です。この段階であなたがすでに、「私は過去に足止めを食らってるんだよ、そのうえあんたらは、歌を一曲弾くだけのために、私に2の12乗根を数百回計算させたいのかい？」とおっしゃっているのが聞こえるので、申しますが、ご心配なく。あなたに代わって計算はしておきました。補遺Gにその結果を示しており、あなたに必要なすべての音の正確な周波数が載っています。そして、そもそも正確な音である必要はないのです。音楽家たちは、しょっちゅう、わざと音を「ベンドし」て——つまり、正確な周波数から少しずらして——演奏し、音楽的効果を上げているのですから。

　こうして音階を発明されたあなたは、もう自分は、書いたものから音楽を再現できるだろうとお思いかもしれませんが、ひとつ問題があります。あなたはご自分のAの音をランダムに選ばれ、私たちはその音を基準に、それが実際にどの音なのかを問うことすらなく、音階全体を作り上げました。もしも私たちが基準にした音が、真のAの音とは違っていたら——絶対に違っているでしょう——、あなたが演奏する音楽はすべて、本来ある

べき音とは違って聞こえるでしょう。あなたの「A」の音を、私たちのそれと確実に同じにする方法が必要です。そしてそれは、標準的なタイムトラベラー個人だけの問題ではありません。それはオーケストラどうしの問題にもなってしまうのです。共通の標準的な「A」の音が発明されるまでは、ふたつのオーケストラが演奏する同一の曲は、まったく違って聞こえた可能性があったのです。[*]

現代においては、国際標準のAの音——音階の基音——は、「A440」と呼ばれており、そして、あなたもお察しのとおり、厳密に440ヘルツです。あなたがオーケストラのコンサートに行ったことがおありなら、演奏の直前に、ひとつの音が奏でられ、ほかのすべての演奏者が自分の楽器の音をそれに合わせていたのを、覚えておられるのではないでしょうか。その音がA440です。私たちがその音を出すのは簡単なのですが——特別に作られた笛、サウンドファイル、音叉などがあるので、その音を出すことは些細なことになっています——、あなたには少し厄介です。金属加工[**]が可能になれば、ご自分で音叉を作るのは難しくないのですが、その音叉の音を調整する基準となる、正しい440ヘルツの音がわからなければ、あなたの音叉が出す音が正確かどうか、まったくわからないでしょう。そのため、現代音楽の枠組みのすべてが、あなたが歴史のどの時点におられても、白紙状態から440ヘルツの音を作り出せるということにかかっているという事態になっているわけです。

---

[*]　実際には、オーケストラの演奏で、音が徐々に高くなる、「ピッチ・インフレーション」の傾向がありました。高い音のほうが、良い音に聞こえるという感覚があったからです。演奏家たちは、自分たちの音楽が最も良く聞こえるようにと、「A」の音をどんどん高く調整するようになったのです。地域によっては、ピッチ・インフレーションがあまりに極端になり、弦楽器の弦がしょっちゅう切れるようになった（弦を強く張らねばならなくなるので）ばかりか、歌手たちが、歌が高音になりすぎて声が出せないと不平を言うようになりました。このため、各国政府が、「A」の周波数を固定値に決める法律を実際に成立させるまでになりました。これを最初に実施したのは、1859年のフランス政府でした。

[**]　音叉に魔法や手品は一切使われていません。音叉とはただの2本歯の鋼鉄のフォークです。歯の質量と長さが、音叉を叩いたときに出る音を左右しますので、どんな音叉も、望みの周波数が出るまで歯を削って調音します。えっとですね、このような音叉、発明するまでに西暦1711年までかかったのですよ！

そのような次第で、ここにあなたがそうするための方法をご説明します。

歴史のどの時点においても、A440ヘルツの音波を事もなげに作り出すには

あなたは、「フックの車輪」（訳注：その後ビオ・サヴァールが製作したタコメーター付きの「サヴァールの車輪」という同種の装置のほうが広く知られているようだ）と呼ばれる装置を発明します。発明者のロバート・フック氏なる人物にちなんで、想像力のかけらもないネーミングをされた装置ですが、フック氏は、この装置を発明し、初めて使用したときに、周波数がわかっている音を立てた史上初の人間ともなりました。この発明そのものは素晴らしくシンプルです。回転する歯車にカードを1枚当てればいいだけです。歯車がゆっくり回転しているあいだは、カードが歯に当たるたびに、カチッ、カチッという音が飛び飛びに聞こえてきますが、回転を速めると、カチカチ音は次第に融合して、ひとつの音に聞こえてきます。歯車の回転が速ければ速いほど、高い音が出ます。あなたが自転車のスポークにカードをはさんだことがおありなら、あなたはすでにフックの車輪を発明されており（セクション10.12.1）、カードが毎秒440回歯に当たるようにフックの車輪を回転させれば、そのときに出る音がA440です。

そのカードに歯車の歯が確実に毎秒440回当たるようにするには、どうすればいいのでしょう？　あなたの歯車に何本歯があるかはおわかりですので（数えればいいわけですから）、歯車が1回転するとき、歯車はカードに、歯の数と同じ回数の振動を与えるということがわかります。ということは、等間隔に44本の歯がある歯車をあなたがお持ちなら、その歯車を毎秒1回転させると、44ヘルツの音が出て、毎秒10回転させると、440ヘルツの音が出るというわけです。歯車を毎秒10回転の制御されたペースで

＊　紙をまだ発明されていないなら、木のカードが使えます。私たちがあなたを批判するなんて、とんでもない。あなたは過去に足止めを食らってしまって、今望んでおられるのは、これまでに生まれた文明のすべてを再発明するという大仕事に取り掛かる前に、ちょっと歌を歌いたい、っていうだけですものね。わかってますとも！

回転させるには、駆動ベルト（セクション10.8.4参照）を介して、その歯車よりも大きな歯車に連動させましょう。大きな歯車のゆっくりした回転が、小さな歯車を速く回転させますので、この方法を使えば、あなたが望むどんな音でも、手回しで立てることができ、もちろん、今突如極めて重要になっている、440ヘルツの音も出せるわけです。フックの車輪は1681年に初めて製作され、実演されましたが、フックはこれについて1705年になるまで公にしませんでした。それは、音叉の登場でフックの車輪が時代遅れになってしまう、たった6年前のことでした。

楽譜を読む

　こうしてあなたは、楽器の音を合わせたし、正しく合わせたと自信が十分持てるだけの音楽理論も学びました。あとは、何か歌があれば、それでオーケー！　しかし、その前に、音に名前を付けて、どの音のことを言っているのかすぐにわかるようにしなければなりません。Aと2Aのあいだの12の音には、次のような名前が付いています（ピアノの鍵盤に書いてありますが、ほかのどの楽器でも同じです）。

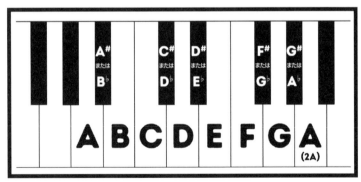

図59：音の名前です。覚えてください。

　1オクターブは12音だといっても、白鍵にあって、大文字ひとつの名前（A、B、C、D、E、F、G）がついているものと、黒鍵にあって、フラッ

トやシャープが添えられた名前（A♯、B♭、など）のものとがあることがわかります。これには、歴史的な理由があるのです。初期のピアノは7音階で、大文字ひとつの名前が付いた音だけを使っていました。そのため、ほかの音が加わって12音階になったとき、追加された音は、小さな黒鍵としてピアノに付け足されたのです。「シャープ」の音（#が付いたもの）は、大文字が表す音を少し上げた音、「フラット」（♭）の音は、少し下げた音です。したがって、同じ音が違う名前で呼ばれる場合があるわけです。たとえば、図59で、A♯はB♭と同じ音です。このシステムは白鍵にも使われます。たとえば、E♯はFと同じ音です。

　楽譜を読んだり書いたりするとき、音（あるいは、音をまったく立てないときは、休止）の長さは、音符や休符という記号の形で表されます。音符と休符の種類と、それらどうしの関係を、次の図にまとめました。

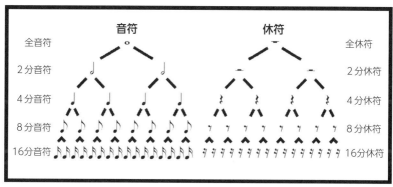

図60：音符と休符の関係

　それぞれの音の長さは、相対的な値になっています。全音符ひとつは、2分音符ふたつ、または、4分音符4つ、などと同じ長さです。図に示したものよりも、短い音も表せます。上に付けるしっぽの数を増やしていけばいいだけです。

　これらの音符は、5本の平行線の上、あるいは、線のあいだの空間に書

き込まれます。5本の線（「五線」）の、上下のどの位置に書いてあるかで、その音符がどの名前の音に対応しているかがわかります。[*] 五線の最初（左端）にある記号は「音部記号」と呼ばれています。音部記号は、あなたがその音符を高い音として演奏する（ト音記号、つまり、シューッとした形の記号のとき）か、低い音として演奏するか（ヘ音記号、つまり、Cの反対向きの記号のとき）かを示しています。そして、ややこしいのですが、五線の上下の位置にどう音階が割り振られているかは、音部記号によって違います。ト音記号の場合は、一番下の線の上がE（中央ハのすぐ上のホの音。ハ長調の「ミ」）の音で、上に行くほど高い音になっています。一方、ヘ音記号の場合は、一番下がG（中央ハのふたつ下のトの音。ハ長調の「ソ」）の音です。

---

[*] ここでは、歴史を飛ばして、最終的な包括的音楽表記法だけをお伝えしています。音楽を捉えて書き表そうという初期のさまざまな取り組みは、それほどうまくいきませんでした。最初期のもののなかには、ただの記憶補助のようなもので、口伝のなかでメロディーに言及しているだけのものもあれば、音の相対的な上げ下げは記録されているものの、厳密な音程はまったく記されていないものなどがありました。西暦800年代ごろまでには、ヨーロッパではメロディーは記録できるがリズムは記録できない表記法が存在していました。そして、私たちが現代使っているのと同様に、音符の形を変えてリズムを表す方法が登場したのは、ようやく1300年代になってのことでした。

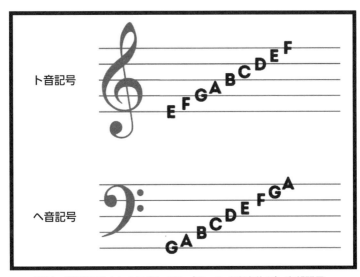

図61：楽譜を書くときに使われる（まったく恣意的な）音部記号。
ほかに使いたい記号があるんですか？　どうぞ、使ってください！

　文章を書くときに、いくつかの文をまとめて段落を作るのとよく似ていますが、楽譜では、音符は「小節」と呼ばれる区分に、縦線<ruby>（<rt>じゅうせん</rt>）</ruby>によって区切られています。曲の最初に、「拍子記号」という、拍子を表すための数字が、ほとんど分数のように記されており、ふたつのことがわかるようになっています。1小節にはいくつ拍子があるか（上の数）と、拍子はどの音符で数えるのか（下の数）です。つまり、下の数は、音符の種類に対応しており、1ならば全音符、2ならば二分音符、4ならば四分音符、などなどです。したがって、4／4の拍子記号は、1小節あたり4つの四分音符という意味（多くの歌が、この「よくある」拍子で書かれています）で、3／4の拍子記号は、1小節あたり3つの四分音符（「1、2、3、1、2、3」の、「ワルツ」のリズム）という意味です。

　そして、シャープやフラットは、臨時記号として音符の直前につけることもできますが、曲全体の調性を示すために、五線の最初に書くこともできます（このときは、「調号」と呼びます）。調号があるとき、音符の直

前にナチュラル記号（♮）を付けると、その小節内で、その音に対しての
み、調号のシャープまたはフラットを取り消して演奏します。また、音符
のすぐ後ろに付点（・）がひとつ付いていると、その音の長さは1.5倍に
なります。ふたつの音符が弧でつなげられているとき（「スラー」）は、そ
れらの音があたかもひとつであるかのように、滑らかにつなげて弾きます。
最後に、小節の上に書かれている言葉や略語は、その小節をどのような雰
囲気で弾くかという指示で、通常はイタリア語で書かれています。なぜイ
タリア語かというと、それが慣習だからです。「Pianissimo（ピアニッシ
モ）」（またはpp）は、とても弱く、「Forte（フォルテ）」（f）は、強く、
そして「トリル」（tr）は、その音と、そのすぐ上の音を、素早く交互に
繰り返し奏でて、非常に印象的な音を出す奏法の指示です。このほか、い
かに演奏すべきかに関する全体的な指示を表す言葉があります。たとえば、
「アンダンテ」は、歩くような速さで、「アレグロ」は快速に、「ブルス
カメンテ」は強く、荒々しく、そして「アレグレット」は、ちょっと元気
よくという意味です。よろしいですか、あなたがイタリア語が話せなくて
もまったく問題ありません。それも含め、ここでお話しているすべてのこ
とは、私たちがたまたま発展させた慣習に過ぎません。あなたはもっとう
まくやれます。きっと、そうなさったほうがいいでしょう。

　いいでしょう！　ご理解いただくべきことがたくさんありますが、一旦
身に付けば、あなたは楽譜を読む（そして書く！）ことができます。そし
て練習を重ねれば、やがてあなたは、あなたの新しい文明のためにコンサ
ートを開き、次に挙げるような曲を演奏することができます。

あなたが盗作に使えるように私たちが選んだ名曲

おしまい

おしまい

カノン　ニ長調

〔あなたの名前を入れてください〕作曲

写譜助手：ヨハン・パッヘルベル

おしまい

コロベイニキ、行商人（あの踊りの輪の中に）

〔あなたの名前を入れてください〕作曲

またの名を『あの耳に残る曲』
TETRIS®より

おしまい

17.

コンピュータ：あなたがあまり一生懸命考えなくても、ハンドルかなにかを回すだけで済むように、頭脳労働を肉体労働に変える方法

もちろん彼らは、やがて世界を乗っ取ろうとするでしょうが、
そうなるまでには気の遠くなるような時間がかかります！

　歴史を通して、（大部分の）人類の夢は、働かずに済ますことでした。そして、あなたがこのガイドを読んでおられる（新しい世界に駆け出して、あちこち行きながら、ゼロからすべてを明らかにしていく代わりに）という事実から、人間が置かれる可能性のある最も悲惨で危険な状況に閉じ込められたときでさえ、人は行うべき仕事の量を極小化することに興味を持っているのだとわかります。これまでに私たちがあなたにお示しした発明の大半は、肉体労働を減らすもので、具体的には次のような方法によってその効果をあげていました。

・動物にやらせる（鋤、ハーネスなど）
・機械にやらせる（水車と風車、蒸気機関、弾み車、電池、発電機、ペルトン水車〔タービン〕）
・何かを避けたり最小限にするために必要な情報をあなたに提供する（方位磁針、緯度と経度）
・そして、労働がどうしても避けられないのなら、少なくともよりよい食生活を送って、少しでも楽に労働ができるようにして、死なずに長くやっていけるようにする（農牧業、保存食、パンとビール、など）。

　しかし、肉体労働は人間の仕事のひとつのかたちに過ぎず、もしもあなたが、勉強を中断して休憩し、リラックスするために、ゲームをやったり、壁を見つめたり、ランニングしに行ったり、文字通り勉強以外のことならなんでもいいからやったことがあったなら、頭脳労働もやはり疲れるのだということをご存じでしょう。あなたは、その頭脳労働を代わりにやってもらえるものは、まだ何も発明されていません……が、もうすぐそうなさいます。**

　人間の脳を完全に複製するためには、多くの労力を要しますが（そしてこの、あなたがいつか作り上げるかもしれない「人工知能」は、完璧ではないかもしれないし、FC3000™レンタル市場向けタイムマシンの内部構造を管理するときには実際、法的責任を問うことは一切できない壊滅的故障を起こしやすいかもしれませんが）、計算の基本を実行できる初歩的な機械でさえ、それ以外のすべてのものを構築するために必要な基盤を提供してくれるかもしれません。そして、真のAIは何世代も先のことだとしても、それまでにあなたが作った、ミスなしに計算ができる機械は、やはり社会を変貌させるでしょう。とりわけ、それらの機械に、人間の数十万倍速く推論ができるようになれば。こんなことは、わざわざ私たちがお話するまでもありませんよね、なぜなら、あなたはタイムトラベル以前にコンピュータをご覧になっているのですから。コンピュータが、いかに便利で、生産的で、面白くて、まったく素晴らしいか、あなたはご存じです。

　ここでは、そんなコンピュータをいかにゼロから作るかをご説明します。

＊　あなたは、思考を手伝う機械をすでに発明されているかもしれません。というのも、時計は本質的に、経過する秒の数を数え、あなたがそうする必要をなくしてくれる機械だからです。また、そろばんとは要するに、棒にたくさんのビーズを通しておき、ビーズを棒の上でずらして、楽に暗算できるようにするものです。しかし、あなたにほんとうに必要なのは、解析エンジン、つまり、それに付いているハンドルを私たちが（あるいは、私たちの代わりにそれを回してくれる別の機械を使って）回せば、人間が推論するときの頭の中の手順を再現し、それによって、肉体労働を精神的プロセスに変換するものです。

あなたのコンピュータが使う特殊な数とは？
そして、それを使ってコンピュータは何をするのか？

　コンピュータの基盤として、二進数を使いましょう。その理由はふたつあります。ひとつには、あなたはすでに、「セクション3.3：使いやすい数」で、二進数を発明されていますし、そして、もうひとつ、二進数では必要な数が0と1のふたつだけになるので、何かと事が簡単になりますから。* あなたが明らかにしなければならないのは、「この0と1で、コンピュータが何をするか」ということだけです。理想的には、足し算、引き算、割り算、そして掛け算ができる機械が欲しいところです。しかし、この全部がほんとうに必要でしょうか？　別の言い方をすれば、任意の計算マシンの、実用最小限の製品とは、どのようなものでしょう？

　じつのところ、コンピュータは、脳がどうやって掛け算を行っているかを厳密に知っている必要はないのです。掛け算は、まねることができるのです——つまり、違う方法を使って、同じ結果が出せるのです——それには、足し算を繰り返します。10掛ける5は、10を5回足すのとまったく同じですよね。このように、足し算は掛け算をまねることができるのです。

　　x × y ＝ x を y 回足す

　引き算も同様にして、うまくいきます。10引く5は、10に負の数、－5を足すのと結果は同じです。ですから、足し算は引き算もまねることができます。

---

* 0と1だけを使う二進数がいいのは、ふたつの状態を持つものなら、どんなものを使っても表現できて便利だからです。たとえば、オンとオフがある電気スイッチ、コヒーレントな光線が当たっているかいないか、あるいは、カニの大群がいるかいないか（このあとまもなく登場します）などです。しかし、覚えておいていただきたいのは、二進法は必須ではないということです！　コンピュータは、ほかの記数法、たとえば、0、1、2を使う三進法などでも作られています。そして、これらの数を表す方法をあなたが思いつく限り、あなたが一番興味のある記数法を試してみてください。

x − y ＝ x ＋ (−y)

そして、そうです、割り算も足し算でまねることができます。10を2で割るのは、10に2がいくつ含まれているかを見るのと同じです。2を繰り返し足していけばいいわけです（掛け算のときと同様に）が、今回は、目標値に達するまで、あるいは、目標値を超えるまで足し続けましょう。2＋2＋2＋2＋2＝10ですから、2を5回足していますね。ですから、10割る2は5に等しいはずです。きっちり割り切れない場合も大丈夫です！もう1回足すと、目標値を超えてしまうまで足しつづけ、残った数を「余り」とすればいいのです。[*]したがって、次の式のようにまとめられます。

y/x ＝ x を y になるまで繰り返し足し、足した回数を数える。

計算の基本となる4つの演算──足し算、引き算、掛け算、割り算──は、すべてそのなかのひとつ、足し算によってまねることができます。そのような次第で、コンピュータを作るには、足し算ができる機械を作ればそれでいいのです。

簡単でしょう？

でも、足し算にしたって、その正体は何なのさ？　それに、コンピュータがどのように機能するかも私はまだ知らないのに、なんであんたと足し算の話ができるのさ？

加算器を作る作業に取り掛かる前に、一歩戻って、「セクション10.13.1：論理」で発明した命題計算（訳注：セクション10.13.1までは命題計算としているが、本セクションではコンピュータ用語として一般的な演算の語

---

[*] 数学をすでに学んでおられるなら、そう言われてまったく驚かれないでしょう。割り算は、逆数で掛け算するのと同じ──つまり、x ÷ y は x × (1/y) と同じ──だということをご存じでしょうから。そして、割り算が掛け算に置き換えられるのなら、その掛け算が足し算に置き換えられることは今見たばかりですから、割り算も足し算で置き換えられるというわけです。

に改めている）を思い出してみましょう。そこであなたは、「命題の否定」を意味する「ではない（not）」という表記法を定義しました。さて、このときじつは、あなたは「否定」という論理演算（ＮＯＴ演算）を定義していたのです。あなたが真であるｐという命題を持っているとすると、「not p」（または¬ｐ）は必然的に偽だということになります。「真」を「１」、「偽」を「０」で置き換えるとどうなるでしょう？　それを見るには、ｐと¬ｐの真理値表を作ればいいのです。次のようになります。

p	¬p
偽	真
真	偽

表19：pと¬pの真理値表

　そして、これを二値マシンの入出力値として期待されるものに変換すると、次のようになります。

入力	出力
0	1
1	0

表20：どうです、世界初のNOTゲートの設計コンセプトです！（訳注：ここでゲートとは、論理演算を電気回路で行う際に基本機能を担う素子のこと）

　値が入力されたら、この表のとおりに値を出力するような機械を作れば──どんな方法で作った機械であれ、また、その内部で何が起こっているのであれ──、その機械はNOTゲートとして機能します。１を入力すれば０が出力され、０を入力すれば１が出力される。図式的に描くこともできます。

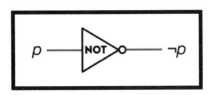

図62：図式的に描いたNOTゲート

この時点では、あなたはまだ、この「NOT」マシンをどうやって作るかはまったくわからない状態ですが、少なくとも、それが何をするはずのものかはおわかりです。そして、「この超やっかいなものを実際に作る」という義務からいっとき解放された今、あなたはほかの演算も設計することができます！

命題論理で、「そして（かつ）（and）」（記号では∧）をどのように定義したか、覚えておられますか？　「そして（かつ）」でふたつの主張がつながれた構造の言明が真であるためには、それらの主張の両方が真でなければなりませんでしたよね？　言い換えれば、「（p∧q）」は、pとqの両方が真の場合にのみ真であり、それ以外の場合はすべて偽でした。これを正しく表す真理値表は次のようになり、これ以外のパターンはありえません。これがAND演算という、ふたつめの論理演算です。

p	q	(p∧q)
偽	偽	偽
偽	真	偽
真	偽	偽
真	真	真

表21：（p∧q）の真理値表

そして、「ではない」の場合とまったく同様に、あなたは真と偽を1と0に置き換えるだけで、世界初のANDゲートを定義することができます。ANDゲートも、図式的な表現を作っておきましょう。

入力p	入力q	出力： (p∧q)
0	0	0
0	1	0
1	0	0
1	1	1

表22：ANDゲートの入出力

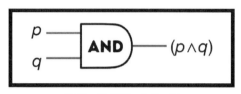

図63：ANDゲートの一例

　さて、ここまで来て、あなたに足りないのは、「そして（かつ）」の反対の、「または（or）」だけです。主張pとqのあいだの「または」という操作は、記号では「(p∨q)」で表され、pとqのうち、どちらか一方が真なら真です。これが3つめの論理演算、ＯＲ演算で、これに対応するＯＲゲートの真理値表は次のようになります。

入力p	入力q	出力： (p∨q)
0	0	0
0	1	1
1	0	1
1	1	1

表23：ORゲートの入出力

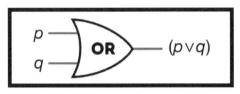

図64：ORゲート

　この３つの基本ゲートを使って、新しいゲートを作ることができます。たとえば、NOTゲートをANDゲートのあとにつなぐと、「NOT AND」ゲート、あるいは、略してNANDゲートと呼ばれるものができます。NANDゲートの真理値表は、次のようになります。

入力p	入力q	(p∧q)	出力：¬(p∧q)
0	0	0	1
0	1	0	1
1	0	0	1
1	1	1	0

表24：NANDゲートの入出力

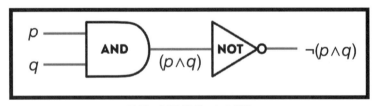

図65：NANDゲートの構造

　時間を節約するため、NOTとANDのゲートを別々に描くのはやめて、NANDというひとつのゲートとしてまとめてしまいましょう。次のような形になります。

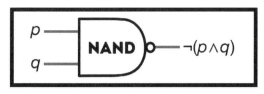

図66：シンプルに示したNANDゲート

　NANDゲートは、機能としては、私たちが最初に作ったNOT ANDゲートとまったく同じですが、より簡単に描けます。そして、NANDゲート、ORゲート、そしてANDゲートをどんどん接続していって、入力のどちらかひとつだけが1の場合にのみ1を出力し、それ以外の場合は0を出力するような、新しいゲートを作ることができます。このようなゲートを「排他的OR」または「XOR」ゲートと呼び、それは次のような構造をしています。

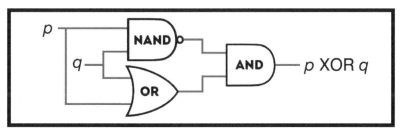

図67：XORゲートの構造

入力p	入力q	¬(p∧q)、つまりpNANDq	(p∨q)、つまりpORq	出力：(¬(p∧q)∧(p∨q))、つまりpXORq
0	0	1	0	0
0	1	1	1	1
1	0	1	1	1
1	1	0	1	0

表25：NAND、OR、ANDという3つのゲートからXORゲートを作ることができることを示す真理値表

そして、NANDの場合と同様に、この３つのゲートを組み合わせたものを表す、ひとつの記号を決めましょう。つまり、XOR記号です。

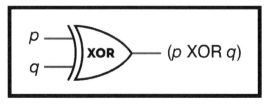

図68：シンプルに示したXORゲート

ここで面白い情報を。あなたがたった今発明したNANDやXORのほかに、あなたが思いつくことのできるどんな出力パターンでも、そのとおりに出力するゲートを、AND、OR、そしてNOTゲートから、実際に構築することができるのですよ。*

なるほど。必要なゲート一式発明できたのはよかったよ。
だけど、まだどのゲートでも全然足し算やってないし。
いったいどうなってるのさ？

そのとおりです。では、足し算を行う論理回路はどのようなものでなければならないかを見てみましょう。基礎から始めて、まず、ひと桁の二進数をふたつ足し合わせましょう。あり得るすべての結果を真理値表にまとめると、次のようになります。

---

* この理由から、これらのゲートは「万能」ゲートと呼ばれています。AND、OR、あるいはNOTをまねることのできるゲートの組み合わせは、どれも「万能」です。ちょっとびっくりするかもしれませんが、これら３つのゲートが全部そろっていなくても、万能であるゲートのセットを作ることは可能です。ORゲートは、ANDゲートとNOTゲートをうまく組み合わせると、まねることができます——つまり、$(p \lor q)$は$\neg[(\neg p) \land (\neg q)]$と同じなのです。このように、NOTとANDは一組の万能ゲートです！　実際、NOTとANDをひとつのゲートにまとめたNANDは、それひとつで万能ゲートなので、NANDゲートがたくさんありさえすれば、あなたは完全なコンピュータを作ることができるのです。NOTとORも万能ゲートで、したがってNORは、NANDのほかに存在する唯一の、単独で万能なゲートなのです。

入力p	入力q	出力(p＋q) 十進法	出力(p＋q) 二進法
0	0	0	0
0	1	1	1
1	0	1	1
1	1	2	10

表26：信じがたいことですが、本書で1＋1＝2を説明したのはこれが初めてではありません

　重要なのは、二進法では1と0だけを使って計算しますが、それで足し算の結果二進数「10」——十進法の2です——が出てきたことです。そこで、出力を2つのチャンネルに分割し、それぞれが二進数のふたつの桁のそれぞれを表すようにしましょう。すると、次の表のようになります。

入力p	入力q	出力a	出力b
0	0	0	0
0	1	0	1
1	0	0	1
1	1	1	0

表27：二進法の数どうしを足し合わせる方法

　ここでは、ふたつの入力（あなたが足し合わせたい、ひと桁の二進数ふたつ）を供給すると、ふたつの出力（足し算の答の、ふた桁の二進数の各桁の数を表す）が得られます。ここでは、ふたつの出力をaとbと名付けました。このaとbとで、入力した数を足した結果を表します。次に必要になるのは、私たちがすでに手に入れた、AND、OR、NOT、NAND、そしてXORのゲートから、このように作動する回路を作るにはどうすればいいかを明らかにすることです。[*]

---

[*]　そうそう、お気づきのことと思いますが、これらのゲートが何をすべきかは定義しましたが、そのようなゲートを実際に作るにはどうすればいいかは、まだはっきりさせていません。ご心配なく。そこまで行きます！　きっと！

　直前の表で、aとbが生み出す1と0のパターンを見ると、見覚えがあるのではないでしょうか。aの出力はANDゲート（p∧q）とまったく同じで、bのほうはXORゲートにぴったり対応しています。おかげで、このような回路を作るのはとても簡単になります！　ふたつの入力をANDゲートと、それとは独立したXORゲートに接続すればいいのです。こうして、あなたの足し算マシン（半加算器）が今発明されました。

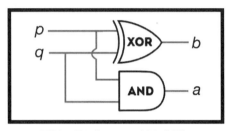

図69：足し算マシン（半加算器）

　こうしてあなたは、1と1を足し合わせることのできる機械の動作を定義したのです！　あなたは1＋1の答をすでにご存じなので、この機械——「半加算器」と呼ばれます——は、きっと、まったく役立たずに見えるでしょう。ですが、足し算とはどのようなものか、もう一度見てみましょう。

　十進数のシステムでは、7＋1＝8、8＋1＝9、しかし、9＋1の答はふた桁の、10になるということに、あなたは慣れておられます。十進法では、ひとつの桁には0から9までしか入らないので、数がそれより大きくなると、ひとつ上の桁に「桁上げ」して、その新しい桁を始めなければなりません。二進法でも、これとまったく同じことが起こるのですが、10で新しい桁を始めるのではなく、2で新しい桁を始めます。以上のことがはっきりしたので、先ほどから使っていたaとbを、もっと正確な名称に

＊　答は2ですよね。あなたがすでに答をご存じだと、本当に思っていましたよ。

直しましょう。aをc（「桁上げ」を意味する英語carryの頭文字）、bをs（「和」を意味するsumの頭文字）と呼ぶことにします。もしもcが1なら、その1を二進法の新しい桁に繰り上げます。

　そして、半加算器を別の半加算器にXORゲートでつなぐと、じつに興味深いことが起こります。この新しい機械は、全加算器と呼ばれるものなのですが、次のような形をしています。

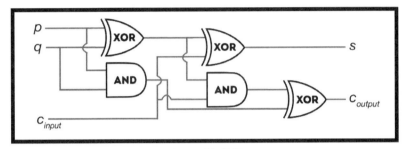

図70：全加算器

　この新しい機械も、やはり答をsとc（念のために繰り返すと、「和」と「桁上げ」でした）として出力しますが、この機械は、もうひとつ別のcを入力として受け入れることができるのです。このcのおかげで、別の全加算器の結果から「桁上げ」して、それをこの全加算器に入力することができるわけです。このようにすれば、複数の全加算器を鎖のようにつないでいくことができるのです！

　ここで魔法が起こります。あなたの機械に全加算器をひとつ加えるたびに、その機械が扱うことのできる最大の数が2倍になるのです。ひとつの全加算器は二進法の桁をふたつ出力しますが、これによってあなたは、0から3（訳注：十進法の0から3までということで、二進法では、0、1、10、11の4つ）までの、4つの数を出力できるようになります。全加算器がふたつあれば、二進法の桁を3つ出力できるので、あなたは8つの数を出力できます。全加算器3台なら16個の数、4台なら32個の数、そして、

そのあとは、64、128、256、512、1024、2048、4096、8192、16,384、 な どと、全加算器が1台増えるたびに倍増していきます。42台の全加算器を接続し終えるころには、あなたが作った機械は、観察可能な宇宙にあるすべての恒星に個別の数字を与えるに十分大きな数まで扱うことができるようになっているわけです。あなたがたった今作り上げた、たくさんの奇妙な仮想ゲートに、それほどまでのことができるなんて、素晴らしいじゃないですか。

　これらの加算器は、あなたの計算エンジンの心臓部です。掛け算、引き算、そして割り算に必要なのは、足し算だけです。足し算に必要なのは、全加算器を作ることだけです。そして、全加算器に必要なのは、あなたが発明されたばかりの論理ゲートの現実版を実際に作ることだけです。これらのゲートを作ることができれば、あなたにとってコンピュータはもう解決済みになります。

では、実際に論理ゲートを作って、
コンピュータ問題を解決してしまいましょう

　あなたの文明は、やがては電気で動くコンピュータを作るでしょうが、最初は、目には見えない電気よりも管理しやすいもので稼働するコンピュータを作りましょう。あなたは、水で動くコンピュータを作るのです。

　難しそうだと思われるかもしれませんが（そして確かに、1を0にするNOTゲート、つまり、水がまったくないところに、出力として水を湧き出させるような機械を作るのは難しいでしょうが）、あなたの全加算器は、ANDとXORゲートしか使いません。そしてあなたは、このふたつを同時に、ひとつの技術として発明しましょう。その方法をここにご説明します。

＊　もしかすると、これらの全加算器は、正の整数にしか使えないんじゃないかとお気づきになったかもしれません。そのとおりです。しかし、この問題は、二進法の桁のひとつ──たとえば左の端の桁──を、正負の符号を表す桁とし、たとえば0を＋、1を－と決めてしまえば解決します。そして、2.452262のような整数以外の数を扱うには、二進法のどの桁に小数位を設定するかをはっきりさせればいいのです。そうすれば、ほかのことはすべて整数と同じように進みます。

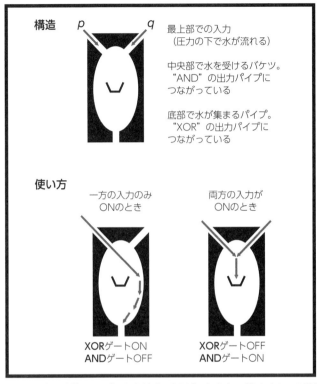

図71：同時に流体ANDゲートと流体XORゲートとして働くひとつの装置

　どちらか一方の入力のみがONの場合、水は最上部から流れ込み、側面をぐるりと回って、底部から外へ流出します。しかし、両方の入力がONの場合、最上部から流れ込んだ水は、中央部で衝突し、水はそこでバケツに入ります。こうして、底からの出力は入力に対するXOR値に対応し、中央のバケツは入力のANDに対応するようになっています。全加算器を作るのに必要なのはこのXORとANDゲートの組み合わせだけです。ですから、水で機能するコンピュータを作るのに必要なのも、このようなゲートだけということになります。言い換えれば、計算タスクを行うのに必要

なのは、適切に振舞うよう設定された水だけだ、ということです*。

　完了。

　とはいえ、水に基づくコンピュータが、あなたが覚えておられる電気の速さそのもので機能するコンピュータよりも遅いのは明らかですし、最新型マスマーケット向け携帯音楽プレーヤーの代わりになったとしても、それはごく限られたあいだだけのことでしょう。しかし、これは、人間が普通1600年代後半になるまで、ちらりと見ようとすらしなかった、コンピュータの基礎です。そして、小型化、エレクトロニクス、半導体、さらにその後起こったすべてのことは、あなたがたった今発明されたものの上に積み上げられたものなのです。あなたは、機械計算の基礎を明らかにしたばかりか、これらの原理を使って、実際に数学的な問題を解くことのできる機械を作り上げたのです。

　そして、水にこだわる必要はありません！　思い出してください、あなたが望む出力を生じる機械ならどんなものでも、それはゲートとして機能します。そして、あなたが作った水を使ったゲートと、いつの日か作るだろう電気的ゲートのほかに、さまざまな媒体を模索することができます。

＊　私たちが作ったXORゲートがあれば、流体NOTゲートは、第一印象で思ったほど不可能ではないことがわかります。「p XOR 1」（すなわち、pと「常に流れがON（1）」との排他的論理和）の真理値表を作ると、その出力は¬pのそれと同じであることがわかります。

溝を転がるビー玉、ロープと滑車*、そして生きたカニの集団**さえもが、論理ゲートを作るために使われてきました。これらのゲートの大半が、電子計算機が発明されて以降に考案されたことは、注目に値します。人間は、二進法論理の基礎をつかむとすぐに、あらゆるものからコンピュータを作りはじめたのです。

　次の大きなイノベーションは、汎用計算機械の発明でしょう。あなたが今発明したばかりのコンピュータは、ひとつのことを行うために作られていますが、あなたの機械が、物理的にゲートを動かしてプログラムするのではなく、数を使ってプログラムできるようになれば、物を意味する数と、事柄を行う数との境目が曖昧になりはじめます。この段階に達すると、コンピュータは稼働しながら自分自身のプログラミングを変更する能力を持つようになり、あなたがそこに至ったなら即座に、コンピュータの潜在性は爆発的に顕在化し、世界は永遠に変化するでしょう。

　素晴らしい世界になりますよ！

---

*　ロープと滑車を使ったゲートというのは、錘が付いた滑車の高さの違いを1と2とするものです。例えば下が0で上が1などのように。頭上にある鉛直滑車にかかったロープを下に引けば、反対側の端の錘が上がります。これがNOTゲートの基本になります。さらにロープと錘を追加することで、ANDおよびORゲートもごく簡単に作ることができ、以上で万能ゲートセットが一組できあがります。

**　2012年、人間たちは、日本の西表島の海岸や潟に生息するミナミコメツキガニの一種（体の色は若いうちは濃い青で、年を取るにつれ青が薄れる。甲羅の長さは8〜16ミリメートル）が、一定の条件の下では決まった行動をすることを発見しました。具体的には、このカニたちは集団で移動し、防波堤などにしがみついていることが多いのですが、ふたつの集団が衝突すると、集団は一体化し、それぞれの集団が元々進んでいた方向を足し合わせた方向に進み始めるのです。ORゲートは、カニの通り道をY字型にするだけで作れます。カニはY字の上端から入り、ふたつの集団が衝突しても、下端から出ます。ANDゲートはX字型ですが、Xの中央から真下に下ろした直線を1本追加します。カニたちは最上部から対角線状に入り、その対角線に沿って進んで底から外に出ますが、ふたつの集団が衝突するとすべてのカニは、あなたが付け足した垂直な線を進んで外に出ます。これをAND出力として使えばいいのです。このカニが計算に使える可能性を持つことを発見した科学者たちは、カニ・ゲートは誤動作することもあると、断っています（生きている動物たちは、水や電子の流れほど完全に予測可能ではないというわけです！）。さらに、NOTゲートが作れないので万能ゲート・セットは作れないこともあり、小さなカニで動く大規模計算機を実現しようというあなたの夢には、いくつかの難問が待ち構えているようです。

まとめ

**これでいろいろと心地よくなったでしょう。
お礼なら結構ですよ。**

遠い過去で生き延びるのに十分学ぶことは……
要は時間の問題だったのです。

　残念ですが、私たちのガイドはこれでおしまいです。このガイドをお読みになったあなたには、このなかに、人間がこれまでに尋ねたことのある、生活を根本から変えてしまうような質問のいくつかに、答が提供されているのをご覧いただきました。それらは、「宇宙は何でできているの？」（セクション11：化学：物とは何か？　どうやって物を作ればいいのか？）、「しばらくのあいだ、快適に暮らし、死なずにいるにはどうすればいい？」（セクション5：われらは農民なり。世界を貪る者なり）、そして、「このところお腹を下してばかりなんだけど、治したいんだ。誰かどうやればいいか知らない？」（セクション14：体を癒す：薬とその発明の仕方）などの質問です。この本の知識が、この先の日々、そして年月のあいだ、あなたに大いに役に立つことを、私たちは確信しています。

　最新型FC3000™レンタル市場向けタイムマシンを降り、未知の地球をあちこち見て回るあなたを、私たちは羨ましく思います。その未知の地球は、すぐに、あなたの家、あなたのコミュニティー、そして文明へと変貌することでしょう。あなたは今、計り知れない驚異と潜在性を持った世界に足を踏み入れようとされていますが、あなたは、人類が未だかつて手にしたことのない特権——前もってほとんどすべてを理解しているという特権——を持って、それに対面されるのです。その特権を賢く使えば、人類がこれまでにはまった、最も恐ろしく最も大きな悪影響をもたらす落とし

穴を避けながら、私たちが夢ですら見たことのない高みに到達できるでしょう。

あなたが本書を読むことで、人類の最も偉大な成果についての知識が、あなたの手のひらから、あなたの精神の内部へと移動しました。先に、本書は、過去に閉じ込められたなら、地球上で最も強力で危険なものになるだろうと申し上げました。それは、もはや正しくありません。

今や、地球上で最も強力で危険なものは、あなたとなったのですから。

行け、そして手に入れろ、タイガー。

図72：あれこれありましたが、やっぱりFC3000™.

　プロとして最も温かい思いをあなたに。クロノティクス・ソリューショ
ンズの、あなたの友人一同より。

補遺A
技術の系統樹

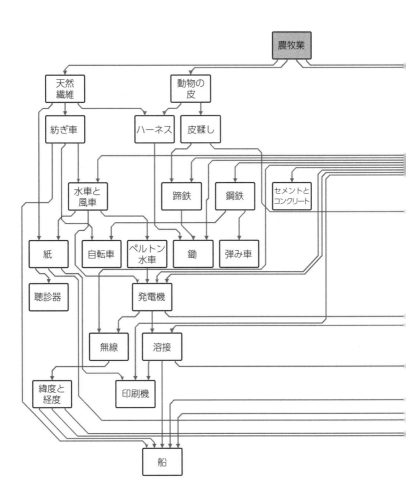

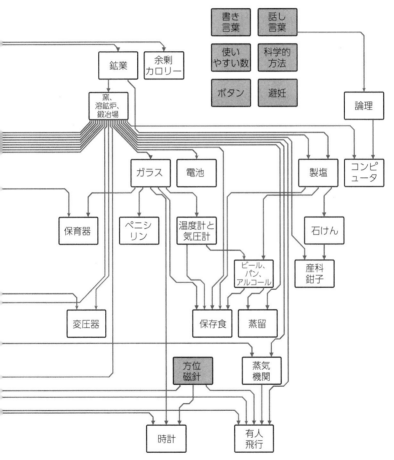

凡例： ☐ 初めて発明するためには他の技術が必要な技術

■ それだけで発明できる技術

補遺B
周期表[41]

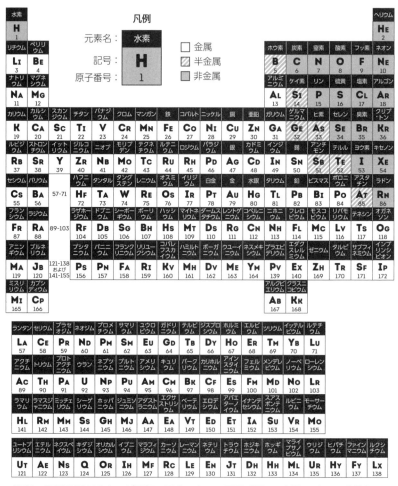

（訳注：原子番号118までが既知の元素であり、原子番号119以降はすべて未発見で、それらの元素名は著者の創作）

補遺C
役立つ化学物質とその作り方・
それらの物質がいかに間違いなくあなたの命を奪うか

　本セクションには、この本で必要とされているすべての化学物質についてはもちろん、また、それに加えて、文明を築くのに役立つほかの物質について、それらを作るための方法が記されています。ほかの物質を作る際にその前提となる基本的なものから先に紹介していきますので、あとのほうで出てくる化学物質は、すでに説明したものを使って作ることができます。しかし、あなたが興奮しすぎて、手あたり次第化学物質を作り始める前に申し上げておきますが、ここに記したどの化学物質の説明にも、「これが何かの拍子でいかに間違いなくあなたを死なせるか」という項目があるのは、故あってのことです。よく注意してください。そして、あなたが過去に足止めを食らって、どうしてもそれが必要でない限り、ここに記載されたどの物質も絶対に作らないでください！

C.1：アンモニア

化学式

　NH_3

外観

　無色の気体

最初の合成

　1774年

特徴

　極めて有用な化学物質で、文明の至るところでさまざまな用途に使われており、今日最も大量に生産される化学物質のひとつとなっています。アンモニアは、肥料、冷媒、消毒剤として使われる他、水と共に使うと、強力な洗剤となり、いつでも完璧に汚れを落とし、拭き残りなしのピカピカの状態が実現します。

作り方

　アンモニア——NH_3——は、窒素と水素という、どちらも地球上にふんだんに存在する元素でできています。ここで「ふんだんに」と言うのは、本当です。窒素は地球の大気のなかに最も多く存在する元素であり、水素は、宇宙全体で最も多く存在する元素です。しかし、窒素ガス——N_2——は、すでに窒素原子どうしが結合しており、ほかのものとはあまり反応しないため、あなたを取り巻いている大量の窒素はまったく使えません。

　しかし塩化アンモニウム（NH_4Cl）という天然の塩を地上で集めることができます——火山ガスから自然に生じるので、火口付近に塩化アンモニウムの白い結晶ができているのが見つかるでしょう。火山で採鉱活動をするのが得意でなければ、ラクダの糞から取ることもできます。塩に耐性があるラクダは、大量の塩素を摂取するので、糞に塩化アンモニウムが含まれているのです。ラクダの糞を完全に乾かし、周囲を囲ったスペース——煤を外に出すための口が1カ所だけ開いているのが理想的——のなかで焼きます。そして、その煙の出口に、ガラスや石などの冷たいもの（凝結器）をかざして、煤をその表面に凝結させると、そこに塩化アンモニウムができているはずです。この塩化アンモニウムを加熱すると、アンモニアガスが発生します。

　塩化アンモニウムもラクダもまったく見つからない場合は、シカの枝角や蹄を乾留（セクション10.1.1参照）すれば、アンモニアを得ることができます——この場合は、塩化アンモニウムではなく、炭酸アンモニウムが含まれた灰ができます。この灰を60℃以上に熱すれば、炭酸アンモニウム

はアンモニアガスと二酸化炭素と水に分解します。このように、炭酸アンモニウムからは簡単にアンモニアガスが得られるので、これを利用して、重曹の代わりに炭酸アンモニウムを使ってパンを膨らませることもできます。

　この方法も使えなかったなら、アンモニアを自分の尿から得ることができます。すべての哺乳類は、余分な窒素を尿のなかに捨てますが、バクテリアがこれをアンモニアに変換します——これが、あなた自身の歴史（二度と戻れそうにない）のなかで経験した、掃除が不十分なお手洗いのにおいの正体です。今、アンモニアを得るためにあなたに必要なのは、自分の尿を発酵させ、ガスを集めることだけです。

　もちろん、これらの方法は時間がかかるうえに、あまり大量のアンモニアは作れません。産業レベルまで規模を拡大するには、圧力なべを発明しなければなりません。圧力なべとは、要するに、しっかり密封できる金属製のなべです。圧力なべを、温度450℃、圧力約200気圧にすれば、あなたの周囲に豊富に存在する窒素ガスと水素ガスを反応させて、アンモニアを作ることができます。この方法によって、アンモニアをはるかに効率的に生産することができますが、「糞を集めて焼く」よりは、かなり多くの仕事が必要になります。

これが何かの拍子でいかに間違いなくあなたを死なせるか

　人体には、余分なアンモニアを除去する機能が備わっている（尿として排出します。尿からアンモニアを取ることができるのは、このためです）ので、アンモニアを摂取しすぎないかと心配する必要は、あまりありません！　アンモニア好きの皆さん、夜は安心してお休みください。しかし、やはりアンモニアは腐食性のガスで、高濃度の場合、あなたの肺に損傷を与えかねませんので、完全に枕を高くして寝るのはまだ早いかもしれません。

C.2：炭酸カルシウム ―――――――――――――

またの名を

チョーク

化学式

CaCO₃

外観

細かい白色の粉末

最初の合成

紀元前7200年（天然の原料を使用。合成ではない）

特徴

シリカ（ケイ酸）にソーダ灰を混ぜると、出来上がったガラス（セクション10.4.3）は少し水溶性を帯びます。しかし、ソーダ灰の代わりに炭酸カルシウムを混ぜれば、この問題は解決します！　また、炭酸カルシウムを土壌に混ぜると、植物にカルシウムを与えられますし、酸性が強すぎる土の酸性度を下げることもできます。最も簡単に生産できる塩基のひとつです。

作り方

炭酸カルシウムを主成分とする鉱物がいくつか存在します。カルサイト（方解石。純粋な炭酸カルシウム）、石灰岩、チョーク（白亜）、そして大理石などです。このような鉱物は地殻の約4パーセントを占めているので、見つけるのはそれほど難しくないでしょう。卵の殻、巻貝の殻、そして大部分の貝殻は炭酸カルシウムを多く含んでいます。卵の殻は成分の約94パーセントが炭酸カルシウムです。卵の殻を洗浄し、乾燥したのち、砕きます。灰汁を作るときにも炭酸カルシウムが生じます（C.8参照のこと）。

これが何かの拍子でいかに間違いなくあなたを死なせるか

　この物質は実際にカルシウムのサプリメント、あるいは、制酸剤として摂取することができますが、過剰に摂取すれば、問題を起こし、命にかかわりかねません。

C.3：酸化カルシウム

またの名を

　生石灰

化学式

　CaO

外観

　白から薄黄色の粉末

最初の合成

　紀元前7200年（天然の原料を使用。合成ではない）

特徴

　生石灰はガラスづくりに使われるほか、高温に加熱すると、強い光を発します（英語で、注目されるという意味で「in the limelight」と言うのは、電灯が発明される以前、生石灰〔lime（ライム）〕を加熱したときに生じる光〔limelight（ライムライト）〕を劇場の照明に使っていたからです。あなたはまさに今、その「電灯が発明される以前」にいらっしゃるわけです）。

作り方

　生石灰は、炭酸カルシウムを含む物質（石灰岩、貝殻、など）を窯のな

かで850℃以上に熱すれば作ることができます。これによって、炭酸カルシウムが酸素と反応し、生石灰と二酸化炭素を生じます。しかし、生石灰は不安定で、やがて空気中の二酸化炭素と反応して再び炭酸カルシウムになってしまいますので、すぐに使わなければ、消石灰（C.4参照）に変えておきましょう。1キログラムの生石灰を作るには約1.8キログラムの石灰岩が必要です。

これが何かの拍子でいかに間違いなくあなたを死なせるか

　生石灰は水と激しく反応し、人体の内部には水分が非常に多いので、吸い込んだり、水分をたっぷり含んだ目に接触したりすると炎症を起こします。鼻の左右の鼻孔を分けている壁に穴が開くこともあるので、吸い込まないようにしましょう。

C.4：水酸化カルシウム

またの名を

　消石灰

化学式

　$Ca(OH)_2$

外観

　白い粉末

最初の合成

　紀元前7200年（天然の原料を使用。合成ではない）

特徴

　消石灰は、容易に生産でき、用途も多い物質で、数千年にわたって使われています。モルタルまたはしっくいとして使うことができます——粘土

に加えると、月日の経過と共に硬化する材料となります（セクション10.10.1参照）。カルシウムのサプリメントとしてジュースに加えたり、重曹の代用としてパンを膨らませるのにも使えます。さらに、液体に混ざった不純物を凝集させる性質があり、水の浄化や下水処理に広く使われています。

作り方

酸化カルシウムを水と混ぜるだけです。しかし、この反応ではかなりの熱が発生するため、注意してください！　実際、異なる化学物質を混ぜ合わせる際には常に注意してください。あなたはすでに十分いろいろな問題を抱えているのです。そして、この反応を逆向きに進めて、生石灰を得たいなら、消石灰を熱して水分を完全に除去しましょう。この反応は512℃で起こります。

これが何かの拍子でいかに間違いなくあなたを死なせるか

触れると化学火傷を起こし、重傷の場合は失明する恐れもあります。また、あなたが今発明しているほかのさまざまな妙な化学物質と同様に、軽率に吸い込んでしまうと肺の損傷を起こすこともあります。

C.5：炭酸カリウム

またの名を

ポタシュ

化学式

K_2CO_3

外観

白い粉末

最初の合成
西暦200年

特徴
布の漂白剤、ガラス、石けんをはじめ、多くの化学物質の原料となります。また、パンを発酵させるためのイースト菌の栄養にもなります（イーストフード）。

作り方
草木灰を集めます（木材の灰が適しています。硬材が、より望ましいです。灰を収集する際に、その灰を生んだ火が、水で消されたのではないことを確認してください。さもないと、これから抽出したい化学物質が、すでに洗い流されてしまっている恐れがあります）。その灰を水に溶かし、煮沸します（または、日光で乾燥させます）。なべの底に残った、灰白色の残渣が炭酸カリウムです（ポタシュ──「pot ash〔なべの灰〕」）。

微量の炭酸カリウムを作るのに、大量の木材が必要です。1キログラムの木材を燃やして得られる炭酸カリウムは約1グラムです。しかしこれは、極めて容易なプロセスで、なべを火にかけて炭酸カリウムを作っているあいだに、その火にほかの生産的なことを同時にさせることもできます。

これが何かの拍子でいかに間違いなくあなたを死なせるか
腐食性があるので、目に入れたり、皮膚にこすりつけたり、食べたりしてはなりません。困ったことになるには、大量の炭酸カリウムを摂取しなければなりませんが、それがどの程度の量かを申し上げることはできません。なぜなら、あなたはこれをまったく食べるべきではないからです。木材の灰を煮詰めたものですよ！　食べ物ではありません！

C. 6：炭酸ナトリウム、炭酸水素ナトリウム

またの名を

ソーダ灰（炭酸ナトリウム）、重曹（炭酸水素ナトリウム）

化学式

Na_2CO_3（炭酸ナトリウム）、$NaHCO_3$（炭酸水素ナトリウム）

外観

白い粉末

最初の合成

西暦200年（天然の原料から炭酸ナトリウムが抽出される）、1791年（炭酸ナトリウムが合成される）、1861年（炭酸ナトリウムの効率的生産法確立）

特徴

炭酸ナトリウムは、ケイ酸の融点を下げてくれるので、ガラス作りに有用です。また、石けん作りや、水の軟化（訳注：硬水を軟水に変えること。水に含まれるカルシウムイオンやマグネシウムイオンをナトリウムイオンに置換すること）にも使えます！　炭酸水素ナトリウムは、酵母なしでもパンを膨らませることができるほか、胸やけの治療、歯垢除去効果のある歯磨きペースト作り、わきの下の消臭、あるいは、ゴキブリの駆除にも使えます（とても便利な物質です）。

作り方

炭酸カリウムを作ったときと同じ方法が使えますが、その際、ナトリウムが豊富な土壌で育った木を使ってください。または、海藻でもうまくいきますし、塩分に富んだ土壌に生えている植物も有望です。あなた（または、あなたの文明）が、もっと野心的なら、ソルベイ法という、通常は1861年まで発明されない方法によって、産業規模で炭酸ナトリウムを生産

することもできます。

ソルベイ法では、まず、高さ約25メートルの、水を通さない塔を建てます。鋼鉄で作るのがいいでしょう。塔の最下部で石灰岩を熱し、生石灰と二酸化炭素を発生させます（C.3参照）。その上側に、アンモニアと食塩の濃い水溶液を準備しておきます。最下部で発生した二酸化炭素が上昇してきて、この水溶液の内部を泡となって通過する際の反応で、アンモニアは塩化アンモニウム（NH_4Cl、ここでは目的物質ではありませんが、捨てずに回収しておきます）となり、食塩のナトリウムは炭酸水素ナトリウム（$NaHCO_3$、またの名を重曹）となって沈殿します。ここで沈殿物を回収して使うこともできますが、回収した沈殿物を加熱すると、炭酸ナトリウム（そもそもこれが目的物質でした）と水と二酸化炭素に分解します。先ほど塩化アンモニウムを回収しておきましたが、モルヒネ（セクション7.15参照）を作ろうというのでなければ、そこに消石灰を加えましょう。すると、アンモニア、水、そして塩化カルシウム（$CaCl_2$）が得られます。このプロセスが優れているのは、最後にアンモニアを再び得ることができ、同じ工程を繰り返すのに使えるという、非常に経済的なところです！

塩化カルシウムは、廃棄物として処分することもできますが、凍結防止剤（水の凝固点を低下させるので、あなたの文明に道がある場合は、道にまく凍結防止剤として便利）、ピクルスの味付け（ナトリウムは含まないのに、とても塩からい）、あるいは、活性炭を作るのに使えます。活性炭とは、要するに、ただ表面積を大きくするために多孔質にした木炭です。木材を塩化カルシウムに浸けてから、木炭作りのプロセスを始めれば、それで作れます（セクション10.1.1参照）。

二酸化炭素については、水の入った気密容器のなかへと二酸化炭素ガスが逃れられるようにしておくと、容器の圧力によって、二酸化炭素の一部が水に吸収されます！　この二酸化炭素は、容器を開いて圧力を下げると解放され、泡となって徐々に水から出てきます。言い換えれば、あなたはたった今、ソーダ水を発明したのです！　炭酸飲料は普通1767年まで登場しませんが、どんな時代にも人々はソーダ水には夢中になるでしょう！

これが何かの拍子でいかに間違いなくあなたを死なせるか

炭酸ナトリウムも炭酸水素ナトリウムも、ほどほどの量ならほぼ無害で、おそらくあなたは、これまでに食品添加物として食べたことがあるでしょう。ついにあなたは、クッキーを作るのに使えるほど安全な化学物質を発明することができたのです！

C.7：ヨウ素

化学式

I_2

外観

紫色のガス、金属光沢のある灰色の固体

最初の合成

西暦1811年（発見された年）

特徴

ヨウ素には消毒作用があります。水に混ぜて、バクテリアを死滅させるのに使います。その水溶液を傷口に注ぎ、感染を予防します。ヨウ素はまた、人間にとって必須元素で、ヨウ素が欠乏すると、甲状腺腫を発症し、やがて命を落とします！　詳細はセクション10.2.6.参照。

作り方

灰から炭酸ナトリウムを作る際に、残った沈殿物に硫酸を加えます。十分加えれば、紫色のガスが発生します。このガスは、冷たい表面で凝結して結晶化しますが、この結晶が純粋なヨウ素です。

ヨウ素は、水にはわずかしか溶けません（水を50℃に熱すれば、1.3リットルの水に約1グラム溶かすことができます）。より多くのヨウ素を溶

かすには、水酸化ナトリウムにヨウ素を加えて、ヨウ化ナトリウムを作ります。ヨウ化ナトリウムは、より多くのヨウ素が水に溶けるのを助けます。

これが何かの拍子でいかに間違いなくあなたを死なせるか

ヨウ素は生きるために必要ですが、純粋なヨウ素を薄めずに摂取すると毒性があります。皮膚を刺激し、高濃度になった場合は組織損傷を起こす恐れがあります。

C.8：水酸化ナトリウム、水酸化カリウム ─────────

またの名を

苛性ソーダ（水酸化ナトリウム）、苛性カリ（水酸化カリウム）、また、英語ではどちらも「灰汁」を意味するlye（ライ）という名前で呼ばれることもあります。

化学式

NaOH（水酸化ナトリウム）、KOH（水酸化カリウム）

外観

白い固体

最初の合成

西暦200年

特徴

水酸化ナトリウムも水酸化カリウムも石けん作りに使われます。有機組織を分解するので、醸造タンクの洗浄などに有用です。

作り方

どちらも、英語では歴史的に「lye」と呼ばれていました。それはひと

つには、大抵の場合両者が互いの代用となるからです。水酸化ナトリウムは、ほぼ塩水と電気だけで作れますが、木材の灰からも作れます。灰に水を通し（詳細はC.5、C.6参照）、消石灰を加えます。これで灰汁（lye）（あなたが炭酸ナトリウムか炭酸カリウムのどちらを使ったかに応じて、水酸化ナトリウムか水酸化カリウム）が生じ、底には炭酸カルシウムが沈殿します。

これが何かの拍子でいかに間違いなくあなたを死なせるか

よく聞いてください。これらの化学物質が「苛性」と呼ばれているのは、生体組織のタンパク質や脂肪を分解するからです。あなたは生体組織でできていますので、lyeは、体に付けたり、身近に置いたりしてはならない物質です。接触すれば化学火傷を起こし、目に入った場合、失明の恐れがあります。苛性ソーダや苛性カリは、人間の遺体を始末するために、その有機組織をどろどろに分解するために使われてきたのです！

> **文明の達人からの助言：**
> 物事がうまく進んでいるなら、人間の遺体を始末する必要はありません。

C.9：硝酸カリウム

またの名を

英語では、「石の塩」を語源とするsaltpeterとも呼ばれます。

化学式

KNO_3

外観

白い固体

最初の合成
西暦1270年

特徴
硝酸カリウムは、食べても害はなく、肉の保存、食品を柔らかくする、スープにとろみをつけるなどの目的で使うことができます。肥料（窒素の供給源）としても使えるほか、切り株除去剤としても長く使われています。というのも、切り株を食べる菌類の成長を促すからです。喘息や高血圧を抑えたりする効果があり、また、歯に知覚過敏のトラブルがある人用の歯磨きペーストに添加されています。

作り方
いくつかの方法がありますので、あなたの手近にあるものに応じて選んでください。

・洞窟で集めたコウモリの糞を丸一日水に浸けて、濾過し、灰汁を加え、煮詰めます。冷えたときにできる長い針のような結晶を回収します。コウモリは紀元前5500万年ごろ進化によって初めて登場したので、人間が生きている時代ならいつでもいるはずです。

・肥しに木灰と藁を混ぜて、空気層をたくさん作ります。これを、高さ1.2メートル、縦横7×4.5メートルくらいの台形の山に盛り上げます。肥しの山が雨に濡れないように覆いをかけ、また、尿をかけて、水びたしにならない程度に湿り気を与え、乾燥しないようにします。ときどきかき混ぜて、分解を促しましょう。約1年後、これに水を通し、流出液を集めます。この液体に硝酸カルシウムが含まれています。これにポタシュを加えて濾過すると、硝酸カリウムが得られます。

これが何かの拍子でいかに間違いなくあなたを死なせるか
この化学物質は実際、抽出するにも、身近に置いておくにも、安全です。たまにはそういう物質もあって、よかったですね！

C.10：エタノール

またの名を

エチルアルコール、酒精

化学式

C_2H_6O

外観

無色の液体

最初の合成

紀元前10,000年ごろ（人間によって意図的に。また、腐敗しつつある果物に偶然できることがあります）

特徴

飲めば、飲む前より社交的になったり、悲しくなったりします。防腐剤にもなり、燃料としても使え、温度計の重要な原材料です。

作り方

アルコールを醸造し、続いて蒸留してエタノールにする手順がセクション10.2.5にあります。

これが何かの拍子でいかに間違いなくあなたを死なせるか

エタノールは向精神作用が強い中毒性薬物で、摂取しすぎると神経毒にもなります。

C. 11：塩素ガス ─────────────────

化学式

Cl₂

外観

黄緑色の気体

最初の合成

西暦1630年

特徴

非常に反応性の高いガスで、消毒剤として有用（特に、プールや水道水に加える場合）ですが、すべての生物にとって非常に毒性が強い物質です。

作り方

海水（つまり、塩水）に電気を通します。陽極から泡として発生しているのが塩素ガスです。陰極で発生するガスは水素で、水のなかでは水酸化ナトリウムが生じています。

これが何かの拍子でいかに間違いなくあなたを死なせるか

塩素ガスは、戦争で毒ガスとして使われてきたものですので、あなたは塩素ガスには近づかないようにしましょう。高温では、鉄と強い発熱反応を起こして発火します。これは、読んで想像されるとおり、非常に危険です。

C. 12：硫酸 ─────────────────

化学式

H₂SO₄

外観

　無色の液体

最初の合成

　紀元前3000年[42]

特徴

　腐食性が非常に高い酸で、「電池を作る」ことから「酸で物を融かす」ことまで、ありとあらゆることに有用です。現在、地球上で最も多く生産されている化学物質です！

作り方

　黄鉄鉱（FeS_2、またの名を「愚者の黄金」）を見つけましょう。黄鉄鉱は、結晶の形で見つかることもある、黄金に似た色の鉱物で、比較的簡単に見つかるはずです。「愚者の黄金」は、地球上で最もよく見られる鉄の硫化物で、普通は、水晶の鉱脈、堆積岩、そして石炭層で見つかります。残念ながら、地表で見つけるのは無理でしょう。というのも、黄鉄鉱は空気と水にさらされると分解してしまうからです。しかし、地下では、常に新たな「愚者の黄金」が生み出されています。

　見つけた「愚者の黄金」を焼き、発生するガスを収集しましょう。このガスは二酸化硫黄（またの名を「亜硫酸ガス」。化学式はSO_2）です。この二酸化硫黄ガスを、木炭が存在するところで塩素ガス（Cl_2）と混ぜます。木炭が触媒となり、新たな液体、塩化スルフリル（SO_2Cl_2）が生じます。この液体を蒸留して濃縮し、続いて（注意深く）水を加えます。これによって起こる反応で、硫酸と塩化水素ガスが生じます（塩化水素ガスを収集し、水を通過させて塩酸［HCl］を作りましょう。これであなたは、ひとつ分の対価でふたつの酸を作ったのです！）。硫酸は反応性、腐食性ともに非常に高く、扱う際にも、貯蔵にあたっても、注意深く行ってください。

よい知らせがあります。一度微量でも硫酸を作ったなら、それを使って黄鉄鉱を特定でき、さらに硫酸を生産することができる、というわけです！ 黄鉄鉱の表面に硫酸を1滴たらすと、シューシュー音がして、腐った卵のようなにおいがします。

これが何かの拍子でいかに間違いなくあなたを死なせるか

皮膚に付着すると、重篤な化学薬傷を起こし、目にしぶきが入ったら、失明して回復の見込みはなく、飲み込めば、慢性化の恐れがある損傷を起こします。決して触れたり、飲み込んだり、誤って目にしぶきを入れたりしないようにしましょう。これは、このセクションにあるすべての化学物質について言えることです。

C. 13：塩酸

またの名を

英語では、「塩の精」という意味で、spirit of saltとも言います。

化学式

HCl

外観

無色の液体

最初の合成

西暦800年

特徴

鋼鉄のサビも落とせる、家庭の（ほぼ）万能クリーナー！

作り方

　塩化水素ガスを水に通します（C.12参照）。または、硫酸を塩と反応させます。

これが何かの拍子でいかに間違いなくあなたを死なせるか

　高濃度の塩酸は揮発して酸性の霧を生じ、あなたや、あなたの貴重な臓器を回復不可能なまでに損傷します。霧でない形態の塩酸も、同じ害を及ぼします。

C.14：ジエチルエーテル

またの名を

　エーテル

化学式

　$(C_2H_5)_2O$

外観

　無色透明の液体

最初の合成

　西暦700年代

特徴

　吸入麻酔薬の一種で、意識を失わせる作用がありますが、意識を失うまでに時間がかかり、また吐き気を催させます。手術は、麻酔薬があってはじめて、痛ましい悪夢のような経験——完全に意識があるまま、体を拘束されて、金切り声を上げても、誰かがお構いなしにあなたの体に切り込んでいくという——ではなくなります。ですから、手近に置いておくと役立ちます！

作り方

エタノールを硫酸と混ぜ、混合物を蒸留し、エーテルを抽出します。エタノールがエチレン（C_2H_4）になってしまわないように、温度を150℃以下に保ちましょう、エチレンが欲しいのではない限り。エチレンは、果物を熟させるのに使え、また、85パーセントのエチレン対15パーセントの酸素の比率で混ぜれば、麻酔薬になります。

これが何かの拍子でいかに間違いなくあなたを死なせるか

ジエチルエーテルは周囲に酸素が存在する場合引火性が高いですが、酸素は常に存在しているのでご注意を。

C. 15：硝酸

化学式

HNO_3

外観

無色または黄色／赤色の発煙液体

最初の合成

西暦1200年代

特徴

強力な酸化剤で、ロケット燃料に使われる（あなたはロケット燃料が必要になることはないでしょうが）ほか、松やカエデの木材を処理して着色し、風合いを出すのに使われます（これもやはり今のあなたの一番の関心事ではないでしょうが）。また、硝酸アンモニウムの成分でもあります。

作り方

硫酸を硝酸カリウムと反応させます。気を付けてください、硝酸は有機物質と激しく反応し、生体組織を分解するので、決して体に付けないようにし、万一体に付着した場合は、最低15分間水で洗い流してください！

これが何かの拍子でいかに間違いなくあなたを死なせるか

「有機物質と激しく反応し、生体組織を分解する」という記述に何を足す必要があるでしょう？　硝酸は、あなたの身近に置くべきものではありません。

C. 16：硝酸アンモニウム

化学式

NH_4NO_3

外観

白または灰色の固体

最初の合成

西暦1659年

特徴

窒素含有量が多い農薬であるほか、笑気ガス（C.17参照）や爆薬の原料でもあります。硝酸アンモニウムは、あなたの畑が、普通に可能なよりもはるかに多くの食糧を生み出す——これが実現すれば、あなたの文明は、ほかのどの文明に比べても、より多くの人間の脳が働いている状態に至れます——ようにする鍵です。

作り方

アンモニアと硝酸を混ぜます。これで終わりです！　簡単です！　ただ

し、アンモニアと硝酸が激しく反応して著しく発熱すると、爆発する恐れ
があるので、注意してください！

これが何かの拍子でいかに間違いなくあなたを死なせるか

　非常に爆発しやすく、どんな熱源や炎も硝酸アンモニウムを爆発させる
恐れがあります。硝酸アンモニウムが爆発して人命が失われた事故は、
1916年（訳注：イギリスのファバーシャムで115名が死亡）、1921年（訳
注：ドイツのオッパウで約700名が死亡）、1942年（訳注：ベルギーのテッ
センデルロで189名が死亡）、1947年（訳注：アメリカのテキサス州で576
名が死亡）、2004年（訳注：北朝鮮の龍　川で161名が死亡）、2015年（訳
注：中国の天津で165名が死亡）に起こっていますが、これらは、100名以
上が亡くなった事故だけを挙げたものです（訳注：2020年8月、レバノン
のベイルートで起こった、死者200名超の爆発事故も硝酸アンモニウムに
よるという）。

C. 17：亜酸化窒素

またの名を

　　笑気ガス

化学式

　　N_2O

外観

　　無色の気体

最初の合成

　　西暦1772年

特徴

　吸い込んだ人は陶酔し、暗示にかかりやすくなるほか、鎮痛作用や筋肉弛緩作用もある気体。さらに、ある程度以上吸引すると、意識を失う場合もあります。そのため、麻酔薬として使われます。笑気ガスをエーテルなどの他の麻酔薬と共に使うと、効果が高まります。

作り方

　硝酸アンモニウムを注意深くゆっくりと加熱します。その際に発生するガスが亜酸化窒素です。このガスを水に通すことで、冷却し、不純物を除去することができます。しかし、加熱中は細心の注意が必要です。というのも、あなたが加熱しているのは爆薬で、240℃以上になると、硝酸アンモニウムは爆発する恐れがあるからです！

これが何かの拍子でいかに間違いなくあなたを死なせるか

　笑気ガスはさまざまな場合に悪い方向に働いてしまいます。特に笑気ガスを作る際には、あなたはまさに爆薬を加熱しているのですから、その点お間違えなく。

補遺D
論理的な議論のさまざまな形式

参照していただけるように、いくつかの論理的推論を記号論理の形式で表したものを一覧にしました。ここで使用されている記号には、次のようなものがあります。

> 記号：意味
> →：〜の意味を含む、もし〜ならば　∴：ゆえに、それゆえ
> ¬：〜ではない　∧：かつ（and）　∨：または（or）
> ↔：「〜のとき、かつそのときに限り」すなわち、両者は等価である

記号による表現	言葉による表現
$p \therefore \neg\neg p$	pが真ならば、pの否定の否定も真である。つまり、真と偽だけが許されたふたつの値で、両者は互いの否定である。
$p \therefore (p \lor p)$	pが真ならば、（pまたはp）も真である。
$p \therefore (p \land p)$	pが真ならば、（pかつp）も真である。
$(p \lor \neg p) \therefore true$	（pまたはpでない）は常に真である。
$\neg(p \land \neg p) \therefore true$	（pかつpでない）の否定は常に真である。
$(p \land q) \therefore p$	（pかつq)が真なら、pも真である。
$p \therefore (p \lor q)$	pが真なら、（pまたはq)も真である。
$p, q \therefore (p \land q)$	pとqが個別に真ならば、それらは共に真である。
$(p \lor q) \therefore (q \lor p)$	pまたはqはqまたはpと同じである。ここでは順序に意味はない。
$(p \land q) \therefore (q \land p)$	pかつqはqかつpと同じである。ここでも順序に意味はない。

記号による表現	言葉による表現
(p ↔ q) ∴ (q ↔ p)	pがqと等価であるのは、qがpと等価であるのと同じである。ここでも順序に意味はない。よかったですね。
(p → q) ∴ (¬q → ¬p)	もしもpがqを意味するなら、qの否定はpの否定を意味する。
(p → q) ∴ (¬p ∨ q)	もしもpがqを意味するなら、pの否定またはqが真である。
[(p → q) ∧ p] ∴ q	もしもpがqを意味し、かつpが真なら、qも真である。
[(p → q) ∧ ¬q] ∴ ¬p	もしもpがqを意味し、かつqの否定が真なら、pの否定も真である。
[(p → q) ∧ (q → r)] ∴ (p → r)	もしもpがqを意味し、かつqがrを意味するなら、pはrを意味する。
[(p ∨ q) ∧ ¬p] ∴ q	pまたはqが真で、pの否定が真なら、qは真である。
[(p → q) ∧ (r → s) ∧ (p ∨ r)] ∴ (q ∨ s)	pがqを意味し、かつrがsを意味し、かつpまたはrが真なら、qまたはsは真である。
[(p → q)∧(r → s)∧(¬q ∨ ¬s)] ∴ (¬p ∨ ¬r)	pがqを意味し、かつrがsを意味し、かつqの否定またはsの否定が真なら、pの否定またはsの否定が真である。
[(p → q) ∧ (r → s) ∧ (p ∨ ¬s)] ∴ (q ∨ ¬r)	pがqを意味し、かつrがsを意味し、かつpまたはsの否定が真なら、qまたはrの否定が真である。
[(p → q) ∧ (p → r)] ∴ [p → (q ∧ r)]	pがqを意味し、かつpがrを意味するなら、pはqと r を共に意味する。
¬(p ∧ q) ∴ (¬p ∨ ¬q)	（pかつq）の否定は、（pの否定またはqの否定）と同じである。
¬(p ∨ q) ∴ (¬p ∧ ¬q)	（pまたはq）の否定は、（pの否定かつqの否定）と同じである。
[p ∨ (q ∨ r)] ∴ [(p ∨ q) ∨ r]	「pまたは（qまたはr）」は「（pまたはq）またはr」と同じである。「または」だけでつながれた文章のなかでは（）を移動させても構わない。
[p ∧ (q ∧ r)] ∴ [(p ∧ q) ∧ r]	「pかつ（qかつr）」は「（pかつq）かつr」と同じである。「かつ」だけでつながれた文章のなかでは（）を移動させても構わない。

記号による表現	言葉による表現
[p ∧ (q ∨ r)] ∴ [(p ∧ q) ∨ (p ∧ r)]	「pかつ (qまたはr)」は「(pかつq) または (pかつr)」と同じである。
[p ∨ (q ∧ r)] ∴ [(p ∨ q) ∧ (p ∨ r)]	「pまたは (qかつr)」は「(pまたはq) かつ (pまたはr)」と同じである。
(p ↔ q) ∴ [(p → q) ∧ (q → p)]	「pとqは等価である」は「(pならばq) かつ (qならばp)」と言うのと同じである。
(p ↔ q) ∴ [(p ∧ q) ∨ (¬p ∧ ¬q)]	「pとqは等価である」ならば、「(pかつqは真である) または (〔pの否定〕かつ〔qの否定〕は真である)」。
(p ↔ q) ∴ [(p ∨ ¬q) ∧ (¬p ∨ q)]	「pとqは等価である」ならば、「pまたは〔qの否定〕は真」かつ「〔pの否定〕またはqは真」である。
[(p ∧ q) → r] ∴ [p → (q → r)]	「(pかつq)ならばr」ならば「pならば (qならばr)」である。
[p → (q → r)] ∴ [(p ∧ q) → r]	「pならば (qならばr)」ならば「(pかつq) ならばr」である。

表28：人類が数千年にわたる論理的推論のすえに明らかにしたけれど、今では本の末尾の2ページほどに付け足しで印刷されるだけになっている、正しい議論の形式の一覧。お楽しみください。

補遺E

三角関数表。日時計づくりに不可欠なため掲載。
しかし、三角関数を発明する気になったら、それにも役立ちます。

　本書は、ゼロから文明を再発明するためのガイドなのですが、あなたの文明もやがては、そろそろ三角関数を発明しよう、という段階に達するでしょう。しかし、あなたがまだ農牧業とは何ぞやと首をひねっておられて、どうしたら次の食事にありつけるかもわからない現状では、おそらく、三角関数などすぐには必要ないでしょう。そのため、私たちは三角関数のすべてをここでご紹介したりはせず、この補遺では、三角関数のうち、最も便利でわかりやすい範囲、つまり、実用的な目的を満たし、将来の発見への道筋をつけるに十分な部分だけをご説明します。

　三角関数を知っていれば、ある三角形について、あなたが知っている量を使い、わからない量を計算することができます。ここで説明を中断いたしましょう。というのも、あなたが、「おいおい、こんなもの、いつ私が使うんだい？」とぼやいておられるのが早くも聞こえてくるからなのですが。あなたが三角関数を使う場面には、次のようなものがあります。海上でのナビゲーション、天文学、音楽、数論、エンジニアリング、エレクトロニクス、物理学、建築、光学、統計学、地図製作。そして、他にも多くの場面があります。まっとうな日時計を作るだけでも、すでに三角関数が必要なのです（セクション10.7.1）。そのようなわけで、三角関数の非公式スローガンを「オーケー、わかった、こいつは実際、とんでもなく大事だね」にしましょう。

　三角関数は、直角三角形（ふたつの辺が90°で交わる三角形。この角に小さな正方形を書いて直角であることを示す習わしです）だけに当てはまるものですが、直角三角形でない三角形はすべて、ふたつの直角三角形に分けることができる（試してみてください。これは本当です）ので、問題

はありません。直角三角形は、次のような姿をしています。

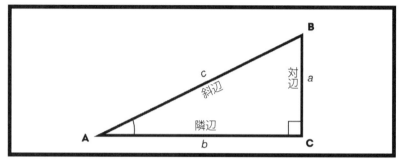

図73：直角三角形の姿。

　最も長い辺（図のc。常に直角に対向する位置にある）を「斜辺」と呼びましょう。直角以外のひとつの角（この場合、Aの角を使います）と対向する辺を「対辺」、そして対辺の（斜辺でない）隣の辺を「隣辺」と名付けましょう。偶然のことながら、三角形の３つの角の和は180°になります。この事実を使えば、直角三角形の角のひとつは90°だとわかっていますから、残るふたつの角の一方がわかれば、もうひとつの角の大きさもわかるわけです。さらに、直角三角形には、次のような便利な定理があります。

$$a^2 + b^2 = c^2$$

　これが、紀元前500年ごろ古代ギリシアに住んでいたピタゴラスという人物にちなんで、私たちが「ピタゴラスの定理」と呼ぶものですが、彼自身、これを最初に思いついたのは自分ではないと認めていました——そして、この定理は、それ以前にも、また、それ以降にも、世界中で繰り返し、それぞれまったく独自に発見されてきました。さて、この式で表される定理の意味ですが、「短いほうの２辺につき、それぞれの長さを二乗し

たものを足し合わせたものは、最も長い辺の長さの二乗に等しい」という
ことです。この定理によってあなたは、ある直角三角形のすべての寸法を
一部のデータだけから計算できるようになります。すでに申し上げたとお
り、これが三角関数の本質です。

　もしもあなたが、ある直角三角形の角の大きさをすべて知っていたなら、
その知識で、その直角三角形の形は、もう記述されているも同然です。とい
うのも、これらの角がひとつの三角形をなす方法は、ひとつしかないか
らです。また、逆に、ある直角三角形の辺の長さがすべてわかっていれば、
その直角三角形の角度もすべてわかるのです。これらの事実から、非常に
便利な関数を定義することができます。斜辺の長さに対する対辺の長さの
比を、「正弦関数（サイン関数）」、略して「サイン（sin）」と呼ぶことに
しましょう*。また、斜辺の長さに対する隣辺の長さの比を、「余弦関数
（コサイン関数）」、略して「コサイン（cos）」と呼び、さらに、隣辺に対
する対辺の比を「正接関数（タンジェント関数）」、略して「タンジェント
（tan）」と呼びましょう。角度が与えられれば（図のAに当たる角度）、
sin、cos、tanの値を特定することができます。逆に、sin、cos、tanの値
がわかっていれば、それらの値を与える角度の大きさを特定することがで
きます。これらの、sin、cos、tanから角度を得る、sin、cos、tanの逆関
数を、記号の上に小さな「－1」をしるしとして付けて、$\sin^{-1}$、$\cos^{-1}$、
$\tan^{-1}$と表し、「インバース・サイン」等々と呼びましょう。

＊　私たちがそれを「サイン（英語でsine）」と呼ぶのは、ヨーロッパ人たちがアラビア語の文
献をラテン語（中世なら当然です。当時の学問のヨーロッパ共通語でしたから）に翻訳したと
きに（訳注：12世紀にイタリアの学者、クレモナのジェラルドによって訳された）、この関数を
意味していたアラビア語の単語、「jaib」——「ポケット、襞（ひだ）、財布」などを意味しま
した——に最も近かったラテン語が「sinus」（「トーガ（ローマ時代の男性の衣服）の上部の、
垂れ下がった襞」の意）だったのでした。ところが、そもそもアラビア語の文献に使われて
いた言葉は、「jaib」ではなかったのです！　それは、「jyb」で、アラビア人たちが、サンスク
リット語の「jyā」を、アラビア語のアルファベットを使って翻訳するときにそう決めたもので
した。こちらの言葉は、古代ギリシア語の「紐」を意味する言葉を語源としていました。いろ
いろお話しましたが、とにかく、この関数に、あなたが好きな名前を自由にお付けください。
なぜって、私たちが最終的に使うようになった名称が、これだけ適当に決まったのですから、
それよりももっと好き勝手に名付けようとしても、絶対に無理でしょうから。

　三角関数について調べはじめると、三角関数を生み出した三角形の研究が、円の研究（あなたの三角形の周囲に円を描けば、cos、sin、tanの関数とπには関係があることがわかるでしょう）や、周期関数（cos、sin、tanの値をグラフで表すと、それらのパターンが周期的であることに気づくでしょう）と関係があり、そして、三角関数どうしが互いに関係している（一例ですが、ある角のtanは、そのsinをcosで割った値と等しいという関係があります）ということを示す証明がそれぞれ存在することに気づかれるでしょう。これらのことをご紹介しているのは、ひとえに、次のように申し上げたいからです。「もしもこのようなことに興味がおありなら、調べるべき面白い事柄がたくさんあります。多くの人々が、これよりはるかに小さく、これほど崇高でないテーマに人生を捧げてきたのです」*。

　しかし、大事なのは、cos、sin、tanの値を計算するのは複雑なことで、ほんとうに一度行えばもうたくさんだということです。ですので、あなたがご自身で計算する代わりに、クロノティクス・ソリューションズにいるあなたの友人たちである私たちが、このあとに続く2ページに、三角関数表一式をご提供いたします。角度aが与えられたなら、あなたはsin(a)、cos(a)、tan(a)の値を、この表のなかから見つけることができます。そして、逆関数（$\sin^{-1}$、$\cos^{-1}$、$\tan^{-1}$）を計算するには、あなたがお持ちの値を与える角度を表から読み取ってください。

　この表にある情報は、あなたが三角関数について調べ、新しい定理や三角関数の方程式を発見するのに必要なほか、最も重要なことに、セクション10.7.1の日時計を完成させるために不可欠です。

＊　たとえば、訴訟になった際に法的責任を軽減するためのタイムマシン修理マニュアルを書くなど。

角度a	sin(a)	cos(a)	tan(a)	角度a	sin(a)	cos(a)	tan(a)
0	.0000	1.0000	.0000	26	.4384	.8988	.4877
1	.0175	.9998	.0175	27	.4540	.8910	.5095
2	.0349	.9994	.0349	28	.4695	.8829	.5317
3	.0523	.9986	.0524	29	.4848	.8746	.5543
4	.0698	.9976	.0699	30	.5000	.8660	.5774
5	.0872	.9962	.0875	31	.5150	.8572	.6009
6	.1045	.9945	.1051	32	.5299	.8480	.6249
7	.1219	.9925	.1228	33	.5446	.8387	.6494
8	.1392	.9903	.1405	34	.5592	.8290	.6745
9	.1564	.9877	.1584	35	.5736	.8192	.7002
10	.1736	.9848	.1763	36	.5878	.8090	.7265
11	.1908	.9816	.1944	37	.6018	.7986	.7536
12	.2079	.9781	.2126	38	.6157	.7880	.7813
13	.2250	.9744	.2309	39	.6293	.7771	.8098
14	.2419	.9703	.2493	40	.6428	.7660	.8391
15	.2588	.9659	.2679	41	.6561	.7547	.8693
16	.2756	.9613	.2867	42	.6691	.7431	.9004
17	.2924	.9563	.3057	43	.6820	.7314	.9325
18	.3090	.9511	.3249	44	.6947	.7193	.9657
19	.3256	.9455	.3443	45	.7071	.7071	1.0000
20	.3420	.9397	.3640	46	.7193	.6947	1.0355
21	.3584	.9336	.3839	47	.7314	.6820	1.0724
22	.3746	.9272	.4040	48	.7431	.6691	1.1106
23	.3907	.9205	.4245	49	.7547	.6561	1.1504
24	.4067	.9135	.4452	50	.7660	.6428	1.1918
25	.4226	.9063	.4663	51	.7771	.6293	1.2349

角度a	sin(a)	cos(a)	tan(a)	角度a	sin(a)	cos(a)	tan(a)
52	.7880	.6157	1.2799	72	.9511	.3090	3.0777
53	.7986	.6018	1.3270	73	.9563	.2924	3.2709
54	.8090	.5878	1.3764	74	.9613	.2756	3.4874
55	.8192	.5736	1.4281	75	.9659	.2588	3.7321
56	.8290	.5592	1.4826	76	.9703	.2419	4.0108
57	.8387	.5446	1.5399	77	.9744	.2250	4.3315
58	.8480	.5299	1.6003	78	.9781	.2079	4.7046
59	.8572	.5150	1.6643	79	.9816	.1908	5.1446
60	.8660	.5000	1.7321	80	.9848	.1736	5.6713
61	.8746	.4848	1.8040	81	.9877	.1564	6.3138
62	.8829	.4695	1.8807	82	.9903	.1392	7.1154
63	.8910	.4540	1.9626	83	.9925	.1219	8.1443
64	.8988	.4384	2.0503	84	.9945	.1045	9.5144
65	.9063	.4226	2.1445	85	.9962	.0872	11.4301
66	.9135	.4067	2.2460	86	.9976	.0698	14.3007
67	.9205	.3907	2.3559	87	.9986	.0523	19.0811
68	.9272	.3746	2.4751	88	.9994	.0349	28.6363
69	.9336	.3584	2.6051	89	.9998	.0175	57.2900
70	.9397	.3420	2.7475	90	1.0000	.0000	無限大
71	.9455	.3256	2.9042				

表29：三角形を利用するために必要な数値d

補遺F

人類が突き止めるのに時間がかかった普遍定数一覧。

今あなたは、自分にちなんでこれらの定数を命名できます。

定数	値	説明	参考情報
光速	299,792,458 m/s	真空中の光の速度であり、宇宙の究極の制限速度。光、電磁放射、重力波は、光速で進むが、それを超えることはできない。	光は、異なる媒体のなかを進むときは、これより遅くなる。たとえばガラス内では、光速を約1.5で割った速度になる。しかし、それでも光の速度は速いので、光が瞬時に移動するのでないと証明するのに誰かが成功したのはやっと1676年になってのことだった。
音速	343m/s	音の速度は、それが伝わっている媒体の種類に依存する。この数値は、気温20℃の乾燥した空気中の値。音は液体中のほうが速く、固体中だとなお速い。	音速は、1709年に、夜間に銃を発射し、既知の距離からその様子を望遠鏡で観察し、光が到着してから音が到着するまでの時間を測定するという実験を行って計算された。あなたは、そんな実験などわざわざせずに、夜は早く寝ましょう！

定数	値	説明	参考情報
π	3.1415926535897932 38462643383279502 884197169399375105 82097494459230781 64062862089986280 348253421170679821 48086513282306647 09384460955058223 172535940812848111 74502841027019385 211055596446229489 54930381964428810 97566593344612847 56482337867831652 71201909145648566 92346034861045432 66482133936072602 49141273724587006 60631558817488152 09209628292540917 15364367892590360 01133053054882046 652138414695194151 16094330572703657 595919530921861173 819326117931051185 48074462379962749 56735188575272489 12279381830119491 29833673362440656 643086021394946395 22473719070217986 09437027705392171 76293176752384674 81846766940513200 05681271452635608 27785771342757789 60917363717872146 84409012249534301 46549585371050792 27968925892354201 99561121290219608 640344181598136297 74771309960518707 21134999999......	πは、直径(円の中心を通り円を二等分する直線の長さ)に対する円周(円の周の長さ)の比率で、無理数。無理数とは、有理数(つまり、あなたが知っている数)を使って書き表そうとすると無限の長さになる数。決して書き終えることはできず、また、どの部分も繰り返さない。	ここではπの最初の768桁を示しました。それは、この桁の最後で、まったくの偶然により、9が6つ連続するからです。あなたがこれを暗記し、誰かにπの値はこうだよと暗唱することにした場合、ここで終えるのがカッコいいわけです。過去の多くの数学者もそうしてきました。つまり、自分はもっとたくさん覚えてるんだよというふりをして、「9,9,9,9,9,9......あともっと」と言って終えればいいのです。

定数	値	説明	参考情報
地球の重力加速度	約9.8m/s^2	地球で自由落下する際の加速度。空気の密度等の要因によって、一般的に9.764m/s^{2}から9.834m/s^{2}の範囲で変化する。何かが落下するのにかかる時間を計算したい場合に、この値を使う。	空気抵抗がない場合、1トンのレンガも1トンの羽毛も同じ速さで落下するが、人間がそれに気づいたのはようやく1634年になってのこと。
重力定数	6.67408×10^{-11} m^3 × kg^{-1} × s^{-2}	古典物理学では、ふたつの物質粒子の間の重力による引力は、それらの粒子の質量を掛け合わせたものを両者の距離の二乗で割ったものに比例する。引力の実際の強さを得るには、それにこの「宇宙の重力定数」をかけなければならない。	宇宙の重力定数を変えれば、あなたは体重を減らすことができますが、それには極めて壊滅的な代償を伴います。
電子の質量	9.10938356 × 10^{-31} kg	すべての電子はまったく同じである。このことは、本に電子について記載する際に紙幅が節約できるというだけの理由だとしても、本当に便利だ！	すべての電子がまったく同じである理由が発見される以前、一説に、その理由はすべての電子が実は1個の同じ電子であり、それが宇宙の寿命全体にわたる時間のなかを行ったり来たりしているだけだと主張されていた。この説は、極めて奇想天外であると同時にそれと同じくらい不正確だ！[44]

表30：現実をうまく機能させるために必要な数値

補遺G

各音の周波数。本書に記載したすごくいい歌をあなたが演奏できるように。

音（オクターブ0、通常はピアノの最低音域）	周波数（Hz）	音（オクターブ1）	周波数（Hz）
C	16.352	C	32.703
C#	17.324	C#	34.648
D	18.354	D	36.708
D#	19.445	D#	38.891
E	20.602	E	41.203
F	21.827	F	43.654
F#	23.125	F#	46.249
G	24.500	G	48.999
G#	25.957	G#	51.913
A	27.500	A	55.000
A#	29.135	A#	58.270
B	30.868	B	61.735

音（オクターブ2）	周波数（Hz）	音（オクターブ3）	周波数（Hz）
C	65.406	C	130.81
C#	69.296	C#	138.59
D	73.416	D	146.83
D#	77.782	D#	155.56
E	82.407	E	164.81
F	87.307	F	174.61
F#	92.499	F#	185.00
G	97.999	G	196.00
G#	103.83	G#	207.65
A	110.00	A	220.00
A#	116.54	A#	233.08
B	123.47	B	246.94

音（オクターブ4）	周波数（Hz）
C	261.63
C#	277.18
D	293.66
D#	311.13
E	329.63
F	349.23
F#	369.99
G	392.00
G#	415.30
A	440.00
A#	466.16
B	493.88

音（オクターブ5）	周波数（Hz）
C	523.25
C#	554.37
D	587.33
D#	622.25
E	659.26
F	698.46
F#	739.99
G	783.99
G#	830.61
A	880.00
A#	932.33
B	987.77

音（オクターブ6）	周波数（Hz）
C	1046.5
C#	1108.7
D	1174.7
D#	1244.5
E	1318.5
F	1396.9
F#	1480.0
G	1568.0
G#	1661.2
A	1760.0
A#	1864.7
B	1975.5

（オクターブ7）	周波数（Hz）
C	2093.0
C#	2217.5
D	2349.3
D#	2489.0
E	2637.0
F	2793.8
F#	2960.0
G	3136.0
G#	3322.4
A	3520.0
A#	3729.3
B	3951.1

補遺H
カッコいいギアやその他の基本的な機構

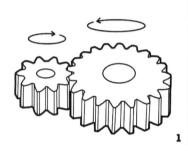

1. 大小ふたつのギア：小さいギアのほうが大きいギアよりも速く回転。

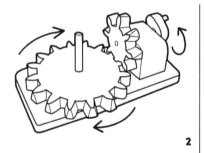

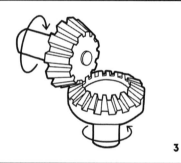

2〜4. 回転軸が直交しているふたつのギアのさまざまなタイプ。いずれも、水平面内での回転を鉛直面内の回転に変換したり、その逆の変換をしたりする。

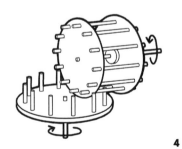

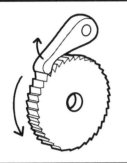

5. ラチェット。ギアが逆回転するのを防ぐ
   ために使われる。

5

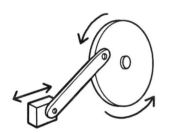

6. クランク。回転運動を水平方向の往復運
   動に（また、その逆方向にも）変換する。

6

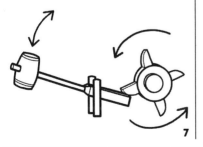

7. トリップ・ハンマー。回転を、持ち上げ
   てから落とす運動に変換する。

7

補遺Ｉ
人体の役立つパーツがどこにあり、それらはどんな働きをするか

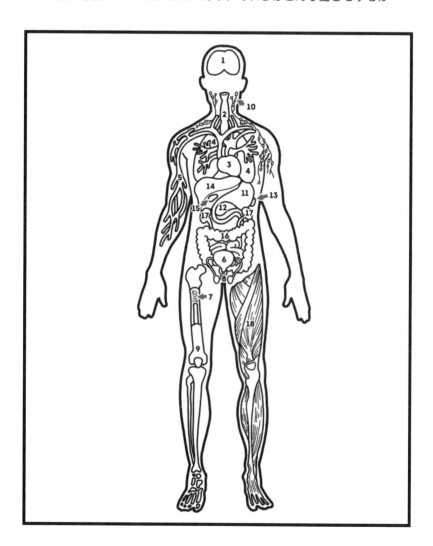

1. 脳	自意識のある脂肪質の肉塊で、魅力的な形の頭蓋骨に収まっている・脳なしには生きられない・午前2時にあなたを目覚めさせて、何年も前に言ったばかなことをつぶさに思い出させるのが得意・人気度6/10
2. 咽頭	空気と食物が通る管・咽頭の下部、気管と食道が分かれるあたりにある、伸縮性のある襞が声帯で、そこを息が通るときに声が出て、会話が可能になる・ここがふさがれると死にます・人気度10/10
3. 心臓血管系	心臓が血液を全身に行き渡らせる・血液は栄養と酸素を遠くまで運ぶ・平均的な体には5600立方センチ（5.6リットル）の血液が含まれている・このことは「へえっ」と感心するような事実だが、この事実を知ってなお、あなたがパーティーで無償でこれを提供するなら、人々はいぶかしく思うだろう・人気度12/10
4. 肺	空気から酸素を取り込んで血液に含ませ、老廃物の二酸化炭素を外に出す・大人の肺は、左右ふたつの部分に、合わせて6リットルの空気を含んでいる・人気度11/10
5. 動脈と静脈	動脈は圧力が高い血管で、血液を心臓から外に運び出す。静脈は圧力が低い血管で、血液を心臓に戻す・ほとんどの静脈には、血流を逆流させないための弁がある：いいね・人気度10/10（静脈）、12/10（動脈）
6. 膀胱	最大0.8リットルの、人肌に温まった尿が弾力性のある便利な袋にたまっている・望むとき望む場所に排尿することを可能にする：ほかのどの臓器にもまねできない・人気度11.5/10
7. 骨髄	赤血球（酸素を体に運ぶ）と白血球（感染症と闘う）を含め、約5千億個の細胞を毎日生み出す・人間の全体重の4パーセントが骨髄：そんなもんでしょう・人気度9.99/10
8. 生殖系	3900万の精子細胞または最高50万個の卵細胞のどちらかが収納されているところ――どちらが、というのは、実際多くのことによって決まっている・赤ちゃんを産み、種（しゅ）を維持したければ、性交が必要なので、「我慢して性交」したほうがいいかも・人気度9.5/10〜9.725/10
9. 骨格	私たち全員の体のなかには、薄気味悪い骨格がある。そう考えると本当に怖い・後で使えるようにミネラル類を蓄えており、中は実は空洞で、内側は骨髄を作るために使われる・人間の体には206本の骨があるが、その多くは非常によく似ている・人気度8/10
10. リンパ節	リンパは液体成分と白血球の混合物で、感染症と闘う・リンパ節は、体内に張り巡らされたリンパ管のネットワークの一部で、感染が起こった際に腫れて、感染が広がるのを阻止する・リンパは小腸から血液へと脂肪を運ぶ働きもする・人気度10/10
11. 胃	筋肉質の袋で、塩酸と酵素を含む・食物中のバクテリアを殺し、小腸に達する前に食物を部分的に消化する・あなたが中に入れたものをすべて、かき混ぜ、搾り、混合する・人気度12.5/10
12. 膵臓	ホルモン（体の働きを管理するのを助けるため）と酵素（消化を助けるため）を作る・血糖値を制御し、すべての脊椎動物に存在するので、人間特有の器官ではないが、それでもやはりすごい臓器・人気度9/10

13. 脾臓	古くなった血球をリサイクルし、余分な血液を常に保持しており、必要があれば即座に供給する・かつては、脾臓は感情を制御すると考えられていたが、脾臓についてのみならず、人々が昔いろいろと考えたことの多くは、間違っていた・人気度10/10
14. 肝臓	小腸が食物を消化するのを助ける胆汁を作る・糖を、必要なときが来るまで貯蔵し、また、貯蔵された脂肪を糖に変換する・毒を分解する、ほんとうに優れた臓器だ・人気度13/10
15. 胆嚢	肝臓で作られた胆汁を濃縮し、消化に必要になるまで貯蔵する・胆嚢がなくても死なない・この必須でないという特徴から、人気度はたったの5/10
16. 腸	小腸は食物を細かく分解し、成分を吸収。大腸は水分と、残留している栄養分を吸収・つまり、食物をエネルギーと排泄物に変換する・人気度12/10
17. 腎臓	尿を作るほか、ホルモンを生産し、血液中の塩分、水分、酸性度のバランスを安定させる・ひとつあれば生きられるが、たいていの人がふたつ持っているのは、なかなかいかしてますね・また、石ができることがあり、場合によっては非常に痛い。しかし、尿と共に自然に排出されることも多い・人気度12/10
18. 筋肉組織	骨格につながれた組織で、脳によって制御される。脳は筋肉に指令を出して、骨格を思うがままに動かす・全身にわたって、たくさんの筋肉が存在しており、なかには、私たちが互いに正直になるなら、非常に魅力的な筋肉もある・人気度11/10

著者あとがき

　この最後の補遺をもって、元々のガイド本の文章は終わり、過去に封じ込められたタイムトラベラーを運命（ガイドを読んだことで大いに上向いているといいのだが）の手に委ねる。タイムトラベラーたちがこのガイドを読み終え、顔を上げて外の新しい世界に視線を向けたときに湧いてきたに違いない感情を、私も呼び起こすことができそうな気がする。これほど多くを学んだ満足感と、いつのどんな時代であれ、すべてを第一原理から再建しなければならないという、絶望的な、まったくの恐怖感が、綯交ぜ（ないま）になって湧いてくる。打ちのめされそうだが、やるしかない！　私自身がそんな心配をしなくていいのはありがたい！

　元々の文書には参考文献は挙げられていなかった（それは至極当然だ。本が発明される前の時代に足止めを食らった人に、参考文献の情報など役に立たないのは明らかだ）が、私自身が使った参考文献をこのあとのページに記すことは、興味を持った読者の方々が、このガイドが紹介している技術、アイデア、そして新機軸について、より詳しく知る一助となると考えた。私は、あなたが今読み終えたこのガイドの内容を検証する際にこれらの本を参照し、また、出版する前に参照先として使用した。

　これらの優れた本のほかに、私は優れた人々にも助言を求めた。芸術と醸造についての知識を教えてくれた私の弟、ヴィクター・ノースに感謝する。また、それぞれの貴重な知識を教えてくれた、私の友人たち、プライア・ラジュ博士（医術についての専門知識）、アレン・チョミンとウィル・ワドリー（音楽と音楽理論の知識）、デイビッド・マルキ（飛行に関する知識）、マイク・タッカー（船についての知識）に、心からお礼申し上げる。ザック・ウィーナースミス、ランドール・マンロー、ジェン・クルーグ、ミック・タッカー、エミリー・ホーン、そして、私の父には、草稿を読んでいただき、たいへん感謝している。とりわけ、ランドール・マン

ローは、今日の午後突然氷冠が完全に融けてしまったら、どれだけの陸地が水に覆われるかをすぐに教えてくださった。彼は、私からお願いするより先に、自ら進んでその情報をご提供くださったのだ。また、1670年のフランスにおける、告訴された犯罪者の遺体の保存に関する法律についての調査で私にご協力くださったエレーヌ・ドバル博士と、アイスボックスについての彼の経験について尋ねた際に、快くご対応くださったセルジオ・アラゴンとに、心からお礼を申し上げる。最後に、私の担当編集者、コートニー・ヤングは、素晴らしい仕事をしてくださった。すべての人が彼女と一緒に仕事をすべきだ、というのも彼女は素晴らしいからだ。ただし、本当にそうするのはやめてくださるよう切にお願いする、なぜなら、私は次回もぜひ彼女と仕事がしたいからだ。

　本書に残っている間違いは、すべて私自身の責任である。元のガイド本を書き写した際に、何カ所か写し間違えてしまったに違いないと思う。

ライアン・ノース
トロントにて
2018年

訳者あとがき

　著者ライアン・ノースはカナダのライターで、主に十代の若者向けの漫画を制作しており、「漫画のアカデミー賞」とも呼ばれているアイズナー賞を二度受賞している。シェークスピアの『ハムレット』に基づき、登場人物のなかから読者が自分が演じる役割を選び、読みながらその人物として選択を行い、筋書を作っていく、ゲーム仕立ての本も書くという多才ぶりだ。専門はコンピュータ科学で、プログラマーでもある。

　ゲーム好きの茶目っ気ある著者、今回は、大昔から現代に戻ることができなくなったタイムトラベラーが、ゼロから文明を再構築するためのガイド本を出したという設定。文明が消滅したあとどうするかというテーマの本は珍しくないが、なぜ本書はタイムトラベラー向けなのか？　以前ノースがガールフレンドに、「私たち、過去に行ったとしたら、何を変えられるの？」と訊かれたのが発端らしい。しばらく考えた末彼が出した答は、「大して何も変えられないね」。コンピュータ科学者のノース、500年前の時代に行ったとして、お得意のコンピュータは使えない。さらに昔に行ったとして、文明を空気のように享受している現代人は、文明の利器をゼロから再構築するだけの知識がない。

　懸命に勉強して学位まで取ったのに、大昔に行っても神のように崇められる存在にはなれないと気づいて愕然としたノース。奮起してインターネットで調査し、そこそこ簡単に再現でき、かつ非常に効率的な技術をピックアップし、「タイムトラベラーのカンニング・ペーパー」にまとめた。これさえあれば、大昔に行って、周囲から天才扱いされること間違いなしというわけだ。このカンニング・ペーパーこそ、本書のベースである。

　文明史を調べながら彼は気づいた。ある発明が行われるために必要なものはすべてそろっているのに、実際に発明されるまで相当長い時間が無駄に経過していることがあまりに多いと。方位磁針や牛乳の低温殺菌など、

本書で繰り返し指摘されているとおり。そのような発明で最も重要で最も遅れが大きかったのが書き言葉だと彼は言う。話し言葉が5万年前には誕生していたのに、書き言葉が発明されたのは紀元前3200年ごろ。この4万年を優に超える遅れは非常に痛かった。なぜなら、すべての発明は情報に基づくのであり、その情報を広く伝えるのが書き言葉だからだ。ぜひ古代人たちに書き言葉を！　そこから文明は効率よく発展するはず。

　つまり本書は、過去を訪れたタイムトラベラーに、文明を最大の効率で再構築してくださいという依頼書なのだ。「あなたの文明ではもっとうまくやってくださいね」というメッセージが繰り返されるのも、これまでの人類史に対する批判の表れである。そう思って読むと一層面白い。ノースは人間が大好きなのだ。新技術を早く手に入れて、より多くの人がより豊かに暮らせるようにしようよ、できれば大昔から文明史を書き換えようよ、と聞こえる。タイムマシンなしには過去を書き換えることはできないが、本書はこれからの技術をよりうまく作っていくための指針でもある。つまり、人類を豊かにする発明は情報に基づいているのだから、情報をどこかで堰き止めて数千年苦しみ続けるのではなく、みんなで共有して知恵を出し合って局面を打開しようよ、という呼びかけだと思う。

　今回も千代延良介氏はじめ、早川書房の皆様にお世話になりました。感謝申し上げます。

　2020年8月　　　　　　　　　　　　　　　　　　吉田三知世

参考文献

Adams, Thomas F. 1861 CE. *Typographia; or, The printer's instructor: a brief sketch of the origin, rise, and progress of the typographic art, with practical directions for conducting every department in an office, hints to authors, publishers,* &c. Philadelphia: L. Johnson & Co.

Agarwal, Rishi Kumar. 1971 CE. "Origin of Spectacles in India." *British Journal of Ophthalmology*, 128–29.

American Galvanizers Association. 2017 CE. "Corrosion Rate." *Corrosion Science.* https://www.galvanizeit.org/corrosion/corrosion-process/corrosion-rate.

Anderson, Frank E., et al. 2017 CE. "Phylogenomic Analyses of Crassiclitellata Support Major Northern and Southern Hemisphere Clades and a Pangaean Origin for Earthworms." *BMC Evolutionary Biology.* doi:10.1186/s12862-017-0973-4.

Anderson, Patricia C. 1991 CE. "Harvesting of Wild Cereals During the Natufian as Seen from Experimental Cultivation and Harvest of Wild Einkorn Wheat and Microwear Analysis of Stone Tools." In *The Natufian Culture in the Levant,* by Ofer Bar-Yosef and François R. Valla, 521–52. International Monographs in Prehistory.

Barbier, André. 1950 CE. "The Extraction of Opium Alkaloids." United Nations Office on Drugs and Crime. https://www.unodc.org/unodc/en/data-and-analysis/bulletin/bulletin_1950-01-01_3_page004.html.

Bardell, David. 2004 CE. "The Invention of the Microscope." *BIOS: A Quarterly Journal of Biology* 75 (2): 78–84.

Barker, Graeme. 2009 CE. *The Agricultural Revolution in Prehistory: Why Did Foragers Become Farmers?* Oxford University Press.

Basalla, George. 1988 CE. *The Evolution of Technology.* Cambridge University Press.

Benjamin, Craig G. 2016 CE. "The Big History of Civilizations." *The Great Courses.*

Berger, A. L. 1976 CE. "Obliquity and Precession for the Last 5,000,000 Years." *Astronomy and Astrophysics* 51 (1): 127–35.

Biss, Eula. 2014 CE. *On Immunity: An Inoculation.* Graywolf Press. ユーラ・ビス『子どもができて考えた、ワクチンと命のこと。』（矢野真千子訳、柏書房）

Bowern, Claire. 2008 CE. *Linguistic Fieldwork: A Practical Guide.* Palgrave Macmillan.

Bowler, Peter J., and Iwan Rhys Morus. 2005 CE. *Making Modern Science.* The University of Chicago Press.

Bradeen, James M., and Philipp W. Simon. 2007 CE. "Carrot." In *Genome Mapping and Molecular Breeding in Plants: Vegetables,* by Chittaranjan Kole, 161–84. Springer-Verlag Berlin Heidelberg. doi:10.1007/978-3-540-34536-7.

Bradshaw, John L. 1998 CE. *Human Evolution: A Neuropsychological Perspective.* Psychology Press.

Brown, Henry T. 2005 CE. *507 Mechanical Movements: Mechanisms and Devices.* Dover Publications.

Bunch, Bryan, and Alexander Hellemans, 1993 CE. *The Timetables of Technology: A Chronology of the Most Important People and Events in the History of Technology.* Simon & Schuster.

Bunney, Sarah. 1985 CE. "Ancient Trade Routes for Obsidian." *New Scientist* 26.

Burdock Group. 2007 CE. "Safety Assessment of Castoreum Extract as a Food Ingredient." *International Journal of Toxicology* 26 (1): 51–55. doi:10.1080/10915810601120145.

Cegłowski, Maciej. 2010 CE. "Scott and Scurvy." *Idle Words.* March. http://idlewords.com/2010/03/scott_and_scurvy.htm.

Chaline, Eric. 2015 CE. *Fifty Animals that Changed the Course of History.* Firefly Books. エリック・シャリーン『図説：世界史を変えた50の動物』（甲斐理恵子訳、原書房）

Civil, M. 1964 CE. "A Hymn to the Beer

Goddess and a Drinking Song." *Studies Presented to A. Leo Oppenheim*, 67–89.

Clement, Charles R., et al. 2010 CE. "Origin and Domestication of Native Amazonian Crops." *Diversity*, 72–106. doi:10.3390/d2010072.

Cook, G. C. 2001 CE. "Construction of London's Victorian Sewers: The Vital Role of Joseph Bazalgette." *Postgraduate Medical Journal* 77 (914): 802. doi:10.1136/pmj.77.914.802.

Cornell, Kit. 2017 CE. *How to Find and Dig Clay*. http://www.kitcornellpottery.com/teaching/clay.html.

Crump, Thomas. 2002 CE. *A Brief History of Science As Seen Through the Development of Scientific Instruments*. Constable & Robinson Ltd.

Dartnell, Lewis. 2014 CE. *The Knowledge: How to Rebuild Civilization in the Aftermath of a Cataclysm*. Penguin Books. ルイス・ダートネル『この世界が消えたあとの科学文明のつくりかた』（東郷えりか訳、河出書房新社）

Dauchy, Serge. 2000 CE. "Trois procès à cadavre devant le Conseil souverain du Québec (1687–1708): Un exemple d'application de l'ordonnance de 1670 dans les colonies." *Juges et criminels, l'Espace Juridique*, 37–49.

Dawson, Gloria. 2019 CE. "Beer Domesticated Man." *Nautilus*, December 19. http://nautil.us/issue/8/home/beer-domesticated-man.

De Decker, Kris. 2013 CE. "Back to Basics: Direct Hydropower." *Low-Tech Magazine*. August 11. http://www.lowtechmagazine.com/2013/08/direct-hydropower.html.

De Morgan, Augustus. 1847 CE. *Formal Logic, or, The Calculus of Inference, Necessary and Probable.* Taylor and Walton.

Derry, T. K., and Trevor I. Williams. 1993 CE. *A Short History of Technology, from the Earliest Times to A.D. 1900*. Oxford University Press.

Devine, A. M. 1985 CE. "The Low Birth-Rate in Ancient Rome: A Possible Contributing Factor." *Rheinisches Museum für Philologie,* 313–17.

Diamond, Jared. 1999 CE. *Guns, Germs, and Steel: The Fates of Human Societies*. W. W. Norton. ジャレド・ダイアモンド『銃・病原菌・鉄』（倉骨彰訳、草思社）

Dietitians of Canada/Les diététistes du Canada.

2013 CE. "Factsheet: Functions and Food Sources of Common Vitamins." *Dietitians of Canada*. February 6. https://www. dietitians. ca/Your-Health/Nutrition-A-Z/Vitamins/Functions-and-Food-Sources-of-Common-Vitamins.aspx.

DK Publishing. 2012 CE. *The Survival Handbook: Essential Skills for Outdoor Adventure*. DK Publishing.

Douglas, George H. 2001 CE. *The Early Days of Radio Broadcasting*. McFarland & Co Inc Publishing.

Dunn, Kevin M. 2003 CE. *Caveman Chemistry: 28 Projects, from the Creation of Fire to the Production of Plastics*. uPublish.com.

Dyson, George. 2012 CE. *Turing's Cathedral*. Vintage Books. ジョージ・ダイソン『チューリングの大聖堂』（吉田三知世訳、早川書房）

Eakins, B. W., and G. F. Sharman. 2012 CE. "Hypsographic Curve of Earth's Surface from ETOPO1." *National Oceanic and Atmospheric Administration National Geophysical Data Center*. https://www.ngdc. noaa.gov/mgg/global/etopo1_surface_ histogram.html.

Eisenmann, Vera. 2003 CE. "Gigantic Horses." *Advances in Vertebrate Paleontology*, 31–40.

Ekko, Sakari. 2015 CE. *Latitude Gnomon and Quadrant for the Whole Year*. https://www. eaae-astronomy.org/ workshops/172-latitude-gnomon-and-quadrant-for-the-whole-year.

Faculty of Oriental Studies, University of Oxford. 2006 CE. *The Electronic Text Corpus of Sumerian Literature*. http://etcsl.orinst. ox.ac.uk/.

Fang, Janet. 2010 CE. "A World Without Mosquitoes." *Nature* (466): 432–34. doi:10.1038/466432a.

Farey, John. 1827 CE. *A Treatise on the Steam Engine: Historical, Practical, and Descriptive*. London: Longman, Rees, Orme, Brown, and Green. https://archive.org/details/treatiseonsteame01fareuoft.

Fattori, Victor, Miriam S. N. Hohmann, Ana C. Rossaneis, Felipe A. Pinho-Ribeiro, and Waldiceu A. Verri Jr. 2016 CE. "Capsaicin: Current Understanding of Its Mechanisms and Therapy of Pain and Other Pre-Clinical and Clinical Uses." *Molecules* 21 (7). doi:10.3390/molecules21070844.

Ferrand, Nuno. 2008 CE. "Inferring the Evolutionary History of the European Rabbit (Oryctolagus cuniculus) from Molecular Markers." *Lagomorph Biology*, 47–63. doi:10.1007/978-3-540-72446-9_4.

Feyrer, James, Dimitra Politi, and David N. Weil. 2017 CE. "The Cognitive Effects of Micronutrient Deficiency: Evidence from Salt Iodization in the United States." *Journal of the European Economic Association* 15 (2): 355–87. doi:10.3386/w19233.

Francis, Richard C. 2015 CE. *Domesticated: Evolution in a Man-Made World*. W. W. Norton. リチャード・C・フランシス『家畜化という進化 : 人間はいかに動物を変えたか』（西尾香苗訳、白揚社）

Furman, C. Sue. 1997 CE. *Turning Point: The Myths and Realities of Menopause*. Oxford University Press. スー・ファーマン『更年期を迎える : からだの転換期と心の準備』（金城千佳子訳、三田出版会）

Gainsford, Peter. 2017 CE. "Salt and Salary: Were Roman Soldiers Paid in Salt?" *Kiwi Hellenist: Modern Myths About the Ancient World*. January 11. http://kiwihellenist .blogspot.ca/2017/01/salt-and-salary.html.

Gearon, Eamonn. 2017 CE. "The History and Achievements of the Islamic Golden Age." The Great Courses.

Gerke, Randy. 2009 CE. *Outdoor Survival Guide*. Human Kinetics.

Glenn, Edward P., J. Jed Brown, and Eduardo Blumwald. 1999 CE. "Salt Tolerance and Crop Potential of Halophytes." *Critical Reviews in Plant Sciences* 18 (2): 227–55. doi:10.1080/07352689991309207.

Goldstone, Lawrence. 2015 CE. *Birdmen: The Wright Brothers, Glenn Curtiss, and the Battle to Control the Skies*. Ballantine Books.

Graham, C., and V. Evans. 2007 CE. "History of Mining." *Canadian Institute of Mining, Metallurgy, and Petroleum*. August. http://www.cim.org/en/Publications-and-Technical-Resources/Publications/CIM-Magazine/2007/august/history/history-of-mining.aspx.

Grossman, Dan. 2017 CE. "Hydrogen and Helium in Rigid Airship Operations." *Airships.net: The Graf Zeppelin, Hindenburg, U.S. Navy Airships, and Other Dirigibles*. June. http://www.airships.net/helium-hydrogen-airships/.

Gugliotta, Guy. 2008 CE. "The Great Human Migration." *Smithsonian Magazine*, July.

Gurstelle, William. 2014 CE. *Defending Your Castle: Build Catapults, Crossbows, Moats, Bulletproof Shields, and More Defensive Devices to Fend Off the Invading Hordes*. Chicago Review Press.

Hacket, John. 1693 CE. *Scrinia Reserata: A Memorial Offer'd to the Great Deservings of John Williams, D. D., who Some Time Held the Places of Lord Keeper of the Great Seal of England, Lord Bishop of Lincoln, and Lord Archbishop of York*. London: Edward Jones, for Samuel Lowndes, over against Exeter-Exchange in the Strand. https://hdl. handle.net/2027/uc1.31175035164386.

Halsey, L. G., and C. R. White. 2012 CE. "Comparative Energetics of Mammalian Locomotion: Humans Are Not Different." *Journal of Human Evolution* 63: 718–22. doi:10.1016/j.jhevol.2012.07.008.

Han, Fan, Andreas Wallberg, and Matthew T. Webster. 2012 CE. "From Where Did the Western Honeybee (Apis mellifera) Originate?" *Ecology and Evolution*. 8:1949–57. doi:10.1002 /ece3.312.

Harari, Yuval Noah. 2014 CE. *Sapiens: A Brief History of Humankind*. McClelland & Stewart. ユヴァル・ノア・ハラリ『サピエンス全史 : 文明の構造と人類の幸福』（柴田裕之訳、河出書房新社）

Heidenreich, Conrad E., and Nancy L. Heidenreich. 2002 CE. "A Nutritional Analysis of the Food Rations in Martin Frobisher's Second Expedition, 1577." *Polar Record*, 23-38. doi:10.1017/S0032247400017277.

Hellemans, Alexander, and Bryan Bunch. 1991 CE. *The Timetables of Science: A Chronology of the Most Important People and Events in the History of Science*. Touchstone Books. 『Maruzen科学年表 : 知の5000年史』（植村美佐子ほか訳、丸善）

Herodotus. 2013 CE. *Delphi Complete Works of Herodotus (Illustrated)*. Delphi Classics.

Hess, Julius H. 1922 CE. *Premature and Congenitally Diseased Infants*. Lea & Febiger. http://www.neonatology.org/classics/hess1922/hess.html.

Hobbs, Peter R., Ian R. Lane, and Helena Gómez Macpherson. 2006 CE. "Fodder Production and Double Cropping in Tibet: Training Manual." *Food And Agriculture Organization of the United Nations*. http://www.fao.org/ag/agp/agpc/doc/tibetmanual/ cover.htm.

Hogshire, Jim. 2009 CE. *Opium for the Masses: Harvesting Nature's Best Pain Medication*. Feral House. ジム・ホグシャー『アヘン』（岩本正恵訳、青弓社）

Hublin, Jean-Jacques, et al. 2017 CE. "New fossils from Jebel Irhoud, Morocco and the pan-African origin of *Homo sapiens*." *Nature* 546: 289–92. doi:10.1038/nature22336.

Hyslop, James Hervey. 1899 CE. *Logic and Argument*. Charles Scribner's Sons.

Iezzoni, A., H. Schmidt, and A. Albertini. 1991 CE. "Cherries (Prunus)." *Acta Horticulturae: Genetic Resources of Temperate Fruit and Nut Crops*. doi:10.17660/ ActaHortic.1991.290.4.

Johnson, C. 2009 CE. "Sundial Time Correction—Equation of Time." January. http://mb-soft.com/public3/equatime.html.

Johnson, Steven. 2014 CE. *How We Got to Now: Six Innovations That Made the Modern World*. Riverhead Books. スティーブン・ジョンソン『世界をつくった６つの革命の物語：新・人類進化史』（大田直子訳、朝日新聞出版）

——. 2010 CE. *Where Good Ideas Come From: The Natural History of Innovation*. Riverhead Books. スティーブン・ジョンソン『イノベーションのアイデアを生み出す七つの法則』（松浦俊輔訳、日経BP社）

Kean, Sam. 2010 CE. *The Disappearing Spoon and Other True Tales of Madness, Love, and the History of the World from the Periodic Table of the Elements*. Little, Brown and Company. サム・キーン『スプーンと元素周期表』（松井信彦訳、早川書房）

Kennedy, James. 2016 CE. *(Almost) Nothing Is Truly "Natural."* February 19. https://jameskennedymonash.wordpress.com/2016/02/19/nothing-in-the-supermarket-is-natural-part-4/.

Kislev, Mordechai E., Anat Hartmann, and Ofer Bar-Yosef. 2006 CE. "Early Domesticated Fig in the Jordan Valley." *Science* 312 (5778): 1372–74. doi:10.1126/science.1125910.

Kolata, Gina. 1994 CE. "In Ancient Times, Flowers and Fennel For Family Planning." *The New York Times*, March 8.

Kowalski, Todd J., and William A. Agger. 2009 CE. "Art Supports New Plague Science." *Clinical Infectious Diseases* 48 (1): 137–38. doi:10.1086/595557.

Kurlansky, Mark. 2017 CE. *Paper: Paging Through History*. W. W. Norton. マーク・カーランスキー『紙の世界史：歴史に突き動かされた技術』（川副智子訳、徳間書店）

——. 2002 CE. *Salt: A World History*. Vintage Canada. マーク・カーランスキー『塩の世界史：歴史を動かした小さな粒』（山本光伸訳、中央公論新社）

Lakoff, George, and Mark Johnson. 2003 CE. *Metaphors We Live By*. University of Chicago Press.

Lal, Rattan. 2016 CE. *Encyclopedia of Soil Science. Third edition*. CRC Press.

Laws, Bill. 2015 CE. *Fifty Plants that Changed the Course of History*. Firefly Books. ビル・ローズ『図説：世界史を変えた50の植物』（柴田譲治訳、原書房）

LeConte, Joseph. 1862 CE. *Instructions for the Manufacture of Saltpetre*. Charles P. Pelham, State Printer. http://docsouth.unc.edu/imls/lecontesalt/leconte.html.

Lemley, Mark A. 2012 CE. "The Myth of the Sole Inventor." *Michigan Law Review* 110 (5): 709–60. doi:10.2139/ssrn.1856610.

Lewis, C. I. 1914 CE. "The Matrix Algebra for Implications." Edited by Frederick J. E. Woodbridge and Wendell T. Bush. *The Journal of Philosophy, Psychology, and Scientific Methods* (The Science Press) XI: 589–600.

Liggett, R. Winston, and H. Koffler. 1948 CE. "Corn Steep Liquor in Microbiology." *Bacteriological Reviews*, 297–311.

"List of Zoonotic Diseases." 2013 CE. *Public Health England*. March 21. https://www.gov. uk/government/publications/list-of-zoonotic-diseases/list-of-zoonotic-diseases.

Livermore, Harold. 2004 CE. "Santa Helena, a Forgotten Portuguese Discovery." *Estudos em Homenagem a Louis Antonio de Oliveira*

Ramos, 623–31.

Lundin, Cody. 2007 CE. *When All Hell Breaks Loose: Stuff You Need to Survive When Disaster Strikes*. Gibbs Smith.

Lunge, Georg. 1916 CE. *Coal-Tar and Ammonia*. D. Van Nostrand. https://archive.org/ details/coaltarandammon04lunggoog.

Maines, Rachel P. 1998 CE. *The Technology of Orgasm: "Hysteria," the Vibrator, and Women's Sexual Satisfaction*. The Johns Hopkins University Press. レイチェル・P・メインズ『ヴァイブレーターの文化史：セクシュアリティ・西洋医学・理学療法』（佐藤雅彦訳、論創社）

Mann, Charles C. 2006 CE. *1491: New Revelations of the Americas Before Columbus*. Vintage. チャールズ・C・マン『1491：先コロンブス期アメリカ大陸をめぐる新発見』（布施由紀子訳、NHK出版）

Marchetti, C. 1979 CE. "A Postmortem Technology Assessment of the Spinning Wheel: The Last Thousand Years." *Technological Forecasting and Social Change* 13 (1): 91–93.

Martin, Paula, et al. 2008 CE. "Why Does Plate Tectonics Occur Only on Earth?" *Physics Education* 43 (2): 144–50. doi:10.1088/0031-9120/43/2/002.

Martín-Gil, J., et al. 1995. "The First Known Use of Vermillion." *Experientia,* 759–61. doi:10.1007/BF01922425.

McCoy, Jeanie S. 2006 CE. "Tracing the Historical Development of Metalworking Fluids." In *Metalworking Fluids: Second Edition*, by Jerry P. Byers, 480. Taylor & Francis Group.

McDowell, Lee Russell. 2000 CE. *Vitamins in Animal and Human Nutrition, Second Edition*. Wiley-Blackwell.

McElney, Brian. 2001 CE. "The Primacy of Chinese Inventions." *Bath Royal Literary and Scientific Institution.* September 28. Accessed July 1, 2017 CE. https://www.brlsi.org/events-proceedings/proceedings/17824.

McGavin, Jennifer. 2017 CE. "Using Ammonium Carbonate in German Baking." *The Spruce*. May 1. https://www.thespruceeats.com/ammonium-carbonate-hartshorn-hirschhornsalz-1446913.

McLaren, Angus. 1990 CE. *History of*

Contraception: From Antiquity to the Present Day. Basil Blackwell.

McNeil, Dr. Donald G. Jr. 2006 CE. "In Raising the World's I. Q., the Secret's in the Salt." *The New York Times,* December 16.

Mechanical Wood Products Branch, Forest Industries Division, FAO Forestry Department. 1987 CE. "Simple Technologies for Charcoal Making." *Food And Agriculture Organization of the United Nations.* http://www.fao.org/3/x5328e/x5328e00.htm.

Miettinen, Arto, et al. 2008 CE. "The Palaeoenvironment of the 'Antrea Net Find.'" *Iskos* 16: 71–87.

Moore, Thomas. 1803 CE. *An essay on the most eligible construction of ice-houses: also, a description of the newly invented machine called the refrigerator*. Baltimore: Bonsal & Niles.

Morin, Achille. 1842 CE. *Dictionnaire du droit criminel: répertoire raisonné de législation et de jurisprudence, en matière criminelle, correctionnelle et de police*. Paris: A. Durand.

Mott, Lawrence V. 1991 CE. *The Development of the Rudder, A.D. 100–1600: A Technological Tale*. http://nautarch.tamu.edu/pdf-files/Mott-MA1991.pdf.

Mueckenheim, W. 2005 CE. "Physical Constraints of Numbers." *Proceedings of the First International Symposium of Mathematics and its Connections to the Arts and Sciences,* 134–41.

Munos, Melinda K., Christa L. Fischer Walker, and Robert E. Black. 2010 CE. "The Effect of Oral Rehydration Solution and Recommended Home Fluids on Diarrhoea Mortality." *International Journal of Epidemiology* 39: i75–i87. doi:10.1093/ije/dyq025.

Murakami, Fabio Seigi, et al. 2007 CE. "Physicochemical Study of $CaCO_3$ from Egg Shells." *Food Science and Technology* 27 (3): 658–62. doi:10.1590/S0101-20612007000300035.

Nancy Hall. 2015 CE. "Lift from Flow Turning." *National Aeronautics and Space Administration: Glenn Research Center*. May 5. https://www.grc.nasa.gov/www/k-12/airplane/right2.html.

National Coordination Office for Space-Based

Positioning, Navigation, and Timing. 2016 CE. "Selective Availability." *GPS: The Global Positioning System.* September 23. http://www.gps.gov/systems/gps/modernization/sa/.

National Oceanic and Atmospheric Administration's Office of Response and Restoration. n.d. *Chemical Datasheets.* https://cameochemicals.noaa.gov.

Naval Education. 1971 CE. *Basic Machines and How They Work.* Dover Publications.

Nave, Carl Rod. 2001 CE. *Hyperphysics.* http://hyperphysics.phy-astr.gsu.edu/.

Nelson, Sarah M. 1998 CE. *Ancestors for the Pigs: Pigs in Prehistory.* University of Pennsylvania Museum of Archaeology and Anthropology.

North American Sundial Society. 2017 CE. *Sundials for Starters.* http://sundials.org/.

Nuwer, Rachel. 2012 CE. "Lice Evolution Tracks the Invention of Clothes." *Smithsonian,* November 14.

O'Reilly, Andrea. 2010 CE. *Encyclopedia of Motherhood.* Vol. 1. SAGE Publications, Inc.

Omodeo, Pietro. 2000 CE. "Evolution and Biogeography of Megadriles (Annelida, Clitel-lata)." *Italian Journal of Zoology* 67 (2): 179–201. doi:10.1080/11250000009356313.

OpenLearn. 2007 CE. "DIY: Measuring Latitude and Longitude." The Open University. September 27. http://www.open.edu/openlearn/society/politics-policy-people / geography/diy-measuring-latitude-and-longitude.

Pal, Durba, et al. 2009 CE. "Acaciaside-B-Enriched Fraction of Acacia Auriculiformis Is a Prospective Spermicide with No Mutagenic Property." *Reproduction* 138 (3): 453–62. doi:10.1530/REP-09-0034.

Pidancier, Nathalie, et al. 2006 CE. "Evolutionary History of the Genus Capra (Mammalia, Artiodactyla): Discordance Between Mitochondrial DNA and Y-Chromosome Phylogenies." *Molecular Phylogenetics and Evolution* 40 (3): 739–49. doi:10.1016/j.ympev.2006.04.002.

Pinker, Steven. 2007 CE. *The Language Instinct: How the Mind Creates Language.* Harper Perennial Modern Classics. スティーブン・ピンカー『言語を生み出す本能』（椋田直子訳、NHK出版）

Planned Parenthood. 2017 CE. "About Birth Control Methods." *Planned Parenthood.* https://www.plannedparenthood.org/learn/birth-control/.

Pollock, Christal. 2016 CE. "The Canary in the Coal Mine." *Journal of Avian Medicine and Surgery* 30 (4): 386–91. doi:10.1647/1082-6742-30.4.386.

Preston, Richard. 2003 CE. *The Demon in the Freezer: A True Story.* Fawcett. リチャード・プレストン『デーモンズ・アイ：冷凍庫に眠るスーパー生物兵器の恐怖 』（真野明裕訳、小学館）

Price, Bill. 2014 CE. *Fifty Foods that Changed the Course of History.* Firefly Books. ビル・プライス『図説：世界史を変えた50の食物』（井上廣美訳、原書房）

Pyykkö, Pekka. 2011 CE. "A Suggested Periodic Table up to Z ≤ 172, Based on Dirac– Fock Calculations on Atoms and Ions." *Physical Chemistry Chemical Physics* 13 (1): 161–68. doi:10.1039/c0cp01575j.

Rehydration Project. 2014 CE. *Oral Rehydration Therapy: A Special Drink for Diarrhoea.* April 21. http://rehydrate.org/.

Rezaei, Hamid Reza, et al. 2010 CE. "Evolution and Taxonomy of the Wild Species of the Genus Ovis." *Molecular Phylogenetics and Evolution* 54 (2): 315–26. doi:10.1016/j.ympev.2009.10.037.

Richards, Matt. 2004 CE. *Deerskins into Buckskins: How to Tan with Brains, Soap or Eggs.* Backcountry Publishing.

Riddle, John M. 2008 CE. *A History of the Middle Ages, 300–1500.* Rowman & Littlefield.

——. 1992 CE. *Contraception and Abortion from the Ancient World to the Renaissance.* Harvard University Press.

Rosenhek, Jackie. 2014 CE. "Contraception: Silly to Sensational: The Long Evolution from Lemon-Soaked Pessaries to the Pill." *Doctor's Review.* August. http://www.doctorsreview.com/history/contraception-silly-sensational/.

Rothschild, Max F., and Anatoly Ruvinsky. 2011 CE. *The Genetics of the Pig.* CABI.

Russell, Bertrand. 1903. *The Principles of Mathematics.* Cambridge University Press.

Rybczynski, Witold. 2001 CE. *One Good Turn: A Natural History of the Screwdriver and the Screw*. Scribner. ヴィトルト・リプチンスキ『ねじとねじ回し：この千年で最高の発明をめぐる物語』（春日井晶子訳、早川書房）

Sawai, Hiromi, et al. 2010 CE. "The Origin and Genetic Variation of Domestic Chickens with Special Reference to Junglefowls *Gallus g. gallus* and *G. varius.*" *PLoS ONE.* doi:10.1371/journal. pone.0010639.

Schmandt-Besserat, Denise. 1997 CE. *How Writing Came About*. University of Texas Press. デニス・シュマント゠ベッセラ『文字はこうして生まれた』（小口好昭・中田一郎共訳、岩波書店）

Shaw, Simon, Linda Peavy, and Ursula Smith. 2002 CE. *Frontier House*. Atria.

Sheridan, Sam. 2013 CE. *The Disaster Diaries: One Man's Quest to Learn Everything Necessary to Survive the Apocalypse*. Penguin Books.

Singer-Vine, Jeremy. 2011 CE. "How Long Can You Survive on Beer Alone?" *Slate*, April 28. http://www.slate.com/news_and_politics/2011/04/the-budwiser-diet-how-long-can-you-survive-on-beer-alone.html.

Singh, M. M., et al. 1985 CE. "Contraceptive Efficacy and Hormonal Profile of Ferujol: A New Couma-rin from Ferula jaeschkeana." *Planta Med* 51 (3): 268–70. doi:10.1055/s-2007-969478.

Smith, Edgar C. 2013 CE. *A Short History of Naval and Marine Engineering*. Cambridge University Press.

Société Académique de Laon. 1857 CE. *Bulletin: Volume 6*. Paris: V. Baston.

St. Andre, Ralph E. 1993 CE. *Simple Machines Made Simple*. Libraries Unlimited.

Standage, Tom. 2006 CE. *A History of the World in 6 Glasses*. Bloomsbury USA. トム・スタンデージ『世界を変えた６つの飲み物 ：ビール、ワイン、蒸留酒、コーヒー、茶、コーラが語るもうひとつの歴史』（新井崇嗣訳、楽工社）

Stanger-Hall, Kathrin F., and David W. Hall. 2011 CE. "Abstinence-Only Education and Teen Pregnancy Rates: Why We Need Comprehensive Sex Education in the U.S." *PLoS ONE* 6 (10). doi:10.1371/journal.

pone.0024658.

Starkey, Paul. 1989 CE. *Harnessing and Implements for Animal Traction*. Friedrich Vieweg & Sohn Verlagsgesellschaft mbH.

Stephenson, F. R., L. V. Morrison, and C. Y. Hohenkerk. 2016 CE. "Measurement of the Earth's rotation: 720 BC to AD 2015." *Proceedings of the Royal Society A: Mathematical, Physical, and Engineering Sciences* 472 (2196). doi:10.1098/rspa.2016.0404.

Sterelny, Kim. 2011 CE. "From Hominins to Humans: How Sapiens Became Behaviourally Modern." *Philosophical Transactions of the Royal Society: Biological Sciences,* 366 (1566). doi:10.1098/rstb.2010.0301.

Stern, David P. 2016 CE. *Planetary Gravity-Assist and the Pelton Turbine*. October 26. http://www.phy6.org/stargaze/Spelton.htm.

Stone, Irwin. 1966 CE. "On the Genetic Etiology of Scurvy." *Acta Geneticae Medicae et Gemellologiae* 15 (4): 345–50.

Stroganov, A. N. 2015 CE. "Genus Gadus (Gadidae): Composition, Distribution, and Evolution of Forms." *Journal of Ichthyology* 55 (3): 319–36. doi:10.1134/S0032945215030145.

Stubbs, Brett J. 2003 CE. "Captain Cook's Beer: The Antiscorbutic Use of Malt and Beer in Late 18th Century Sea Voyages." *Asia Pacific Journal of Clinical Nutrition* 12 (2): 129–37.

The Association of UK Dieticians. 2016 CE. "Food Fact Sheet: Iodine." *BDA*. May. https://www.bda.uk.com/foodfacts/Iodine.pdf.

The National Society for Epilepsy. 2016 CE. "Step-By-Step Recovery Position." *Epilepsy Society*. March. https://www.epilepsysociety.org.uk/step-step-recovery-position.

The Royal Society of Chemistry. 2012 CE. *The Chemistry of Pottery*. July 1. https://edu.rsc.org/feature/the-chemistry-of-pottery/2020245.article.

Ueberweg, Dr. Friedrich. 1871. *System of Logic and History of Logical Doctrines*. Longmans, Green, and Company.

Ure, Andrew. 1878 CE. *A Dictionary of Arts, Manufactures, and Mines: Containing a Clear Exposition of Their Principles and Practice*. London: Longmans, Green. https:// archive.org/details/b21994055_0003.

US Department of Agriculture. 2016 CE. "The Rescue of Penicillin." *United States Department of Agriculture: Agricultural Research Service.* https://www.ars.usda.gov/oc/timeline/penicillin/.

Usher, Abbott Payson. 1988 CE. *A History of Mechanical Inventions.* Dover Publications, Inc.

Vincent, Jill. 2008 CE. "The mathematics of sundials." *Australian Senior Mathematics Journal* 22 (1): 13–23.

von Petzinger, Genevieve. 2016 CE. *The First Signs: Unlocking the Mysteries of the World's Oldest Symbols.* Atria. ジェネビーブ・ボン・ペッツィンガー『最古の文字なのか？：氷河期の洞窟に残された32の記号の謎を解く』（櫻井祐子訳、文藝春秋）

Warneken, Felix, and Alexandra G. Rosati. 2015 CE. "Cognitive capacities for cooking in chimpanzees." *Proceedings of the Royal Society of London B: Biological Sciences* 282 (1809). doi:10.1098/rspb.2015.0229.

Watson, Peter R. 1983 CE. *Animal Traction.* Artisan Publications.

Wayman, Erin. 2011 CE. "Humans, the Honey Hunters." *Smithsonian*, December 19.

Weber, Ella. 2012 CE. "Apis mellifera: The Domestication and Spread of European Honey Bees for Agriculture in North America." *University of Michigan Undergraduate Research Journal* (9): 20–23.

Welker, Bill. 2016 CE. "Hydrogen for Early Airships." *Then and Now.* December. http://welweb.org/ThenandNow/Hydrogen%20Generation.html.

Werner, David, Carol Thuman, and Jane Maxwell. 2011 CE. *Where There Is No Doctor: A Village Health Care Handbook.* Macmillan. デビッド・ワーナー、キャロル・サマン、ジェーン・マックスウェル『医者のいないところで：村のヘルスケア手引書』（河田いこひ原訳、シェア＝国際保健協力市民の会）

White Jr., Lynn. 1962 CE. "The Act of Invention: Causes, Contexts, Continuities and Consequences." *Technology and Culture: Proceedings of the Encyclopaedia Britannica Conference on the Technological Order* 486–500. doi:10.2307/3100999.

Wicks, Frank. 2011 CE. "100 Years of Flight: Trial by Flyer." *Mechanical Engineering.* https://web.archive.org/web/20110629103435/http://www.memagazine.org/supparch/flight03/trialby/trialby.html.

Wickstrom, Mark L. 2016 CE. "Phenols and Related Compounds." *Merck Veterinary Manual.* http://www.merckvetmanual.com/en-ca/pharmacology/antiseptics-and-disinfectants/phenols-and-related-compounds.

Williams, George E. 2000 CE. "Geological Constraints on the Precambrian History of Earth's Rotation and the Moon's Orbit." *Reviews of Geophysics* 38 (1): 37–59. doi:10.1029/1999RG900016.

Wilson, Bee. 2012 CE. *Consider the Fork: A History of How We Cook and Eat.* Basic Books. ビー・ウィルソン『キッチンの歴史：料理道具が変えた人類の食文化』（真田由美子訳、河出書房新社）

World Health Organization. 2007 CE. "Food Safety: The 3 Fives." *World Health Organization.* http://www.who.int/foodsafety/areas_work/food-hygiene/3_fives/en/.

——. 2017 CE. "WHO Model Lists of Essential Medicines." *World Health Organization.* http://www.who.int/medicines/publications/essentialmedicines/en/.

Wragg, David W. 1974 CE. *Flight Before Flying.* Osprey Publishing.

Wright, Jennifer. 2017 CE. *Get Well Soon: History's Worst Plagues and the Heroes Who Fought Them.* Henry Holt and Co. ジェニファー・ライト『世界史を変えた13の病』（鈴木涼子訳、原書房）

Yong, Ed. 2016 CE. "A New Origin Story for Dogs." *The Atlantic*, June 2.

Zinsser, Hans. 2008 CE. *Rats, Lice and History.* Willard Press.

原注
私、すなわち、このタイムラインのなかで生きている
ライアン・ノースによる原注

1. 2017年、科学者たちは、解剖学的現生人類に非常に近い特徴を持つ骨を多数発見し、その年代を特定したところ、約30万年前のものであることがわかった。これらの、大昔に生存した、過渡的なものと位置づけられる人類の骨格には、現生人類のそれとは明確に異なる特徴もあった——下顎は現生人類よりも大きく、頭蓋骨が縦に長かった（訳注：過渡的なものと考えられる化石には、2013年に南アフリカで発見された「ホモ・ナレディ」と呼ばれるものや、その後モロッコで発見されたものがあり、これらの頭蓋骨は正面から見て縦に長かったという）——が、科学者たちは、これほど人間に似た、それほど大昔の時代の化石が発見されるとは期待していなかった。私たちのタイムラインでは、この発見はまだ、この30万年前という年代が検証に耐えるかどうか、科学者たちが調査研究を行っている途中の段階にある。しかし、もしもそれが正しいと確認されれば、歴史が始まる前、私たちは「アフリカのあるひとつの場所で出現し、そこからほかの場所へと広がった」というよりもむしろ、「原人たちは、アフリカ全域に広がっていた大きな集団に属するグループで、彼らは別のグループと交配しながら進化していた」のだという証拠のひとつになるだろう。詳細は、参考文献に挙げた、ジャン・ジャック・ユブラン（Jean-Jacques Hublin）ほかの、「モロッコ、ジェベル・イルード遺跡で発見された新たな化石と、ホモ・サピエンスの全アフリカ的起源」を参照のこと。

2. この紀元前50,000年という年代は、私がこれまで行ってきた研究に基づいて行った、最善の推測と一致するが、人類がいつしゃべり始めた

かという年代は、あなたがどの科学者に尋ねるかや、その科学者が
「現代人的行動」について、どのモデルと定義を採用しているかによ
ってずれる可能性がある。私としては、紀元前50,000年という年代を
科学者たちの共通見解と呼ぶことに何ら違和感はないが、一部の研究
者たちは、紀元前10万年に現代的行動が始まったことを特定したと確
信している。どちらの年代を選ぶにしても、解剖学的現生人類と行動
的現生人類とのあいだの期間が、このガイド本が読者としているタイ
ムトラベラーとやらにとって、最も大きな影響力を振るえる時期であ
ろうことは変わらない。

3．これは正しいかもしれないが、解剖学的に現生人類の特徴を獲得した
　ヒトに、現代的行動を取らせた圧力に当たるものは何かを巡る議論は、
　私たちのタイムラインではまだ解決していない。じつのところ、それ
　を解決するには、タイムマシンを使うほかないのかもしれない。しか
　し、現代的行動が複数の個別の事例として起こったものの、グローバ
　ルな規模に拡張する前に途絶えてしまったという証拠が存在するのは
　確かだ。歴史的記録に見るこれらの食い違いを説明するような、現代
　的行動が発生する純粋に生物学的理由があるはずだ。

4．私には確かにそうだとは言えない。というのも、私たちの世界では、
　これらふたつの文明が接触していたという証拠がまだ発見されていな
　いからだ。しかし、このふたつの書き言葉の共通性を考えると、その
　可能性は確かにある。

5．私たちのタイムラインでは、量子力学はまだメタ量子超物理学には至
　っていない。

6．このガイド本を通して、農牧業が始まった年代を紀元前10,500年とし
　ている。私が調べたところ、この年代には約2000年の誤差がある。

7. ファーレンハイト氏が使った、氷、食塩、水の混合物は、実はそれほどでたらめに作られたものではない。これは、「寒剤」と呼ばれるもののひとつだが、寒剤とは、その成分が消費されてしまわないかぎり、特定の低温付近で安定する傾向のある混合物だ。氷と水は、氷と水が混合前にそれぞれ何度だったかにかかわらず、0℃付近で安定する寒剤の一例。一方、氷、水、食塩の混合物は、約 -17.8℃——あるいは、華氏温度にこだわるなら0℉——で安定する寒剤の一例である。

8. 本書（原書）出版時（西暦2018年）も、キログラムはやはりこの通りに定義されていた！　しかし、国際度量衡総会——世界共通の単位系を維持するための国際組織——が、2018年11月にキログラムの新しい定義を決議する見込みで、その新定義は2019年5月20日に施行される予定である（訳注：実際にそのように施行された。ちなみに5月20日は、1875年のこの日にメートル条約が締結されて以来、世界計量記念日として毎年実施されている）。その通りになるとすると、その日、キログラムの定義は、フランスに保管されている「原器」という物理的な参照物を基準とするものから、量子力学の基本定数であるプランク定数に基づくものへと移行する。ほかの新しい基本単位の定義と同じく、この新しい定義のキログラムも、光子の線形運動量（訳注：光子は質量がないので、運動量は量子力学を利用し、エネルギー——つまり、プランク定数に光子の振動数を掛けた値——を光速で割って計算する。新しいキログラムの定義は、プランク定数を通して光子が持つエネルギーに等価の質量に基づく）を測定する時間も資金も意思もない、過去に足止めを食らった者——いや、それどころか、現在に閉じ込められている者だってそうだ——にとっては、あまり意味がない。

9. これは、タイムトラベラーではない私たちにとっては残念なことだが、私たちのタイムラインにおいて、あなたも私も、世界中のキログラム

原器の質量が変化している原因を、実際、まだ知らないということを意味する。やれやれ。この疑問も、「とっくに解決しているはずだと誰もが思っていた科学の未解決問題」のファイルに、「太陽の磁場はどこから来たのか？」、「プレートテクトニクスが地球でしか見られないのはなぜか？」、「私たちが眠る理由や、眠りの生物学的機能は、実際まだ解明されていないんだよ。はっはっは、どうせ人生の3分の1しか眠らないんだし、大したことじゃないでしょ、きっと」に並べて入れておこう。

10. この情報は、ジェームズ・ケネディ（James Kennedy）が行った研究のおかげで、確認することができた。参考文献に挙げた、"(Almost) Nothing Is Truly 'Natural'" を参照のこと。

11. 植物に興味がおありなら、参考文献として挙げた、ビル・ローズ（Bill Laws）の『図説：世界史を変えた50の植物』（柴田譲治訳、原書房）と、ビル・プライス（Bill Price）の『図説：世界史を変えた50の食物』（井上廣美訳、原書房）をお読みください。このガイド本に記載されている植物について、より詳細がこれら2冊に記されている。もしもこのガイド本が、代替タイムラインの未来に作成されたものでなかったとしたら、あなたは、これらの参考文献は、私がこのセクションを書く際に便利な参考書として使ったのではないかと勘繰られるだろう。じつに妙ですね。

12. 大半の研究者が、この説の信憑性を疑っているが、タイムマシン以外に、それを証明する方法はないと私は思う。

13. これについては、私が証拠をご提示できる。野生の原種から小麦を栽培化する実験は、私たちのタイムラインにおいてもこれまでに行われており、同様の結果が得られている。詳しくは参考文献に挙げたパト

リシア・C・アンダーソン（Patricia C. Anderson）の「野生ヒトツ
ブコムギ栽培・収穫実験および石器微小摩耗痕跡分析から見たナトゥー
フ文化時代の野生穀物収穫」を参照されたい。

14. この粘土板は、私たちのタイムラインでも今なお保存されているが、
多少の損傷は受けている。とりわけ、「見事な甘い麦芽汁」について
の一節は、最後の2行が失われている。しかし、この讃美歌の繰り返
し構造のおかげで、その2行はかなり簡単に推測できる。興味深いこ
とに、このガイド本に載っているこの讃美歌の訳は、M・シビル
（M. Civil）の「ビールの女神に捧げる讃美歌」についての論文（参
考文献として挙げている）に載っているものとまったく同じである。
これは、素晴らしい偶然かもしれないが、この「M・シビル」がどの
タイムラインにも必ず存在しているという証拠であるという可能性も
ある。しかし、単に古代シュメール文明のビールのレシピを英語に翻
訳する方法はそれほどたくさんはないことの証明なのかもしれない。

15. もちろん、このことは検証できない。というのも、ディプロトドンが
家畜化可能だったことを示す確たる証拠はまったく存在しないし、現
代のウォンバット──ディプロトドンよりもはるかに小さい──は家
畜化されていないからだ。現代のウォンバットは、巣穴に棲んでいる
ので（カバほどの大きさのディプロトドンがそうしたとは考えにく
い）、家畜化して農業に使う状況を継続するのは難しい。これはウォ
ンバットの家畜化に対する大きな障害だが、ディプロトドンにはこの
難点はない。ウォンバットはまた、一般的に単独行動を好み社会を形
成しない動物だ──これもやはりウォンバットを捕らえて家畜化する
ことへの障害である──が、ディプロトドンの化石の多くは同じ場所
で発見されており、彼らは実際に群れをなしていたのではなかったと
しても、少なくとも、集団での長距離移動（「渡り」）は行っていたこ
とがうかがわれる。

16. もっと詳しく知りたいなら、参考文献として挙げた、エリック・シャリーン（Eric Chaline）の『図説：世界史を変えた50の動物』（甲斐理恵子訳、原書房）を参照されたい。このガイド本に挙がっているすべての種がシャリーンの本に載っているわけではないが、この本には、標準的なタイムトラベラーにはそれほど重要ではないものの、人間の歴史に影響を及ぼした数種類のほかの動物が紹介されている。あなたが事情をよくご存じなかったなら、私がこのセクションを書く際にシャリーンの本を参考にしたのだろうと罵られるかもしれないが、私はそんなことなどしていない。なにしろ、このガイド本は明らかに未来から来たのだから。

17. 私が調べた限りでは、この件に関してはあまりよくわからない。ラクダが絶滅したのは人間がラクダを殺したからかもしれないが、気候変動のせいかもしれないし、両方の影響が共に作用したのかもしれない。タイムマシンがない限り、はっきりさせるのは非常に難しい。しかし、化石記録の全体にわたって、極めて不審な、ある地球規模の傾向が見られる——人類が出現するたびに、巨大な動物が絶滅しているのだ。

18. DNA塩基配列決定法は私たちの世界でも行われているが、それが最終的にオーロックス（訳注：家畜の牛の祖先である原牛）の復活につながるかどうかは、まだわからない。

19. 化石記録のなかに、紀元前34,000年ごろの、完全にイヌでも、完全にオオカミでもない頭蓋骨がひとつ存在する。この頭蓋骨を巡っては議論が続いている。これは家畜化の過程の初期に位置する過渡的なイヌのものだと主張する研究者がいる一方で、これは家畜化をしようという初期の試みだが、その結果現在のイヌには至らなかったものであり、イヌとの相違が大きいのはそのためだという研究者もいる。本ガイド

本の記述からは、後者の立場を取っていることがうかがえる。私が確認できた、異論のないイヌの化石として最初期のものは、紀元前12,700年ごろのものと特定された化石で、これは、人間の隣に埋められたかたちで発見されており、非常によい、忠実なイヌが存在したことを示唆している。

20. 科学者たちは、ここに記述されているように、イヌが自ら家畜化することもあり得ると考えているが、タイムマシンで実際にそれを目撃しない限り、確かなことを知るのはおそらく不可能だろう。

21. 本ガイドに記された、変態する最初の昆虫が出現した年代は、私たちの知識と一致するが、カイコが初めて出現した年代がいつなのかは、私は実際に特定することはできなかった。

22. この紀元前400,000,000年という年代は推定値である。というのも、ミミズの化石は、これまでにまったく発見されていないからだ！ しかし、生痕化石（その生物の存在の証拠を記録している化石。たとえば、地中を通った跡など）や、卵胞のなかに複数個ずつ産み付けられた卵などは発見されている。

23. この情報は、参考文献に挙げたカナダ栄養士会（Dietitians of Canada）からのものも含め、私たちのタイムラインで推奨されている内容と一致する。

24. 私たちのタイムラインにおいても、そのように説明されている！ ロバート・テンプル（Robert Temple）は、『図説・中国の科学と文明（The Genius of China）』（牛山輝代訳、河出書房新社）のなかで、「あまりの非効率性、あまりの労力の浪費、そしてとにかく疲労困憊させられることから、旧式の鋤による耕作の極端な無効性は、人類最

悪の時間とエネルギーの浪費と評せられるべきだろう」（本書のための独自訳で、邦訳書の引用ではない）と述べている。だめじゃん、人間たち。

25. 燻製法がこのように見出されたのかどうか、私にははっきりとはわからないが、その可能性は高いと思われる。洞穴は換気が悪く、照明や暖房のために火は既に使われていたであろうから、煙が漂っている場所に吊るして乾燥した肉のほうがより長持ちし、味もいいと気付くのにそれほど時間はかからなかっただろう。興味深いことに、私が見つけた「食べ物の味が『スモーキー』だ」という表現はどれも、裸火を使わない調理法を人間たちが始めたあとになってようやく現れている。それ以前は、調理した食べ物はどれも「スモーキー」だったのだ。

26. この説は、私たちのタイムラインでも提唱されている！　基本的な議論はこうだ。ビールはアルコールを含み、アルコールは水よりも安全に飲める（バクテリアの多くはアルコール中では生存できないため）し、また、水を飲むより楽しい、というわけだ。狩猟と採取でお腹いっぱいの生活ができているなら、パンが作れるといっても、わざわざライフスタイルを変えて農耕生活に切り替える動機にはあまりならないだろうが、それがビールを手に入れる唯一の方法なら……あなたもきっと試してみるだろう。詳細は、参考文献に挙げた、グロリア・ドーソン（Gloria Dawson）の論文「ビールが人類を定住化させた」およびトム・スタンデージ（Tom Standage）の『世界を変えた6つの飲み物』（新井崇嗣訳、楽工社）を参照されたい。

27. 歴史に関して私たちが現在知っていることからすれば、この説には異論がある。眼鏡は1286年にイタリアで無名の発明家が開発したものだと長い間信じられていたが、ヨーロッパと接触する以前のインドの文献に、眼鏡――ガラスではなく研磨した水晶のレンズを使ったもの――

—についての言及があることに私は気づいたのだ。詳細は、参考文献に挙げたリシ・クマール・アガルワル（Rishi Kumar Agarwal）の論文「インドにおける眼鏡の起源」参照のこと。

28. 最初の人工ガラスはおそらく偶然の産物だろうと推測している歴史家たちがいることは確認できたが、タイムマシンが使えない限り、確実な検証を行うことは不可能だ。

29. 私たちの歴史においても、これと同じことが起こっている。1922年11月24日金曜日、《ザ・サウス・イースタン・タイムズ》の、サウスオーストラリア州ミリセント版に、「牛、科学を手伝う」という見出しで、記事が掲載されている。それによると、ペルトンはホースで水を当てて牛を退けたことにいたく感激し、「1時間もたたないうちに」ホイールに空き缶を多数フックでぶらさげたという。科学的な発明にまつわる感動物語の大半は間違いだが、その手の話がいつまでもなくならないのは、私たちが、「世界を変えた偶然の洞察が浮かんだ一瞬」という物語のほうが、それとは対照的な「それは、私の人生のほとんどを費やして行った、辛い仕事と研究を延々と積み重ねた結果だ」という筋書きよりもはるかに好きだからだ。

30. タイムマシンを使わない限り、これらの数値を正確に言うことはできないが、本ガイド本のデータは、私が見つけた、A・L・バーガー（A. L. Berger）による「過去500万年間の地軸傾斜と歳差運動」で示されている推測値と一致している。バーガーの論文は参考文献に挙げてある。

31. この部分の書き方からは、このような装置が、ガイド本の著者のタイムラインで実際に作られたのかどうかは、はっきりしない。私たちのタイムラインでは、そのような装置の予測能力がどれくらいかという

見積もりの計算は完了している。到達した結論は同じである。詳細は、参考文献に挙げたジョージ・ダイソン（George Dyson）の『チューリングの大聖堂』（吉田三知世訳、早川書房）を参照のこと。

32. 私たちの世界にもシルフィウムはもはや存在しないということは、別段申し上げる必要もないと思うが、科学者たちは、シルフィウムはフェルーラ属に分類される植物だったと考えている。フェルーラ属の現存する種は、「フェルジョール」という、ほぼ100パーセント妊娠を防ぐ効果のある化学物質を含んでいる……少なくとも、ラットの避妊にはそれだけの効果がある。動物実験に最もよく使われるもうひとつの動物であるハムスターには、まったく避妊効果はない。ともあれ、人間の避妊のためにシルフィウムを食す際のさまざまなレシピが研究されており、研究者らは、それらの料理は効果があると考えている。参考文献に挙げた、ジョン・M・リドル（John M. Riddle）の『古代世界からルネサンスまでの避妊と中絶』を参照のこと。シルフィウムとの関連で申し上げておく価値があるのは、ローマの出生率は実際かなり低かったということだ。じつのところ、あまりに低かったので、紀元前18年には皇帝アウグストゥスが、より多くの人々に子どもをつくらせようとして、子どものない者と未婚の者を罰する法律を制定したほどだった。

33. 紙が発明された正確な年代は、じつはわかっていない。紙の発明を巡っては多くの作り話があり、従来、紙の発明者は、西暦48年から121年まで生きた蔡倫（さいりん）（Cai Lun）とされてきた。しかし、紙はそれ以前から存在したという考古学的な証拠があり、なかには、紀元前179年のものとされるものもある。このガイド本に記された年代は、正しい情報に基づく推測の域を出ないと私は考える。

34. 無線が早期に発明できたなら、船で正確に時を刻む時計を発明しよう

として浪費した時間を大幅に節約できただろうという考え方は、以前からあった。私は、ルイス・ダートネル（Lewis Dartnell）の『この世界が消えたあとの科学文明のつくりかた』（東郷えりか訳、河出書房新社）のなかでそれに出くわした。参考文献として挙げているので、参照されたい。

35. 多くの発明がそうであるように、ラジオ（無線）の受信機も、同時に複数の人間によりまったく独立に発明された。ラジオ受信機の場合は、ふたりの人物（エドウィン・H・アームストロングとリー・ド・フォレスト）が何年にもわたり、彼らの発明の特許権を巡って争った。どんな技術でも初期にはそうなる場合が多いのだが、このふたりも、自分の発明はまっとうに機能すると知っていたが、なぜそうなのか、については、完全に誤解していた。『初期の無線通信』でジョージ・ダグラス（George Douglas）は、「ド・フォレストは、そのプロセスのどの一歩を取っても、自分が何を発明しているのかについて、完全に間違っていた。［彼のラジオ受信機は］発明というより、着実で永続的な誤りの蓄積であった」と述べている。これは痛い！

36. この脚注に挙げられている出版物は、実際にこのタイトルで出版され、現存している。参考文献に挙げている。

37. これについては、自説を100パーセント確信している者は実際にはいない。多くの研究者は、静電気による火花が炎上へと至る最初の原因と考えているが、ほかにも、エンジンのバックファイヤー、妨害工作、雷などの関与を示唆する説が存在する。

38. この記述については、私が検証することは不可能だが、それと同時に、興味をそそられ、想像したくなる。しかし、動力飛行の理論と実際を模索するためにグライダーが使われたのは事実であり、グライダーが

動力飛行機を実現するためにはほとんど不可欠な第一歩だったことは間違いない。

39. ヘリウムやネオンの化合物は、未来の世界ではどこのドラッグストアでも売っているものになるのだろうが、私たちのタイムラインの現時点では、そのようなものを入手するのはちょっと難しい。しかし、このような化合物が、このガイド本に記された高圧・低温の環境のもとで、（ごく短時間ながら）作り出されたことはある。

40. この情報は、デビッド・ワーナー（David Werner）らの『医者のいないところで：村のヘルスケア手引書』という、私たちのタイムラインにおいて、お察しのとおり、医者のいないところで、医療を手伝うアマチュアたちのために書かれた手引書の内容と一致している。ワーナーらの手引書は参考文献に挙げてある。

41. この周期表は、ご覧になってすぐわかるように、私やあなたが慣れ親しんでいるものよりはるかに長い。私たちの周期表は第118元素で終わっているが、この周期表は第172元素までである。面白いことに、私たちの現時点での理解では、172が元素の限界だろうと考えられている。それは、173になると、原子が非常に大きくなり、外側の電子は、光速を超えるスピードで運動しなければならなくなると推測されるからだ。これらの新元素の大半は、科学者の名前を元に命名されている（私たちの現在の命名法とも一致する）が、ラテン語を元に付けられたものもある。たとえば、第172元素インプリンシピオンがin principio（「はじめに」を意味するラテン語）から、第139元素プラエビデリウムがpraevidere（「予見する」を意味するラテン語）から、第134元素マライプサノビウムが、mala ipsa nova（「悪い知らせそのもの」を意味するラテン語〔訳注：第二次世界大戦と冷戦時代に活動した、アメリカ空軍第495飛行隊のモットー〕）から、などのように。

42. 硫酸（過去には「辛辣な油（oil of vitriol）」と呼ばれていた）が古代シュメール文明で使われていたことは私も知っているが、それが発見された正確な年代は私には特定できていない。

43. 私たちのタイムラインで、この悪ふざけを最初に示唆したのは認知科学教授（でピュリッツァー賞受賞者の）ダグラス・ホフスタッターだ。彼がピュリッツァー賞を受賞したのは、πの悪ふざけが認められたからではなく、何か別の理由による（訳注：著書『ゲーデル、エッシャー、バッハ——あるいは不思議の環』〔野崎昭弘・はやしはじめ・柳瀬尚紀訳、白揚社〕が評価された）。

44. これは実際に、1940年に理論物理学者ジョン・ホイーラーが提唱した本物の理論である。しかし、提唱者自身も含め、この理論を真剣に検討する者はついぞなかった。すべての電子はなぜ完全に同一なのか？現時点では、実際に誰もその本当の理由は知らない。この理論は、その問題には答える（それらはすべて同じ電子なのだから、区別することは不可能）が、夥しい数のはるかに難しい他の疑問を作り出してしまう。

ゼロからつくる科学文明

タイムトラベラーのためのサバイバルガイド

2020年9月25日　初版発行
2020年12月15日　3版発行

著　者　ライアン・ノース
訳　者　吉田三知世

発行者　早川　浩
印刷所　三松堂株式会社
製本所　大口製本印刷株式会社
発行所　株式会社　早川書房

郵便番号　101-0046
東京都千代田区神田多町2-2
電話　03-3252-3111
振替　00160-3-47799
https://www.hayakawa-online.co.jp

ISBN978-4-15-209967-9 C0040
定価はカバーに表示してあります。
Printed and bound in Japan

乱丁・落丁本は小社制作部宛お送り下さい。
送料小社負担にてお取りかえいたします。
本書のコピー、スキャン、デジタル化等の無断複製は
著作権法上の例外を除き禁じられています。